Anonymus

Reise nach dem hohen Norden, durch Schweden, Norwegen und Lappland

(1810-1814)

Anonymus

Reise nach dem hohen Norden, durch Schweden, Norwegen und Lappland

(1810-1814)

Inktank publishing, 2018

www.inktank-publishing.com

ISBN/EAN: 9783747704202

All rights reserved

Reise

nach dem

Hohen Norden

durch

Schweden, Norwegen

und

Lappland.

In den Jahren 1810, 1811, 1812 und 1814.

Von

Vargas Bedemar.

———

Erster Band.

Frankfurt a. M.

Verlag der Hermannschen Buchhandlung.

1819.

An

Seine Majestät

Friederich VI.

König von Dännemark.

Allergnädigster König!

Das hohe Gefühl, dem keine Eroberung so schmeichelhaft ist, als diejenige, welche im Reiche des Wissens geschiehet, bezeichnete jede Handlung Ew. Majestät vom ersten Augenblicke an, da Sie das Ruder des Staates ergriffen, mit einem eigenthümlichen Gepräge. Selbst unter den mannichfaltigen Bedrängnissen eines leidenschaftlichen Krieges sah das treue und ergebene Dännemark, welches den drohenden Ereignissen mit einem vollen Vertrauen auf sein Recht, und einer Ruhe entgegenging, die nur aus wahrer Aufklärung entspringen, mit dankbarer Bewunderung,

daß Ew. Majestät alle Zweige der öffentlichen
Verwaltung mit gleicher Huld und Sorgfalt
umfaßten. Der Zustand des Bergwerks- und
Hütten-Wesens in Norwegen, die Naturge-
schichte dieses Landes überhaupt, zogen Ihre
Aufmerksamkeit an, als hätten wir im tiefsten
Frieden gelebt. Unter denen, die von Ew. Maj.
auserwählt wurden, diese Quellen des National-
reichthums zu untersuchen, war ich so glücklich
ebenfalls einen Platz zu erhalten, und so ist das
Werk, das ich jetzt die Ehre habe Ew. Maj.
zu Füßen zu legen, lediglich die Frucht meiner

Bemühungen, Jhren Befehlen nach meinen besten Kräften Gehorsam zu leisten. Möchte es dem schmeichelhaften Vertrauen entsprechen, womit ich beehrt wurde, die Wissenschaft in etwas bereichern, und so meinem Wunsche nützlich zu seyn, den Beyfall des Geliebtesten der Monarchen erwerben.

Ob ich gleich hiermit, Sire, Jhnen nichts darbiete, als was, dem unbezweifeltsten Eigenthumsrechte nach, Ew. Majestät schon angehört, so hoffe ich doch, daß S-ie mit königlicher Gnade meine schwachen Bestre-

x

bungen, so wie den Ausdruck der tiefsten Ehrfurcht und unbegränztesten Dankbarkeit ansehen
werden, womit ich die Ehre habe zu seyn

Allergnädigster König

Ew. Majestät

alleruntertjänigster Diener und treuer Unterthan

Vargas Bedemar.

Kopenhagen,
den 13. September 1817.

Vorrede.

Diese anspruchslosen Bemerkungen können als eine Ergänzung der höchst schätzbaren Arbeiten der Herren v. Buch und Hausmann angesehen werden. Da meine Reise einen größeren Bezirk umfaßte, und die Umstände mir einen längeren Aufenthalt auf mehreren zusammen besuchten Punkten vergönnten, so müssen nothwendig darin einige Erweiterungen oder Beschränkungen von angeführten Thatsachen vorkommen. Ueberdies ist ein Gebirgsland reich an immer neuen Ansichten, und oft führt allein das Ungefähr zu ihnen hin. Die

Geographie des Landes, der Zusammenhang der Gebirge und Thäler, der Ursprung, Lauf, die Verbindung der Gewässer, der allgemeine Zustand, so wie die örtlichen Modificationen der Atmosphäre, haben genauer und umständlicher beobachtet werden können. Die Beschaffenheit der Gruben und die darin vorkommenden Erscheinungen machten einen Hauptgegenstand meiner Aufmerksamkeit aus, und die Angaben über mehrere Metallbetriebe sind erweitert. Die oryktognostische Beschreibung der vorkommenden einfachen Substanzen und Berg= arten habe ich auf ein besonderes Werk verspart. Diese Theile sind überdies musterhaft, vielleicht unnachahmlich von meinen Vorgängern bearbeitet.

Im Zweifel, daß blos dem kleinsten Theile der Leser damit gedient seyn könnte, wenn bey einer strengen Zeitfolge der Begebenheiten und Vorstellungen, rein wissenschaftliche Gegenstände unaufhörlich den historischen Theil des Werks, unter dem ich mit den Ansichten des Landes und der sittlichen Erscheinungen zugleich die physika= lische Geographie begriffe, unterbrochen hätten, habe ich sie von einander getrennt, und so wird ein eigener Abschnitt zusammenfassen, was der Geognosie und Metallurgie besonders angehört.

Uebrigens habe ich dieser Reisebeschreibung den eigenthümlichen Charakter von Unbefangenheit und Systemlosigkeit überall zu erhalten gesucht, der in der einfachsten, möglichst treuen Darstellung dessen, was ich sah, in gleicher Entfernung von jeder Theorie liegt. Ein Reisender kann es sich kaum tief genug einprägen, daß wir noch gar nichts von Naturwirkungen wissen. An einigen Stellen habe ich daher Zweifel über zu schnell gefaßte Meinungen äußern müssen, nirgends mich aber befugt gefunden, sie anders als durch die entferntesten Vermuthungen zu ersetzen, welche ich sogleich wieder aufzugeben bereit bin, so bald etwas Besseres aufgefunden wird.

Um eine Einheit in der Rechtschreibung der Orte zu erhalten, bin ich immer derjenigen gefolgt, deren man sich im Lande selbst bedient, mit Hinzufügung Deutscher Benennungen, wo mir dergleichen bekannt waren.

Der Zweck dieses Werks ist vollkommen erreicht, wenn es einige Lücken in unsrer Kenntniß von Norwegen ausfüllt, und nachfolgenden Reisenden Veranlassung gibt, unrichtige Angaben zu verbessern, mangelhafte zu ergänzen, und die bestrittenen Punkte durch neue Beobachtungen völlig aufzuklären.

Inhalt.

Historischer Theil.

Erstes Kapitel.

Schweden,

Zweytes Kapitel.

Schweden.

Drittes Kapitel.

Norwegen.

16

19

Reise

nach dem

Hohen Norden.

Hiſtoriſcher Theil.

Erstes Kapitel.

Schweden.

Uebergang über den Sund. Temperatur und Strömungen. Helsingborg. Wohllaut der Schwedischen Sprache. Reise nach Höganäs. Alrum. Margretetorp. Skane. Halland. Halmstad. Falkenberg. Warberg. Kungsbacka. Beschaffenheit von Halland. Betragen der Einwohner. Göteborg. Ausfuhr von Eisen und Kupfer. Umgebungen der Stadt.

Am 4. März 1810 gingen wir über den Sund. Oft mag es im ersten Augenblick scheinen, als könne eine große Wassermasse, die auf einmahl zwischen uns und gewohnte Gegenstände tritt, solche bis auf ihre Erinnerung auslöschen. Aber ich gestehe, nichts fand ich beym Eintritt in Schweden, das mir Seelands reiche Küsten, die ihnen so eigenthümliche Mischung von Baumgruppen und Landhäusern,

von Acker- und Wiesenland, und das sanft Wellenförmige ihrer mahlerischen Umrisse nur einigermaßen
ersetzt hätte.

Das Reaum. Thermometer, welches in der Luft
bey unsrer Abreise von Helfingöer auf 0° gezeigt
hatte, erhielt sich auf der nehmlichen Höhe in der
Mitte des Sundes; im Wasser gab es eine Temperatur von + 1⅕ an. Näher an Schweden
sank es in der Luft auf — 2, und stieg im Wasser
auf + 1½. Der Wind kam von Südwest. Die
Seeländische Küste war ganz frey vom Eis,
und an der gegenüberstehenden zog sich nur ein leicht
und schmal gefrorner Rand hin. In Helfing-
borg blieb während meines ganzen Aufenthalts
das Thermometer auf + 2 stehen. Einer bekannten
Erfahrung gemäß ist die Mitteltemperatur des Meeres, für den ganzen Tag berechnet, immer etwas
wärmer, als die der Luft; Mittags niedriger,
höher um Mitternacht, Morgens und Abends beynahe gleich; sie wird kälter nach Stürmen, welche
jedoch die Atmosphäre zugleich, und noch merklicher
abkühlen. Ueberdieß ist das Wasser an den Küsten,
an sehr tiefen oder an untiefen Stellen, nächst der
Oberfläche und dem Grunde, wärmer als in mitt-
leren Tiefen und im hohen Meere.

Der Sund hat keine merkliche Ebbe und Fluth.
Begreiflich findet man darin häufiger von Süd nach

Nord laufende Ströme als umgekehrt, doch sind sie unregelmäßig, begleiten zuweilen den Wind, zuweilen gehen sie ihm entgegen; dann gibt es mehrere Richtungen auf einmal. Wie in allen Meerengen, muß es auch hier übereinander wegziehende Strömungen geben, wovon, den hydrostatischen Gesetzen gemäß, alle aus der Nordsee kommende, als die dichteren, unten liegen. Es mögen ihnen gewöhnlich stürmische Bewegungen im Wasser nachfolgen. Die Flüsse, welche sich in die Ostsee ergießen, müssen den von Stürmen hineingetriebenen fremden Zusatz um so heftiger wieder hinausdrängen, als ihre Wassermasse von dieser periodischen Dämmung stärker aufgehäuft wurde.

Helsingborg, an einem steilen Abhang in der Länge angelehnt, ist von allen Seiten zu sehr eingeschlossen, als daß es, bey aller Zunahme, jemahls eine regelmäßige Gestalt gewinnen könnte. Jetzt ist die Stadt gerade breit genug, um einen viereckigen Platz aufzunehmen, der sehr einfach mit einem Springbrunnen verziert ist. Städte, die blos zu Uebergangsörtern in ein andres Land dienen, erreichen nie einen bedeutenden Grad von Wohlstand; den Manufacturen und Gewerbszweigen ist es darin zu theuer, der Fremde eilt möglichst hindurch. Auch bietet Helsingborg in seinem Aeußern keins von den gewöhnlichen Kennzeichen des innern Wohlseyns

bar, die sonst den meisten kleinen Seestädten im
Norden eigen sind, und die gewöhnlich auf den
Geist einer Details = Liebe und Ordnung, auf Schiff-
Eleganz und Mahlerey, die ehemaligen Gewohnheiten ihrer Bewohner, Bezug haben: wäre es auch
nur in den bunten Blumentöpfen hinter den reinlichen mit weißen Vorhängen kunstreich gezierten
Fensterscheiben. Uebrigens hat sich die Stadt aller
Vortheile der Bevölkerung und des Ueberflusses zu
erfreuen, welche zu seiner Lage in Malmöehus-
län gehören, dessen bebaueter Boden ein Viertel
des Ganzen ausmacht, und dessen Volksmenge auf
3914 Köpfe für eine Quadratmeile geschätzt wird.

Beym Eintritt in Schweden wird der Reisende, dem die nachbarlichen Vorurtheile fremd sind,
kaum den Wohllaut der Sprache überhören. Sie
hat eine Weiche, Biegsamkeit, einen liebkosenden
Accent, deren Wirkung allerdings nachher von der
Gewohnheit geschwächt werden, die aber im Anfange
den Manieren selbst etwas Schmeichelndes und Anziehendes geben. Daraus scheint auch eine besondere
Brauchbarkeit für Musik herzurühren, welche sie
vor den anderen Nordischen Sprachen voraus hat.
Zum wenigsten zeigen die Organe der Aussprache
eine eigene Geschmeidigkeit, welche ich selbst in den
Italien'schen Arien bewundern mußte, die am Abend
meiner Ankunft im Hause des Commandanten Geyer

vorgetragen wurden. Eine leichte unbefangene Urba-
nität, der herrschende Charakter des wohlerzogenen
Theiles der Nation, besonders aber des schönen Geschlechts, erhöhte noch das Vergnügen der Ueber-
raschung.

Am folgenden Tage begab ich mich zu den Steinkohlengruben von Höganäs. Der Weg dahin bot
nichts dar, was des Anmerkens besonders werth sey.
Noch dicht bey der Stadt sah man die erste Anlage
zu einem kleinen Englischen Garten, die einem Baron
Rammel gehört. Die Gegend, welche beynahe
eine vollkommene Ebene ist, gewinnt ein freundliches
Ansehen durch die zerstreuten Wohnhäuser mit befriedigten Feldern vermischt. Tannen und Fichten
sieht man nur wenig, mehr Weiden und Birken,
wovon die letztern doch mit Mühe auf dem steinig-
ten Boden gedeihen, und sich wenig erheben.

Höganäs, welches den Steinkohlengruben
seinen Nahmen gegeben hat, ist eigentlich der Ort,
wo man sie einschifft. Das Ganze verräth eine wohl-
geordnete Thätigkeit, welche selten bey den Schwedischen Anlagen vermißt wird. Eine gewisse Aufmerksamkeit auf die Vollendung der Details, eine
Geschmeidigkeit in Benutzung kleiner Hülfsmittel,
bringen hier das Industriewesen dem Englischen
ziemlich nahe. Doch muß ich gestehen, daß die

mechanischen Einrichtungen in Högauds mir diesen Begriff nicht erweckten.

Herr Revisor Kjelmann, dem ich anempfohlen
war, hatte mir alle verlangte Erläuterungen gegeben, doch mit einer sonst vielleicht nicht gewöhnlichen Zurückhaltung und Unbestimmtheit. Dazu
konnten wohl, benachbarten Nationen nur zu eigene
Besorgnisse, oder auch die schwankende Lage der
Unternehmung selbst, Veranlassung seyn. Wir speißten
zusammen in dem Wirthshause nahe am Strande.
Es war Fastel-Abend, und die Schwedische Koch-
kunst machte mich mit einem Nationalgericht, Milch
mit bittern Mandeln, bekannt, das durch die vorher-
gegangene Ermüdung noch wohlschmeckender wurde.
Das Thermometer stand auf 0°, in den Gruben zwischen + 7° und + 8°. Das Wetter war bis zu
meiner Abreise vollkommen heiter, da überfiel uns
aber ein Schneesturm, der erste, den ich jemahls
erlebt hatte. Der Weg verschwand nach wenigen
Minuten, die Dunkelheit nahm zu, und der Fuhr-
mann erklärte, es sey unmöglich Helsingborg
vor spät in der Nacht, und noch viel weniger ohne
die größte Gefahr zu erreichen. Wir waren nahe
bey Alrum. Man hielt am Wirthshause still. Das
Wetter hatte hier mehrere Reisende mit den Bauern
des Dorfs in ein enges Zimmer zusammengedrängt,
und es schien nicht möglich dem Dampf ihrer Tabaks-

pfeifen widerstehen zu können. Da that jemand den
Vorschlag, des Predigers Gastfreundschaft nachzu-
suchen.

Es geschah, und die Antwort konnte nicht er-
wünschter seyn. Die aufmerksame Höflichkeit des
Pfarrers ermüdete den ganzen langen Abend hindurch
nicht einen Augenblick, so gedulderschöpfend auch
die Unterhaltung mit einem Fremden seyn mußte,
der sich in der Landessprache mit geringer Fertigkeit ausdrückte. Nur spät nach dem Abendessen kam
ihm eine erwünschte Hülfe in seiner liebenswürdigen Tochter, die aus einer benachbarten Gesellschaft
heimkehrte, und deren Munterkeit und sorgloser
Muthwille unsre halb eingeschlummerten Lebens-
geister bald wieder erweckte. Ich muß es noch als
einen Umstand anführen, wovon auf Reisen die
Beyspiele immer seltener werden: nicht eine einzige
Frage betraf auch nur entfernt mein Gewerbe im
Lande, oder selbst meinen Nahmen. Erst am Morgen
darauf wechselte ich diesen mit dem seinigen aus,
der Gabriel Thulin ist, und einer Familie angehört, deren die Nordische Litteraturgeschichte mit
Achtung erwähnt.

Hierauf setzte ich meine Reise von Helsingborg durch Schweden weiter fort. Es war häufig
Schnee gefallen, und wo es der Weg nur einigermaßen zuließ, gebrauchte man Schlitten. Ich erreichte

Engelholm tief in der Nacht. Es gibt auf dieser
so besuchten Straße nach Norwegen eine gewisse
Eintheilung in Tagereisen, die man dem Fremden
rathen muß, selbst mit Gefahr einiger zufälligen
Beschwerlichkeiten und Verzögerungen, nicht zu verändern. Denn nur auf diese Art trifft er überall
Herbergen an, wo man auf Gäste vorbereitet ist.
Will er sich noch mehrerer Bequemlichkeiten ver-
sichern, so sendet er einen Zettel voraus, auf dem
er die Stunde seiner Ankunft auf jeder Station
anzeigt, die Anzahl von Pferden, deren er bedarf,
und die Erfrischungen, die er zu finden wünscht.
Gerne kann er auch seinen Koffer mitfolgen lassen.
Es ist ohne Beyspiel, daß daraus etwas weggekom-
men wäre; selbst soll der Gästgifware, zu dem
er auf der Station gelangt, nachsehen, ob etwas
Bedeutendes daran zu Schaden gekommen, und es
auf dem Laufzettel anzeigen *). Zu andern Vorkehrungen, besonders in Hinsicht auf Beköstigung,

---

*) Das Tagebuch, Dagbok, das der Reisende auf jeder
Station findet, enthält alles, was ihm zu wissen nöthig
ist, und nimmt im Nothfall ebenfalls seine Beschwer-
den auf. Ich merke an, daß in dem von Astorp,
östlich von Helsingborg, bey der Angabe verdäch-
tiger Personen, auch der unberechtigten Stammbuchs-
Herumträger (oxehörsa Stambols bärare) Erwähnung geschieht.

kann man nicht rathen. Nichts ermüdet und zerstreuet so sehr, als dies ewige Aufmerken auf kleine
zukünftige Bedürfnisse, die man doch niemahls alle
voraussieht. Ein wenig auf gut Glück leben können,
macht überhaupt in der Fremde eine der wesentlichsten Eigenschaften aus.

Engelholm besitzt ein großes Viereck mit
Bäumen bepflanzt. Nichts kann ähnlicher seyn, als
die Physiognomie der kleinen Schwedischen Städte
auf diesem Striche. Man hat die größte Mühe sich
ihrer zu erinnern.

Nachdem eine bedeutende Ebene, ein schöner
Buchenwald, und mehrere hölzerne Brücken, wo
man nie ohne zu bezahlen hinüber kommt, hinter
uns waren, erreichten wir Margretetorp. Hier
veränderte sich der Charakter des Landes ein wenig.
Der Schnee hatte bis jetzt die Flächen vollkommen
bedeckt. Nun hoben sich kleine Hügel heraus. Auch
belebte sich die menschenleere Landschaft auf einmahl.
Wir trafen auf zwey junge Damen, die mit niedlichen Strohhüthen verziert, ganz ohne Begleiter,
im nähmlichen Schlitten und sich selbst mit großer
Ruhe und Unbekümmerniß fuhren. Lange Transporte
von Colonialwaaren kamen von Göteborg herunter,
vermuthlich dazu bestimmt, die benachbarten Länder zu
überschwemmen. Noch ehe man Karup erreicht, ver-
läßt man Skane (Schonen). Diese Provinz kann

im Ganzen als flaches Land angesehen werden. Wenig
bedeutende Erhöhungen finden sich an der Grenze
von Smaland, und sind nichts als die letzten
Verästungen der zu diesem Bezirk gehörigen Gebirgs-
strecken. Hallands-As, welcher Skane im
Norden von Halland trennt, muß zu ihnen gerechnet werden. Vermittelst Hügelreihen von immer
mehr abnehmender Höhe verläuft er sich in die
Ebene.

Was dem Ackerbau in Skane noch an Ausdehnung und Wissenschaftlichem abgeht, ersetzt die
Schönheit und Milde des Klima's. Alle Früchte der
gemäßigten Zone kommen hier zur Vollkommenheit.
Selbst die sandigsten Erdstriche tragen ohne sonderliche Mühe. Bis jetzt hatte die Provinz immer einen
Ueberschuß von Getraide, den man auf 100,000
Tonnen anschlug, und womit man dem Mangel
benachbarter Districte abhelfen konnte.

Auch der Häringsfang hat zuweilen dieser
Küste, so wie der ganzen westlichen von Schweden, zu einem großen Hülfsmittel gedient. Doch
ist er veränderlich wie überall; die Züge der Fische
hatten sich in den letzten Jahren der Besuche fast
gänzlich entwöhnt. Die stärkste Exportation im laufenden Jahrhundert war 1801, und belief sich auf
357552 Tonnen Häringe, und 24413 Ahm (4 Anker
jede) Thran. In 1808 hörte der Fischfang ganz auf,

und die letzte Ausfuhr in 1810 bestand bloß in 363 Tonnen Häringe und 1 Ahm Thran. Endlich erschienen die Fische unerwartet 1816 in großer Menge wieder. Keine Anstalten, sie zu empfangen, waren getroffen, und man fand sich in größter Verlegenheit, wie ein solches Glück am besten zu benutzen sey.

Der erste Eintritt in Halland ist wenig einladend. Aber je weiter man darin fortschreitet, desto schwächer werden die Farben des Mangels und der Unfruchtbarkeit. Wenn man nur erst Laholm vorbey und Halmstad nahe ist, sieht man den Boden gefälliger für den Fleiß der Bewohner werden. Die einzelnen Wohnhäuser, von Pflanzungen aller Art umringt, können selbst an einige Districte der Lombardey erinnern. Auch wird man in dieser Täuschung kaum von der Beschaffenheit der Wege unterbrochen, welche doch wohl ihre Vortrefflichkeit nicht weniger den leichten Schwedischen Fuhrwerken, als der Sorgsamkeit zu danken haben, die man auf ihre Erhaltung verwendet.

Auf diesem ganzen Wege längst der Küste kann man bemerken, wie alle Bäume nach Osten und Südosten hin gekrümmt sind. Die Richtung ihrer Zweige verräth schon hier die Natur der Stürme, die den westlichen Ufern Norwegens und Schwedens gemein sind. Die Vegetation nimmt übrigens

lebhaft zu. Nördlich von H o l m findet man niedrige
Eichen, die sich nachher mit Buchen und Birken
in artige Gruppen verschlingen. Hinter Quibille
giebt es Erlen- und Tannengebüsche mit Fichten
vermischt.

Diese Winterwege, welche wir doch so nahe am
Meere nur zum Theil benutzbar fanden, haben etwas
Anziehendes für jeden, den die Gewohnheit noch
nicht dagegen abgestumpft hat. Man gleitet bald
mit Ruhe und Sicherheit über die Spiegelfläche weg,
die, weit entfernt den stillen Fluß der Gedanken zu
stöhren, durch sachte und gleichförmige Bewegung
Bilder an Bilder, Träume an Träume reihet. Alsdann hört man plötzlich das Geläute von Schellen.
Man sieht aus seiner Pelzhülle heraus. Da gleitet
ein andrer Schlitten her. Ehe man ihn noch recht
ins Auge gefaßt, ist er schon wieder vorüber, man
bemerkte nichts davon als die tiefste Seelenruhe,
ein ansteckendes Gleichgewicht in den rothbemahl-
ten Gesichtern.

F a l k e n b e r g schien mir eine ziemlich niedliche
Stadt. Es eröffnet sich hier eine weite Fläche, die
von kleinen Hügeln sparsam unterbrochen, aber mit
großen Steinmassen wie übersäet ist. Die Bemühungen, diese Art Wüste anzubauen, kamen mir gleich
schwach und erfolglos vor, ob sie zwar noch hinter
Morup und bis nach Warberg fortgesetzt sind.

Doch hat die Betriebsamkeit schon manche Mauer von diesen dem Ackerbau so lästigen Blöcken um, gehäuft.

Das Thermometer, das hier auf + 3° gestiegen war, zeigte so eine bedeutende Milderung in der Temperatur an, wohl auch der größeren Nähe des Meeres wegen. Der Schnee war allenthalben ver, schwunden, wo das Land sich nach Westen eröffnet.

Wir verließen Warberg am 9ten. Diese Stadt besitzt ein Schloß und einen kleinen Hafen in der Nähe. Ehedem reichte ohne Zweifel das Meer bis zu einem großen Theile ihrer Umgebungen herauf, alle Thäler und Risse in diesem Boden, deren Mün, dungen sich nach der Seite der Gewässer aufthun, sind noch voll von dem nachgelaßnen Bodensatz. Auch die ungeheuern Geschiebe, welche diese ganze Strecke bedecken, bezeichnen die Bahn der stürmi, schen Wellenbewegungen an diesen nun von ihnen verlaßenen Stellen. Dies Ansehen von Verwüstung nimmt immer zu, wenn man Backa vorbey ist. Die letzten Enden der Gebirge verlaufen sich sichtbar bis in die See, und bilden da noch kleine steile Inselgruppen mit Felsenblöcken umgeben.

Hinter Kungsbacka endigt die Provinz von Halland, auf 3 Seiten von ansehnlichen Gebirgs, rücken eingeschlossen; südlich vom Hallands-As, östlich durch den Hauptgebirgsstamm und vom Ta,

berg, oder dem Wexerthale nördlich. Doch
ſind es nur einige wenig bedeutende Seitenläufer,
die von den Smalandiſchen Grenzen ausgehend,
den Plan der Provinz durchſchneiden. Faſt alle dadurch gebildete Zwiſchenthäler ſind mit einem tiefen
Sande angefüllt, der zu einem unüberwindlichen
Hinderniß für den Ackerbau wird. Bloß in der Nähe
von Lungsbacka nimmt man einigen Erfolg auſſer-
ordentlicher Anſtrengungen wahr.

Ungeachtet die Einwohner an großen Landſtraßen
niemahls für Muſter der Höflichkeit oder des wahren
Nationalgeiſtes gelten können, ſo kann man doch nicht
über die unmäßige Störrigkeit derer klagen, womit
man hier zu thun bekommt. Man ſieht dieſe armen
Leute, an denen kaum die Zeichen des Druckes,
worunter ſie leben, zu überſehen ſind, ſtundenlang,
um ihre Pferde zu ſchonen, neben dieſen herlaufen.
Der harte Reiſende bekümmert ſich ſelten um ihre
Bemühungen, noch um die Abmattung der ewig
im Frohndienſt lebenden Thiere. Er findet den Führer mit einigen Schillingen ab. Doch murrt dieſer
nie, auch iſt ihm im Tagebuch jede Klage ver-
bothen, den Fall einer gänzlichen Verwüſtung ſeiner
Pferde ausgenommen, der ſich ſelten beweiſen läßt.
Die Fuhrwerke ſind indeß unbequemer als man auf
einem ſo beſuchten Wege erwarten möchte, beſonders in den zwiſchen Sommer und Winter mitten

inneliegenden Jahreszeiten, wo man mit einem Wagen und Schlitten zugleich versehen seyn müßte,
deren man oft abwechselnd in einem Tage bedarf.
Ihre zweyrädrigen, offenen Kariolen, so leicht sie
auch seyn mögen, sind schlecht eingerichtet. Nichts
kann man darauf fest machen, so wenig als sich selbst.
Noch geht es erträglich bey trockenem Wetter, aber
beym ersten Regenguß oder Schneesturm geräth alles in
Unordnung, während man genug mit sich selbst zu thun
hat. So ging es am Abend als wir Kärra erreichten. Der Regen hatte uns den ganzen Tag hindurch
überschwemmt, und wie ich mein Gepäck nachsah,
waren Säbel, Stock und ein Regenschirm verschwunden. Der Fall schien zwar außerordentlich, man
rieth mir beym Gouvernements-Sekretär in Göteborg eine Anzeige davon niederzulegen, aber
niemahls habe ich wieder etwas von diesen Möbeln
gehört.

Am folgenden Morgen erschien die Landschaft
mit einem dicken Nebel bedeckt, welcher theils vom
Thauwetter, theils von der Nähe der Göte her-
rührte, die wir nun erreicht hatten. Der Weg hält
sich eine Zeitlang in ihrer Nähe, alsdann geht er
auf einer hölzernen Brücke hinüber, die an den Ponte
Rialto erinnert. Eine Allee führt endlich nach Göteborg (Gothenburg), das mit der Förm einer
Holländischen S t . . . . . scht, mit Straßen von

I. 2

Canälen durchbrochen, Canälen mit Bäumen geschmückt, mit Brücken, wovon eine mit vergoldeten geschmacklosen Statüen besetzt ist. Die Straßen haben erst vor kurzem zierlichere Wohnungen aufgenommen; eine Folge von einigen Feuersbrünsten, die unglücklicherweise im Norden dem Fortgange des guten Geschmacks in der Baukunst oft zu Hülfe kommen. Das Thermometer schwankte immer zwischen — 2° und + 1°.

Die Industrie und der Handel von Göteborg sind von andern Reisenden so genau erläutert, daß ich alles Weitere darüber ersparen kann. Die Schifffahrt, welche übrigens hier nimmer, selbst nicht einmal zum Theil, die Höhe hat erreichen können, die man bey der Anlage der Stadt, zum Nachtheil von Kopenhagen, im Sinn hatte, war in den neuern Zeiten noch unbedeutender geworden. Die Versendung einiger der wichtigsten Ausfuhrartikel, Eisen und Kupfer war, das erste auf 110000 Schiffpf., das letzte auf 6 bis 7000 Schiffpf. beschränkt geblieben. Doch scheint die Exportation später wieder zugenommen zu haben. Eine ziemlich zuverläßig lautende Nachricht gibt an, daß seit dem 12. November 1813 bis 1. November 1814, aus allen Schwedischen Häfen zusammengenommen 842067 Schiffpf. 8 Lispf. Eisen in Stangen, und 10811 Schiffpf. und 14 Lispf. Gußeisen ausgeführt

wurden. Diese Versendung überstieg die des vorhergehenden Jahres um 38507 Schiffpf. 14 Lispf.
doch hatte die des Stangeneisens noch nicht die Höhe
derer von 1768 bis 1795 erreicht. Und aus Gründen, welche in Englands eigener Industrie liegen,
die das Danemora-Eisen zur Hervorbringung
des Gußstahles beynahe entbehrlich gemacht hat,
wird sie auch wohl nie mehr zu diesem Umfang gelangen.

Die Nähe einer volkreichen und lebendigen Handelsstadt, welche Wohlseyn und Bequemlichkeit immer noch allgemeiner als eine Residenz verbreitet,
läßt sich schon den Umgebungen absehen, noch lange
ehe man ihre Thürme unterscheidet. Die Natur der
Verzierungen an den Wohnhäusern, die Garten-
Anlagen, in den jetzigen Zeiten die pittoreske Benutzung der Zufälligkeiten des Bodens darin, Kleidung, Sitten und Sprache drücken vervielfältigte
Bedürfnisse aus, so wie mehr Hang zu flüchtigen
und oberflächlichen Genüssen. Indessen muß man
gestehen, selbst Göteborgs Umgebungen sind dem
Holländischen Charakter der Stadt treu genug geblieben.

~~~~~~~~~~~~~~~~~~~~~~~~~~~~~~~~

Zweytes Kapitel.

Schweden.

––––––

Weg nach Trollhättan. Lilla-Edet. Trollhättan.
Wasserfälle und Schleusen. Der Akersjö. Wennersborg. Uddevalla. Natürliche Beschaffenheit des Göteborgslän. Reise bis Svinesund.

––––––

Ich schlug nun den Weg nach Trollhättan ein,
dessen Natur und Wunder der Kunst mich schon lange
in der Ferne beschäftigt hatten. Kattleberg schien
mir das erste Dorf, welches den wesentlichen, dauernden Wohlstand ausweißt, der einer Nation aus
ihrem Landbau zufließt. Die Gärten schlossen hohe
Stangengerüste ein, zum Trocknen des Heues und
Getraides, oft über die Häuser weit hinaus ragend.
Diese Methode, das Einbringen zu beschleunigen,
ist in Schweden ganz allgemein; die meistens feuchten Herbste würden sie im ganzen Norden vortheilhaft machen. Aber den Widerwillen gegen Neuerungen

unberechnet, geht der Bauer so lange als möglich
jeder Geldauslage aus dem Wege, deren Nutzen er
nicht gleich bey der Hand hat.

Die Ebene schloß sich nun von allen Seiten auf.
Mit jungem Grün geschmückte Hügel lagen hin und
wieder auf den bebauten Feldern. Der laue Athem
des Frühlings führte seine Wohlgerüche mit. Gebüsche von Tannen und Fichten unterbrachen die
Einförmigkeit, den Abendrauch erleuchtete der Mond
durch die schwankenden Bäume. Alles ist Zauber in
solchen Augenblicken. Wir kamen in Lilla-Edet
an, und als ob das Glück des Tages vollkommen
seyn sollte, so entsprach die Aufnahme einer freundlichen Wirthin, das Abendessen und Nachtlager der
Stimmung im stillen Gemüth. Die Umgebungen des
kleinen Orts sind sehr angenehm. Man sieht auf
der andern Seite der Göte ein schön gelegenes Landhaus, dessen Gärten bis zum Ufer des Flusses niedergehen. Die Landschaft erhält noch mehr Leben
durch eine kleine gut eingerichtete Sägemühle. Eine
Schleuse kündigt Trollhättan an. Man kommt
hierauf nach Forß, das mit bewachsenen Anhöhen
umringt ist; alle Felder verrathen einen regelmäßigen
Anbau. Doch stieg meine Ungeduld, welche durch
einfache Naturreize nicht mehr zerstreuet werden
konnte, bis wir Trollhättan selbst erreichten.

Ueber Trollhättans Anlagen sind mehrere

sehr ins Einzelne gehende Werke erschienen. Eins,
das seine Geschichte, die Höhe seiner Wasserfälle
und die Verhältniffe seiner Schleufen angibt, findet
man gewöhnlich am Orte selbst. Noch neuerdings
hat Herr Hausmann Auszüge aus allen diesen
Arbeiten nebst dem nachgestochenen Plane des Werks,
seiner Reisebeschreibung einverleibt. Ich fand am
Cicerone des Orts, Herrn Stromböm, einen
verständigen, unermüdlichen Mann. Dem Ganzen
können nur der Languedocsche Canal und
einige von den großen Wasserleitungen Englands,
in Hinsicht auf Plan und Ausführung an die Seite
gestellt werden. Es vereinigt sich hier mit dem Vergnügen, das aus der auffallenden Nützlichkeit des
Gedankens entspringt, noch eine gewiffe Magie, die
vielleicht mehr dem Contraste des gewaltsamen Elements, das beherrscht wird von der milden Natur,
welche das Gemählde des Ungestümes und Sturms
umkränzt und einfaßt, als den bloßen Anstrengungen der Kunst, zuzuschreiben ist.

Der Wenernsee, der ohngefähr 40 Schwedische Quadratmeilen *) einnehmend, mehrere der
blühendsten und thätigsten Provinzen bespült, hat
sonst keinen Ausfluß als die Göteelf **), deren

---

*) Es gehen auf den Grad 10⅖ Schwedische Meilen,
  der Norwegischen 10.

†**) Ich bemerke hier, daß Elf oder Elf im Schwe-

mahlerische Wasserfälle gerade der Benutzung der
ihn umgebenden reichen Producte entgegen standen *). Nicht minder schwierig, als ihre Hinwegräu-
mung oder Umgehung, schien beym ersten Anblick
die Schifffahrt auf dem See selbst, dessen große
Wassermasse alle Stürme, welche die Trichterform
der Gebirgszüge gegen Norden wie aus einem Blas-
balge darauf leitet, unvermeidlich und gefährlich
macht. Doch verlohren sich die theoretischen Besorgnisse beym Zusammenhalten der Erfahrungen. Der
Landtransport von Eisen, Holz und Getraide, der
bis zu Akersvaß ging, wohin Schiffe gelangen
konnten, zehrte allen Gewinn der Spekulation auf.
Das unbedeutende Steigen des Flusses durch zufällige Regengüsse oder Aufthauen, ließ eine regel-

dischen gen. fem. ist; aber Elv, obgleich im Dänischen gen. com., doch als masc. von Deutsch reden-
den Norwegern, meistentheils gleichbedeutend mit Fluß,
gebraucht wird.

*) Von der Erhebung des See's über dem Meeresspie-
gel, von 146—147 Fuß, nimmt der erste Wasserfall
26—28 ein, der zweite 54, der dritte 20, der vierte
30—31. Die obere Schleuse bey Brinkebergs-
kulle hat dagegen eine Tiefe von 19 Fuß. Die 8
Schleusen von Trollhättan begreifen 113 Fuß,
eine bey Akerström 3½, die von Edet 10. Diese
letztere wurde schon im Jahre 1664 erbauet, und muß
daher als die älteste unter ihnen angesehen werden.

mäßige Wasservertheilung beym Schleusenbau hoffen *). Man hat mich versichert, der Wenernsee wachse während 7 oder 8 Jahren immer fort bis zu 12 oder 14 Fuß über seinen niedrigsten Wasserstand, zu welchem er hierauf wieder mit einer eben so regelmäßigen Abnahme herabsinke. Der Fluß soll ein ähnliches Verhältniß gleichzeitig beobachten. Im Jahr 1803 hatte sein Sinken angefangen, und er war zur Zeit meiner Anwesenheit so seicht, als man ihn seit 20 Jahren nicht gesehen hatte.

Als ein sehr merkwürdiges Stück von Wasserbaukunst kann der Hauptdamm betrachtet werden, der zur Scheidung des Stromes dient, wovon ein Theil in den Canal abfließt, und der andere sich schäumend zwischen den Felsen fortstürzt. Die Neigung des Flußbettes hat hier merklich zugenommen, und der Wasserfall, welcher der Masse nun auf einmahl Luft verschafft, verdoppelt den Ungestüm der hinten nachdringenden Fluthen, die sich am Damme brechen müssen. Auch lief der erste Versuch unglück-

---

*) Die Schleusenbassins, welche 20 Fuß Breite, 9 Tiefe und 120 Länge haben, füllen sich jedesmahl in 22—25 Minuten, so daß ein Schiff alle 8 Schleusen bey Trollhättan in 4 Stunden durchgeht. Man hat 30 beladene Fahrzeuge, deren jedes, wenn das Wasser 8 Fuß hoch ist, 6—800 Schiffpfund tragen kann, in einem einzigen Tage vorbeykommen sehen.

lich ab. Doch setzte Hr. Wiman den Damm von
neuem aus eingerammten Pfählen von ungeheueren
Felsstücken gestützt, und haltbarer zusammen. Auf
gleiche Art wurden die Schwierigkeiten überwunden,
die am untersten Ende ein lockerer und beweglicher
Erdboden der Arbeit entgegenstellte. Doch mußte
Nordvall, welcher nebst Swindenstjerna und
dem Mechanikus Schweder an der Spitze der ganzen Unternehmung stand, sich zu einem Umwege entschließen *). Von dem ersten aufgegebenen Versuche,
den Fluß früher zu erreichen, sieht man noch die
Spuren. Man hat bey dieser Gelegenheit die Ge-
fahren des alten Grundsatzes, die Canäle immer so
nahe als möglich an den Seiten der Ströme zu halten, anerkannt. Die Natur setzt überhaupt der Schiffbarmachung der Flüsse, besonders derer vom zweyten
Range, oft unüberwindliche Hindernisse entgegen.

*) Die drey letzten Bassins sind in ihrer ganzen Länge
    mit einem von Kinnekulle gekommenen Sandsteine
    bekleidet, um dem lockeren Boden entgegen zu stehen.
    Ausserdem hält man diesen noch durch hinten aufge-
    schichtete Blöcke zurück, welche von den nahe gelege-
    nen Felsen geliefert wurden. Im letzten Wasserbehäl-
    ter, wo man 24 Fuß bewegliche Thonerde fand, stützt
    sich das Gemäuer auf einen Grund von 427 Pfählen
    (jeder 18 Schwedische Ellen lang), denen 5 Schichten
    von Eichenbalken und 2 andere von 7 zölligen Bret-
    tern, aufliegen.

In Schweden ist bloß die Angermannaelf auf einige Meilen ohne Unterbrechung zu befahren *).

Ich kenne wenige Gegenden die, wie Troll-hättan, mitten unter dem Getümmel eines wil-den Elements, eine so tiefe und ländliche Stille athmeten. Jedes einförmige Geräusch überhört sich am Ende, und man bemerkt hier bald nichts mehr als die Wälder, die sich in den beruhigten Fluthen spiegeln. Das kleine artige Haus, das man bewohnt, bietet Ansichten dar, die zu behaglichen Träumen einladen. Doch findet man darin ebenfalls, so wie in dem Buche, das Hr. Stromböm den Frem-den zum Einschreiben darreicht, neben mancher vom

---

*) Die beym Kanal angestellten Personen sind ein Schleu-senmeister und 6 Arbeiter, 4 andere besorgen das De-tail bey jeder der 5 großen Schleusen, 2 bey jeder der kleinen.

Das Eisen bezahlt bey seinem Durchgang 7½ Schill. Schvf., das Brennholz pr. Klafter 16, das Getraide pr. Tonne 5½, die Balken pr. Dutzend 10, die Bretter pr. Dtzd. 5.

Der ganze Boden um Trollhättan herum gehört den Actionisten zu, und die, welche es sonst benutzen, müssen ihnen eine Abgabe erlegen, so wie ebenfalls die Eigenthümer der Korn- und Sägemühlen. Ausser-dem giebt es hier noch eine Gesellschaft, welche Fahr-zeuge erbauet; sie hat aber nichts mit der Canal-Societät gemein.

Gefühl und Verstand geprägten Stelle, Ausbrüche unanständigen Muthwillens, ungerechte, kenntniß-lose Kritiken. Hr. v. Platen, in seinem Werke über Canäle durch Schweden, macht die richtige Be-merkung, daß keine der letztern von einem Englän-der oder Franzosen herrühre, welche beyde Nationen doch am allermeisten über Canalwesen mitsprechen können.

Ich erwähne hier des merkwürdigen Umstandes, wovon jedoch im Norden viele Beyspiele vorkommen, daß man in dem kleinen Akersee, wie er zum Gebrauch der Schleusen erweitert wurde *), einen eisernen zweyarmigen Anker fand. Will man ihn nicht als bey einem Transport zufällig darin ver-lohren ansehen, so kann er zur Verstärkung der Zeichen dienen, die man besonders hier herum in den ungeheueren Niederlagen der Seemuscheln, vom Zurückziehen des Meeres siehet. Uebrigens hat dieser Wasserbehälter für Göteborgs Leckermäuler, sehr viel Anziehendes, denn er liefert vorzügliche Aale, so wie die Göte selbst wegen ihrer Lachse und Krebse, in großem Rufe stehet.

Am 14. verließ ich Trollhättan. Ich nahm

---

*) Er ist der vierte Ausweichungsplatz für sich begeg-nende Fahrzeuge; drey andere sind in den Canälen selbst angebracht.

meinen Weg über Wennersborg, eine kleine
Stadt, die außer ihren breiten und gerade gezogenen
Straßen nichts Merkwürdiges hat, als ihre Lage
am See. Ob es der Contrast mit Trollhättan,
oder das Gefühl der Leere seyn mochte, das den
starken Genüssen unfehlbar nachfolgt, die Umgebungen schienen mir unfruchtbar und verlassen, die Einwohner neugierig und Müssiggänger. Die Gegend
hat zum wenigsten nichts Auszeichnendes in Hinsicht
auf Cultur.

Wenn man sich wieder von da nach Westen wendet, so kommt man durch ein Stück des Dallands
und über einen Zweig des Sewegebirges. Das
Land ist hügelig, stark bewachsen, mit tiefen Schluchten durchschnitten. Zwischen Almas und Rak-
neby liegt ein schönes Tannen- und Fichtengehölz,
welches auch das Merkwürdigste war, das ich von
Wennersborg bis Uddevalla, auf dem größtentheils noch mit Schnee bedeckten Boden wahrnehmen konnte.

Uddevalla stellte sich dagegen unter dem anziehenden Gesichtspunkte eines frischen Wiederauf-
lebens nach der letzten Feuersbrunst dar, welche es
beynahe ganz in Asche gelegt hatte. Schon fingen
einige artige Häuser an, in Straßen aneinander-
zutreten, und man konnte ihnen ansehen, daß der
Handel hier gegründete Hoffnungen geben müsse, um

einen Aufwand für Bequemlichkeiten und Zierrathen im Voraus zu bezahlen.*). Die Bay mit den Inselgruppen, die darin ausgestreuet liegen, giebt einen höchst pittoresken Hintergrund ab, der durch einige vor Anker liegende Schiffe noch mehr geschmückt war.

Das ganze Göteborgslän hat einen zerschnittenen und zerstückelten Boden; doch giebt es darin weder hohe noch steile Gebirge, ausgenommen an den Stellen, wo sie noch die großen Gebirgszweige des Dallandes berühren, oder auch am Idefiord, in welchen sie senkrecht hineinstürzen. Die Hügel sind weniger zusammenhängend unter sich, und daher dem Ackerbau nicht so ungünstig. Doch ist das Land zum Nachtheil seines Klima's, offener gegen Norden als gegen Süden, wo die Berge dem Meere näher kommen.

Bey Eist verließ ich die große Heerstraße, um die Nacht in Strömstad zuzubringen. Das Thauwetter hatte uns während der letzten Station Kariole erlaubt, aber den See von Strömstad fanden wir noch mit Eise bedeckt. Man wechselte daher von neuem mit Schlitten. Es war eine kalte, sternhelle Nacht. Der Mond kam bald herauf und beleuchtete die hohen Ufer, längs denen wir hinglitten. Es hingen noch gefrorene Bäche wie Krystallsäulen daran,

---

*) Jetzt ist es ein berühmter, stark besuchter See-Badeort.

und warfen das Licht mit dem wandelbarsten Far-
benspiele zurück. Auch am nächsten Morgen mußten
wir wieder über den See, an seinem nördlichen
Ufer hin. Wir hörten oft unter uns das Krachen,
welches die Eröffnung neuer Spalten begleitet, aber
anstatt ein Grund zu Besorgnissen zu werden, erklärte es der Führer für ein Zeichen von hinreichender Dicke des Eises. Das Wetter war vollkommen
heiter, und das Thermometer hielt sich diesen Tag
hindurch zwischen — 2° und + 1°.

~~~~~~~~~~~~~~~~~~~~~~~~~~~~~~~~~~~~~~~

Drittes Kapitel.

Norwegen.

Der Svinesund. Auffallender Contrast zwischen Norwegen und Schweden. Moß. Christiania. Nächste Umgebungen der Stadt. Cadegaardsöe. Geistige Bildung. Lezte politische Revolution. Norwegische Gastfreundschaft. Clima. Jährlicher Umlauf der Witterung. Wissenschaftliche Anstalten.

Wir gingen über den Svinesund noch früh am Tage. Die Fluth steigt darin von 3—6 Ellen nach Maasgabe der Richtung und Heftigkeit der Winde. Es ist nur ein kurzer und leicht zu überschiffender Meeresarm, aber er sondert Norwegen von Schweden auf eine so auffallende Art ab, daß sie keinem Reisenden entgehet. Eine reichere Fülle der Vegetation, mahlerisch von Bäumen umgebene Bauernhäuser über einen wellenförmig erhobenen, durchaus benutzten Grund hingestreuet, ein Ausdruck

von Zufriedenheit in der Miene, von Dreistigkeit
und Sorglosigkeit in einem selbstständigen Daseyn;
eine Mannigfaltigkeit von netten und anständigen
Kleidungen unterhalten die Aufmerksamkeit mit manchen Nüancen auf dem ganzen Wege bis Moß hin.

Moß hat einen bedeutenden Ruf unter den
Norwegischen Handelsstädten, wozu besonders seine
Lage beygetragen hat. Es enthält eine Eisenhütte,
dem Ankerschen Fideicommis *) zugehörig, die
ehedem noch viel thätiger war, als jetzt. Die Nähe
des Meerbusens, der bis nach Christiana hinauf-
reicht, ist gleich günstig zum Herbeyschaffen der rohen
Stoffe, die sie verarbeitet, wie zur Ausfuhr der
daraus hervorgehenden Producte. Zum Theil an
eine Höhe angelehnt, erhalten die Werkstätte über-
flüssiges Wasser aus dem Strome, der sich davon
niederstürzt, und dessen andere Arme doch stark genug
bleiben und hoch genug fallen, um mehr als 30 Säge-

---

*) Das vom Kammerherrn Behrend Anker gestiftete
Fideicommis kann zu einem Beweise dienen, was die
Industrie eines einzelnen Mannes hervorbringen mag.
Durch eine kluge Administration war im Jahre 1816
das Capital zu 1671048 Speciesthaler in Silber, und
393965 Norweg. Rbd. (10 auf einen Species) angewachsen, von dessen Zinsen jedem Mitgliede der Ankerschen Familie eine Pension angewiesen ist, und
andere gemeinnützige Ausgaben bestritten werden.

mühlen zu treiben. Man hat neuerdings einen Canal
zu graben angefangen, um eine schmale Erdenge zu
durchschneiden, die Gjelböe mit dem festen Lande
verbindet. Dadurch werden die auf beyden Seiten
liegenden Fahrzeuge viel Zeit ersparen, und der verschiedenen Winde entbehren können, deren sie jetzt
zur Umseglung bedürfen. Eben so bequem als Moß
für den Verkehr und Gewerbsfleiß liegt *), bieten
auch die Umgebungen alle Hülfsquellen des Wohl-
lebens dar. Man rühmt die Gastfreyheit der Bewohner und den gebildeten Ton ihrer Gesellschaften.
Der letztere ist vielleicht zum Theile dem Wohlstande
gefolgt, den der Handel herbeyführt; doch muß man
nicht glauben, daß dies gleichmäßig bey allen Nordischen Seestädten der Fall sey. Die Haupt-Land-
straße, die alle Reisende ohne Ausnahme hindurch-
bringt, hat daran ohne Zweifel das meiste Verdienst.
Ebenfalls hier haben Feuersbrünste, wovon zwey
schnell aufeinanderfolgend, einen großen Theil der
Stadt verwüsteten, Anlaß zu ihrer Verschönerung
gegeben. Das Haus, welches der Administration
des Eisenwerks und der andern damit verbundenen
Gewerbszweige angehört, ist ausgezeichnet. Ich be-

---

*) Die Bevölkerung der Stadt im Jahre 1801 belief
sich auf 1408 Köpfe. Die Zolleinkünfte von 1795 waren
15290 Rthl., die Accise gab 3049.

I.   3

merkte hier zum erstenmahl in Norwegen artige
Wohnungen von Eisenschlackensteinen aufgebauet.

Die Witterung war auch hier diesen Winter hindurch sehr mild gewesen, das Thermometer nie unter
12° gesunken. Schon war der Christianiafiord
an der Mündung vom Eise frey, doch nicht so in
seiner Tiefe.

Der Weg nach Christiania führt durch viele
Holzungen. Er ist uneben, unterbrochen von den
schmalen Thälern, die sich meistentheils nach dem
Meerbusen hin aufthun. Aber da er diesem unab-
lässig folgt, so ist er voll von anziehenden Gesichts-
punkten. Häufig unterscheidet man zwischen den Gebüschen hindurch Inseln, Halbinseln und freundliche
gegenseitige Ufer. Nichts kommt aber der Aussicht
gleich, womit man auf der Spitze des Egebjergs,
der über Christiania schwebt, empfangen wird.
Das Gemählde umfaßt auf einmahl die Stadt, wie
sie sich um das Ende des Fiords herumziehet, und
selbst von Landhäusern und Anbau umgeben ist, das
Schloß von Aggershuus, das auf einer engen
felsigten Landzunge in das Meer hinausragt, auf
der linken Seite zahllose Inseln mit Waldung, Wiesen und Wohnungen, im Hintergrund eine Reihe
amphitheatralisch aufsteigender Gebirge, die hinter-
sten mit runden graulichen Formen auf dem klaren
Horizonte wie aufgeklebt. Um endlich den ganzen

Eindruck dieser Mahlerey begreifen zu können, muß man sich dieselbe denken, wie sie damahls von einem röthlichen Abendschimmer, welcher die Umrisse verschmolz, sanft verschleyert wurde.

Weder ansehnliche Gebäude noch die geschmackvollen Verzierungen der Baukunst sind es, welche hier die reiche Hauptstadt eines weitläuftigen Reiches ankündigen. Es wäre überhaupt Unrecht, wenn man Ueberraschungen, welche aus den Bemühungen der schönen Künste herfließen, einem strengen Himmelsstriche abfoderte, der alle Genüsse in sehr engen Schranken zurückhält. Aber gradegezogene, breite Straßen, mit zwey Etagen hohen, doch sauberen, wohleingerichteten Häusern, versprechen dem Reisenden unter einfacher Bekleidung, Gastfreyheit und stille, gemäßigte Genüsse. Wendete man mehr Sorgfalt auf das Pflaster, und wäre es möglich, die Brunnen auf anderen Stellen anzubringen, als auf den Scheidewegen, wo sie verunstalten, den Fuhrwerken äußerst unbequem fallen, und im Winter die Vorbeyfahrt gefährlich machen, so könnte man gern alles andere vergessen, was sonst wohl von großen Städten verlangt wird.

Die nächsten Umgebungen entfalten dagegen alle Vorzüge eines hügeligten mit höheren Gebirgen umzogenen Bodens. Es gibt hier reizende Lagen und Ansichten, von den Bewohnern mit Sinn und

Gefühl benutzt. Viele Landhäuser beherrschen das
Ganze des Gebirg-Kessels, und oft zugleich einen
Theil des Meerbusens. Das glückliche Gemisch von
Häusergruppen, Feldern, Gärten, Wald und Fels,
Wasser und Grün kann wohl, wenn ein schöner
Tag den Zauber seiner Sonnenstrahlen darüber aus-
gießt, an das Vaterland der Mandeln- und Oran-
genbäume erinnern.

Die Halbinsel Ladegaardsöe, worauf die
Sommerresidenz des Stiftamtmannes liegt, und die
nachher von Norwegens Statthaltern benutzt
wurde, ungefähr eine Viertelmeile von der Stadt
entfernt, enthält alle Elemente zu dem, was man
Anlagen im Englischen Geschmack nennt. Der Fran-
zösische hat darin schon mehrere angenehme Laub-
gänge gezogen, deren Kühle, ob sie gleich etwas
feucht scheint, doch in den heißen Sommertagen sehr
willkommen ist. Der Palast selbst hat nur wenig
Raum mehr, als die allernothwendigsten Bequemlichkeiten erfodern. Doch entbehrt man leicht eine
größere Ausdehnung so sehr in der Nähe der Hauptstadt.

Sehr unrichtig würde man den Charakter einer
Nation den Einwohnern einer Residenz oder großen
Handelsstadt absehen wollen. Diese sind sich überall
ähnlich, und machen ein eigenes, im Wesentlichen
ganz übereinkommendes Volk aus. Der Berechnungs-
geist, der übrigens mancherley Zwecke haben kann,

schleift alle rauhe Kanten ab, vermischt die hervor-
stechenden und bezeichnenden Züge. Auch in Christiania's Bewohnern erkennt man nur alsdann
den Norwegischen Volksgeist wieder, wenn man seine
kraftvollen, scharfgeschnittenen Umrisse erst in einigen
der inneren Provinzen hat unterscheiden lernen. Es
liegt in ihrem Tone eine gewisse Zufriedenheit mit
sich selbst, eine Unbekümmerniß zu gefallen, welche
die schönen Herzensgaben unkenntlich machen, und
dem Fremden lange anstößig bleiben.

Hierzu kommt eine gesellschaftliche Zurücksetzung
des schönen Geschlechts, welches beynahe schon durch
den unbegreiflichen Umfang der Norwegischen Oekonomie, auf die bloße Ausübung haushälterischer
Tugenden beschränkt wird. Zu Schmäußen werden
bloß Männer geladen, auch von dem eigentlichen
Spiele sind die Weiber ausgeschlossen, sie sitzen still
nebeneinander mit ihren Arbeiten, und nähern sich
den in Tabakrauch gehüllten Spielern, bloß wenn
sie unter ihnen das Abendessen herumtragen. Jedes
verlobte Mädchen ist dem Zirkel der männlichen Ge-
fälligkeiten entwichen; was noch schlimmer ist, die
meisten glauben darum ebenfalls einer gegenseitigen
Artigkeit überhoben zu seyn, und die dem Geschlechte
eigene Begierde, Interesse zu erregen, wird ausschließlich zum Nachtheile des Umgangs auf einen
einzelnen Gegenstand hingerichtet. Manchem können

überhaupt Männer, die in den Sitten der Milde
und Sanftheit entbehren, in Hinsicht auf geistige
Geselligkeit kaum mehr der Aufmerksamkeit werth
scheinen.

Doch muß ich auch, um billig zu seyn, des
Guten erwähnen, wovon das Glück dem Reisenden,
selbst bey seinem Eintritt in diese neue Welt, gern
angenehme Eindrücke zuführen kann. Die weibliche
Bildung hat in den neuern Zeiten im Ganzen einen
höhern Schwung bekommen. Man liebt die Musik,
und ist darin nicht ohne Geschmack; ein oder zwey
Privattheater beschäftigen die Jugend nützlich, geben
ihr Anstand und geziemende Dreistigkeit. Christiania hat keinen Mangel an ausgezeichneten Gelehrten in allen Zweigen des Wissens, die ihres
Rufes werth sind. Mehrere Bibliotheken enthalten
das Wesentlichste, zum Theil selbst der neuesten
Litteratur. Die Universität, welche den Norwegern
das Studiren erleichtert hat, kann sich vom allgemeinen Enthusiasmus versprechen, den Kampf mit
den, einer neuen Anlage immer entgegentretenden,
Schwierigkeiten ehrenvoll zu bestehen. Die Gesellschaft „für Norwegens Wohl," deren erster
Gedanke, oder doch erste Thätigkeit das Land dem
Bischof Bech schuldig ist, hatte die Geister schon
überall vorbereitet und wissenschaftlich verknüpft.
Die natürlichen Anlagen der Nation, besonders zu

den mathematischen Wissenschaften, lassen hoffen, daß, wenn einmahl der Werth derselben durch Entwickelung anschaulich wird, ebenfalls in Christiania Gewinnsucht und Wohlleben dem Aufkeimen des Genies minder hinderlich fallen werden. Des edlen Selbstgefühls der Nation unbeschadet, wird man einsehen lernen, es gebe noch andere Länder außer Norwegen und England, wo man auch zuweilen ein wenig Verstand haben könne.

Man muß es mit Geduld erwarten, welche Einflüsse die letzte Revolution von 1814 mit ihren Folgen, auf den sittlichen Charakter eines Volks haben wird, dessen ungestüme Leidenschaften bis dahin durch die mildeste und väterlichste Regierung gebunden waren. Den Werth dieser wird man dann erst schätzen lernen, wenn die Zeit den Knabenmuthwillen der erhitzten Partheyen gezügelt hat, wenn die übertriebenen Foderungen von allen Seiten abgespannt sind, und man, aus Träumen erwachend, anerkennt, wie groß und gut ein Fürst *) war, der mit

*) „Zart und edel entsprossen wuchs die königliche Blume, unter den unmittelbaren Einflüssen der Majestät hervor; der Begriff des Rechts und der fürstlichen Würde, das Gefühl des Guten und Anständigen mit dem Bewußtseyn der Höhe seiner Geburt, entwickelten sich zugleich in ihm. Er war ein Fürst, ein gebohrner Fürst, und wünschte zu regieren, nur damit das Gute ungehindert gut seyn möchte. Anga-

völliger Aufopferung seiner Selbst, seiner theuersten und süßesten Bande, dem Volke, das er schonend achtete, eine freye Verfassung verschaffte.

Von den Annehmlichkeiten, welche der Fremde billig in den Wirthshäusern besuchter und volkreicher Städte erwartet, finden sich in Christiania sehr wenige. Gastfreyheit macht sie für den inländischen Reisenden auch beynahe unnöthig. Selbst der bloße Titel einer Bekanntschaft gibt oft das Recht auf eine gefällige Aufnahme in einem Privathause, wodurch man einem unreinlichen, schlecht versehenen Zimmer, der mäßigsten Tafel und der ungeheuersten Uebertheurung zugleich entgeht.

Die Heiterkeit des Himmels, welche mehrere Wochen meines Aufenthalts hindurch ungetrübt blieb, muß jedem gefallen, der die Reinheit und Elasticität der Luft der Milde ihrer Temperatur vorzieht. Der Winter ist überhaupt eins der wesentlichsten Bedürfnisse Norwegens. Alle Gemeinschaft unter den Provinzen, die Möglichkeit sich mit dem Nöthigsten zu versehen, und dagegen Artikel der Ausfuhr zu liefern, würde aufhören ohne diese Wohlthat der Natur, welche den Transport über Flüsse, Moräste

---

nehm von Gestalt, gesittet von Natur, gefällig von Herzen aus, sollte er das Muster der Jugend seyn, und die Freude der Welt werden."

Göthe. (Hamlet.)

und sonst unwegsame Stellen leicht, kurz und wohlfeil macht. Mir ist es selbst vorgekommen, als stehe das Winterkleid dem Lande am besten; die Einwohner, was sie auch sagen mögen, leben darin wie in ihrem eigensten Elemente. Man sieht Frauenzimmer, das Gesicht von den schönsten Farben belebt, sich allein in Schlitten fahrend, ihre Morgenbesuche ablegen. Sogar trifft man sie auf diese Art ausserhalb der Stadt an. Bauern und Kinder ziehen ihre Habseligkeiten, und was sie zu Markte bringen, in kleinen Schlitten hinter sich her. Der Meerbusen von Christiania wird, eine lange Strecke hinaus, zum Versammlungsort besonders für die junge männliche Welt, die dort mit ihren Trabern wetteifern. Die Schnelligkeit dieser eigends dazu gezogenen Pferde, welche meistens zu hohen Preisen verkauft werden, bringt Ungewohnte vollkommen ausser Fassung.

Da es keine ordentliche Markttage, noch einen regelmäßigen täglichen Verkauf aller Nothwendigkeiten des Lebens in Christiania gibt, so erwachsen hier anderswo unbekannte Schwierigkeiten für Haushaltungen, die keine eigene Landstellen besitzen. Die Familien müssen früh im Herbste anfangen, alle Hülfsmittel für einen langen Winter, zum Theil selbst für ein ganzes Jahr einzusammeln, woraus eine Aengstlichkeit in den Details entstehet, die noth-

wendig zur Sklaverey des schönen Geschlechts führt.
Von Jugend auf mit diesem Hauptgedanken beschäftigt, verliehrt es bald Neigung und Fähigkeit, in
ein männliches Interesse einzugehn. Wenn einge-
schlachtet, Seife gekocht, oder ein Wintervorrath
von Lichtern gegossen wird, so legen die ersten Damen des Landes persönlich Hand dabey an. Es ist
ausser Zweifel, daß Ordnung und Oekonomie durch
dies System gewinnen müssen, aber es mag manchem schmerzhaft vorkommen, daß die Ersparung
des Geldes nicht ohne Verlust für den innern Umgang, für den bezaubernden Austausch von Gedanken und Empfindungen geschehen könne, die doch
in der Ehe auch in Anschlag gebracht werden sollten.

Das Klima Christiania's gewinnt sehr an
Milde durch die Lage der Stadt, welche von allen
Seiten, außer nach Süden zu, durch mehr oder
minder hohe Bergrücken gerade gegen die heftigsten
Winde gesichert wird. Ausgenommen Pfirschen und
Melonen, die in der freyen Luft nicht reifen, gedeihen alle andere Früchte des gemäßigten Himmelstrichs; Aprikosen und vortreffliche Kirschen an mehreren Stellen, besonders in Linderud, einem Land-
gut des Assessors Mathiessen, ja Reines Clau-
des im Garten des Hrn. J. C. Smith westlich
von der Stadt. Oft schadet es hier, wie in ganz
Norwegen, den Fruchtbäumen, wenn der Frost nicht

tief genug bis zu den Wurzeln hinabbringt, um
allen Umlauf der Säfte im Stamme zu hemmen.
Gartengewächse werden in größter Vollkommenheit,
neuerdings selbst in ziemlichem Ueberfluße gezogen,
und außer Linderud kann man noch Bogstad
(dem Staatsminister Peter Anker gehörig) und
Ulevold (ein Eigenthum der Familie Collet)
als Oerter anführen, wo man wahrnimmt, was
Lage und Sorgfalt über geographische Breite vermögen. Doch kann man in Hinsicht auf Gefühl
nicht in Abrede seyn, daß so warm und belebend
die Sommertage seyn mögen, die Nächte unabläßig
an den höhern Norden erinnern.

In Christiania, und beynahe im ganzen
mittäglichen Norwegen, treffen schon am Ende des
Märzes warme Tage einzeln mit südlichen Winden
ein, und obgleich der Anfang des Frühjahrs nur
vom May an gerechnet werden kann, so eilen ihm
doch mehrentheils die Waldbäume mit einem unbegreiflichen Reichthum von Knospen voraus. Hierauf
werden die Tage trüber; die schönen heiteren sind
nicht wünschenswerth, denn sie werden immer von
sehr gefährlichen Nachtfrösten begleitet. Ungefähr
am Ende des Aprils geht das Eis auf, aber dann
erblickt man sich auch sehr schnell mitten im Sommer; die ganze Erdfläche wird augenblicklich mit
dem schönsten Grün bekleidet, es kommen Tage von

17° 18° bis 20° Wärme; doch bleiben nördliche und nordöstliche Winde nicht lange aus; und halten den raschen Fortgang des Pflanzenlebens abwechselnd auf.

Er geht es bis zur zweyten Nachtgleiche fort, welche Regen und Stürme herbeyführend die Atmosphäre fühlbar abkühlt. Doch auch hier gibt es erfreuliche Wechsel von südlichen und südwestlichen Winden, die sich mit warmen Tagen bis zu Ende Octobers darunter mischen, wo alsbann die Winde immer östlicher und nördlicher, und die Nächte kälter werden. Nun kündigt sich der Winter deutlich an, das Laub der Bäume durchgeht mit wunderbaren und zahllosen Vermischungen alle Nüancen des Grünen, Gelben und Rothen, und es treffen zugleich die schönen Nachsommertage ein, die das Land in dieser Jahreszeit zu einem Paradiese machen. Endlich bringt der November kalte Regenstürme, die nach und nach in Schneegestöber übergehen, worauf zuletzt der reine Himmel, und Norwegen in seinem Wintergewande erscheinen. Treten darin warme Tage auf, so folgt ihnen gewöhnlich eine Verstärkung der Kälte nach.

Zufolge der Aussage der Beobachter war es erwiesen, daß besonders in den mittäglichen Provinzen eine Veränderung in den Jahreszeiten vorgegangen ist, welche dem Aushauen der Wälder, dem Austrocknen der Moräste und Ströme, und nicht zu bestimmenden Revolutionen im Dunstkreise zugeschrieben werden muß. Das Wetter ist im allgemeinen unbeständiger geworden, die Sommerwärme wird öfter unterbrochen, die Regenzeit findet sich früher ein, ohne doch mehr Regen zu liefern, die Winterkälte ist minder heftig, aber über einen größern Zeitraum vertheilt. So ist es mit der Wärme. Man kennt wenig heiße Tage, welche sonst das Getraide so plötzlich reiften, allein die Anzahl der laueren und wärmeren hat zugenommen: der Schnee ist nicht mehr so häufig, fällt nicht mehr so hoch, und schmilzt früher. Vielleicht hat auch die Menge des Regens abgenommen. Es ist wahrscheinlich, daß wenn man die Mitteltemperaturen der Monate zusammengezählt, als Grundlage der Mitteltemperatur des Jahres gelten lassen will, diese gestiegen sey. Aber ich zweifle, daß eine solche Methode, sie ausfindig zu machen, für die westliche Seeküste gleich anwendbar seyn dürfte.

Was die öffentlichen wissenschaftlichen Anstalten betrifft, so sind sie durch die Berichte anderer Reisenden so genau bekannt geworden, daß ich überhoben seyn kann ihrer zu erwähnen. Mehrere Manufacturen haben sich in und bey der Stadt niedergelassen, eine Papier- und Spielkarten-Fabrik, Tuch-Manufactur (zu meiner Zeit noch in der Wiege), Alaun-Fabrik in Opflo u. s. w., worunter mir blos die Details der letztern bekannt geworden sind.

Christiania, unter einer Polhöhe von 59°
55' 20'', ist übrigens der Hauptort von Aggers-
huus-Amt, dessen Volksmenge sich am 1. Febr.
1801 auf 56899 Köpfe belief. Ihre eigene Bevölkerung war im nehmlichen Jahre 9005, die von
Opflo 694, also weit unter derjenigen, die man
gewöhnlich angibt *).

---

*) Ihr Zoll hat im Jahre 1795: 55290 Rth. eingebracht, die Accise
27602. Das Aggerhuus-Stift, dessen Hauptstadt
sie ebenfalls ist, enthielt im Jahre 1801: 370903 Seelen.
Zu dem ganzen Stifte gehörten Ausgangs 1799: 283 Schiffe,
22627½ Commerzlasten trächtig, mit einer Bemannung
von 2510 Matrosen.

Viertes Kapitel.

Bärum und Hakkedal.

Weg am Meere nach Bäkkerbe. Bogstad. Fossum. Bärum. Bärumselv. Austreten desselben. Reise nach Hakkedal. Administration des Eisenwerks. Tellegröp. Königliche Waldungen. Rückkehr über Nittedal.

Nachdem ich die Zwischenräume von Thauwetter mehrmahls benutzt hatte, um die der Stadt nächstliegenden Gegenden zu besuchen, wagte ich mich am 1. May weiter hinaus, und nach Bogstad hin. Die Straße führt eine Zeitlang am südlichen Gestade weg, und entwickelt eine mannigfaltige Reihe neuer Gesichtspuncte. Da hier irgend eine gewaltsame Revolution, durch Umstürzung der Ufer, dem Meere einen Eingang verschafft hat, so sind viele zerstückelte Theile derselben zu Inseln und Halbinseln geworden. Meistens haben sie Gehölz, das

von bebauten Aeckern und Wiesenfeldern durchbrochen,
sich mahlerisch gruppirt. Besonders fällt, ehe man
Vækkeröe erreicht, eine kleine Insel in die Augen,
einem Chinesischen Taßengemählde ähnlich, und aus
einem sonderbar steil abgehauenen Felsen, einem
schmalen Strauße in die Höhe strebender Tannen,
und einer Hütte dazwischen bestehend. Vækkeröe
selbst, welches dem Grafen Webel-Jarlsberg
gehört, erweiset die Resultate der Norwegischen Haupt-
betriebsamkeit in ungeheuren Haufen kunstreich auf-
gestapelter Bretter, welche die Einschiffung auf diesem Arme des Meerbusens erwarten. Die Wohnung
selbst, von ziemlicher Länge, enthält eine Reihe
Zimmer durch eine außen daran fortlaufende Gallerie
verbunden, und zugleich von einander unabhängig
gemacht.

Bogstad (540 Fuß über der Meeresfläche nach
Esmark) gehört zu den Landgütern in Norwegen,
wo ein gereinigter Geschmack mit lebendiger Wirkung schon natürlich schöne Anlagen zu benutzen
verstanden hat. Hr. Peter Anker hat darin viele
auf Reisen gesammelte Ideen zweckmäßig vereinigt.
Eine Gemähldesammlung, welche Stücke von guten
Meistern enthält, eine Bibliothek, ein zierliches
Wohnhaus, wohl unterhaltene Gewächshäuser, einige
Verschönerungen der Gärten, die sich sanft bis zu
einem heiteren See hinunterziehen, erinnern ohn-

Affectation noch Uebertreibung an Kunst und Sinn verschiedener Nationen.

Fossum, eins von den beyden Eisenwerken, welche der nämliche Eigenthümer besitzt, liegt nur eine Viertelmeile von Bogstad entfernt, und am Bogstabelv, welcher von nahen Gebirgen herab kommt, und das erwähnte Gewässer am Rande der Gärten durchströmt. Dieser Fluß sammelt und flößet die Balken zur Unterhaltung der Sägemühlen. Er bildet einen Wasserfall von eigenem Charakter, unter der Brücke, die zu dem Hammerwerk von Fossum führt. Von einem gelben Ocker gefärbt, und von der Sonne beschienen, glich er vom Geländer herab einem Segment des schönsten Topascylinders.

Ebenfalls von Bogstad aus besuchte ich Bärum, welches zu den berühmtesten Eisenhütten in Norwegen gezählt wird *). Man muß über die Fortschritte des Landbaues erstaunen, welche dieser Erdstrich lediglich den unermüdeten Anstrengungen seines Besitzers verdankt. Häuser und Einwohner (deren Anzahl in Hrn. Ankers Besitzungen damahls auf 2992 gestiegen war) zeigen überall eine Wohlhabenheit, die gewiß auch zum Theil vom Eisenhüttenbetriebe herrührt. Um den Hohofen selbst herum hat

_____

*) Auch ist sie eine der ältesten, denn schon in den Jahren 1620—22 wurde sie auf Königl. Rechnung betrieben.

sich aus dem nähmlichen Grunde ein kleines Dorf gebildet, mit mehrentheils aus Schlackensteinen gebaueten Wohnungen. In der Nacht vom 28. August 1808 wurde es von einem schrecklichen Unfalle heimgesucht. Der Bärumelv, den man über dem Orte abgedämmt hat, um die nöthigen Aufschlagewasser zu gewinnen, schwoll durch Regengüsse im Gebirge plötzlich und stürmisch an. Dann schwemmte er alle oberen Sägemühlen weg, drängte die Balken am Wehr zusammen, zerriß es, und stürzte mit der Trümmerlast auf das Dorf nieder. Dies wurde bis zur Höhe von 7 bis 8 Fuß überschwemmt, die Einwohner mußten sich aus den Fenstern auf die nahen Hügel retten.

Um nachher meine Reise nach den südlichen Provinzen ohne Unterbrechung ausführen zu können, besuchte ich noch (am 14. May) das Eisenwerk von Hakkedal, zu dessen Ruf sein damahliger Directeur, Hr. Baumann, das meiste beygetragen hat. Ein angenehmer Weg, der sich zwischen Nadelholzwäldern herumwindet, bringt unter den ganz eigenen Abwechselungen, welche nur hügelige Gründe aufzuweisen haben, nach Skytakierne, einem kleinen Wasserbehälter in einer romantischen Lage von Waldungen eingefaßt. Man kommt über den Nittelv, der hier die Grenze zwischen den Districten von Hakkedal und Nittedal bestimmt. Hr. Bau-

mann war verreist, und ich mußte am Abend
meine Zuflucht zu dem nahe am Werke liegenden
Wirthshause nehmen, am Fuße einer hohen Felsenmasse. Ich stieg noch hinauf. Man übersah davon
das ganze mit Gebäuden und Anlagen übersäete
Thal, anziehende Nähen und Fernen, in denen der
Hohofen mit seinen Werkstätten den Hauptpunkt
einnahm. Der Hakkedalselv hing im Wiederschein der Abendsonne, wie ein Silberfaden am
Hüttenwerke herunter. Die ganze Landschaft schwamm
in einem rothen Dunstmeere.

Nicht allein die den Hohofen unmittelbar angehenden Einrichtungen, sondern auch die geringsten
Umstände der Bebauung beweisen die geschickte Aufmerksamkeit der Administration. Es ist sonst eine
Hauptschwierigkeit, welche den Gang des Norwegischen Hüttenwesens oft lange, zuweilen unüber-
windlich aufhält, daß man den Arbeitern gleich vom
Anfang an, Wohnungen und alle Hülfsmittel anschaffen muß, um ihre Familien in der Jahrszeit, wo
die Erde nichts mehr liefert, zu unterhalten. Ihr
Viehstand ist die hauptsächlichste, ja beynahe einzige Grundlage ihrer Existenz. Selbst Ueberfluß an
Getraide ersetzt nirgends in Norwegen den Mangel an Milch. Jede Familie muß daher außer einem
Hause auch mit soviel Wiesenland versehen werden,
als hinreicht, um auf das ganze Jahr Futter für

1 oder 2 Kühe und einige Schaafe hervorzubringen.
Ziegen hat eine kluge Besorgniß für die Holzungen,
deren Todfeinde sie sind, überall selten gemacht.
Ueberdem muß man den Leuten das nöthige Getraide
verschaffen, ja es muß ihnen unter dem Preise,
welchen es kosten mag, im Verhältniß mit ihrem
mäßigen Gehalte überlassen werden.

Hrn. Baumann ist es, doch nicht ohne große
Mühe, gelungen, sogar Weiber und Kinder dem Werke
nützlich zu machen, und durch eine ihren Kräften
angemessene Bezahlung die Hülfsmittel jeder Familie
selbst zu vermehren. Ein kleines Mädchen kann mo-
nathlich 3 bis 4 Th. gewinnen. Die Arbeiter sind
übrigens einer sehr strengen Disciplin unterworfen,
die Geldstrafen, welche bis dahin, ohne den sorg-
losen Häuptern der Familien selbst beschwerlich zu
werden, nur auf die schuldlosen, untergeordneten
Glieder derselben gefallen waren, sind mit körper-
lichen vertauscht; für Wittwen, Waisen und Kranke
wird auf das allermenschlichste gesorgt. Diese wohlthätigen Einrichtungen erstrecken sich ebenfalls auf
die Arbeiter bey den Sägemühlen.

Die zu der Eisenhütte gehörigen Gruben liegen
in einiger Entfernung vom Werke. Ich besuchte
die Dalsgrube, wir trafen noch auf Spuren
von Tellegröy, einer bekannten Erscheinung auf
dem Norwegischen Boden, wo eine obers trockene

Winde den Reisenden täuscht, welcher dann nach
Durchbrechung derselben in eine unergründliche Tiefe
versinkt. Dies zeigt sich fast alle Frühjahre, denn
die aufgethauten Wassertheile sinken in die Tiefe
und lösen die darin noch gefrornen auf, während die
schleunig darauf folgende Sonnenwärme die Oberfläche verhärtet. Unter derselben kann die Gährung
lange fortdauern, die Entwickelung der Dünste treibt
meistens große Blöcke in die Höhe, wogegen der
Ackerbau mit jedem Jahre von neuem zu streiten hat.
Selbst Gebäude werden davon aufgehoben, wenn
ihre Grundlage nicht tiefer reicht. Daher wahrscheinlich so viele schiefstehende Häuser in Norwegen.

Man reiset zu der Grube erst eine Meile lang
auf dem gewöhnlichen Landwege, hierauf biegt man
östlich zur Seite durch die Wälder ab. Diese waren
ein königliches Eigenthum; die darin angerichteten
Verwüstungen, der sichtbare Mangel an Sorgsamkeit für Reinlichkeit und Erhaltung, über den Weg
niedergeworfene, halb verfaulte Baumstämme ließen
dies mich beynahe schon aus der Ferne vermuthen.
Niemahls ist es der Regierung gelungen, hier ihren
wissenschaftlichen Vorschriften Eingang zu verschaffen, ungeheure Entfernungen machen dem Forst-
beamten eine detaillirte Aufsicht unmöglich, noch ist
an allen Orten eine theoretisch festgestellte Behandlung der Wälder mit gleichem Vortheile anwendbar.

jeder nahe wohnende Eigenthümer benuht sie ohne Scheu, ohne Verpflichtung zu einem ersetzenden Anbau, und immer auf die ihm bequemste Art.

Meine Rückreise nach Christiania geschah über Mittedal. Hier stehet das zur Eisenhütte gehörige Hammerwerk. Hr. Baumann wollte es höher hinauf vom Flusse wegrücken. Denn wenn der Mitteelv, der es mit Aufschlagewasser versieht) nach dem Schmelzen des Schnee's anschwillt, und sich in den Oejeren-See stürzen will, so findet er diesen schon durch den Glommenelv und die anderen in ihn ablaufenden Gewässer zu einer solchen Höhe gestiegen, daß seine Fluthen zurückgedrängt werden, und dann seitwärts über die Ufer austreten müssen. Dies Ansteigen dient dagegen zum leichtern Flößen der Balken, welche er den über dem Eisenhammer gelegenen Sägemühlen zuträgt.

Fünftes Kapitel.

Südliche Provinzen Norwegens.

Asker. Weite Aussicht. Hjellabek. Paradisbakken.
Drammen. Verschönerung der Stadt. Dramsfjord.
Jarlsbergs Werk. Eidfos. Der Egersöe. Grube
von Røgebjerg. Holmestrand. Jarlsberg. Walöe-
Salzwerk. Laurvig. Frideriksvärn. Aussicht vom
Kirkebjerg. Porsgrund.

Die Straße von Christiania bis Bälkeröe
ist die nähmliche, die nach Bogstad führt. Dann
folgt sie einem Arme des Meerbusens. Gleich bey
Asker hat man eine der weitesten Aussichten Norwegens; sie beherrscht einen großen Theil des Gol-
fes, und der Hintergrund fesselt das Auge mit dem
Schlosse von Aggershuus, das 4 Meilen entfernt ist. Der Ackerbau hat in diesem Distrikt, vielleicht selbst durch den Krieg, der die Zufuhr erschwerte,
ganz unglaublich gewonnen; wenn man das hier

anders eine Verbefferung heißen kann, daß Getraide
und Erdäpfel die Viehweiden verdrängt haben. Der
Pfarrer diefes Orts, Hr. Neumann, hat im Land-
wefen fehr gute Einfichten, wie mehrere Schriften
beweifen. Auf dem Lande müffen neue Ideen, wenn
fie fchnell in Umlauf und Ausübung kammen follen,
immer vom Seelforger ausgehen.

· Hiellebek ift feiner Marmorbrüche wegen bekannt. Hierauf erreicht man bald den Punct des
fo fehr gerühmten Paradisbakken (Paradies-
Hügels), von wo aus man in das Thal von Drammen niederzugehen anfängt. Man kann nicht läugnen, der Ueberblick der vorliegenden Gegenftände
gehört zu den überrafchendften, befonders wenn man
im Lande noch neu ift. Das Thal, das unten liegt
und in den Dramfiord endigt, ift vom Kamme
der beyden Wände bis in die Tiefe herunter angebaut und gefchmückt. Drammen felbft umfaßt den
Eingang des Seearms, oder wenn man will den
Ausgang des Drammenfluffes auf beyden Seiten, als wäre diefer die Hauptftraße des Orts. Er
ift es auch wirklich. Fahrzeuge liegen darin bis über
die Gränzen der Stadt hinauf, ein ununterbroche-
nes Leben verbindet die Ufer, und an diefen oder
auf Infeln liegen ungeheure Bretterwürfel, womit der Haupthandel der Landes genährt wird. Der
Niedergang vom Paradiesberge ift lang, und doch

stellenweise steil, aber man kann sich selbst in einem zweyräderigen Kariol, das gerade am gefährlichsten aussieht, auf sein Norwegisches Pferd verlassen. Die Last, welche dies ganz trägt, und die seinen mindesten Fehltritt zum halsbrechenden Sturz machen würde, verändert nichts in seiner unverrückbar sicheren Haltung, und behutsamem Fortschritt.

Drammen begreift drey Quartiere, oder vielmehr kleine untergeordnete, größtentheils nur in 1 oder 2 Straßen bestehende Oerter; Bragernäs, Strömsöe*) und Tangen, wovon der erste auf der nördlichen Seite des Flusses, die beyden andern auf seiner südlichen liegen. Seit 1814 sind sie noch enger miteinander durch eine hölzerne Brücke verbunden, deren Nützlichkeit so in die Augen fällt, daß man kaum begreift, welche unüberwindliche Schwierigkeiten sich so lange Zeit ihrem Baue entgegensetzen konnten. Bis dahin kam man zu einander bloß vermittelst der Böthe, die den Fluß übrigens mit einer Klasse sonst unbrauchbarer Müssiggänger bevölkerten. Die Summe von ungefähr 50000 Thalern, welche erforderlich war, wurde von einer Gesellschaft Actionisten zusammengeschossen, die nun auch einen Zoll von Wagen und Pferden, ja sogar

---

*) Die Volkszahl von Bragernäs belief sich in 1801 auf 2857, die von Strömsöe auf 2542 Köpfe.

von Fußgängern erhöht. Der Raum zwischen den
Pfeilern, die aus eingerammten Pfählen bestehen, ist
27 Norwegische Fuß. Die Zugbrücke zum Einlaß
der Schiffe in den obern Theil des Stromes liegt
nicht in der Mitte, sondern dicht am nördlichen Ufer,
da sie als der schwerste und zusammengesetzteste Theil
einer stärkern Unterstützung bedurfte, als der Grund
mitten im Flusse gewähren konnte.

Die Straßen dieser für das ganze Land so wichtigen Stadt sind enge, die am nördlichen Ufer win-
det sich schlangenartig, aber die Stockung des Han-
dels hat hier eine der gewöhnlichen sehr entgegengesetzte Wirkung hervorgebracht. Ueberall sind neue
Gebäude mit nettem Aeußern entstanden; denn da
der Krieg die Ausfuhr der Balken und Bretter,
Drammens Hauptnahrungszweig, mehrere Jahre
hindurch hemmte, so wußte man sie unterdessen zu
nichts Vortheilhafterem zu benutzen. Das Innere
der Gemächer bey dem wohlhabenden Theile der
Einwohner verräth die unmittelbare Verbindung,
worin man ehedem mit Englands Bequemlichkeiten
und selbst Ueberflüssigkeiten stand *).

Schon außerhalb der Stadt unterscheidet man
von weitem am Abhange der südlichen Thalseite

*) Drammen Zoll gab in 1795: 71299 Rthlr., die Accise
14352.

Qustad, das Wohnhaus des Hrn. Peter von
Cappelen, in Hinsicht seiner fremden, beynahe
Italiänischen Bauart. Vier Säulen von gegossenem
Eisen, kunstreich aus breiten Ringen zusammengesetzt, und von schönen Verhältnissen, verzieren die
Fronte. Die verderbliche Einwirkung des Klima
erfodert, daß man diese Säulen mit einem Firniß
überziehe; selbst steinerne Häuser können kaum eines
Oehlanstrichs entbehren.

Noch gibt es hier ein kleines Gesellschaftstheater,
das im Umfange dem von Christiania wenig nachstehet, und es vielleicht zum Theil in der Kunstfertigkeit der Schauspieler übertrifft. Ich habe darauf
in 1814 eine Vorstellung des Kleides von Lyon
gesehen. Die Wärme und Wahrheit des Spieles,
die Ruhe und das Gleichgewicht, besonders der
Schauspielerinnen, ließen gar nichts vermissen. Das
ganze Wesen Eines der jungen Frauenzimmer vorzüglich zeigte Naivität, Reinheit des Gefühls, eine
gebildete Jungfräulichkeit. Man hätte ihnen einen
größern Wirkungskreis im bürgerlichen und häuslichen Leben wünschen mögen.

Der Dramfjord erleidet in der Höhe seines Wasserstandes sehr häufige Veränderungen, welche von den
im Meere herrschenden Winden abhängen, und der
Schifffahrt daher zu einer Art von Kennzeichen und
Richtschnur dienen. Das Fallen desselben deutet immer

auf nördliche Winde, obgleich die Lage der Stadt sie oft
den Einwohnern selbst unbemerkbar macht; das Steigen auf südliche; dieß war besonders in den Zeiten des
Krieges und der Noth höchst willkommen, da man alsdann die Ankunft der heißersehnten Zufuhren erwarten konnte. Nördliche Winde dauern gewöhnlich an
der Küste lange mit der größten Hartnäckigkeit fort,
und es gehört oft ein Sturm von Süden dazu, um
das Gleichgewicht des Dunstkreises so weit wieder
herzustellen, daß ein anderer Wind aufkommen und
jene ablösen könne.

Ich begleitete Hrn. v. Cappelen nach Jarlsbergs Werk, dessen Eigenthümer er seit 7 Jahren war. Vorher hatte es einem gewissen Hich-
mann zugehört, der durch gewagte Unternehmungen sich und der Anlage den Untergang bereitete,
und zugleich der Regierung, die ihn möglichst lange
unterstützt hatte, ansehnliche Summen kostete. Jetzt
sind davon nur einige Trümmer übrig, wovon Herr
v. Cappelen einen oberflächlichen und unbedeutenden Nutzen zieht. Die Gewässer, deren die Hütte
zum Treiben ihrer Kunsträder bedurfte, werden durch
einen gemauerten Damm gesammelt; er ist aber sehr
unvortheilhaft gelegen, da er nicht alle Wasser aufnehmen kann, die zu benutzen waren. Eine Viertelmeile tiefer hätten mehrere andere Bäche den Strom
verstärkt, die vergrößerte Masse im Winter dem

Frieren minder ausgesetzt, und so ebenfalls die Thätigkeit des Werks verlängert. .

Geht man von D r a m m e n nach H o l m e s t r o m,
so kommt man von S t r ö m s ö e aus durch den Theil
der Stadt, der T a n g e n heißt. Hier liegen die
größeren Schiffe vor Anker, doch müssen sie selbst
die gewöhnliche Trächtigkeit nicht übersteigen, sonst
können sie so hoch im Meerbusen nicht heraufkom-
men. Der seichte Grund der Mündung wächst vermuthlich durch das Gerölle, welches der D r a m -
m e n e l v dem Meere zuführt, mit jedem Jahre.

Wir bogen von der großen Straße südwestlich
zur Eisenhütte von E i d f o s aus. Ehe man B i e r -
g e t v a n d zu sehen, bekommt, an dem dies Werk
gelegen ist, muß man über einen ansehnlichen mit
schönem Nadelholze bekleideten Bergrücken. An der
nördlichen Seite des Werks liegt der E g e r s ö e.
Er nimmt den Fluß auf, welcher aus dem B i e r -
g e t v a n d *) herkommt, mit einem Arme unter der
Brücke dicht beym Wohnhaus einen Wasserfall bildet, und den andern zum Aufschlagewasser hergibt.
Wenige Eisenwerke in Norwegen haben einen solchen
Ueberfluß von diesem, und man wendet ihn auch zu
einer Menge sinnreicher Veranstaltungen an.

---

*) Aus dem B i e r g e t v a n d fließt überdieß östlich der Re-
vaae aus, der bey dem Orte Revaa in den Sande-
fiord fällt.

Der Egerföe hat 2 Meilen Länge, 15 bis 1600 Klafter in seiner größten Breite, und 80 in seiner größten Tiefe. Man weiß nicht, daß er außerordentlich anwachse. Seine Gewässer sind von einer solchen Durchsichtigkeit, daß an einigen Stellen die Natur des Grundes, selbst in einer Tiefe von 24 Fuß, sehr deutlich erscheint. Doch wird er höchst unruhig bey dem gelindesten Lufthauch. Er friert im Winter sehr spät, wahrscheinlich eben der großen Wassermasse wegen, die er führt, und die sich ohne Ablaß bewegt. Ich durchschiffte ihn beynahe in seiner ganzen Länge, um die Gruben von Rögebjerg zu besuchen, welche den Hohofen mit Erz versehen. Der See vereinigt sich nachher mit dem Fiskumvand, und läuft vermittelst des Vestkossenelvs, in den Drammenelv aus.

Mein Aufenthalt in Eidfos ist mir unvergeßlich. Es ist der Sitz der liebenswürdigsten, aufgeklärtesten Gastfreundschaft, so heiter und anspruchlos, als man sie irgendwo findet. Das Wohnhaus ist nicht prächtig, aber bequem. Die Gärten sind noch nichts als eine erste Anlage, aber die Zufälligkeiten des Bodens darin klug und romantisch benutzt. Von allen Seiten, die des Egerföe ausgenommen, durch bekleidete Anhöhen umschlossen, hat dieser Ort einen ihm eigenthümlichen Charakter von philosophisch-thätigem Frieden; eine bewachsene

Insel auf dem Bjergetvand mag leicht an Ermenonville erinnern, die Thränenbirke ersetzt hier die Trauerweide mit gleich schwermüthigem Effekt.

Man muß einen Theil des nähmlichen Weges zurückgeben, um die Hauptstraße zu erreichen. Revaa vorüber erblickt man auch die schön bebuschten Ufer des Christianiafiords wieder. Die Chaussee, welche man befährt, ist in die Felsen hineingehauen, und ein Meisterwerk. Holmestrand, das wir am Abend erreichten, an sich selbst ein unbedeutendes Städtchen *), hat eine schöne und bequeme Lage am Fiord. Diese letztere, behauptet man, bereicherte mehrere Kaufleute daselbst. Man findet hierauf das Schloß der Grafschaft Jarlsberg **), dem man die lange Abwesenheit des ehemaligen Besitzers ansieht. Läßt man sich aber an einer beschränkten Aussicht genügen, so treffen hier viele Umstände zusammen, um daraus einen angenehmen Wohnort zu machen. Seit dem der jetzige Graf, ein energischer Mann voll von Thätigkeit und Planen, zum Besitz dieser Güter gelangt ist, hat ihr Zustand unverkennbar gewonnen.

Die dem Valöe Salzwerk vorliegenden Gegenden

---

*) In 1801 mit 863 Einwohnern. Der Zoll brachte in 1795: 7096 Rthl., die Accise 1373 ein.

**) Sie zählte in 1801: 2631 Seelen.

machen sogleich mit der geschickten Verwaltung des
Ganzen bekannt. Man kommt durch Fichtenwälder,
die man kaum so wohl erhalten in der Nähe einer
holzverzehrenden Anstalt erwartet. Hr. Inspector
Berche, dem das Salzwerk seinen jetzigen blühenden Zustand verdankt, berührte diese Holzungen so
wenig als möglich, um eine Zuflucht gegen die will-
kührliche Uebertheurung der Bauern, die sonst Brennmaterialien liefern sollen, in den Händen zu behalten. Das Werk liegt auf einer kleinen Erdzunge,
die in den Christianiafiord hinein reicht. Da
diese seiner Industrieart so günstige Lage es auf der
andern Seite in Kriegszeiten einem feindlichen An-
griffe blosgibt, so hat die Regierung immer Sorge
getragen, es wenigstens gegen Ueberfälle von Partey-
gängern zu sichern. Jetzt war hier eine kleine Gar-
nison mit einigen Kanonen. Seine Zerstörung wäre
kaum für ein Land zu verschmerzen, worin gesalzene
Fische einen der sichersten und einträglichsten Han-
delszweige ausmachen.

Erst seit 1739 wurde durch die Bemühungen
des Geheimeraths Beust, der Grund zu seiner
jetzigen Verfassung gelegt. Hr. Graf v. der Nath
wurde 1790 ebenfalls zu diesem Zwecke dahin geschickt, allein die von ihm vorgeschlagenen Veränderungen konnten nicht ausgeführt werden. Herr
Berche, Oberaufseher seit 1760, überwand durch

Fleiß, Geduld, wissenschaftliches Streben und lokale Kenntnisse viele Schwierigkeiten, kaum zu berechnen in einem Salzwerke unter 59° 16' Breite, an einem Meere von geringem Salzgehalt, nahe an der Mündung eines großen Stromes, welcher in der Regen- und Thauzeit eine ungeheure Masse süßen Wassers ergießt, bey überhand nehmendem Holzmangel, durch Theurung erhöhtem Arbeitslohn und Jahre lang unterbrochenem Absatz *).

Am 31ten verließ ich das Werk, um mich nach Laurvig zu wenden. Zuerst geht man bis nach Jarlsberg zurück. Man kommt durch viele Holzungen, unter denen die Birkenwälder nicht die mindest reizenden sind. Doch wird der Boden bald sehr sandig. Wenn man aber am Gränzsteine von verwitterndem Marmor von Gjällebek vorüber ist, der die Scheidung zwischen den Grafschaften Laurvig und Jarlsberg andeutet, sieht man sich in ein angenehmes Land versetzt, wo jetzt die Gebüsche mit jungem durchsichtigen Laube manche heitere Ansicht, Spiele des Lichts und der Schatten gewährten. Eine schöne Brücke führt über den Kouvenelv, den man hierauf zu seiner Linken

*) In Walöe wohnten 1801 auf dem Salzwerke 325, und in den dazu gehörigen Bauernhäusern 128 Personen. Außerhalb dem Gebiete des Werks zählte man 77.

I. 5

läßt, und der sich nicht sehr weit davon am Ende
seines vollbrachten Laufes von 25 Meilen, unter
Laurvig, in die See ergießt.

Laurvig *) ist am Abhange des Ufers angebauet, das ziemlich steil zu einem sehr merkwürdigen
Buchenwalde hinansteigt; denn diese Buchen sind
die einzigen in Norwegen. Wenn man die Straße
am Meere ausnimmt, welche nebst den davorliegen-
den Gärtchen der Unbequemlichkeit häufiger Ueberschwemmungen ausgesetzt ist, so kann man mit Recht
behaupten, die Stadt sey im Ganzen übel gebauet.
Die Häusergruppen sind zwischen den weiten Spalten des Bodens unzusammenhängend ausgestreuet,
gleichsam eingeschaltet darin; der fahrbaren Gassen
gibt es wenige, zu Fuße selbst kommt man nicht ohne
Beschwerlichkeit fort. Aber die Umgebungen trösten
leicht hierüber. Es gibt zu beyden Seiten der Bucht,
doch vorzüglich an der westlichen, Spaziergänge, deren
vielfache Veränderungen, wohlbewachsene Seitenthäler und frische Schatten jeden Vergleich aushalten. Die Sangdrossel (turdus musicus), welche

---

*) Unter 59° 2' 55" Polhöhe gelegen. Die Bevölkerung
der Stadt wurde in 1801 zu 1897 Seelen angegeben;
die ganze Grafschaft sollte ihrer 11692 enthalten. In
1795 waren die Zolleinkünfte 5473 Rthlr., die der
Accise 2509.

in Norwegen die Stelle der Nachtigall vertritt, belebt diese Wälder.

Die Industrie der Stadt war zu dieser Zeit sehr bedeutend, da sich hier mehrere Gegenstände zu ihrer Unterhaltung und Aufmunterung zusammenfanden. Der daselbst befindliche Hohofen hat immer seinen großen Ruf bewährt, die zu Balken und Brettern verarbeiteten Erzeugnisse der Wälder bis nach K o n g s - b e r g hinauf, treiben hier zusammen, daraus war in den neuern Zeiten ein sehr einbringender Handel mit England, Holland und Dännemark entstanden, und die Nähe des letztern hatte, vermöge der Kürze der Ueberfahrt, der man bey der Wachsamkeit so vieler Englischen Kreuzer bedürfte, die Stadt zu einem Niederlagsort des von daher kommenden Getraides und anderer Lebensmittel gemacht.

Von L a u r v i g nach F r i d e r i k s v ä r n *) ist es eine behagliche Fußreise. Wer bey F r i d e r i k s - v ä r n über den Eingang der Bay setzen, und den L i k u b b e r g besteigen will (wo eine Signalstange für die Schiffe steht), hat eine wunderschöne Aussicht über alle Gebirgszüge, die hier zusammentreffen, bis an die Schwedische Küste hin. Man übersieht

---

*) Die Bevölkerung dieses Orts in 1801 belief sich auf 1092 Köpfe, S t a v ä r n, das dazu gerechnet wird, sollte 470 enthalten.

auch einen Theil der sonderbaren Einschnitte und
Zerreissungen, welche die Ufer von Norwegen so
merkwürdig entstellen, diese scheinen fast gänzlich
veröbet, weil das Erdreich von den schrägeliegenden
Schichten ohne Aufenthalt niedergleitet, und so nur
in den Klüften zwischen denselben einzelne Sträuche
fortkommen können. Ebenfalls im Großen ist dies
mit Wohnungen und selbst mit Städten der Fall;
sie stehen nur in den Aushöhlungen des Bodens,
wie Vogelnester von allen Seiten umschlossen und
beschirmt.

Auf dem Wege nach Porsgrund ist selbst dem
Nichtmineralogen das Syenitgemenge der Gebirge,
zwischen denen er fortreiset, durch schönes Farbenspiel interessant. Ueberdieß entstehen ganz eigene
Situationen aus der Zerstückelung des Grundes;
enge Thäler mit senkrechten Felsenwänden, Seen
wie in Krater eingeschränkt, eine Fülle des Pflan-
zen- und Blumenlebens, von verschlossener Sonnenwärme und Feuchtigkeit über die Ufer und alle
Abhänge hergelegt, die vielfachen Wirkungen, welche
aus der Mischung doch so einfacher Elemente als
Erde, Wasser und Licht wunderbar hervorgehen können. Wie wir Langesund vorüber waren, fanden wir uns gegen Abend am Eingang eines Hohl-
weges, der in das tiefe Dunkel einer vorliegenden
Schlucht niedersteigt. Eine Felsenwand liegt ganz

senkrecht abgeschnitten grade gegenüber, und ich stand
ungefähr in gleicher Höhe mit ihrem obern Kranze,
an dem Rand einer Ebene, von kleinen, wellenförmig fortlaufenden, schwach bewachsenen Hügeln
unterbrochen, worüber die untergehende Sonne den
goldnen Purpur ihrer letzten Strahlen ergoß.

Das Thal erweitert sich nach Porsgrund zu,
und überall angebauet, verräth es die Nähe eines
wohlhabenden Handelsorts. Man kommt ohne Unterbrechung zwischen Landhäusern fortgehend bis in
die Stadt selbst hinein, welche ebenfalls aus dergleichen zu bestehen scheint, weil von einander abgesonderte, mit Gärten umgebene Wohnungen keine
andre Vorstellung erwecken. Wer sich noch für einen
großen Zusammenfluß von Menschen interessirt, sich
doch dabey die einfachen Genüsse der Natur vorbe-
hält, und sie gerne immer bey der Hand haben
möchte, kann, glaube ich, keinen bessern Aufenthaltsort wählen, als Porsgrund.

Dagegen kann ich nicht rühmen, daß die Stadt
gleich einnehmend für einen neuankommenden Fremden wäre. Die Gastfreyheit des Landes und die
Nähe von Skeen schien daraus alle Wirthshäuser
verbannt zu haben. Zum wenigsten konnte ich keins
antreffen, ob ich gleich die ganze Länge des Orts
zweymal geduldig auf und nieder ritt, und mußte
zuletzt mit zwey Stühlen zum Nachtlager im Hause

des Skydsskaffers (der die Pferde besorgt)
vorlieb nehmen, der uns noch dazu, vielleicht aus
dem ersten Schlafe geweckt, sehr unfreundlich auf-
nahm *).

---

*) Porgrunds Volksmenge in 1801 war 1843 Köpfe. Der
Zoll brachte 1795: 35058 Rbß., die Accise 2730 ein.

Sechstes Kapitel.

Südliche Provinzen Norwegens.

Skeen. Fossum. Eisenwerk. St. Michaels Kirche. Der Nordsöe. Holden und Ulefos. Wasserfall. Umgebungen des Nordsöe. Brangefos. Bold oder Bolvig. Friesjord. Stathelle. Anblick der Küsten.

Noch vor Tages Anbruch setzte ich meine Reise fort. Die Kälte war für das Gefühl durchdringend, bei $+ 2°$, doch die neuen Gegenstände, deren Schönheit sich mit der Abnahme der Dämmerung immer deutlicher entfaltete, ließ uns bald diese unerwartete Unannehmlichkeit vergessen. Die abgerundeten Gipfel der Gebirge schienen bis an den Rand des Horizontes zurück zu weichen, an dem sie sich in einer scheinbaren Richtung von Nordwest nach Südost ohne weitere Seitenarme hinzogen. So früh war es bey meiner Ankunft in Skeen, daß die Straßen der Stadt noch völlig unbelebt waren. Da mir das

Pflaster, besonders beym Niedersteigen von der Anhöhe, an der die Stadt angebaut ist, im Reisekariol
unerträglich wurde, so setzte ich meinen Weg zu Fuße
unter den Fenstern fort. Hier nahm ich mit Erstaunen wahr, daß diese, selbst im untersten Stockwerke, weder Fensterläden noch Vorhänge hatten,
und daß eine frevelhafte Neugierde sogar sehr leicht
in Rücksicht weiblicher Reize befriedigt werden konnte,
deren Darstellung, im schmeichelhaftesten Vertrauen
auf die Delicatesse und Schonung der Vorübergehenden, zum Theil dem Zufall überlassen war.

Skeen *) hat ein sehr lebhaftes Ansehen. Der
Handel der mittäglichen Provinzen, und besonders
die Verbindung der innern Theile derselben, findet
vermittelst dieses Punctes statt. Die umliegende
Gegend ist anmuthig und fruchtbar. Skeen, meiner
Ansicht nach, hätte vermöge seines gesitteten libera-
len Gesellschaftstones, der den meisten andern mir
bekannten Handelsstädten Norwegens fremder geblieben ist, des milden Klima's in einer gegen Norden
gedeckten Stellung, des Ueberflusses an allen ersten
Bedürfnissen des Lebens, und der günstigen Lage
am Fiorde, um eine vortheilhafte Gemeinschaft mit
andern Seestädten und dem Auslande zuwege zu

---

*) Seine Bevölkerung 1801 war 1805 Seelen.

bringen, eine besondre Erwähnung verdient, als
von der Wahl des schicklichsten Orts für die Norwegische Universität die Rede war. Wenn gleich auch
hier ein stärkerer Zufluß von Menschen mit der Zeit
den Lebensmitteln einen höhern Preis gegeben haben
würde, so ist doch nichts mit der ungeheueren Theurung in Christiania zu vergleichen. Welche über-
wiegende Leichtigkeit der Existenz und des Studie-
rens konnte man auch absehen, wo die hohen Col-
legien des Landes mit allen denen zusammenfließen,
welche von ihnen etwas zu erwarten haben, und wo
begüterte Kaufleute Sitten, Geschmack und wissenschaftliche Aufmunterungen beherrschen. Allerdings
gab es hier schon Bibliotheken, Hospitäler und Gebäude, doch der Transport der ersten zur See konnte
nicht kostspielig seyn, die letzten waren unzureichend,
und ihre Errichtung wäre an jedem andern Orte
mit der Hälfte der Unkosten zu bestreiten gewesen.

· Eine Meile von Skeen liegt Fossum, ein
bekanntes Eisenwerk, dem Kammerherrn v. Löven-
skiold gehörig. Man gelangt dahin auf einem der
angebautesten Boden dieser Provinz. Die Lage des
Guts, wozu der Hohofen gehört, ist sehr wohl gewählt. Der Eigenthümer war im Begriff sein Wohnhaus höher hinauf zu verlegen, welches in einem
Lande, wo die Gebäude, den Grund ausgenommen,
nur aus Balken und Brettern bestehen, wenig Schwie-

rigkeit macht. Die Gärten hatten noch die Form
einer neulich erwachsenen Anlage; das Treibhaus
hingegen, welches einen Gesellschaftssaal oder wenigstens einen Spaziergang vorstellen kann, muß im
Winter mit seinem künstlichen Frühlinge bezaubernd
seyn.

Um zur Eisenhütte von Holden oder Ulefos
zu kommen, steigt man zuerst zu den Gruben hinauf,
welche Fossum angehören. Der Blick nach allen
Seiten von diesem hohen Puncte aus, reicht weit
über ein mahlerisches Gemenge von Fels, Wasser
und Waldung. Man geht den Fuß des Drachen-
gebirges vorüber, wo man die Geschichte eines
großen Vogels (vermuthlich vom Adlergeschlechte)
erfährt, der sein Nest in einer Kluft dieses Berges
(Dragehulle) niemals verließ, ohne das Land
rings herum zu verheeren. Zwischen den Felsen,
welche den Nordsöe auf dieser Seite begränzen,
befindet sich eine Höhle, sehr berühmt unter dem
Nahmen der St. Michaels-Kirche. Die Tradition gewährt ihr eine religiöse Beziehung.

Sie liegt einige 100 Fuß über dem Spiegel des
See's, und kehrt ihm ihre Oeffnung zu. Der Zugang dahin ist durch die Umwälzungen der Zeit, so
wie das Herabstürzen höherer Felsenmassen mit vieler Beschwerde, selbst bey einiger Anlage zum Schwin-
del, mit Gefahr verbunden; der schlüpfrige mit losen

Steinen bedeckte Fußsteig hängt am schmalen Kranze
einer senkrechten Felsenwand und unmittelbar über
den Fluthen. Vielleicht wurde, wenn die Sage von
einer Bestimmung zum Zufluchtsorte für die ersten
Christen gegründet ist, der Weg dahin mit Fleiß
unzugänglich gemacht. War sie auch kein Versammlungsort (welches ihre unbedeutende Weite kaum
vermuthen läßt), so konnte man darin die geweihe-
ten Gefäße der Kirche, die Kostbarkeiten der Einwohner in Zeiten der Noth bewahren.

Sie enthält sichtbare Spuren von menschlicher
Arbeit, wodurch sie entweder entstand, oder wenigstens erweitert wurde. Ihre Länge bis zum Fuße
des Schutthaufens in ihrem Hintergrunde beträgt
86 Schritte, ihre größte Breite in der Mitte 11,
am Eingange 8, im Grunde 7; sie hat ungefähr
11 Fuß Höhe. Das Gestein, worin sie gearbeitet
ist, gehört dem Gneiße an, mit deutlichen beynahe
wagerechten Schichten. Die Gebüsche, die ihren
Eingang umgeben, machen sie, wenn man das jenseitige Ufer des See's erreicht hat, zu einem brauch-
baren Gegenstand für Landschaftsmahlerey. Die allgemeine Form des Gebirges ist weniger dazu geschickt,
weil das Horizontale seiner Lager die Abstürzungen,
Brüche und Klüfte verhindert hat, welche den Felsen Norwegens die ihnen eigene Wildheit geben.

In einer nahe gelegenen Bucht ist die Ueber-

fahrt über den Nordsöe. Er war in diesem Augenblick sehr stürmisch, bey einem Nordostwind der ihn
beynahe in seiner ganzen Länge bestrich. Wir mußten
im gegenüberliegenden Wirthshause sehr lange auf
Pferde warten, und konnten Holden nicht mehr
vor der Nacht erreichen; doch fanden wir das Gast-
haus von Tufte ziemlich bequem.

Der Lundelv scheidet den zu der Hütte von
Holden gehörigen Boden von Ulefos ab, mit
welchem Nahmen man das östliche Ufer belegt hat.
Ein schönes Landhaus des Staatsraths Aal aus
Skeen liegt auf dem Rücken der Anhöhe, und
macht, gerade über einem Wasserfall schwebend, mit
seiner Italienischen Facade einen höchst fremdartigen
Effekt. Mehrere Sägemühlen gehören zu diesem Eigenthum, wodurch mit so vielem Geschmack auch wesentlicher Nutzen verbunden wird.

Der Wasserfall ist bey einer geringen Höhe doch
einer der schönsten, die in Norwegen vorkommen.
Der Fluß hat hier eine Breite von 130—140 Fuß.
Wenn in der Regen- oder Thauzeit seine Gewässer
ihre größte Masse gewonnen haben, so übersteigen
sie den Damm, der sie zur Vertheilung über die
Kunsträder aufhalten soll, bey 10 Fuß. Der Hauptstrom stürzt 20—24 Fuß hoch in einem breiten
Bogen herab, wovon ein aufsteigender Arm sich an
einem großen Felsstücke in der Mitte bricht. Dann

richtet er sich wieder auf in der Gestalt einer Schaum-
säule von über 10 Fuß Erhebung, mit einem durchsichtigen Nebel umgeben, der seitwärts nach dem
Ufer abziehet. Dies Phänomen wiederholt sich auf
die nähmliche Art 6 — 7mahl in immer niedrigern
Säulen, bis sich zuletzt alles in ein weißes Gekräusel
auflöset. Ein Seitenzweig hat eine ungeheure Felsenmasse losgerissen, die nun seinen Lauf hemmt.
Man genießt dieses Schauspieles sehr gemächlich auf
einer Bank, welche unter angenehmen Schatten am
westlichen Rande angebracht ist.

Dieser Fluß, welcher alle Gewässer des H v i d e -
S ö e und F l a a v a n d abführt, hat überhaupt einen
reißenden Lauf, der zum Theil von der Verengerung
seines Bettes durch den V r a n g e f o s herrührt. Besonders in der Nähe des W e h r s widersteht nichts
dem Ungestüme desselben. Man erzählt manche Fälle
von Personen, die hier fortgezogen ihr Leben einbüßten, und nur zwey, eines Menschen und eines
Hundes, welche sich blos durch außerordentliche Kraftäußerungen retteten. Die Geschichte des armen Hundes hat mehrere interessante Beyumstände. Er hatte
sich völlig erschöpft, und einige Tage hindurch war
er dem Tode nah.

Das Hüttenwerk, dem diese Gegend den größten
Theil ihres Lebens verdankt, scheint in den letztern
Zeiten vorzüglich durch den Umstand zurückgekommen

zu seyn, daß man die nöthigen Vorräthe nicht zur
rechten Zeit anschaffen konnte. Der Mangel an Kohlen ist ihm besonders verderblich gewesen. Die Einwohner, welche bis dahin das Werk mit Brennmaterialien versahen, wendeten sich, dieses Erwerbs-
zweiges verlustig, zum Ackerbau, und wollten nachher, eines Bessern belehrt, sich zur Kohlenbren-
nerey bloß unter Bedingungen verstehen, welche die
Hütte nicht mehr eingehen konnte. Doch die Lage
derselben am Rande des Nordsöe, der ein so leich-
tes und wohlfeiles Transportmittel ist, das Werk
mit Skeen und dadurch mit der ganzen mittäglichen Küste verbindet, sollte zu jeder möglichen Aufopferung ermuntern.

Vier Flüsse ergießen sich in den Nordsöe. Der
Lund- oder Ulefoselv, der vom Vestfield
niederströmt, der Böen- oder Näselv von Sillejord, der Heböeelv von Hierdal, und der
Tindelv von Tind, und durch das Hitter-
dalsvand hervorkommend.

Die ihn umgebenden Gebirge sind Heishult
oder Tvara, Nuke, Skaragrind und Luf-
ield. Die letztern, welche noch in dieser Jahreszeit, also wohl mit ewigem Schnee bedeckt waren,
sieht man aus großer Entfernung im Meere. Im
Allgemeinen schien hier die Vegetation sehr verspätet, aus Mangel an Regen, dessen Norwegens Boden,

meistentheils aus aufgelöstem Gneiß- oder Granit-
arten zusammengesetzt, mehr als irgend ein andrer
bedarf.

Brangefos, dessen ich schon oben vorläufig
erwähnt habe, ist ein Gegenstand in der Nähe
des Werks, den man nicht vorbeygehn muß. Wie
seine Benennung andeutet, wird hier das Bett des
Flusses bis zu einer Breite von 6 Fuß verengert,
und zwischen senkrechten Felsenwänden eingeklemmt.
So entsteht ein ungeheurer Drang von Wasser. Hier
sollen die Bäume durchgeführt werden, die in den
obern Waldungen gefällt, sich in den meilenlangen
Seen, die der Fluß durchströmet, zusammenfinden.
Daher sieht man oft 8 — 10000 große Balken in
diesem schmalen Paß zu einem ganz einzigen Schau-
spiele aufeinander gethürmt. Die Stelle liegt nur
in einer geringen Entfernung von Holm, man
fährt auf dem obern Theile des Flusses bis nach
Lie, worauf man den Ueberrest des Wegs zu Fuß
macht.

Gerade in dieser Zeit beabsichtigte man eine Erweiterung der Kluft, und es war einem geschickten
Ingenieur, Kapt. Cramer, von der Regierung
eigends aufgetragen, die passendste Ausführung am
Orte selbst zu berechnen. Alle Sachverständige waren
eins über die gleich große Möglichkeit und Nützlichkeit der Unternehmung. Es gibt indeß keine Ver-

änderungen, selbst die allgemeinst wohlthätigen, die
nicht irgend einem besondern Interesse zu nahe treten
müßten. Einige Kaufleute, die bis jetzt das Mo-
nopol an sich gebracht hatten, das Ober-Tellemarken mit ausländischen Waaren zu den ungeheuersten Preisen zu versehen, waren dem Plane zuwider; denn die Schiffbarmachung des Passes würde
dem ihnen jetzt unterworfenen Distrikte manche be-
quemere Hülfsquelle eröffnen. Der Hauptvorwand
wurde von den Sägemühlen bey Ulefos, und dem
Eisenwerke von Holden hergenommen, deren Ver-
nichtung man als ganz unbezweifelt bey der Eröffnung des Canales ankündigte. Aber nach der Meinung des Capt. Cramer konnte der Raum 40 Fuß
weiter aufgeschlossen werden, ohne daß dadurch der
Wasserstand bey Ulefos eine Veränderung erlitte,
oder die Werke sonst in Gefahr kämen. Man könnte
selbst, meinte er, alles in dem Canal angehäufte
Holz herausziehen, ohne daß die Gewässer am Wehre
höher steigen; überhaupt sey die Gefahr viel größer,
ja die Verwüstung der Werke unabwendbar, wenn
einmahl das Andrängen des Wassers und seiner Last,
wie dies später oder früher eintreffen mag, das Hinderniß plötzlich überwältigte. Mit jedem Tage wird
auch seine bessere Einrichtung des Flößens, und das
Hindurchbringen des Holzes nothwendiger, denn die
Anhäufung wächst. Ob diese Balken gleich öfters

länger als 40 Fuß sind, so kann ein Raum von
30 Fuß zwischen den Felsenwänden hinreichend seyn,
da der Strom sehr heftig und Holz von einer bedeutenden Länge kaum einer anhaltenden Rotations-
bewegung unterworfen ist. Die Erweiterung läßt
sich am leichtesten an der linken Seite vornehmen,
die Arbeit selbst ist weniger Schwierigkeiten unterworfen, besonders wenn man zu Winterszeit trag-
bare Gerüste braucht, wodurch man die losgerisse-
nen Felsenstücke auffängt, wegräumt, und den Grund
des Canals rein erhält.

Nach der Eisenhütte von Bold schifft man sich
auf dem Nordsöe ein, und seine ganze Länge
hinab. Seine westlichen Ufer werden von der kleinen
Insel Munköe und dem hineinfallenden Strome
von Mälum verschönert. Der See theilt sich an
seinem mittäglichen Ende in zwey Arme, wovon
einer nach Skattfossen und Skeen führt,
worauf sich seine Gewässer in den Friefiord
ergießen; der andere endigt bey Fiärestrand, wo
man Pferde erwartet, um die Reise nach Bold zu
vollenden. Auch fanden wir hier eine Niederlage
von Eisenerz, das von den Gruben der mittäglichen
Seeküsten kommt, und hier nach Holden eingeschifft wird.

Eine Zeitlang durchwandert man schöne Fichtenwälder, kommt Solums-Kirche vorüber, und

L   6

erreicht so den Frtefjord, längs welchem man
bis zum Eisenwerke fortgeht. Ich bemerkte unterwegs zum erstenmahl eine Erscheinung, die in Norwegen übrigens häufig vorkommt. Das Gras war
stellenweise völlig verbrannt, und dies soll sich jedesmal ereignen, wenn im Frühjahre das Eis, durch
Wirkung kalter Nächte oder anderer Umstände den
Boden länger als gewöhnlich bedeckt. Es wirket
alsdann im Sonnenlichte der heißen Mittage wie
ein Brennspiegel auf die darunter hervorgehenden
Keime. Wird man dies noch zur rechten Zeit gewahr,
so muß die Erde sogleich von neuem besäet werden.

Die Lage der Eisenhütte von Vold oder Bolvig ist sehr vortheilhaft für den Betrieb in Rück-
ficht des Fjordes, der ihren Fuß im eigentlichen
Sinne bespühlt, nicht minder angenehm ist sie für
den ruhigen Lebensgenuß, welcher dem geräuschvol-
len Wesen großer Menschenvereine eine stille Wirksamkeit vorzieht. Mitten in einem schmalen, nach
Morgen zu offenen Thale gelegen, von Gebirgswas-
fern durchgehends benetzt, entfaltet sich hier die Vegetation schon natürlich mit bewunderungswerther
Frischheit und Ueberfluß, ohne sonderliche Mühe,
noch Aufwand von Kunst. Der Bergrath Collet,
welcher dem Eisenwerke damahls vorstand, hatte
viele Arten der Industrie zugleich aufgemuntert und
in Gang gebracht; die meisten Wohnungen der Ar-

beiter waren von Schlackensteinen nett und bequem
aufgeführt, meistens mit befriedigten, wohl unter-
haltenen Gärten und Wiesenstücken umgeben; das
Wohnhaus des Directors, an der Ostseite kühl
beschattet, bietet im Sommer einen erquickenden
Aufenthalt dar. Es ist leicht sich zu überzeugen, daß
in dieser gegen alle kalten Winde gesicherten Bergkluft die Erzeugnisse der mildesten Himmelstriche
fortkommen würden.

Man schifft sich in Bold ein, und immer in
der Nähe der Küste weg, bis zum Punkte, wo der
Fiord in das Meer ausläuft. Die gegenüberliegenden Gebirge haben auffallend treppenförmige Umrisse,
die von den wenig gesenkten, aber oft abgebrochenen
Schichten herkommen. Kaum hat man die Erweiterung des Fiords berührt, so sieht man das Gestade
mit einer zahllosen Menge Inseln von beynahe allen
Größen bekränzt, augenscheinlich Trümmer der hier
niedergesunkenen Ränder des festen Landes. Selbst
die Gestalt des noch Dastehenden trägt das Gepräge
der Unordnung, und den Effekt einer umstürzenden
Katastrophe. Alle Felsen sind senkrecht abgeschnitten an der Südseite, und verflächen sich an der
nördlichen. Es zeigen sich tiefe Spalten wunderbar
am Horizonte über dem Haupte des unten wegschif-
fenden Reisenden, gezeichnet zum Theil mit ver-
krüppelten Bäumen und Gesträuchen, ausgefüttert,

als wären es Risse, denen bloß die Ausfüllung fehlte, um zu Gängen zu werden.

Stathelle ist ein kleiner Ort meistens von Fischern und Matrosen bevölkert. Demohngeachtet fand ich es äußerst schwer, mir ein Both bis nach Langöe zu verschaffen, die unartige Bequemlichkeitsliebe dieser Küstenbewohner geht ins Unglaubliche. Der commandirende Marineoffizier hob zuletzt mit liebenswerther Gefälligkeit alle Hindernisse, indem er mir dazu seine eigene Leute hergab.

Der Anblick des Landes, wenn man aus dem Fiord heraus ist und sich nach Westen wendet, ist einförmig und traurig. Das melancholische Geschrey der Wasservögel trägt seinen Theil zu den unangenehmen Gefühlen bey, womit diese grauen kahlen Ufer und Klippengruppen beklemmen. Die Insel Langöe, die endlich mit einigen Spuren von Anbau hervortritt, hat wohl auch der vorhergehenden Oede ihren größten Reiz zu verdanken.

Siebentes Kapitel.

Südliche Provinzen Norwegens.

***

Langöe. Eisengruben. Eisenbetrieb. Felsengruppen zwischen der Insel und dem festen Laude. Krageröe. Weg nach Egeland. Künstliche Bedürfnisse. Egelands Eisenwerk und Umgebungen. Näsvärk. Arendal. Tromöe. Froslandsvärk.

***

Merkwürdig wird Langöe bloß durch seine Eisengruben. Bis jetzt hatten sie ein gewisses Leben, eine Art von Wohlstand darin unterhalten, doch verschonte Theuerung und Noth die beschränkte Existenz dieser Einwohner eben so wenig, als die der reichern Küsten. Da der Arbeitslohn in einem fühlbaren Mißhältniß mit den ersten Bedürfnissen stand, so hatten sie angefangen den mühsamen und unergiebigen Bergbau dem Dienste zur See nachzusetzen. Und selten haben Seelente, sobald ihnen das Handwerk geläufig geworden ist, Lust zu irgend einem andern, so wie Spieler nur ihre Glückseligkeit in heftigen Gemüths-

Bewegungen finden. Diese Leute scheinen daher für die stille Industrie des Landes verlohren. Um die andern zurückzuhalten, mußten beträchtliche Aufopferungen gemacht werden. Die Vermehrung der Auslagen aber, auf den Preis des Eisens geschlagen, erschwert den Absatz im Auslande, und begünstigt die Einfuhr des fremden. Viel Eisen von den Schwedischen nahe gelegenen Eisenwerken kommt über die Norwegische Gränzen, und mancher Hohofen hätte nie in Thätigkeit erhalten werden können, wenn Dännemark, vor der Trennung beyder Reiche, nicht das Norwegische Eisen zu einem höheren Preise angeschlagen und gekauft hätte, als für das Schwedische niemals bezahlt wurde.

Langöe hängt gewissermaßen mit dem festen Lande durch viele kleine Inseln, Landstücke, im Meere zerstreuete Felsengruppen, zusammen. Daraus entsteht eine Art von Labyrinth, in das man sich mit tiefer gehenden Fahrzeugen nicht ohne die größte Gefahr einlassen kann. Da in dieser Kriegszeit die Küsten den Besuchen der Englischen Kaper oft ausgesetzt waren, so hatte man jetzt den natürlichen Hindernissen eines Ueberfalls noch einige andere künstliche Vertheidigungsmittel hinzugefügt.

Kragerös *) ist der nächst gelegene Hafen des

_____

*) Jn 1801 mit 1284 Einwohnern. Die Zolleinkünfte der Stadt in 1795 beliefen sich auf 14394 Rth., die der Accise auf 1691.

Continents, ein kleiner Ort, der wie ein Schwal-
bennest zwischen Felsen hängt. Die Häuser sind unmittelbar auf die Klippen aufgesetzt und berühren
zum Theil die See, an der auch einige Straßen
dicht weggehen. Die ganze Küste umher zeigt nichts
als ungeheuere Riffe und Verklüftungen. Im Augenblicke eines Sturms muß der Aufenthalt hier fürch-
terlich seyn. Eine hohe Felsenmasse, Steinman
genannt, beherrscht die Stadt, wovon ein Theil
sogar in eine seiner Seiten hineingebauet ist; die
schmalen Gärten, welche zwischen den Häusern liegen,
laufen an seinem steilen östlichen Rande hin. Vom
Gipfel übersieht man die weite und vielfach gemischte
Zeichnung der unten liegenden Dinge, die Bay mit
den wunderbaren Verbindungen der darin verstreu-
ten Blöcke und sie umfangender Seeärme, eine auffallende mit senkrechten Wänden abgekannteté Masse,
der die größten Schiffe sich ohne Besorgniß nähern
können, im Hintergrunde des Gemähldes, Jom-
fruland *), flach mit dergestalt verwaschenen Umrissen und so geringer Erhebung über den Meeresspiegel, daß man sie bey der mindesten Unruhe der
Fluthen damit verwechselt.

Der Byefogd, welcher mit unermüdlicher Artigkeit meinen kurzen Aufenthalt angenehm und unter-

―――――――

*) Diese Insel ist ihres Makrelenfanges wegen berühmt.

richtend gemacht hatte, begleitete mich tu Wasser
nach Kiel, einem benachbarten kleinen, seiner Sicherheit wegen bekannten Hafen, wo man eben einen
Ostindienfahrer ausrüstete.

Sobald man sich nur etwas von der Küste entfernt, die ihrem allgemeinen Charakter getreu von
einer melancholischen Unfruchtbarkeit bezeichnet ist,
schließt sich das Land mit jedem Schritte freundlicher auf. Ein heiterer und warmer Tag machte
die Erstlinge der neuen Wirksamkeit der Natur noch
fühlbarer. Das belebende Sonnenlicht schwängerte
die Luft mit den aromatischen Ausdünstungen der
Nadelhölzer, welche am Wege standen. Möe und
Röe, denen man vorbeykommt, gewährten Zufälligkeiten und Verbindungen des Terrains, die mir
unvergeßlich geworden sind.

Hält man sich in den Norwegischen Wirthshäusern etwas länger auf, als der gewöhnliche Pferdewechsel nothwendig macht, so fällt es alsbald auf,
wie selbst in die von großen Landstraßen, Handelsstädten und der belebten Seeküste entlegenste Provinzen manche künstliche Bedürfnisse gedrungen sind,
deren Befriedigung zum Glück nachher oft über den
Mangel wesentlicher tröstet. Vielmals wäre man
in Verlegenheit, wenn man des Fleisches oder eines
gewohnten Brodes zu seiner Mahlzeit bedürfte, allein
der Kaffe fehlt nirgendswo, und das dazu gehörige

Geräth nimmt immer den ersten Platz unter den Verzierungen des Zimmers ein. Ich erinnere mich auf meiner ganzen Reise bloß zweyer oder dreyer Stellen, wo man dieß bezaubernde Getränk nur von Hörensagen kannte. In den letzten Zeiten des Hungers und Elends benutzte die Regierung weislich diesen Umstand, um wo Getraide und alle Surrogate desselben mangelten, durch Austheilung von Kaffe, wovon sich ein Vorrath in Christiania's Magazinen fand, das Gefühl der Noth zu vermindern.

Wir kamen zum Holtefiord. Er ist eigentlich der Gierrestabselv, welcher durch diese Erweiterung strömt und südlicher bey Söndelev in den Söndelevfiord fällt. Das Vassöevand ist auch nur eine von seinen dazwischen liegenden Ausdehnungen. Die Eisenhütte von Egeland liegt dicht daneben, . .

Diese erreichten wir nur sehr spät des Abends. Das Werk gehört Hrn. Carsten, einem reichen Kaufmann in Oester-Nilsöer. Da er die Aufsicht über die Details einem Verwalter überlassen hatte, so kam er nur selten es zu besuchen. Das Haus, welches er alsdann bewohnte, war lediglich auf diese vorübergehenden Erscheinungen eingerichtet. Als wir daher anklopften, um Gastfreyheit für die eindringende Nacht zu erbitten, gerieth die Ausgeberin in große Bangigkeit, und beklagte, daß sie

uns nichts weiter vorzusetzen habe, als Eyer und
Burgunderwein. Es schien ihr unbegreiflich, daß
wir keines Mehreren bedürften. Doch blieb es selbst
hierbey nicht; kaum hatte der Hüttenmeister die Ankunft eines Fremden vernommen, als auch ein ungeheuerer Fisch in der Küche erschien. Noch in der
Nacht wurde ein Expres nach Oester-Riisöer
geschickt, und während ich am folgenden Tage die
Gruben in der Nähe besuchte, war Hr. Carsten
selbst mit einer höchst liebenswürdigen Eilfertigkeit
eingetroffen, von dem ganzen Rüstzeuge zu einer
mehr als vollständigen Bewirthung begleitet.

Der Fluß, welcher die Kunsträder bewegt, Svart-
vand genannt, entspringt in einem 8—9 Meilen
entfernten Gebirge, und verstärkt sich unterwegs
durch die Gewässer verschiedener terassenförmig übereinander liegenden Seen, dem Lövekiend, Gaasekiend, Storekiend u. s. w., die er durchströmt,
und an welchen die zum Werk gehörigen Gruben
unmittelbar gränzen.

Die Eisenhütte ist in den neuern Zeiten sehr
vernachlässigt, hauptsächlich wegen erloschenen Trie-
bes und Lust des Eigenthümers, welchen sie in weitläuftige und zweifelhafte Processe verwickelt hat.
Schon vor einigen Jahren sollte sie höher hinauf
nach Tyeterai, drey Viertelmeilen von Kiel, ver-

legt werden, wo ein Ueberfluß von Waſſer iſt, deſſen
Mangel ſie an der jetzigen Stelle auf ganze Monate in
Unthätigkeit ſetzt. Allein die Stadt Kragerö e,
welche durch den größern hieraus in ihrer Nähe ent-
ſtehenden Holzverbrauch, natürlich eine Vertheuerung
dieſes Artikels erleiden mußte, fand Mittel das Unternehmen zu vereiteln. Nun meinte man ſie nach
Sonbelöv, drey Viertelmeilen tiefer verlegen zu
dürfen.

Dieſe Lage würde auch der Hütte ſehr vortheilhaft ſeyn, beſonders der Nähe des Meeres wegen,
deren kaum ein Werk in Norwegen zu einer langen
Dauer entbehren kann. Doch trocknet der Fluß,
deſſen man ſich zum Aufſchlagewaſſer bedienen will,
auch zuweilen mehrere Sommermonate lang ein,
und das Project dieſen Mangel, durch Waſſerlei-
tungen von der alten Hütte ab, zu erſetzen, kommt
mir ebenfalls unausführbar vor. Die Hauptſchwie-
rigkeiten werden indeß wohl von der Wegcommiſſion
herkommen. Da die Landſtraße von Röe hier unmittelbar in der Nähe und über einen unbequemen
Bergrücken weggeht, ſo gedachte man ſie unten am
Fluſſe, und gerade an der Stelle anzulegen, wo
der Damm für das Werk aufgeführt werden müßte,
welches eine dem andern nothwendig hinderlich fällt.
Jetzt liegt eine Sägemühle hier.

Bey Oeſterröe findet man noch einen Eiſen-

hammer, Egelands Hütte zugehörig, und in einem
gleich verfallenen Zustande. Man erreicht hierauf
den Cönelv, der von Näs kommt. Es eröffnet
sich nun eins von Norwegens fruchtbarsten Thälern.
Uebersäet mit Wohnungen und wohlbearbeiteten Kornfeldern glänzt es in des Frühlings frischester Pracht.
Bald sieht man das Haus des Besitzers von Näs
Eisenhütte, auf einem Hügel aufgesetzt, dem von
Norden und Westen her sanft niedersinkende Ver-
flächungen höherer Gebirge zulaufen. Gartenanlagen
umgeben es, wozu die Beugungen des Flusses artig
benutzt sind. Die Wohnung selbst enthält alles, was
Geschmack, Kenntniß von Bequemlichkeiten und Norwegische Gastfreyheit Gemüthliches darbieten können.
An der ganzen Gegend erkennt man, daß die Aufmerksamkeit des Besitzers sich nicht blos auf Hütten-
betrieb einschränkt, sondern daß der Landbau und
Handel der zuweilen geringen Ergiebigkeit des ersten
nachhelfen mußte. Hr. Aal hatte jetzt mehr als
100 von ihm abhängige Familien zu ernähren, denen
er aus eigends hierzu eingerichteten Magazinen das
Getraide zum nähmlichen Preise als vor dem Kriege
lieferte.

Von Näswerk gelangt man nach Arendal
auf der großen Landstraße, die nach Christiansand führt ; einem oft unterbrochenen Boden mit
wechselndem Nadelgehölz, Getraide und Wiesenland,

weidenden Herden, nett angestrichenen Kirchen und blauen, zugespitzten Kirchthürmen.

Die Stadt Arendal *), deren bloßer Nahme schon im Geiste des Mineralogen eine angenehme Ideenfolge erweckt, hat außerdem etwas ihr ganz Eigenthümliches. Mit dem Gedanken an andre Bergstädte erwartet man gleichfalls diese hier von hohen Halden umgeben zu sehen, oder im Rauche thätiger Hütten gehüllt; allein man findet zu seinem Erstaunen, daß sie, einem neuen Benedig ähnlich, theilweise auf Pfähle gestützt, Canäle anstatt der Straßen, und darin den Umlauf, die ganze Regsamkeit eines lebhaften Seehandels darstellt. Sie ist dicht an senkrechte Felsen angedrängt, aber die nothwendigen Bestrebungen der Einwohner, dem Genuesischen Vorbilde treu, haben alle Absätze der Klippen zum Anbau benutzt, und die Klüfte mit Gewächsen oder hohem Grase gefüllt. Landhäuser und Gärten bekränzen ihren Scheitel. Die Lage der Stadt concentrirt die Sonnenstrahlen oft bis zu einer unerträglichen Hitze; der Teppich der eingeschlossenen Thäler wird dadurch dichter und reicher. Vor der Stadt breiten sich mehrere kleine und größere

---

*) In 1801 belief sich ihre Bevölkerung auf 1698 Köpfe. Die Zolleinkünfte von 1795 waren 11797, die der Accise 3961 Thaler,

Inseln aus, die, mit Wohnungen bedeckt, gleichsam zu einer Vorstadt werden. Unter ihnen ist
Tromöe die bedeutendste, sie enthält einige an der
See gelegene niedliche Landhäuser reicher Kaufleute
in Arendal. Von der Batterie an der nordöstlichen
Seite der Stadt umfaßt das Auge diese ganze mannigfaltig belebte Ansicht.

Auch machte ich eine Ausflucht nach Näs-
tülen, die, selbst das mineralogische Interesse ungerechnet, nicht ohne Reiz war. Wir ruderten in
einem Bothe in 1½ Stunden dahin, immer zwischen
dem festen Lande und Tromöe fort. Der Näs-
fiord hat durch die Insel Buöe eine Art von
Auf erhalten; ein sehr schmaler Canal, der Due-
sund, sondert sie vom Continent ab. Zu Näs-
tülen gehört die tiefste Eisengrube von Norwegen,
Gamle-Möreftär. Auf meinem Rückwege landete ich auf Tromöe. Die ganze Insel scheint
nur ein Garten zu seyn, so lieblich sind darauf
Felsen, Wasser, bekleidete Thäler und hohe Wälder
gemischt.

Von Arendal nach Froland hin schlängelt
sich der Weg lange unter anmuthigen Gebüschen
fort. Doch überall trifft man auf Zeichen der Zerstörung in umgestürzten Felsenmassen, deren Schichten nach allen Seiten abfallen. Viele stehende Wasser deuten das Nähmliche an.

Frölands Werk ist in der Nähe eines solchen Bassins, des Trävands, welches zuweilen einen sehr starken Anwachs erleidet. Die Gewässer, welche man zum Hüttenbetriebe anwendet, kommen aber aus einem andern höherliegenden See, dem Uvand, von dem sie sich unter dem Nahmen Hisaaen losmachen. Ein Wehr, das man weiter hinauf angelegt hatte, um das Flößholz aufzufangen, Eigenthum einiger Kaufleute, war vor ungefähr eilf Jahren durchbrochen worden, und die herabstürzende Fluth hatte die Eisenhütte von Grund aus zerstört. Daraus entstand ein Proceß, der zu meiner Zeit schon neun Jahre gedauert hatte.

Die Hütte unter der Direction Hrn. Crawfords (der auch Näswerk verwaltet) hat nach Englischer Art ein sehr nettes Aeußeres. Gleichsam mitten in Wäldern eingenistet fehlt dem ganzen Aufenthaltsort überhaupt keine Schönheit, die von einer reich bewässerten und beschatteten Lage abhängig ist.

Ein kurzer Weg führte mich wieder von hieraus nach Näs zurück. Man kommt über den Nidelv und bey mehreren Gruben vorbey, die alle einem oder dem andern dieser beyden Eisenwerke angehören.

Achtes Kapitel.

Ober-Tellemarken.

Die für Kariole befahrbare Straße endigt hier, und will man sich nun in die höheren Gebirgsgegenden wagen, so muß man darnach seine besonderen Vorkehrungen treffen. Minder ist es die Beschwerlichkeit der Wege, welche hier den Reisenden in Verlegenheit setzt, als die unabläßige Unterbrechung durch Seen, Ströme oder Moräste, von denen jedes eine verschiedene Art des Fortkommens erfodert. Der Gebrauch von Mantelsäcken ist daher jeder andern

Anstalt vorzuziehen, oder man kann sich auch auf
zwey kleine Koffer ausdehnen, die von Einem Pferde
getragen werden, wodurch man nicht nur einen bequemen Platz zu seinen Papieren, sondern auch Raum
zu Lebensmitteln gewinnt, deren Seltenheit natürlich im nämlichen Verhältnisse zunimmt, als ihr
Transport schwieriger wird.

Von Rås aus reist man anfänglich längs dem
Strome fort, der das Wasser zur Hütte hergibt.
Man schifft sich alsdann auf einem kleinen See ein.
Hierauf stößt man auf bedeutende Holzungen, welche
bis Skimoe fortgehen. Dieser Wechsel in der Art
zu reisen, welchen die Güte Hrn. Aals vorbereitet
und sehr bequem eingerichtet hatte, schien mir am
ersten Tage überaus erfreulich. Doch als ich Ruf-
sanblie erreicht hatte, begriff ich zuerst das Glück,
einen noch frischen Vorrath an Lebensmitteln bey
mir zu führen. Der gute Wille des Hausbesitzers
mußte hier alles andere erstatten. Was übrigens
da war, wurde mit bereitwilliger Gutmüthigkeit
angebothen. Auch befand ich mich mitten unter Gegenständen, die mir entfernte genußreiche Zeiten
und das anspruchslose Daseyn anderer Gebirgsvöl-
ker zurückriefen. Die Bettstellen bestehen nur aus
Verschlägen, die im Wohnzimmer selbst angebracht
sind; der untere Theil des Raumes wird mit trockenem Laube angefüllt, darauf legt man Federbetten,

I. 7

und bedeckt sich mit sehr artig figurirten Teppichen.
Es ist die bloße Betriebsamkeit der Weiber, die
jedes Haus mit allem versieht, was der Weberstuhl
hervorbringen kann, Leinen und wollene Zeuge, zur
Wäsche und Kleidung. Der Mangel an auswärtigem
Verkehr setzt den Preis der Lebensmittel, die das
Land selbst erzeugt, sehr herab. Einige herumwandernde Kaufleute, meistentheils von größeren Han-
delshäusern in Skeen und Porsgrund ausge-
sandt, führen reichlich das Ueberflüssige ein, dessen
Bedürfniß dem Menschen anhängt, in welchem Winkel der Erde er auch versteckt ist.

Bey Nussandlie, oder vielmehr am Fuße des
Hügels, worauf es liegt, ist das Vegaardsband
sehr auffallend durch die Menge kleiner Inseln, die
es enthält. Man behauptet, es seyen ihrer mehrere
als Tage im Jahr, welches ungefähr bedeutet, daß
es zu beschwerlich gewesen ist, sie zu zählen.

Ich gestehe, diese erste Nacht, welche auf so
reiche Genüsse von Bequemlichkeit und Wohlleben
folgte, hatte mich unglaublich ermüdet, und der
Tag darauf war voll böser Laune. Es ereignet sich
oft auf Reisen, daß wenn man nur angefangen hat,
sich durch irgend einen Umstand außer Fassung bringen zu lassen, das Ungefähr seine Freude daran zu
haben scheint, den Unmuth durch Vorfälle aller Art
zu vergrößern. Wie kann man es wohl erklären,

daß ein widriges Ereigniß so oft vielen andern die
Thüre eröffnet? Dies ganze geheimnißvolle Zusammentreffen unabhängiger Begebenheiten, dieser scha-
denfrohe Einfluß unbegreiflicher Ursachen, halten vor
der Philosophie im Lehnstule nicht Stich, aber ich
frage jeden Reisenden, ob man sich an gewissen
Tagen eines Aberglaubens, oder vielmehr Glaubens
an ein unbestechbares Geschick, an eine unveränder-
liche Reihe vorher verketteter Ereignisse erwehren
kann. Unsre Pferde waren überall unbrauchbar,
allenthalben wurden wir aufgehalten, vieles vom
Gepäck ging verlohren oder wurde beschädigt, doch
nichts war mit den bösartigen Launen des Wetters
zu vergleichen. Ohne Aufhören, und bis zur Ankunft in unsrer Nachtherberge wurden wir vom Regen durchweicht. Alsdann erschienen einige Sonnenstrahlen, und ich fand noch Zeit in geborgten
Schuhen den nächstliegenden Berg zu besteigen;
denn was in den Mantelsäcken geführt wurde, war
für jetzt untauglich geworden.

Diesen Tag über waren wir zuerst über Salt-
holbekken, einen kleinen, eisenhaltigen Sand
führenden Bach gekommen. Dann erreicht man bey
Glerlie einige hohe Felsen eines granitartigen
Gesteins, dessen große Auflösbarkeit ungeheuere
Blöcke losgemacht und auf den Weg zwischen den
Wäldern hingeworfen hat. Ansehnliche Stücke davon,

die einen Theil ihrer Grundlage, vielleicht durch
Verwitterung, oder weggewaschen von Waldströmen,
einbüßten, stehen wie auf einem dünnen Stiele mit
kleineren Steinen unterstützt, als wären sie hier
absichtlich von Menschenhänden aufgerichtet. Jenseits Hogsiaaesund bildet der Nidelv einen
schönen Wasserfall, den Hougfos, von beynahe
200 Fuß Breite. In geringer Entfernung davon
gleitet der Strom, im Illeklevfos, auf einem
wenig geneigten Plane herab, und löst sich zwischen
zahllosen Steinen, die er niederzuführen nicht Kraft
genug hat, in einen leichten Milchschaum auf. Ehe man
nach Tvetsund, dem Nachtlager, kommt, muß
man noch über den Nidelv setzen, der nicht weit
davon aus dem Nisservand abfließt. In Tvetsund gab es vortreffliche Milch, Butter und Erdäpfel, selbst ein Gericht Fische wurde herbeygeschafft,
und nichts schien zu mangeln, um bey der Ermüdung die Nachtruhe zu sichern.

Auch fiel ich bald in einen tiefen Schlummer.
Mir träumte, ich stürzte in den Brangefos, und
die Fluthen rissen mich dem Rande des Ulefos zu.
Ob ich gleich nicht schwimmen kann, so bot ich doch
alle Kräfte auf, um das Ufer zu erreichen, diese
äußerste Anstrengung weckte mich, überall fühlte ich
jetzt Nässe um mich her, mein Bett war überschwemmt,
ich hörte das Herabrieseln des Regens durch die Decke
meines Zimmers.

Auch am folgenden Tage dauerte der Regen fort, und als wir das Nifferwand erreichten, so fanden wir es in einer heftigen Bewegung. Dieser See enthält eine bedeutende Wassermasse, an der östlichen und westlichen Seite mit mehrere hundert Fuß hohen Gebirgen eingefaßt, also nur zugänglich für die Winde von Norden und Süden her. Diese wühlen wie in einer Röhre fortgeleitet und von den Seitenwänden zusammengepreßt, immer sehr tief in den Fluthen.

Sein Nahme rührt von Nisse (Nixe) her, einem bekannten Wasserkobolt. Diesem ist von der Tradition der Bezirk des See's eingeräumt, und er erscheint von Zeit zu Zeit, um seine verjährenden Rechte von neuem geltend zu machen. Denn man würde hier die Feuerprobe bestehen, um zu beglaubigen, daß er einmahl dem Pfarrer von Fivne, Vorgänger des jetzigen, in der Gestalt einer großen Katze erschien, die aus dem Wasser über den Kahn sprang. Was die Vernunft dagegen auch einwenden mag, der Aberglaube im Norden hat etwas Ehrwürdiges, etwas, das auf das Gefühl einer nahen Geisterwelt Bezug hat. Es mag dem unmittelbaren Einflusse des Himmelstrichs, der so wenig sinnliche Vergnügungen verstattet, zugeschrieben werden, daß der Geist, auf sich selbst zurückgedrängt, eine höhere Welt ahnet, und den sie bevölkernden Wesen sich näher verwandt fühlt.

Die Böthe, die man hier zum Uebersetzen antrifft, sind sehr flach und fast ohne Kiel. Dies läßt
bey der Schiffahrt keine große Gefahr ahnden. Auch
versöhnte ich mich bald mit dem wilden Anblick der
Gewässer und dem schwarzen Gürtel von Gewölk,
der über dem Hintergrunde schwebte. Keine Worte
mahlen dies Land, wenn Regengüsse theilweise in
der Luft wie Stücke von gefärbter Gaze hängen,
und mit einer unbegreiflichen Magie der Perspective
einzelne Theile der Landschaft bald verdecken, bald
nähern, oder entfernen. Am östlichen Ufer neigen sich
die Gebirge sehr sanft herab, am westlichen stürzen
sie entweder senkrecht in den See, oder erheben sich
in Stufen, welche von den Köpfen der auf der entgegengesetzten Seite niedergehenden Lager gebildet
werden. Silberne Fäden und Netze, von zahllosen
Bächen gewebt, sind daran wie befestigt, schlingen
sich in wunderbare Knoten, lösen sich hierauf von
neuem auf. Ein Theil der Fluthen erschien in schwer-
fälliger Bewegung, wie geschmolzenes Bley, ein
anderer kräuselte sich schimmernd unter dem Fallen
der Tropfen, und warf die Sonnenstrahlen mit allen
Farben des Regenbogens zurück. Auf den engen,
übereinander hinaufsteigenden Terrassen setzten Tannen und Fichten bald eine Art von phantastischer
Stickerey zusammen, bald höher, laubigter und
mehr zusammengedrängt, füllten sie die Schluch-

aus, oder gingen auf Bänken in den See hinein.
Der Rücken der Gebirge ist abgerundet, an der östlichen
Wand reichen die Thäler bis zum Ufer ohne Waldung, doch mit Wohnungen und Anbau reichlich
versehen.

Am westlichen Gestade liegt Ussomfield, dem
Geognosten der deutlichen Folge seiner Gebirgsarten
wegen, und ebenfalls dem Alterthumsforscher durch
Tradition merkwürdig. Am Morgen, wie die Wellen so heftig an die beynahe senkrechten Felsen an-
schlugen, war es unmöglich zu landen, allein noch,
am nämlichen Abend, wie der Sturm sich gelegt
hatte, kehrte ich eigends von Fione dahin zurück,
um die Inschrift zu sehen, wovon mir so Vieles
vorher gesagt war.

Ist die Sage gegründet, daß diese Schriftzüge
einmahl kenntlicher waren, so müssen die Einflüsse
der Luft und vielleicht auch die im Sturme hinauf-
schlagenden Wellen des See's ihren Zusammenhang
zerstört haben. Jetzt sind sie völlig unleserlich, sie
bestehen bloß in einigen rothen Flecken, oder breiten
Linien, die dem Felsen ohne Spur regelmäßiger
Form oder Verbindung anhängen. Die Farben gehören nicht zu den Elementen des Gesteines, und
bestehen aus einer Materie, die beym Reiben nicht
abfärbt, vielleicht aus einer Art Firniß, der hart
genug ist, um in kleinen Blättchen abzuspringen.

Mit einiger Hülfe der Einbildungskraft kann man
darin recht gut halberloschene Runen erkennen.
In einer Höhlung auf der linken Seite dicht dabey
ist ein einzelner Fleck von gleicher Natur.

Fione liegt, wo der See sich zu verengern anfängt.
Es stellt sich sehr artig an der Seite einer schmalen
Erdzunge dar, die sich stark bebuscht in das Wasser
hinein erstreckt. Hier wohnt der Lehnsmand des
Districts.　Auch traf ich daselbst die Familie eines
Pastors Musäus, welcher, von Stavanger hieher versetzt, das Pfarrhaus am gegenüberliegenden
Ufer durch Nachläßigkeit des Vorgängers ganz un-
bewohnbar gefunden hatte.　Nun mußte der Mann
jeden Tag des Gottesdienstes zweymal über den See,
mochten Sturm und Wetter noch so rasend wüthen.
Der Wechsel der Prediger in Norwegen ist mit großen
Beschwerlichkeiten verknüpft, die Wege im Innern
des Landes machen Möbeltransporte unmöglich, und
so findet sich der neue Ankömmling von allen Bequemlichkeiten entblößt, dem Familienleben hier un-
entbehrlicher als irgendwo anders.　In Norwegen
muß man verheyrathet seyn, um, ich sage nicht,
die Fülle des Glücks zu genießen, sondern nur um
sein Daseyn ertragen zu können. Aber im Verhältniß der Nothwendigkeit wachsen ebenfalls die Be-
schwerden dieses Standes.

Gerade Fione gegenüber, unweit der Kirche,

liegt der Softestabaal, welcher die Lager von Eisen⸗
erz enthält, die man zur Anlage eines neuen Werks
benutzen wollte. Schon waren die Commissarien hier
gewesen, um den Bezirk der dazu nöthigen Wälder
anzuweisen. Norwegens Wohlstand steht freylich mit
der Anwendung seiner natürlichen Erzeugnisse, worun⸗
ter auch die Metalle, im engsten Zusammenhang,
doch läßt es sich begreifen, daß seine eigentlichste
Existenz, d. h. Bewohnbarkeit und Bevölkerung, mit
der Zeit ganz allein vom Zustande seiner Holzungen
abhängen werde. Muß man einräumen, daß aus
Gründen, wovon wir nur einige kennen, die Kälte
an den Polen in großen Zeiträumen merklich zu⸗
nimmt, so ist es traurig zu sehen, daß auch die
Mittel, sich dagegen zu schützen, in übereinstimmen⸗
der Proportion sorglos oder unüberlegt vermindert
werden.

Das Nissevand hat eine ansehnliche Tiefe;
man hat sie Fione gegenüber 120 Klafter gefun⸗
den, aber versichert, sie sey noch viel beträchtlicher
an einigen andern Stellen. Während dies die hef⸗
tigen Bewegungen, deren eine so tiefe Wassermasse
empfänglich seyn muß, begreiflicher macht, kann
man daraus zugleich besser den Ursprung des See's
errathen. Die langsame Wirkung der Ströme auf
festes Gestein kann solche Thäler niemahls hervor⸗
bringen, aber wohl das gewaltsame Zerreißen des
Bodens in tiefe Klüfte.

Dem nördlichen Ende des See's zu findet man seine Gestade ziemlich unfruchtbar und verlassen, bis zu einer Gruppe kleiner Inseln hin, die ohne Zweifel Ueberbleibsel der uranfänglichen Ebene, in ihrer natürlichen Lage geblieben sind, während das Bette des See's weiterhin eröffnet und vertieft wurde. Dies Labyrinth von Wiesen, Kornfeldern und Gebüsch, von Gebäuden, Einwohnern und Thieren anmuthig belebt, welches alles der See mit ruhigen Armen beschränkt und einschließt, überall von sanft darauf abfallenden Bergrücken gegen Sturmwinde beschützt, kann wohl einige Farben zum Gemählde einer glücklichen Inselwelt hergeben, wo Eigenthum und häusliche Freuden zwar mit scharfen Umrissen begränzt, doch die Räume zwischen ihren kleinen Herrschaften zu schmal sind, um den allgemeinen Umlauf von auszuwechselnden Gütern, gegenseitiger Hülfe, Aufklärung und Vergnügen zu verhindern.

Dieser Theil des Gewässers hat einen eigenen Nahmen, Braaxand, wahrscheinlic, wegen seiner Krümmung nach Westen zu. Ein Bach, Braaliebecke, stürzt nach einem artigen Wasserfall am äußersten Ende hinein. Hierauf steigt man unter Gneißblöcken, durch dicke Wälder und beschwerliche Moräste in die Höhe. Zu noch größerem Ungemach fing der Regen von neuem an, wo schon allenthalben zusammengeschlungene Zweige zu durchbrechen waren.

und uns ein aufgeweichter Boden bey jedem Schritte
aufhielt. Meine Absicht war gewesen, noch am
Abend Omdal zu erreichen, aber ich sah mich genöthigt, um Gastfreyheit in einem Hause zu bitten,
das sich gerade auf einer kleinen Anhöhe zur Seite
darbot. Anstatt der Antwort kam der Besitzer selbst,
ein schon bejahrter Mann, uns in Empfang zu nehmen. In der Thür stand seine Frau, noch sehr jung,
wohlgebildet und mit einer Menge Kleinodien und
Zierrathen beladen, deren täglicher Gebrauch hier
den Honigmonath des Ehestandes andeutet. Man
wies uns ein ganz neues, frisch bemahltes, mit allen
Bequemlichkeiten dieses Landes versehenes Zimmer
an. Dieser Ort heißt Gaasekjend.

Von da nach Omdal durchreiset man die traurigen Ueberreste eines schon vor 20 Jahren abge-
brannten Waldes. Weder Natur noch Kunst haben
in diesem langen Zeitraum etwas gethan, um jenen
fühlbaren Verlust zu ersetzen. Die Kupfergruben
und Hütte von Omdal gehören größtentheils dem
Assessor Henkel in Kongsberg. Der Borgenel-
ly, der zu ihrem Betriebe das nöthige Aufschlagewasser hergibt, bildet während seines Laufs einige
pittoreske Kaskaden; ein anderer Bach, der Grund-
abecke, treibt eine halbe Meile von der Hütte, ein
dazu gehöriges Pochwerk. Nicht weit davon liegen
am Kamme eines Gebirgs von mittlerer Höhe die

Gruben, worunter Mosnapgrube die bedeutendste ist. Von hier aus kehrte ich nach Gaasekjend zurück.

Die Straße, welche zum Bandagsvand hinab führt, war nicht weniger unwegsam, als die, welche wir gekommen waren. Die ganze Zeit ging sie durch dicht in einander verwachsenes Gebüsch. Wir sahen einen sehr langen hölzernen Kanal, der dazu dient, die auf der Höhe geschnittenen Bretter bis zum Orte des Einschiffens hinunter gleiten zu lassen. An eine andre Art des Transports ist hier gar nicht zu denken.

Bandagslien stellt ein Wirthshaus vor, wo alles eingerichtet scheint, um üble Laune zu erregen. Das Boot, das schon seit einigen Tagen bestellt war, um uns über den See zu führen, war noch nicht angekommen; der Skydsskaffer, dessen Amt es ist, die Reisenden damit zu versehen, war zu meiner größten Demüthigung auf eine Hochzeit gereiset, wo er die Geige spielen sollte. Doch kam er nicht so wohlfeilen Kaufs davon, als er wohl gehofft hatte. Denn zur Erbauung und augenscheinlichem Vortheil der Fremden, welche der Zufall einmahl wieder hieherführen kann, gab ich beym nächsten Fogd eine förmliche Klage gegen ihn ein, und er ward zur Bezahlung einer Geldbuße verurtheilt. Die

Frage ist blos, ob die gefällte Sentenz auch nach meiner Abreise in Erfüllung gebracht wurde.

Die Ufer des Bandagsvand bestehen beynahe allein aus senkrecht einstürzenden Felsenwänden. Bloß an seinem nördlichen Ende neigt sich Laurdals *) Thal sanft ablaufend zu ihm hin. Geschlossen von allen Seiten, die nach Abend hin ausgenommen, wird es zu einem Treibhause, wo alles auf das Ueppigste gedeihet, man säet und bringt das Getraide in einem Zeitraum von neun Wochen ein, ja es gibt Fälle einer doppelten Ernte in einem Jahre.

Die Gestade nehmen sonderbare Formen an, welche alle den Einsturz des Bodens zu erkennen geben, in dessen Vertiefungen nachher die Seen dieses Striches zusammenflossen. Unweit Laurdal, das vielleicht ursprünglich ebenfalls eine weite Bergkluft war, welche vermöge der Wirkungen der fließenden Gewässer oben ausgeweitet und unten angefüllt wurde, bricht noch ein andrer Bergriß die ganze Kette durch, vom Kamme bis beynahe zum Spiegel des See's hinunter. Einige minder tief gehende sieht man weiter hin. Die Einwohner bezeichnen eine sonderbare Felsengestalt, ungefähr einem Boote

---

*) Laurdal zählte im Jahre 1801 eine Bevölkerung von 1117 Seelen.

ähnlich, mit dem Namen des Schiffs vom heiligen
Oluf. Einen schönen Wasserfall vom Nbals-
be.ke gebildet, ob er sich gleich nicht in der Jahreszeit seiner größten Fülle befand, sahen wir am
östlichen Ufer; man hatte hier in herabhängenden
Silberfäden alle Verschiedenheiten, welche einzeln
Wasserfälle merkwürdig machen, zusammen, oben
drey senkrecht herabspringende Strahlen, alsdann
zwey breite Tücher übereinander ausgespannt, einen
sich schlängelnden Bach zwischen Steinen zu Schaum
werdend, zuletzt noch drey aufeinander folgende
Kascaden.

Bey Apalstaaen gingen wir ans Land. Vor
uns lag sogleich der Eingang in ein Thal mit frischem
Grün bekleidet; Holzungen durch niedriges Gesträuch
zusammenhängend, bekränzten den Pfad. Mochte es
vom Vergnügen, mich auf festem Boden, und nach
einem warmen und ermüdenden Tage den Gebrauch
meiner Füße wieder zu finden, herkommen, daß
das Gemüth zu der sanftesten Gedankenfolge gestimmt
war, oder die Magie der Abendsonne, deren goldene
Strahlen schon rosenroth auf der vorliegenden Pflanzenwelt erblichen, brachte eine süße Betäubung hervor: weniger Abende in meinem Leben erinnre ich
mich voll eines so erfreulichen Gefühls, daß diese
schöne Erde mir mit angehöre. So schlich ich mit
wollüstiger Trägheit fort, wenig von den nächstgele-

gelten Gegenständen zerstreuet; den Leuten vorausgehend, welche die Sorge für das Gepäck länget
am Ufer aufhielt, kam ich, ohne es zu bemerken,
über den Hof einer artigen Wohnung: da hörte ich
eine Stimme hinter mir, und es fand sich, daß ich
in Moen *) war, welches dem Justizrath Clou-
mann angehört. Ich mußte umkehren, und verdanke diesem Zufall sehr lehrreiche und behagliche
Stunden.

Dies Thal, welches ungefähr mit Bandagsvand parallel läuft, ist eins von den fleißigst angebauten dieser Provinz. Läßt sich an seiner natürlichen Beschaffenheit etwas aussetzen, so ist es Uebermaß von Feuchtigkeit, davon herrührend, daß die
Gewässer von den benachbarten Erhöhungen zusam-
menströmend, in der Tiefe keinen Abfluß finden,
und die so entstehenden Moräste selbst durch gezogene
Gräben nicht urbar zu machen sind. Hrn. Cloumanns Garten, sehr tief eingesenkt, fühlt besonders diese Unannehmlichkeit; die Wurzeln aller Fruchtbäume verfaulen darin. Minder der Nässe ausgesetzt, erweisen sich die den Hügeln näher gelegenen
Stellen als die ergiebigsten. Von den Höhen selbst
gibt er einen entzückenden Ueberblick auf die Nie-
derungen, deren vielfältige zum Acker- und Wiesen-

---

*) Moens Kirchspiel hatte 1801: 1146 Einwohner.

bau gehörige Gegenstände von waldigen sanft auf-
steigenden Fernen überall umfaßt werden.

Schon hier sieht man in den Häusern die ersten
Züge einer, Ober - Tellemarken überhaupt
eigenen, Wohlhabenheit. Alle Wohnungen sind gut
gebaut, selbst mit zierlicher gesuchter Reinlichkeit,
voll von Hausgeräth aller Art, und immer mit
einigen Cabinetsstücken versehen, die nur bey ganz
außerordentlichen Gelegenheiten ans Tageslicht gezogen werden. So kamen jetzt große silberne Scha-
len und Trinkgeschirre zum Vorschein, auf deren
Boden eine Schaumünze angebracht ist, mit In-
schriften und Bildnissen aus heiliger und profaner
Geschichte. Um davon einen würdigen Gebrauch
zu machen, wird das Bier, womit man sie beym
Schmause anfüllt, doppelt so stark als sonst gebrauet,
damit die Empfindung vom Glücke des Daseyns bis
zum völligen Vergessen desselben gebracht werden
könne.

Der Staatskopfputz der Frauenzimmer, welcher
die hübschen sehr wohl kleidet, gleicht einem Heili-
genscheine; man schlägt hierum ein doppeltes Tuch.
Auf der Mitte des Busens hängen 2 oder 3 große
silberne Platten, eine über der andern. Die männliche Tracht, überhaupt in Norwegen weniger charakteristisch verschieden, als die der Frauen, ist ausgezeichnet durch Leichtigkeit und den geringen Schutz,

den ſie gegen die Strenge des Klima's gewährt.
Im tiefſten Winter habe ich die Bruſt offen geſehen
mit Eiszapfen daran. Und doch ſcheint der Uebergang aus der Norwegiſchen Stubenwärme in die
Temperatur der freyen Luft, alſo vielleicht aus $+$
30° in — 30°, völlig unaushaltbar.

Dicht bey den Häuſern, welche der Familie zum
eigenen Aufenthalt dienen, ſteht immer ein kleineres
auf Stolpen, worin nicht nur Vorräthe von Lebensmitteln, ſondern auch ſonſt Schätze von Klei-
dungsſtücken, Wäsche und andern Koſtbarkeiten ver-
wahrt werden. Alles dies wird in mahleriſcher Ordnung aufgehängt und hingeſtellt, mehrentheils ſind
auch die beſten Betten hier aufeinander gethürmt;
und einem Fremden, dem man Ehre zu erweiſen
gedenkt, wird darin das Nachtlager angewieſen. Bis
auf die kleinſten Züge der Gebräuche deutet alles
auf argloſe Rechtlichkeit hin. Nur von Außen ſind
die Fenſter eingeſetzt und vernagelt, niemahls von
Innen befeſtigt, noch ſonſt mit Hinderniſſen des Ein-
brechens verſehen.

Herrn Cloumanns patriotiſcher Sinn hat
mehrere Unternehmungen veranlaßt, wozu man die
Einrichtung des nahe gelegenen Wirthshauſes rechnen
muß, dem er deshalb den Nahmen Exempel bey-
gelegt hat; denn es ſollte zu einem ſolchen für alle

I.   8

andre Anstalten dieser Art dienen, nicht weniger in
Rücksicht der Bauart, als auch der innern Verfassung. Die letztere Absicht besonders, behauptet man,
wurde gänzlich verfehlt. Der untere Stock des Hauses
ist von großen Blöcken erbauet, die man auf dem
Feld einsammelte und vermittelst eines leichten Mör-
tels mäßig verband; der zweyte ist von Holz jenem
lose aufgesetzt.

Einen bessern Erfolg scheint die Ziegelbrennerey
gehabt zu haben, die hier ebenfalls angelegt ist. Der
Thon kommt aus der Nachbarschaft. Noch mehr Ausdehnung hätte man diesem Erwerbszweige geben können, wäre man so glücklich gewesen, auch Kalk in
der Nähe zu finden.

Die Anhöhe, welche man hinansteigen muß, um
Brunkeberg zu erreichen, ist sehr steil. Alsdann
wendet man sich wieder nach Osten und gelangt zum
Fladalselv, der unweit Sillejord einen
prachtvollen, in drey Arme getheilten Fall hat. Ist
man Brouhoug vorüber, und auf dem Gipfel des
nächsten Hügels, so hat man unter sich eine der
reichsten Aussichten Norwegens. Man kann sie einem
reisenden Zeichner nicht genug empfehlen. Auch
erscheint bald ein neuer merkwürdiger Wasserfall des
Hierdalselvs, von dem ich in Fossum ein
treues, schön colorirtes Gemählde von der Hand
des Schwedischen Grafen Mörner gesehen habe.

Dieser bedeutende Fluß kommt aus dem Stusvand im hohen Gebirge.

Uebrigens ist diese Jahreszeit dem Reisenden, der sehr geschwind fortzukommen wünscht, ungünstig. Die Pferde befinden sich meistens auf den Sennhütten, welche die Einwohner in den höheren Gegenden zum Sommeraufenthalt, zur leichtern Ernährung ihres Viehes und zur Anfertigung des Wintervorraths von Butter und Käse, beziehen. Man hat daher viele Schwierigkeiten, der Pferde habhaft zu werden, sie geben frey in den Wäldern herum, und wenn man sie auch, dem Schalle der ihnen angehängten Glocken nachgehend, wieder auffindet, so ist es nicht immer leicht sie zu fangen. Darum bindet man ihnen an einigen Orten einen schweren Klotz an die Füße, der gewiß dazu beyträgt, sie früher unbrauchbar zu machen. Zuweilen sieht man sie auch auf der Landstraße umher; und andern Pferden nachlaufen, man hat alsdann eben so viel Mühe ihrer wieder los zu werden.

Zur außerordentlichen Fruchtbarkeit der Provinz *) und zum Wohlstand ihrer Bewohner paßt die ungemeine Eleganz in der Kleidung. Die jungen Leute, welche unsern Pferden folgten, trugen eine kurze weiße Jacke von Tuch, welche vorn herunter

*) Hierdal über 2012 Einwohner, Hitterdal 1971.

mit farbigten Blumen und Arabesken gestickt war.
Silberne Schnallen von ungeheuerer Breite bedeck=
ten das ganze Vordertheil ihrer Schuhe; den eigen=
sten Gegenstand ihres Luxus macht aber ihre Skreppe
aus, das heißt, die Tasche, worin sie ihre Lebens=
mittel tragen. Diese letztern bestehen aus Hafer=
brot, so dünn wie Papier gebacken (Fladbröd),
und gerade in die Form gebogen, daß es in die
Tasche bequem eingeht, nebst einer hölzernen Büchse
mit zwey Abtheilungen, die eine mit Butter, die
andre mit weichem Käse gefüllt. Dieser Sack hat mich
oft in Verzweiflung gesetzt. Da die Nahrungsmit=
tel so leicht und fast augenblicklich verdauet sind,
so bedarf man sehr häufiger Mahlzeiten, und meine
Führer hielten jede Meile unwandelbar stille, um
sich gemächlich niederzusetzen, die Bissen auf das
regelmäßigste und zierlichste aus den drey Elemen=
ten zusammenzufügen, und bedachtsam einen nach
dem andern mit einem mahlerischen Ausdruck des
Wohlbehagens in den Mund zu stecken. Nichts in
der Welt macht bey dieser Gelegenheit die mindeste
ihrer Bewegungen eilfertiger. Kein Zeichen noch
Wort der Ungeduld haftet an ihrem zufriedenen Ge=
müth. Im Allgemeinen behauptet man, Ober=
Tellemarken, wie Guldbrandsdalen, haben
Sitten, Fehler, Tugenden, Gesundheit und Stärke
der Vorfahren am kenntlichsten aufbewahrt.

Ohne Unterbrechung folgt man dem Hierdalselv in einer geringen Erhebung über seinem Bette.
Mit seinen Krümmungen verändern sich auch jeden
Augenblick die Gesichtspuncte. Endlich steigt man
nieder, und geht über den Skoughselv, dessen
sandiger weit ausgewaschener Grund große Ueberschwemmungen im Frühjahre andeutet, jetzt aber
die Ueberreste des eingetrockneten Stroms kaum sichtbar ließ. Ich bemerkte zum erstenmahl die großen
Sandwälle (von denen höher im Norden hinauf
noch mehrmals die Rede seyn wird), hier schon von
bedeutendem Umfange, mit regelmäßiger Form und
Abdachung, woraus man leicht Anlaß nehmen könnte,
sie für Festungswerke einer alten Nation anzusehen.
Sie haben an einigen Stellen über 100 Fuß Höhe,
und schließen mehrentheils den Fluß an beyden Seiten ein. Zuweilen sind sie doppelt und dreyfach
terrassenförmig aufeinander gesetzt, haben auch wie
abgemessen heraustretende und eingehende Winkel.
Sie laufen am linken Ufer des Hierdalselv zusammenhängend bis nach Hitterdal fort, wo
noch eine große Plattform dieser Art stehet, von
der man das System dieser sonderbaren Aufdämmun-
gen größtentheils übersehen kann.

Hitterdal, dessen Pfarrer, Hr. Cröger,
sich damahls mit der Herausgabe einer Topographie
seiner Provinz beschäftigte, ist dem Alterthumsfor-

scher der Kirche wegen merkwürdig, deren Zierrathen
vollkommen im sogenannten Gothischen Geschmack,
mit unbegreiflichem Fleiße aus Holz geschnitzt sind.
Auch hier sieht man deutlich, wie dieser Kirchenstyl
aus der Nachahmung von Baum-Tempeln entstand.

Man schifft sich auf dem Flusse ein. Nicht weit
von Hitterdal vereinigt er sich mit demjenigen,
der aus dem Tindsöe abfließt, und bildet mit ihm
das Hitterbalsvand. Man kommt ans Land
und durchreiset auf ungebahnten Wegen einige fast
zerstörte Wälder. Der traurige Eindruck, welchen
diese leichtsinnige Verwüstung des allerwesentlichsten
Erhaltungs- und Industriemittels Norwegens her-
vorbrachte, wurde von nichts gemildert bis nach
Kongsberg, wo uns noch dazu die Spuren des
letzten Brandes beym ersten Eintritt erwarteten.

Neuntes Kapitel.

Kongsberg mit seinen Umgebungen.

Aeußeres und Lage der Stadt. Louvenelv. Temperatur.
Fruchtbarkeit. Norwegens Volksmenge. Gesellschaftlicher Ton.
Bergwerk und seine Niederlegung. Hogfund. Lachsfang.
Modum. Blaufarbenwerk. Hougsfos. Hasselvärk.

Die Stadt *), welche treulich das Schicksal des
Bergwerks getheilt hat, dem sie ihr Daseyn schuldig ist, hat das Gepräge ihres ehemahligen Wohlstandes gänzlich verlohren. Alles ist hier still, melancholisch und öde. Die hölzernen Häuser, welche das

---

*) Die Volksmenge in Kongsberg belief sich 1801 auf 6810;
die Anzahl der Arbeiter am Bergwerke, worunter die im
Nummedal, Sandsvär und Eger wohnenden nicht
begriffen waren, auf 2096. Kongsbergs Probstey, welche
Eger (mit 6713 Einwohnern), Modum (4504), Sigdal
(4457), Kolloug (4045), Sandsvär (3853), und Fles
berg (2694) einschließt, zählt ihrer 33076.

Klima so nothwendig und angenehm macht, erfodern,
um mit dem fortgehenden Geschmack Schritt zu halten, eine häufige Erneuerung ihrer Bekleidungen.
Aber die Reihe der Unfälle, welche die Stadt in
den letzten Jahrzehenden traf *), beschränkte natürlich die Aufmerksamkeit der Einwohner bloß auf die
Befriedigung der ersten Bedürfnisse. Sie hat daher
weder das Ansehen einer Berg = noch das einer
Fabrikstadt. Die Umrisse eines Hohofens, einige
Magazine, Eisenhämmer und Mühlen gewähren keine
auszeichnende Physiognomie, ohne die Thätigkeit und
Bewegung, wovon die Werkstätten belebt seyn
müssen.

Und doch treffen in und um Kongsberg viele
Umstände zusammen, die selbst einzeln genommen,
den Reisenden gefällig ansprechen: eine schöne Kirche
(von den zierlichsten des Landes) von regelmäßig
gepflanzten Bäumen umgeben, die zugleich den Kirch=
hof schmücken, zwey wohl unterhaltene Brücken
über den Louveneld, der die Stadt in zwey Theile
absondert, mehrere artige Wasserfälle desselben, die
Aussicht über seinen Lauf nach Süden und dem
Sandvärsthal hin, zum Hintergrunde des
Skrimsfield, bis gegen Johannis eine Schnee=
kappe tragend. Nicht ohne alles Interesse für die

---

*) Worunter auch die große Feuersbrunst vom 15. März 1810,

Einbildungskraft ist selbst der weiße steinigte Abhang des Gebirges, der ehemals viele wichtige Erzgruben enthielt. Auf der Ostseite sind die Ufer des Stromes in der Nähe der Stadt sehr wohl angebauet, und wenigstens zu. Wiesenland benutzt. An Baumvegetation hingegen, wenn man einige Strücke von Fichtenwald, Gruppen von Weiden und Birken *) auf Dyrmyr ausnimmt, ist der Boden sehr arm. Fruchtbäume kommen nur mit der größten Mühe fort. Nicht gefälliger ist das Erdreich der Gärten unmittelbar an den Häusern, unbenutzbar ohne vielen Dünger, Aufwand und große Arbeit.

Die obere Stadt liegt noch am Abhange des Gebirges längs dem Flusse; die untere, auf einem engen, zwischen zwey in mäßigen Vertiefungen sich fortziehenden Erdrücken. Das Nummedal scheint besonders an dieser Biegung, wo es sich mit dem Thale von Sandsvär vereinigt, tief mit einem Sand-Niederschlage ausgefüttert gewesen zu seyn, in welchem der Louvenelv sich sein gegenwärtiges Bett bildete, mächtig genug, die hohen Dämme

---

*) Ich bemerke bey dieser Gelegenheit, daß die sogenannte weinende Birke, der Landschaftsgärtnerey beynahe so werth als die Cypresse und Thränenweide, keine eigene Gattung ausmacht, sondern daß alle Birken, wenn sie alt werden und einsam stehen, beständig ihre Zweige niederhangen lassen.

größtentheils wegzuschwemmen, die der schwächern Hierdalselv als Festungswerke stehen ließ. Sein Anwuchs ist sehr stark durch Regengüsse im Herbste, und im Frühjahr durch das Schmelzen des Schnee's; er tritt alsdann 8 — 9 Ellen über seinen gewöhnlichen Spiegel aus. Schon 15 Meilen über Longsberg wird er flößbar, und führt alles Zimmerholz zum Gebrauch der Provinzen, die er durchziehet, aber besonders für Laurvigs Graffchaft, herab.

Longsbergs Temperatur gehört zu den kältesten unter dieser Breite in Norwegen. Wenn das Thermometer im Sommer zuweilen + 30 bis 31° Reaum. erreicht, so fällt es auch im Winter bis — 27 und 28°. Während meines Aufenthalts im Winter 1814 stand es einmahl auf — 27°. Die Mitteltemperatur des Jahres kann höchstens auf + 3 angesetzt werden. Gewöhnlich friert der Erdboden nur zur Tiefe einer Elle, jedoch im Anfange des Thauwetters dringt die Kälte bis zu anderthalb ein. Ueber dem Dramsfiord 524 Fuß erhöhen, trägt schon diese hohe Lage der Stadt zur niedrigen Temperatur seines Klima's bey, doch noch viel mehr die Richtung und Gestalt des Hauptthales, welches gerade die kältesten Winde darauf hinleitet. Im Winter herrschen immer die von Nord und Nordwest, im Sommer wehen häufigst die Südwinde; aber die heftigsten kommen von Südwest, weil es

an dieser Seite keine Anhöhe gibt, die ihren Ungestüm brechen könnte. Der Ostwind bringt niemahls Regen; den Wolken, die er führt, wird der
Wärmestoff von den hohenGebirgen entzogen, worüber
sie wegzustreichen haben. Man soll ein Steigen des
Barometers einige Zeit vor dem Regen bemerken.

Auch die entfernteren Umgebungen der Stadt
sind im Ganzen unfruchtbar; nur starke und anhaltende Regengüsse machen, daß auf diesem Sandboden etwas gedeihet. Die Gewinnung des Heues
ist gleichfalls hier die Grundlage des Hauswesens.
Man hat angefangen Erdäpfel zu bauen, die sehr
wohl fortkommen. In S a n d s v ä r hingegen, mittäg-
licher liegend, und mehr gegen kalte Winde gesichert,
gewinnt man die meisten Getraidearten. Das Reifen
des Korns ist hier überhaupt von doppelter Wichtigkeit, wegen des Einflusses auf alle nachfolgende
Ernten. In den Ebenen tragen die dänischen Kornarten ohne Entartung, aber in den Gebirgsgegenden bedürfen sie wenigstens eines Jahres, um sich
zu klimatisiren.

Es scheint, Norwegen gehöre zu den Ländern,
worin die Volksmenge eine gewisse Ausdehnung nicht
überschreiten dürfe. Die Beschränktheit des Bodens,
der urbar gemacht werden kann, die Nothwendigkeit, für den Winter einen zureichenden Viehstand
und die dazu unentbehrliche Futtergewinnung zu

schern, die Unmöglichkeit, dem Ackerbau die Wälder ohne Einschränkung überlassen zu können, überhaupt einen Erwerbszweig zu erweitern ohne Be-
einträchtigung eines andern nicht minder wesentlichen, werden, selbst unter den günstigsten Umständen, die dem Lande bequemste, ja möglichste Bevölkerung unbeweglich unter einer Million fest-
halten müssen.

Was das gesellschaftliche Leben angeht, so hatte
Kongsborg vormahls einen doppelten Ruf: den
einer liebenswürdigen Gastfreyheit in Hinsicht auf
Fremde, und den des Parteygeistes und der In-
trigue unter den Einwohnern, und besonders den
Beamten des Bergwerks. Man muß gestehen, daß
sich von beyden Nachlasse genug erhalten haben, um
dies glaublich zu machen.

Die Umstände, welche die Niederlegung dieses
so lange berühmten Bergwerks auf eine gleich über-
raschende und betäubende Art herbeyführten, konnten gewiß die darin mannigfaltig verwickelten Personen gegen einander erbittern. Metallurgisch betrachtet, hatte die Ungewißheit der auf zweifelhafte
Erzgänge beschränkten Ausbeute schon von weitem
her das nöthige Gleichgewicht zwischen Einkünften
und Ausgaben schwankend gemacht, man erschöpfte
ohne Gedanken an die Zukunft jedes zufällige Glück,
die Anzahl der Arbeiter vermehrte sich indessen, jähr-

Nch wuchsen ihre Familien, jeder Oberberghauptmann brachte ein neues System des Bergbetriebes mit. Man mag nach manche andere moralische Ursachen hinzufügen. Sehr bequem ist es einen einzigen Mann mit der ganzen Schuld zu belasten, allein in der Reihe der Begebenheiten ist ein allgemeines wunderbares Hinarbeiten auf diesen Zweck der Zerstörung von allen Seiten her nicht zu verkennen. Das Schiff muß ganz gewiß scheitern, wenn bey einem drohenden Sturm jeder insgeheim eine Planke los macht, um sich im Fall eines Schiffbruches darauf zu retten.

Das Schauspiel der Niederlegung selbst war entsetzlich. Eine Horde einbrechender Wilden hätte nicht mit mehr Raubgier über eine blühende Stadt herfallen können, als Beamte und Bergleute sich der Gruben, Pochwerke, Gebäude u. s. w. bemächtigten, sie niederrissen, abbrannten, oft bloß um das Eisenwerk an sich zu bringen; ja sich oft untereinander selbst wieder ausplünderten. Die kostbarsten Maschinen wurden zu einem Spottpreise, wie zum Scherze, ausgerufen und verkauft, noch viele stehen da unbenutzt, zerfallend, den Transport selbst nicht mehr bezahlend.

Eben dieser Zustand des Werks fordert eine desto schleunigere Hülfe, und man mag hoffen, was auch die neuesten Berichte bestätigen, daß Nation und

Regierung wenigstens zur Rettung des noch übriggebliebenen alles aufbieten werden. Die Lage der
Einwohner dringt ebenfalls darguf, denn das in
Kongsberg eingerichtete Manufacturwesen, wenn
sein Nutzen auch je den ungeheuern Aufwand, den
es gekostet hat, aufwiegen könnte, wird nie eine
Klasse von Menschen wie Bergleute, nützlich und
glücklich machen können. Auch ist es niemals zum
Vortheile der Geschäfte, daß man sie dem Menschen
aufdringt.

Noch unternahm ich in Gesellschaft des Herrn
Oberberghauptmanns Brünig eine kleine Ausflucht
nach Fossums Blaufarbenwerk im Kirchspiele von
Mobum.. Lange dauert es auf dem Wege dahin,
ehe man Häuser und Besitzungen antrifft, die nicht
irgend einem Bergbeamten, Grubenarbeiter, oder
sonstigen Einwohner von Kongsberg gehören. Es
sind meistens zu Wiesenland benutzte Grundstücke,
welche das Schicksal der Bergleute erleichtern, die
ohne einige Hülfe vom Viehstand mit ihrer Löhnung
nicht ausreichen könnten.

Eine Zeitlang ist man immer in Hohlwegen und
zwischen nahen Hügeln eingeschlossen gewesen. Bey
Dunsrud aber eröffnet sich das Land, und das
Fiskumvand verschönert es mit wohlbebaueten
Ufern. Die friedliche Wohnung des Predigers He-
ber, bey dem das besteingerichtete Erziehungsinstitut

in Norwegen ist, bildet daran einen interessanten
Gesichtspunct. Mit sanften, freundlich bebüschten
Abhängen neigen sich die westlichen Gebirge zu den
spiegelklaren Fluthen hin. Man bemerkt gleichfalls
hier, daß es gar kein Uebel gibt, aus dem nicht
etwas Gutes hervorgehen möge. Die Niederlegung
des Kongsberger Bergwerks wirkte wohlthätig
auf den Landbau in einem großen Umkreise herum.
Mit gutem Nutzen hatten nun die Landleute, vormals mit Kohlen-, Holz- und Erz-Transporten
beschäftigt, ihr ehemahliges Wiesenland zu Aeckern
besäet; der reiche Ertrag fiel schon in die Augen.

Hogsund liegt am Drammenelv, welcher
unter dem Namen des Storelv aus den höheren
Gegenden kommt, und gerade hier den Helgefos,
einen kleinen Wasserfall, bildet. Dieser wird merkwürdig durch den Lachsfang, wozu man ihn benutzt,
und welcher meistens so ergiebig ausfällt, daß man
mit der Ausbeute Drammen versehen, und noch
einen Theil davon bis nach Christiania verfahren
kann. Der Fang geschieht sehr einfach vermittelst
dreyer länglicher Kasten, die über die halbe Höhe
des Wasserfalles an langen Stangen freyschweben,
ein wenig schräg nach außen zu hängend. Sie haben
Wände von Netzwerk. Der Lachs, welcher, um zu
laichen, den Fluß hinauf will, versucht das Hinderniß mit einem Sprunge zu überwinden; gewöhnlich

findet er sich beym Zurückfallen in einem dieser
Kasten gefangen. Im laufenden Jahre schien der
Fang gut zu glücken, und den Tag vor meiner Ankunft hatte er 14 große Fische eingebracht, wovon
man 12 Pfund für 5 Thaler verkaufte. Aber im
Ganzen nimmt die Ausbeute jährlich ab, und man
kann niemahls mehr den Gewinnst voriger Jahre
erwarten, der sich zuweilen bis auf 7—8000 Rth.
belief. Die Industrie ist bequem, allein eine Methode, welche die Generation vor den Keimen ihrer
Sprößlinge angreift, ist wohl unter allen möglichen
die verderblichste.

Fossum kann als der Mittelpunct des Blau-
farbenwerks angesehen werden. Hier wohnen der
Director und der Kassirer, und haben den Nieß-
brauch des sie umringenden Gebiets. In einer kleinen
Entfernung davon liegt die Fabrik selbst mit den
Häusern der Arbeiter, die coloniemäßig in zwey
Reihen parallel nebeneinander fortlaufen. Dazu gehört noch der Hof von Skutterud, von dem die
Cobaltminen ihren Namen erhalten, und der vom
Geschworenen bewohnt wird. Es gibt auf einem
der hohen Puncte in der Nähe der Gruben eine
weitumfassende Aussicht; die Ebene, die man über-
sehet, hat 3—4 Meilen im Halbmesser mit Höfen,
Hütten, Wäldern und Pflanzungen ganz überdeckt,
von Gewässern jeder Gattung durchschnitten. Man

hat wie auf einer Landkarte die ganze Fläche von
Sigdal vor sich, einen großen Theil des Tiri-
fjords, das Kirchspiel von Hale, ein weites
Gebiet, das bis zu den Gebirgen von Bärum
reicht. Man wird hier ebenfalls auf ein lange nach-
hallendes Echo aufmerksam gemacht. Bey unsrer
Zurückkunft setzten wir über den Sigdals- oder
Simoaelv, welcher dicht bey der Fabrik einen
merkwürdigen Wasserfall bildet, und sich hierauf in
den Storelv ergießt.

Dieser Wasserfall ist der bekannte Hougfos,
der zweyte dieses Namens, den ich vorfand. Seine
Masse war gerade nicht bedeutend, alle Wasserfälle
in Norwegen zeigen sich aus natürlichen Gründen
in ihrer größten Fülle bloß gegen Johannis. Doch
besitzt er einen eigenthümlichen Charakter in der
Menge seiner Seitenläufer, die sich an den Felsenwänden hinschlängeln. Die senkrechte Höhe zwischen
den beyden Wasserspiegeln wird auf 90 Klafter geschätzt; doch der Fall, in der Mitte durch einen
Felsen gebrochen, hat nur die Hälfte dieser Erhebung.
Schwerlich gibt es irgendwo einen etwas betrácht-
lichen Wasserfall, dem man nicht durch rührende
Unglücksfälle ein neues Interesse geben möchte; man
erfährt darum hier die Geschichte von vier Kindern,
die zusammen in einem Boot heruntergerissen, darin
umkamen. Der Strom theilt sich in drey Arme,

I.   9

wovon der eine die zur Fabrik nöthigen Gewässer
hergibt, der zweyte zur Flößung des Brennholzes
bestimmt ist, und der dritte die großen Balken zum
Storelv, und so weiter nach Drammen führt.

Ebenfalls besuchten wir auf dieser Reise Ha s-
felvdrf, eine dem Justizrath Collet zugehörige
Eisenhütte.

Zehntes Kapitel.

Das Nummedal und Hardangerfield.

Reise längs dem Louvenelv. Vitriolwerk. Fließberg. Kra‹
vigfiord. Norefiord, Stubbenbroksminde.
Brenne. Opdal. Viennöe. Hardangerfield.
Jerndalshue. Oberste Gebirgsebene. Hosabröta.
Giesjöbovden. Sennenwirthschaft. Rynboe. Mauri‹
set. Hartaughsfeld.

Wissenschaftliche Untersuchungen mancherley Art
hatten meinen Aufenthalt in Kongsberg bis zum
25. August verlängert, und es schien nun die höchste
Zeit zum Aufbruche, wenn ich noch ohne außer‹
ordentliche Beschwerlichkeiten über den unwegsamen
Theil der Gebirgskette wollte, von der das Ber‹
genstift an der Ostseite eingeschlossen ist. Man
reiset am Louvenelv hin. Häufig bildet er Krüm‹
mungen und Buchten, in denen einem hydraulischen
Gesetz zufolge, der Strom seitwärts zurückfließt,

welches oft von den hinaufgehenden Booten mit
großem Vortheil benutzt wird. Wir brachten die
erste Nacht auf einem über ihm liegenden Hügel,
in Aaseland, zu. Schon hier können seine Gewässer zu einer Höhe von 10 — 12 Fuß über seinen gewöhnlichen Spiegel anwachsen. Viele kleine Inseln
liegen darin mit artigen Gebüschen, und am Morgen
erschien er von einem Nebelmeere bedeckt, woraus
blos die Wipfel der höchsten Bäume hervorragten.

Ein Seitenweg führte nordöstlich zum Anfange
des Vitriolwerks, das Hr. Bergmeister Steen-
strup hier anzulegen im Sinne hatte. Alle solche
Einrichtungen haben im ersten Entstehen fast ab-
schreckende Schwierigkeiten, besonders wo Arbeiter
und Sägemühlen entfernt sind, und neue Wege zu
Transporten gebahnt werden müssen.

Höchst angenehm ist die Gegend längs dem Flusse.
Blos vermißt man in diesen schönen Wäldern das
ihnen sonst eigenthümliche Leben; die Stimme der
Vögel wird nur sehr selten vernommen, sie fliegen
stumm und traurig zwischen den Aesten der Nadelhölzer. Hinter Grosliegaard liegt eine reizende
Halbinsel, deren morastiger Boden aber nicht urbar
gemacht werden kann. Alsdann erscheint in der Höhe
an der nordöstlichen Thalwand das Pfarrhaus von
Flesberg; die Kirche selbst steht tiefer und am Ufer
des Flusses. Es war Sonntag und der Gottesdienst

noch nicht zu Ende. Man fängt ihn erst anderthalb
Stunden nach Mittag an, um den Pfarrleuten Zeit
zur Ankunft zu geben; einige von ihnen hatten sieben
Meilen weit zu reisen, und daher waren fast alle
zu Pferde. Die Tracht der Frauenzimmer schien
mit verschieden von allem, was ich bisher in Norwegen gesehen hatte; die Röcke waren in zahllose
kleine Falten gelegt, und fingen erst einen Fuß tief
unter den Hüften an.

Die an sich selbst schon sehr mühseligen Reisen
in Norwegen werden es noch viel mehr bey der geringsten Abweichung von der allgemeinen Fahrstraße.
Alsdann hat man lange Entfernungen, unendliche
Meilen ohne irgend einen Zwischenpunct von Aus-
ruhen, zu reiten oder zu gehen, und dies ist nicht
immer ohne einen nachtheiligen Einfluß auf den
Beobachtungsgeist.

Die Krümmungen des Louvenels nehmen
nun immer zu, er umschließt eine Menge kleiner
Inseln von scheinbarer Fruchtbarkeit. Doch reift
das Obst hier niemahls, sondern erst höher hinauf
im Thale, wo die Seitenzweige desselben aufgehört
haben, und keine Zugwinde mehr die in diesen natürlichen Gewächshäusern concentrirte Temperatur abkühlen. Bey Staksaasen stößt man endlich auf
den ersten großen Wasserbehälter des Nummedals,
den man hier sehr uneigentlich Kravigsfiord

nennt. Auf beyden Seiten zeigen sich die Gebirge
mit auffallenden Formen, mit ungeheueren Schlüch-
ten wie abgebrochene, übergestürzte Mauern, gruppenweise aneinander gelehnt. Auf der schmalen Landenge zwischen dem Reavsg s- und dem Norefiord
hat man eine kleine Kupferhütte, Stubbenbroksminde, errichtet, worin ein von Aasby kommendes Erz verschmolzen wird.

Im Norefiord erkennt man noch deutlicher
die übereinander hingeglittenen Gebirgslager: Spalten bezeichnen die Ablösungen ihrer Flächen. So
entstehen abgesonderte Vorgebirge, wovon eins unter
dem andern stark hervorgeht, und an vielen Stellen
den Wasserbehälter sehr merklich verengt. In diesen
Fiord ergießen sich mehrere Ströme, worunter
der Oktaelv und Etselv die ansehnlichsten
sind.

Die Hitze war sehr fühlbar; das Thermometer
wies auf 16°. Schon hatte die Ernte angefangen;
hier eilt sie immer allen andern in Nummedal
voraus. Der Fiord belegt sich zuerst in der Mitte
Decembers mit Eis, und bleibt nur drey Monate
lang gefroren. Die Schifffahrt darauf ist zuweilen
äußerst gefährlich, vorzüglich wenn der Nord- und
Nordwestwind in die Länge des Thales einströmt
und an den Ungleichheiten der Wände wiederhohlt
gebrochen wird. Die Einwohner haben durch den

Kornmangel der letzten Jahre große Noth gelitten;
da der Boden wenig Getraide erzeugt, und der durch
fehlenden Absatz gefallene Preis des Bauholzes nicht
mehr diese Hauptausgaben decken konnte, so sind
mehrere Familien sogar gänzlich zu Grunde gegangen. Selbst in den höheren Volksclassen, deren Lage
gegen eigentlichen Mangel sichert, wie bey Geist-
lichen und Beamten, fällt eine Veränderung in
ihrer Art zu leben, deutlich in die Augen. Die Erdäpfel, welche durch den Drang des Bedürfnisses
bekannt und annehmlich geworden sind, und auf
diesem Erdreiche in Vollkommenheit wachsen, haben
angefangen ihn zu mildern, da man aber keinen
Begriff davon hatte, daß sie erfrieren könnten, so
ging in den schlecht eingerichteten Kellern der ganze
erste Wintervorrath verlohren.

Bey Branne steigt man ans Land. Des Eigenthümers Wohnhaus zeigte sich mit ansehnlichen
Bärenköpfen und Rennthiergeweihen geschmückt. Der
Ruf, ein geschickter Jäger zu seyn, gibt vorzüglich
ein Ansehen in einem Lande, wo der neulich belebte
Ackerbau noch mit den ihm beschwerlichen und feindlichen Thieren zu kämpfen hat. Von hier aus gelangten wir zum Zusammenfluß des Opdalselvs
und Louvenelvs, der erste, der vom Skuraas
kommt und tiefer durch das Tönneboevand fließt,
bildet vor seiner Vereinigung den Aasenfos, sich

in drey Armen herabstürzend. Gegen das Dönner=
boevand fangen die Gebirge schon an mit sehr
langen und sanften Abdachungen niederzugehen. Kaum
ist man Opdals=Kirche vorbey, so erreicht man
Ennerstued, dem Lehnsmand gehörig der
uns begleitete. Man merkt, daß sich das Thal seinem
nächsten Ausgangspuncte nähert.

Eine Zeitlang folgten wir dem Laufe des Flusses,
in Begleitung von einer Menge Krähen, die mit
einer Art von Neugierde um uns herumhüpften. Das
Land nimmt immer mehr das Ansehen einer Wüste
an, worin man jedoch hin und wieder eine Oasis
entdeckt, oft mit freundlichen Pflanzungen einge=
faßt. Wir brachten die Nacht in Brounöe zu.
Der Besitzer des Hofes hatte im Voraus Nachricht
von unsrer Ankunft erhalten, um Pferde zum Ueber=
gange über das Gebirge herbeyzuschaffen. Seine Be=
reitwilligkeit allen unsern kleinen Nothwendigkeiten
abzuhelfen, kann nicht genug gerühmt werden. Das
Haus, welches uns angewiesen wurde, neulich fertig
geworden, glich dem Landesgebrauch gemäß, einem
Toilettenkästchen. Der Raum im Wohnzimmer war
so kunstreich angewandt, daß man überall auf Schränke
und Schubladen stieß, in den Wänden, unter Tischen
und Bänken angebracht; sogar der untere Theil des
Bettes war zu einem Schreibschranke geworden, in
dessen Bauche nun die Füße steckten. Anstatt daß so

gesuchte Bequemlichkeiten dem Gemüthe freundlich
zugesagt hätten, erweckten sie das Bild des ängst-
lichsten, eingeklemmtesten Daseyns.

Hier bemerkte ich einen Gebrauch, welcher das
menschliche Gefühl der Einwohner ehrt. Es wird
nähmlich auf den Giebel des Hauses, an jedem großen
Festtage, als Weihnachten, Ostern, Johannis u. s. w.;
eine Garbe Korn aufgesteckt, damit selbst die Sper-
linge an der allgemeinen Freude Theil nehmen
mögen. Später habe ich diese liebenswürdige Sitte
im höheren Norwegen wiedergefunden, und man
kann sich leicht überzeugen, daß diese geringe Wohlthat beynahe allein zureicht, eine sehr nützliche Thier-
classe in den harten Wintern am Leben zu erhalten.
Ohne sie würde das Land von einer ungeheueren
Insectenmenge heimgesucht werden, welche durch die
zwar kurze aber sehr heftige Hitze entwickelt, besonders dem Vieh zur Last fällt. So mag Wohlthun
oft aus der Quelle einer verfeinerten Selbstsucht
hergeleitet werden können. Die religiöse Ehrfurcht
vor den Schwalben, so vielen Ländern gemein, kommt
vielleicht ebenfalls aus dem Norden, so wie manche
andere Meinung, die auf den ersten Anblick als
ungereimt verschrieen, sich nachher häufig als aus
einem geheimen Gefühl von allgemeiner Nützlichkeit
herfließend bewährt.

Am folgenden Morgen gab es unerwartete Schwie-

rigkeiten, Pferde zu erhalten. Auch durch die besten
Vorkehrungen entgeht man dieser Unannehmlichkeit
nicht auf den Wegen, wo kein Gesetz die Einwohner verpflichtet, für die Beförderung des Reisenden
zu einem festgesetzten Preise zu sorgen. Ueberdieß
lag ein unwirthbares Gebirg vor uns, wo die Nothwendigkeit, zwey oder drey Tage ununterbrochen
mit den nähmlichen Thieren zu reisen, also fünf
oder sechs Tage sie dem Hausbedarf zu entziehen,
sich zu einem guten Vorwande eignet, von diesem
unbezahlbaren Frohndienste sich wo möglich loszu-
machen. So mußte sich denn unser Wirth entschließen
uns mit eigenen Pferden zu geleiten.

Wir stiegen nun mit großer Mühe, und langsam den östlichen Abhang des Hardangergebir-
ges hinan. Tannen und Fichten verschwanden, nach
und nach durch kleine Birkengebüsche ersetzt, deren
verschlungene Zweige schwer zu durchbrechen waren.
Endlich mußten sie auch der Zwergbirke weichen,
welche so die oberste Gränze der Waldungen bezeichnete. Die Pferde waren nach diesem Marsche schon
höchst ermüdet. Anders, der Führer, hielt daher
an einer Sennhütte (Säter) still, die sein Eigenthum und jetzt vom größten Theil seiner Familie
bewohnt war, um das Vieh zu wärten, und Butter
und Käse für den Winter zu bereiten. Die Hütte,
zusammengesetzt von aufeinanderliegenden Balken,

deren Zwischenräume durch Moos dicht verstopft und ausgefüllt werden (welches in Norwegen die allgemeine Art des Häuserbaues ist), enthält drei Abtheilungen, deren jede ungefähr ein Dützend Fuß im Durchmesser betrug. Ein großes Feuer füllte beynahe die vordere Kammer allein aus, und einige Frauen waren dabey mit dem Kochen ihrer Milchgrütze beschäftigt. Die Aufnahme, welche dem Fremden in dieser Hirtenwelt zu Theil wird, gleicht sich überall. Der leichte Anflug von Neugierde in den Gesichtszügen macht bald der Gelassenheit und ruhigen Theilnahme Platz, und nachdem angeboten ist, was man besitzt, geht alles seinen alten Gang fort. Besonders beym weiblichen Theil der Familie wird die Gleichmüthigkeit der Seele, von einer regelmäßigen Folgereihe nothwendiger Geschäfte unterstützt und gesichert, noch viel bemerkbarer, als bey dem männlichen, dessen dreisteres Selbstgefühl den Reisenden nicht so wohlfeilen Kaufes losläßt. Hier muß genau Rechenschaft abgelegt werden von dem, was man ist, und was man im Sinne hat.

Man räumte ein langes bretternes Gerüst auf, das zu Tisch und Bett zugleich dienen mochte, brachte uns vortreffliche Milch und frische Butter. Im ganzen Wesen der Mädchen, die sie darboten, athmete die Sorglosigkeit einer einfachen und unabhängigen Natur, die reine Unbefangenheit des Gemüths, die kräftige Fülle des Lebens.

Nachdem wir uns vollkommen ausgeruhet und erfrischt hatten, ohne im Stande zu seyn, eine Erkenntlichkeit dafür aufzudringen, stiegen wir weiter, um zum Rande der Gebirgsebene zu gelangen, der ungefähr in der Nähe von Jerndal liegt. Hier trifft man eine zweyte Sennhütte, Jerndalsstuen genannt. Bald verschwinden hierauf die Ungleichheiten der Plattform fast gänzlich, oder sind so vollkommen abgerundet, daß sie sich gleich niedrigen Wellen untereinander verlaufen. Der Plan der Ebene, welche sich im Ganzen nach der Mitte zu ein wenig einsenkt, ist mit untiefen Seen von unregelmäßiger Gestalt angefüllt. Die dazwischen liegenden Erhöhungen bestehen aus einem granitartigen, zuweilen eisenschüssigen Sande, Ueberrest verwitterter Schichten, oder hin und wieder aus Gneiß- und Granitblöcken eines gleichen Ursprunges, die oft noch ansehnlich genug sind, den Weg zu versperren. Sie finden sich besonders, und daselbst mahlerisch wie Ruinen an einem langen sanften Abhange aufgehäuft, wenn man von Höjabröta zum Louveney niedergeht, der hier seine Quelle in der Nähe hat, und über den man eben dieser Bruchstücke wegen nicht ohne Gefahr setzen kann.

Ist man etwas weiter fortgeschritten, so machen Seen und Flüsse Platz für weit ausgedehnte Moräste, und man bemerkt auf diese Art, daß man

sich der Mitte der Plattform nähert, wo zugleich
mit den auswärts gekehrten Abhängen auch aller
Abfluß der Gewässer aufhört. Eine weite Wüste
eröffnete sich nun vor uns ohne Spur von Vegetation, ohne Laute lebender Wesen, und blos vom
Horizonte begränzt. Gegen Abend kamen wir außerordentlich ermüdet in Gjesjöhovden an, einer
dritten Sennhütte am Gjeslövand gelegen, wo
der Führer die Nacht zubringen wollte. Hier war
die Wohnung ungleich geräumiger, das Hirtenleben
mehr charakteristisch bezeichnet, sechzehn Personen,
Männer und Frauen, lebten patriarchalisch zusammen. Das beste Bett, welches überall aus einem
Schaafsfell und einer wollenen Decke besteht, wurde
mir abgetreten, doch ging die Nacht in höchster Unruhe vorüber, niemand von der Hausgesellschaft
kümmerte sich um den Schläfer, ein Theil derselben
hatte sich nebst dem Führer in der Vorkammer um
ein großes Feuer versammelt, und die andern dreh-
ten sich ohne Unterlaß, glühende Fichtenspäne schwin-
gend, im Labyrinthe von Milchgefäßen herum, womit meine Lagerstatt umgeben war. Kaum brach
die Morgendämmerung an, als die Kühe, die während der Nacht in der Nähe des Hauses geblieben
waren, von den Frauen zusammengetrieben wurden.
Man rief eine jede von ihnen mit einem seltsamen
Gesange beym Nahmen, worauf sie sich langsam

näherten, sich melken ließen, und zu gleicher Zeit
eine Handvoll Salz in Empfang nahmen, an deſſen
angenehme Erinnerung wahrscheinlich auf dieſe Art
die des Rahmens geknüpft ward.

Ein unfreundliches Wetter vollendete am folgenden Tage das traurige Gemählde dieser Einöde, wo
bald alle Spuren eines gebahnten Weges verſchwan-
den, und dem Führer nur die Form einiger Berge
übrig blieb, daran die Richtung, die er nehmen
solle, abzuſehen. Wir hielten, um die Pferde zu
füttern, eine kurze Zeit bey Stikſtuen, einem
verfallenen Gebäude ohne Dach unter einem Felsen-
abhange an, ich kroch hinein, um mich gegen den
Regen zu ſchützen. Nicht lange darauf erreichten wir
den Fluß Biorea, der sich mit Ungeſtüm in einer
Richtung von Osten nach Westen fortſtürzt. Unser
heutiges Nachtlager nannte sich Nyeboe. Man ge-
denke sich ein Gebäude von 15 — 16 Fuß Länge
und 9 Breite, worin ein Feuerheerd, ein hölzerner
Verſchlag, der eine Bettſtelle vorstellen sollte, eine
lange Bank und einige Milchgefäße, kaum Raum
sich zu bewegen übrig ließen. Nichts Troglodyten-
mäßiger als seine Bauart, große aufeinander ge-
thürmte Felsblöcke, ohne Bindungsmittel von Mörtel noch Moos, durch deren Zwiſchenräume Wind
und Regen ohne Widerſtand ſtrichen. Die sogenannten vier Mauern waren ein wenig über Mannshöhe

mit Balken bedeckt, diese mit Rasen belegt, und
eine große Oeffnung darin über dem Feuerheerde
diente zum Rauchfang.

Zum auffallendsten Contraste wurde dief Art
Höhle von einem jungen Weibe bewohnt, das schön
und frisch, wie die Mutter der Liebe, mit einem
Säugling an der weißen wenig bedeckten Brust uns
freundlich in der Thüre empfing. Sie machte alsbald gefällig Platz, überließ uns ihren kleinen Milch-
und Buttervorrath zum Gebrauch, und ging, die
Nacht in einem Stalle bey ihren Kühen zuzubringen,
deren Weide und Wartung sie hier im Sommer
festhielt, aber nur kärglich ernährte. Hierauf wickelte
sich mein Bedienter in einen Mantel, streckte sich
auf die Bettstelle aus, und verlohr bald das Gefühl
für den zunehmenden, von allen Seiten hereindrin-
genden Sturm. Ich bereitete mich meinerseits zu
einem Gleichen auf der langen Bank, und in der
Nähe des Feuers. Allein mit jedem Augenblicke
ward die Kälte durchdringender, immer schwächer
kämpfte das sparsame Feuer auf dem Heerde mit
den durch die Feueresse hereinschlagenden Tropfen.
Das Ungewitter wurde wüthender draußen. Wie das
Holz beynahe aufgebrannt war, mußte ich mich entschließen nach neuem außerhalb der Hütte zu suchen,
wo man mir einen Vorrath desselben angezeigt hatte.
Es waren blos dünne Reißer, das Holz ist hier eine

sehr große Seltenheit, und ich fand sie zu meinem
Erstaunen mit Schnee bedeckt. Da es unmöglich
war zu schlafen, blieb ich am Heerde sitzen, und
beobachtete die Flamme, die mit den Winden stritt.
Mein Hund lag zu meinen Füßen, erwachte von
Zeit zu Zeit, blickte mich traurig an und seufzte.
Ich wurde von der Aehnlichkeit meiner Verfassung
mit einer in St. Pierro's meist philosophischem Ro-
mane geschilderten, lebhaft ergriffen. In diesem
Augenblick war ich der arme Paria. Um mich herum
gab es die ganze Nacht hindurch eine heimliche Unruhe, die das Gefühl der Einsamkeit noch ängsten-
der machte. Die Kühe blökten, und drängten sich
zur Hütte; sie schienen die Annäherung eines Wolfes
zu wittern.

Am folgenden Morgen (31. August) sahen wir
die ganze Ebene mit Schnee überdeckt. Das Thermometer, das am vorigen Tage + 1° angezeigt hatte,
war auf — 2° gefallen. Wir begegneten langsam
fortwandelnden Schneesäulen, welche gewöhnlich
ohne Hinsicht auf den herrschenden Luftzug, der
Richtung schmaler und tiefer Klüfte folgten, die
hier und da den Boden durchschnitten. Mehrmals
stößt man auf den Biorea, auf langgezogenen
Abhängen niedergleitend. Viele Sandhaufen finden
sich in der Nähe der wieder erscheinenden kleinen
Seen, aber diese sind weniger häufig, als die Moräste,

welche weite Strecken hindurch anhalten, und sich
vermittelst dieser durch Mangel des Ablaufes immer
mehr zunehmenden Verbreitung, zuletzt des größten
Theils der Plattform bemächtigen werden.

Es ist schon oft die Rede davon gewesen, über
dies Gebirg eine fahrbare Straße nach dem Bergenstift anzulegen, die von Drammen aus
über Kongsberg und das Nummedal die Hauptstadt und die Südländer des Reichs mit der Westküste näher und inniger verbinden möchte, als es
jetzt vermittelst des Passes von Fillefjeld gelingt.
Allein mir scheint die Ausführung dieses Planes
unmöglich, ohne Aufopferungen, welche den Vortheil
einer größern Nähe leicht überwiegen möchten. Der
Eidfjord, zu dem man vom Hardangerfield
niedersteigt, belegt sich spät und mit schwachem Eise,
und würde daher für Winter und Sommer die Anlegung zweyer ganz verschiedenen Wege erfodern.
Die Straße über das Gebirge müßte Meilen-lange
Moräste durchziehen, und wäre nur mit Pfahlwerk
oder Steinen zu begründen, welche beyde aber von
den bezeichneten Stellen weit entfernt liegen. Auch
muß man beachten, daß die Länge dieser Wüste
zwischen 14—16 Meilen beträgt, daher zu dem
Pferdewechsel Familien ansässig zu machen wären,
zahlreich genug die Wege zu jeder Jahreszeit gangbar zu erhalten. Noch sollten sie, da das Land

I.   10

umher gar nichts zu ihrem Unterhalte, und nicht
genug zu dem ihrer Pferde und Kühe hervorbringen
kann, das ganze Jahr hindurch mit allem Nöthigen
versehen werden.

Der Biorea läuft hier auf einer so ebenen
Absenkung fort, daß kaum die Kunst sie gleichför-
miger hervorbringen könnte, und vereinigt sich mit
einem andern Strome, dem Leira, über den man
mit Schaudern auf einer schwankenden Brücke geht.
Hierauf muß man fast senkrechte Abstürze hinan,
wo es einem Wunder gleicht, wenn man ihren
Gipfel auf allen Vieren erreichen kann, oder im Fall,
daß man nicht absteigen will, mit dem Pferde nicht
überschlägt. Doch haben diese Thiere eine erstaunliche Festheit und Sicherheit.

Ist man Sufendalen vorüber, so gelangt
man nach Maurset, und seitdem man Opdal
verlassen hat, zur ersten ordentlichen Menschenwoh-
nung. Erschöpft von den Beschwerlichkeiten der
Reise und dem Nachtwachen, war mein Vergnügen
unbeschreiblich, und mein erster Gedanke, Kaffe zu
bestellen, der mir in diesem Augenblick den höchsten
Genuß des Lebens zu versprechen schien. Während
der Bediente ihn zubereitete, bemerkte ich in einem
Winkel des Zimmers einen vorwärts gekrümmten
Mann in der Stellung des Leidens. Dies war der
Eigenthümer des Hofs. Ich hörte, es sey ein beständ-

diger Magenkrampf, der ihn plage. Was konnte
ich ihm heilsameres anbefehlen, als meinen Kaffe.
Es war ihm ein völlig unbekanntes Getränk, aber
wider alle Erwartung fand er Geschmack daran, und
fragte naiv: ob unser König auch dergleichen tränke?
So fiel das Gespräch auf diesen. Sein Enthusiasmus
war ohne Gränzen. Wir fühlten uns beyde auf das
Innigste gerührt, und gewiß hat der Monarch nie
zwey Unterthanen gehabt, die ihm mit wärmerer
Liebe und Hingebung anhingen.

Ich theilte mit meinem Kranken den kleinen
übrig gebliebenen Vorrath von Kaffe, erhielt frische
Pferde, und machte mich wieder auf den Weg, um
noch vor Einbruch der Nacht den westlichen Fuß des
Gebirges zu erreichen. Bald geriethen wir von
neuem zwischen Moräste, ich mußte absteigen, und
mein Pferd an der Hand hindurchführen, indem ich
selbst von einem Baumstamme zum andern sprang,
zur Erleichterung des Fortkommens in gewissen Entfernungen gelegt. Ehe man ein Birkenwäldchen erreicht, dessen Daseyn schon die Milderung der Temperatur zu erkennen gibt, läßt man gegen Norden
den Grydeberg, einen von den einzeln stehenden
Kegeln, außer welchen man keine wirklichen Erhe-
bungen auf dieser 10 — 12 Meilen breiten Gebirgsebene findet. Die tiefen Einschnitte am Rande derselben wurden durch einen Umsturz der Schichten,

und die ihm nachfolgende Wirkung weiter greifen-
der Ströme hervorgebracht.

Mit großer Mühe rettet man sich aus diesen
Morästen, und wird von einer luftigen Brücke. erwartet, deren bloßer Anblick den ungewohnten Reisenden in Bestürzung und Schrecken setzt. Sie bestehet aus drey langen und schmalen, unverbundenen
Stangen wagerecht über einen tiefen Abgrund liegend. Der Führer mit dem Pferde, welches das
Gepäck trug, gingen hinüber, als sey sie Meilen-
breit. Mein Pferd folgte ihnen im Trabe nach.
Als ich mich aber, bey jedem Schritte die Haltbar-
keit der Balken versuchend, auf der Mitte derselben
befand, und ihre Elasticität mich wunderbar auf-
und niederschaukelte, so hielt ich mich für verlohren,
und mußte alles Bewußtseyn zusammenraffen, um
den Uebergang mit einigen Sprüngen zu beendigen.

Eine Zeitlang neigt sich der Boden nur noch
wenig, doch fängt die Zerreißung desselben gegen
Norden an, wo eine tiefe Schlucht den Strom auf-
nimmt, der in den Eidfjord senkrecht herabfällt.
Unerwartet öffnet sich endlich zu den Füßen des
Reisenden ein über 200 Ellen tiefer Abgrund, in
dessen schwarze Tiefe ein Zickzack hinabführt. Der
Anblick hat etwas sehr Ueberraschendes und dies wurde
noch durch den Umstand erhöhet, daß gerade einige
Wanderer wie Ameisen hintereinander zu uns herauf-

fliegen. Sie trugen hölzerne Gefäße auf ihrem Rücken, mit Butter gefüllt, die sie ins Rummedal bringen.

Unter den hier nahegelegenen Höhen ist das Hartougbfield eine der ansehnlichsten, und im nähmlichen Niveau mit dem Folgefond. Ein anderer Weg, als den ich genommen hatte, führt ebenfalls über die Gebirgsebene nach Kinfervig dicht unter ihm weg. Seine Grundlage hat ¾ Meilen im Umkreise, mit dem größten Durchmesser von 2000 Ellen. Sein Gipfel bleibt vom Schnee unbedeckt, da diesen keine Vertiefung gegen die heftigen West-Stürme in Schutz nimmt. Nur auf einer Seite kann man es ersteigen. Die meisten Flüsse der Gegend haben ihre Quellen in seiner Nachbarschaft, wie der Louvenelv, welcher hierauf den Normans-Louven-Söe bildet, der obere Kinserelv, der bey Kinservig in den Söefiord fällt, der Qudunaelv, welcher das Miösvand durchströmt, unter dem Nahmen des Maanelux, die große Cataracte von Rögfos, (nach Esmark 1000 Fuß hoch) bildet, und sich in den Tindsöe ergießt. Nicht weit davon hat auch der Venemaelv seinen Ursprung.

Elftes Kapitel.

Das Bergenstift.

Zweitabal. Mabse. Warbera. Eldsjord. Salzfabrication. Ulvig. Anhaltende Nebel und Regen in den Fjorden. Ullensvang. Natur der Fjorde. Zustand des Dunstkreises. Heftige Stürme. Wintergewitter. Andere Meteore. Verschlimmerung des Klima's. Rennthiere. Der Gletscher Folgefont.

Nachdem man niedergestiegen ist, tritt man in das Zweitabal. Der Eingang ist eben fortlaufend sogleich von der Wand des Abgrundes an, und von allenthalben niedertraufenden Gewässern benetzt, lag das kleine Thal fruchtbar da in schönes Grün gehüllt. Erst in der Entfernung von einigen hundert Schritten stößt man auf den Strom, der von Norden hereintritt: zum Beweise, daß das Thal von einer andern Ursache, als dem Einbruche der Gewässer herrühre.

Mosböe ist ein einzelnes, freystehendes Gebäude. Es war ohne Bewohner, die in dieser Jahreszeit mit ihrem Viehe auf den Sennhütten leben, doch offen und versehen mit allem Hausgeräth und manchen rückständigen Vorräthen in den unverschlossenen Schränken. Ohne weiteres wurde die Kammer, wo der Heerd stand, vom Führer in Besitz genommen, und ein erfreuliches Feuer angezündet, um die Gebirgskälte ein wenig zu mildern, welche der mit dem Strome eintretende nördliche Zugwind noch empfindlicher machte.

Man geht nun dem Flusse nach und seinen Windungen, den regelmäßig vorspringenden und eingehenden Winkeln des Thales gemäß. Große Gneißblöcke über Menschenhöhe beengen oft den gekrümmten Pfad, und die kahlen aufeinander gethürmten Schlefermassen, die von allen Seiten darauf eindringen, sind wild und schauderhaft.

Man wird von einer zweyten Brücke, der letzten auf der Platkform ähnlich, erwartet; doch in der trockenen Jahreszeit, wo man das Bett des Flusses selbst durchwaden kann, ist man ihrer glücklicher Weise entübrigt. Noch eine bedeutende Anhöhe mußte erstiegen werden, und so lagen im Nachschimmer der untergegangenen Sonne die Früchte der Ernte auf einer kleinen Halbinsel in Garben ausgebreitet, und im Hintergrunde Warberg zu unsern Füßen.

Mein Plan war gewesen, die Reise noch bis Elb
fortzusetzen, aber Tormo Omund, der Eigenthümer des Hofs, fand so viele Schwierigkeiten,
ein hierzu nothwendiges Boot herbeyzuschaffen, und
machte so freundliche Anstalten mich zu bewirthen,
daß ich mich endlich von ihm und meiner Ermüdung
zum Dableiben überreden ließ. Ich fand an Tormo
Omund einen sehr verständigen Mann mit rast-
losem Unternehmungsgeist und zahlreichen Projecten,
die ihn nicht alle bereichert haben sollen. Nun war
er gerade beschäftigt, eine Färberey mit Moos in
Gang zu bringen. An der Abend-Gesellschaft, die
uns umringte, traten auffallende Abweichungen von
den Provinzen, die ich eben verlassen hatte, hervor, in Denkart, Gesichtszügen, Form der Trach-
ten. Ich sah hier die blonden, im größten Ueber-
flusse frey herunterhängenden Haare, welche ehedem
zu den auszeichnendsten Kennzeichen der Normänner
gerechnet wurden.

Man setzt über einen kleinen Wasserbehälter,
vom Meere bloß durch einen Damm von Sand ab-
geschieden, den die Wellen selbst angeschwemmt
haben, und der unter dem Rahmen des Herrs-
bergs sich bis zur Basis des gegenüber liegenden
Gebirgs Onen fortziehet. An der Seite nach
Süden erstrecken sich die Sandanhäufungen nicht so
weit, da hier die Felsen stärker und senkrechter

hervorspringen. Aber allenthalben, wo der Sand
einen Grund fand sich anzulegen, geht er bis zu
einer Höhe von 100 Fuß hinan, eine Erscheinung,
die wohl kaum aus der bloßen Gewalt der täglichen
Fluth, oder selbst außerordentlicher Stürme zu
erklären steht.

Auf dieser Erdenge liegt ein Hof, Legrø
genannt, und die Kirche von Eidfiord, ein stei-
nernes Gebäude sehr alter Bauart, dem wie es
scheint, die Zeit wenig angehabt hat. Es enthält
ein altes Grabmahl, einige mittelmäßige Mahlereyen
und sein Inneres durch schmale und tiefe Fenster
sehr düster gehalten, flößt eine Art von Schwer-
muth und Beklemmung ein, die zu den Absichten
des Gothischen Styls gehören mögen. Der Geist
der Einwohner des Bergenstifts soll, ich weiß
nicht woher, theils zur Schwärmerey, theils zu
Neuerungen aufgelegt seyn. Eben war die Rede
von einer neuen Lehre, die ein junger Geistlicher
ungehindert von der Kanzel vortrug; sie hatte warme
Anhänger in der Gemeinde gewonnen.

Bey Heggegaard zeigte mir Torms
Omund, der mich treu begleitete, eine Anlage
zur Salzsiederey. Die Kunst war war allerdings
noch in der Kindheit, doch interessant als Versuch.
Es gibt hier in der Nähe keine Flüsse, welche den
Gehalt des Meerwassers merklich schwächen könnten,

und in dieser Hinsicht ist der Ort gut gewählt.*) Solcher Anlagen zur Salzbereitung soll es in dieser Provinz noch mehrere geben, z. B. bey Siärsäd, und mit größerer Oekonomie und Reinheit des Products. Ja, zur Zeit als der Krieg mit den Engländern die Zufuhr dieses Artikels fast unmöglich gemacht hatte, befliß sich jede Familie für ihren Hausbedarf seiner Hervorbringung, sollte sie auch das Wasser blos in Küchengefäßen abdampfen lassen. Zugleich gibt es bey Heggegaard eine angehende Hutmanufactur.

Noch am nähmlichen Tage reisete ich nach Ulvig, im Grunde des Ulvigfiords gelegen. Ein beynahe einförmiger Nebel war über die ganze Wasserfläche verbreitet, doch bemerkte man darin einige dichtere Stellen wie Kerne, um welche sich die Dunsttheile mehr und mehr anzulegen und zu verdichten schienen. Allmählig, doch immer nur an den höheren Theilen der einschließenden Gebirge, wurden Wolken daraus mit scharf gezeichneten Umrissen und lichten Stellen dazwischen. So ist vielleicht die Gestalt, oder irgend eine noch unbekannte Eigenschaft

---

*) Herr Probst Herzberg machte im Söefiord Versuche über den Salzgehalt des Meerwassers, das hier ebenfalls von keinen beträchtlichen Flüssen versüßt wird, und erhielt ein merkwürdiges Resultat, nähmlich, daß dieser Gehalt nach 200 Ellen Tiefe auf 480 andere nicht weiter zunehme.

der Fjorde, welche die gewöhnliche Bildung der
Wolken erschwert, daß diese nicht genug Wichtigkeit zu einer Erhebung gewinnen, wo der herrschende
Luftzug sie ergreifen könnte. Dadurch vereinigen
sich gleichsam Nebel und Regen zwischen den Felsenwänden, die südwestlichen Winde mit den Dünsten
des Meeres beschwängert, drängen diese in den
Einschnitten des Landes zusammen, und unterhalten darin Feuchtigkeit und klimatische Milde. Hieraus gerade erwächst die dem Bergenstift eigenthümliche Fruchtbarkeit, so oft auch durch die Nebel
jede unmittelbare Einwirkung der Sonnenstrahlen
gänzlich ausgeschlossen zu seyn scheint. In diesem
Jahre doch mehr und anhaltender Regen gefallen,
als seit Menschengedenken.

Der Ulvigfiord ist allein an der Westseite
angebauet, die jenseitige ist steiler, kälter, mehr
den Stürmen blossgestellt. Am Ende des Wassfiord
liegt das Pfarrhaus. Der Zweck meiner Reise dahin
war lediglich die Untersuchung einer angeblichen
Silberflur. Von solchen Anzeigen wird man unaufhörlich getäuscht; es gibt wenig Länder, deren Bewohner eine so hohe und hartnäckige Meinung von
den in ihrem Boden verschlossenen Schätzen haben,
und mehrentheils überzeugt sie nichts vom Gegentheil.

Ist man am Ausgang dieses Fjords beym ersten

Vorgebirge vorbeygeschifft, so erscheint der westliche Abhang in Gestalt eines sehr eben niedergehenden Planes mit zahllosen Höfen und Wohnungen, zwischen welchen sich wohlunterhaltene Gärten hinziehen, lediglich aus Kirschen-, Aepfel- und Birnenbäumen bestehend. Diese Erzeugnisse, die fast alljährlich in Menge und Vollkommenheit gerathen, werden auf Booten zu einem sichern Verkaufe nach der Hauptstadt geführt, und sollen dem Stifte 10000 Thl. reinen Gewinnstes bringen. Doch nur fleckenweise breitet sich diese nützliche und schöne Vegetation über die Gebirgsabhänge aus, zuweilen verliert sie sich gänzlich, und wo man die Unfruchtbarkeit des Bodens nicht anklagen kann, möchte man die leeren Stellen einem Mangel an Einwohnern zuschreiben, wovon Fischerey und Seewesen täglich eine große Menge verbrauchen.

Nun sehen wir bald den Gletscher Folgefond vor uns, dessen blaugrünliche Eismassen merklich gegen die Umgebungen abstechen. In Ullensvang *), wo wir ans Land stiegen, wohnt Probst Hertzberg, einer der aufgeklärtesten Gelehrten Norwegens, dem ich den größten Theil der physika-

---

*) Ullensvang gehört zum Kingservig Kirchspiel, das im Jahre 1801 3402 Einwohner zählte, und zur Hardanger Probstey mit 9273 Seelen.

ſiſchen Bemerkungen über dieſe Provinz, und manche
andere Belehrung verdanke.

Die Fiorde, oder Seebuchten, den Norwegiſchen Küſten überhaupt eigen, haben ihre meiſt
charakteriſtiſche Geſtalt im Bergenſtift. Es ſind
weder Bayen, welche die Meeresfluthen dem Lande
abgewonnen haben, noch Betten von Strömen auf-
gewühlt und nachmahls von der See ausgefüllt;
die Gebirge hier konnten wegen ihres ſteilen Abhanges und ihrer geringen Breite nie etwas anders als
Waldſtröme hervorbringen. Es ſind Zerklüftungen
und Riſſe in einer Felſenwand, welche durch irgend
eine Urſache entweder in die Höhe gehoben, oder
durch Einſtürze des zur Seite liegenden Landes,
iſolirt wurden. Dieſe Riſſe verengern ſich 4—5 Meilen
von ihren Mündungen an, von 1—1½ Meile bis
½—⅓, und im nähmlichen Verhältniſſe erhöhen
ſich die ſie umſchließenden Gebirge auf beyden Seiten
von 1000—1200 Fuß bis 4000—4500.

Die Schifffahrt auf dieſen Fiorden kann zu
gewiſſen Zeiten des Winters und Wetterſtandes gar
nicht unternommen werden. Die hohen Gebirge
drängen vermittelſt mancherley Geſtalten, Vor-
ſprüngen und Buchten die Winde zuſammen, geben
ihnen mehr Stärke und zugleich ſo unregelmäßige
Richtungen, daß der geſchickteſte Steuerman ſie nicht
vorausſehen kann. Gewöhnlich bedient man ſich

offener, mit 2 — 4 Rudern versehener Boote, die
nur beyläufig ein Segel aufsetzen. Die königlichen
Beamten, Geistliche, oder sonst begüterte Einwohner haben es sich darin noch bequemer durch eine
Art von Kajüte gemacht; doch ist dieser enge Raum
bey dem heftigen Schaukeln des Fahrzeuges, das
ohne Ablaß mit kreuzenden Strömungen kämpft,
jedem Ungewohnten ganz unerträglich. Am gefährlichsten das ausgespannte Segel. Ueberläßt man sich
im mindesten einem unzeitigen Sicherheitsgefühl,
und kommt so einer der häufigen Bergschluchten
nahe, die meistens rechtwinkelig in die Fiorde ausgehen, so stürzt ein unerwarteter Windstoß auf das
Segel und wirft das Boot um, bevor Anstalt zum
Einziehen gemacht werden kann.

Die größte Tiefe dieser Fiorde reicht ungefähr
bis zu 800 Ellen, am beträchtlichsten ist sie an den
Vorgebirgen. Das mittlere Anwachsen der Gewässer
zwischen dem Maximum der Ebbe und Fluth ist
zuweilen von 5 — 6 Ellen, gewöhnlich zwischen
3 — 4. Die Ströme darin hängen größtentheils
vom Zustande der Fluth zwischen der westlichen Küste
des festen Landes, und den daran liegenden Inseln
ab. Längs jener gibt es einen herrschenden Strom
von Norden nach Süden, welcher doch nicht allein
von der Richtung des Weltmeeres, das bey der
Fluth über Schottland andringt, oder vom Schmel-

gen des Polar-Eises herzurühren scheint. Auch hier
finden zuweilen starke, tief unter dem Wasserspiegel
liegende, sich kreuzende Bewegungen statt, oft zum
großen Schaden der Fischergeräthschaften.

Längs den Ufern dieser Fiorde bemerkt man
häufig bedeckte Schoppen zur Aufnahme der Fahrzeuge gegen Stürme, und ungewöhnlich hohe Fluthen.
Aber noch merkwürdiger sind die Spuren von ähnlichen, aus sehr entlegenen Zeiten übriggebliebenen
Einrichtungen. Bey Kinservig werden die Trümmer eines solchen Gebäudes gezeigt, worin man
vor 6 — 700 Jahren eins von den bekannten langen
Kriegsbooten verwahrte, und welches 20 Fuß höher
liegt als der nunmehrige Wasserstand. Also hat sich
das Meer zurückgezogen, oder das Ufer in die Höhe
gehoben.

Es gibt hier sehr heftige Stürme. Hrn. Herzbergs Resultat, aus einer langen Reihe von Beobachtungen gezogen, ist, daß von 21 dieser Stürme
gewiß 16 in den Mondspuncten *) fallen, in seiner

*) Auch bis in den höchsten Norden hinauf findet sich gewöhn-
lich schlechtes Wetter ein bey seiner Erdnähe, bey Neu-
und Vollmond, Durchgänge durch den Aequator, bey nördlicher Mondswende; gutes kommt auch meistens bey seiner
Erdferne, Quadraturen und südlicher Wende. Ueberhaupt
ist es sicher, daß der Mond die unabhängigsten Wirkungen
auf den Dunstkreis des Meeres, und also ebenfalls auf die

Erdnähe, Erdferne, nördlichen oder südlichen Durchgang durch den Aequator u. s. w.; jemehr dergleichen zusammentreffen, desto wüthender ist der Sturm.
Blos in den Sommermonaten Junius und Julius
sieht man zuweilen Ausnahmen von dieser Regel,
weil alsdann die Haushaltung der Natur zur zweckmäßigen Anwendung der treibenden Kräfte auf Stille
und Ruhe bringt. Hr. Herzberg hatte Gelegenheit in einer Reihe von 12 Jahren 260 Orkane
(d. h. Winde mit einer Geschwindigkeit von 25—30
Ellen in einer Secunde) zu beobachten; blos im Jahre
1798 trafen derer 33 ein. Ein außerordentlicher
stürzte am Weihnachtsabend 1806 das Pfarrhaus
von Ullensvang um *). Er hatte 120 Fuß Geschwindigkeit, ihm war am 20. December ein Nordlicht von auffallender Schönheit, und den ganzen
Umfang des Horizontes einnehmend, vorausgegan-
gen. Das Barometer, das sonst nie tiefer als
27″ 3‴,5. fällt, sank auf 26″ 5‴. Man sah plötzlich
den Fiord auf das fürchterlichste anschwellen, zuerst

- Witterung der Länder äußert, die unmittelbaren Einflüssen
von diesem unterworfen sind.

*) Kein Mensch kam dabey zu Schaden. Eine eiserne Ofen-
platte stürzte auf eine so glückliche Art um, daß sie ein
kleines Kind gegen die herabfallenden Balken in Schutz
nahm und rettete.

wie ein reißender Strom gegen das Land anlau-
fen und dann wieder eben so eilig zurückstürzen.
Die Fluthen 1½ Fuß über den allerhöchsten, seit
Menschengedenken bekannten Wasserstand gestiegen,
lösten sich in Schaum und einen Nebel auf (Dre-
vegaard), der das gegenüber liegende Gebirge,
beynahe von Folgefonds Höhe, bis zur Hälfte
hinanstieg. Dieser ziehende Dampf ist übrigens eine
Erscheinung, welche hier alle Orkane begleitet. Auch
im Laufe ihrer Dauer verändert sich mehrmals der
Wasserstand, nach den ersten 3 Stunden fällt er
stark, und steigt dann wieder eben so ungestüm.
Man hört auch dabey, oder ihnen vorausgehend,
ein starkes Knallen gleich Kanonenschüssen weit im
Meere hinaus.

Lange wird es wohl noch unausgemacht bleiben,
welcher Zusammenfluß von Umständen diese wüthenden West- und Nordwest-Orkane, von denen Schweden und Norwegens Küsten, doch vorzüglich die
letztern, beimgesucht werden, erzeugen mag. Entstehen sie aus dem Ostwind des Atlantischen Meeres,
der, nachdem er an den Andes gebrochen, sich mit
dem Mexikanischen Busen nordostwärts gebogen hat,
über Schottland nach Morgen zurückweicht, mit dem
immerwährenden Polarwinde zusammenstößt und so
vereinigte Kräfte gewinnt? Wird er nicht durch
den Nordwestwind verstärkt, der in den vereinigten

I.   11

Staaten fast allgemein herrscht, vom Eismeer des Poles und der Eiswüste herwehend?

Vieles hat man schon über die Wintergewitter geschrieben, die dieser Küste eigen sind. Am einsichtsvollsten hat sie der Herr Oberhofmarschall v o n H a u c h erläutert. Sie kommen immer von Südwest, West, oder Nordwest, von einem heftigen Sturme geleitet; zuweilen nach einem langen Froste, bey dem wenig Schnee gefallen ist, nach welchem einige Tage hindurch Thauwetter eintritt, und der Wind sich von Süd nach West, oder den andern Gewittergegenden dreht. Das Gewitter erscheint alsdann mit vielem Regen und Hagel, es dauert nur während der Nacht und hört mit Tagesanbruch sogleich auf. Der Donner, welcher einem langen Froste mit durchgehends klarem Wetter folgt, verkündigt ein Aufthauen mit vielem Regen. Die Häufigkeit dieser Gewitter ist sehr verschieden. Es gibt Winter, wo gar keins eintrifft, die vorzüglich stürmischen und feuchten zeichnen sich dagegen durch viele aus. Hr. H e r z b e r g hat nicht gefunden, daß während ihrer Dauer im Barometerstande eine Veränderung vorgegangen sey.

Sie erstrecken sich immer über eine größere Fläche, als die, welche im Sommer erfolgen, gewöhnlich 10 — 12 Meilen längs den Küsten hin, und 8 —10 ins Land hinein; ja es hat Gewitter gegeben, welche das ganze Stift umfaßten. Der Theil der südwestlichen Küste, der ihnen am meisten ausgesetzt ist, begreift einige große Inseln von 2400—2800 Fuß Erhebung, nebst unzählbaren kleinern von 100—1200, zwischen denen sich die Fiorde im festen Lande eröffnen und darin 10—12, ja 16 Meilen weit fortziehen. Die Gewitter gehen auf diese Art an dem Abhange der Gebirge fort, die nach und nach bis 4000 Fuß erreichen, und kommen tiefer ins Land hinein nach Maasgabe, als sie selbst höher oder niedriger streichen.

In allen Jahrszeiten ist das Barometer hier außerordentlich empfindlich. Kaum bleibt es ruhig 1—1½ Tage hindurch; man hat in einer Zeit von 24 Stunden daran 6—7 beträchtliche Veränderungen bemerkt. Es sinkt immer mit großen Fluthen, steigt bey starken Ebben, sogar zeigt es Stürme tief im Meere an, während daß sein eigner Himmel still und wolkenlos bleibt. Sehr merkwürdig ist das, was Hr. Herzberg erfuhr, daß es im nahen Wirkungskreise des Blitzes seinen Standpunct unverändert erhalten hatte.

An der Küste nimmt man zuweilen See- und Luftgebilde, eine Art von fata morgana wahr (Landet kildrer), als sähe man Inseln oder hochliegende Felsenmassen; doch in den Fiorden geschieht es niemahls. Auch Feuerkugeln sind nicht

selten im Bergenstift, allein man hat kein Beyspiel von gefallenen Meteorsteinen.

Es ist eine sehr allgemeine Bemerkung, daß die
Nordlichter sich in den 20 letzten Jahren vermindert
haben. Auf meiner ganzen ersten breyjährigen Reise,
dem Pole so nahe, habe ich auch nicht ein einziges
wahrnehmen können. Ehemahls trafen sie häufiger
im Herbste ein, als im Winter und Frühling; im
Sommer sind die Nächte zu kurz und zu hell, um
sie genau zu beobachten, in Winternächten dagegen
waren sie selbst durch den Nebel tiefstehender Wolken hindurch zu unterscheiden. Es liegt daher nichts
Widersinniges darin, daß sie bey ungewöhnlicher
Stärke sogar am Tage bemerkbar stattfinden mögen,
und Admiral v. Lövenörn, dessen strenger Beobachtungsgeist bekannt ist, glaubt in der Nähe von
Island ein solches Phänomen wahrgenommen zu
haben.

Man behauptet, es gäbe in Norwegen ein perio-
disches Zurückkehren der Nordlichter. Die letzte Periode soll ungefähr 1707 angefangen haben, nach
welcher keins mehr in einem Zeitraum von 20 Jahren erschien; dann nahmen sie wieder zu bis 1752,
wo sie fast jeden Abend leuchteten und sich selbst bis
nach Frankreich und Italien mit ungemeiner
Stärke und Schönheit erstreckten. Von dieser Zeit
an verminderten sie sich, und der Umlauf war 1780.

zu Ende. Nach Ritter ſollen in dieſer großen
Periode noch kleinere, iede von 9 Jahren, ſtatt
haben, zuſammenhängend mit dem Wanken der Erd-
Axe im 18jährigen Umlaufe. Das Maximum dieſes
Meteors ſoll daher in 1806 und 1815 eingetroffen
ſeyn. Doch gab es in Norwegen 1804 nur ein
Nordlicht, 1805: 2, 1806: 4, 1807: 2, 1808,
9 und 10 keines, 1811: 1, 1812: 1, 1813: 1,
1814 und 15 keines, 1816: 2.

Alle Erfahrungen an Norwegens Weſtküſte be-
ſtätigen auch hier die ſchon erwähnte Beobachtung,
daß im Klima eine nachtheilige Veränderung vorgegangen iſt, und daß beſonders das Meer ſich mit
iedem Jahre ungeſtümer und für kleine Fahrzeuge
unzugänglicher erweiſet. Dies erhellt aus dem Mit-
telverhältniſſe einer langen Reihe von Jahren, denn
natürlich treten ſchöne und fruchtbare auch einzeln
wieder mit ein. Auf Karmöe, einer der größern
Inſeln an dieſer Küſte, unter 59° 20', gräbt man
häufig Stämme und Wurzeln von Bäumen aus, die
iezt dieſem Himmelſtriche ſehr fremd ſind, z. B.
Kaſtanien, und ſie finden ſich zuweilen in einem
ſolchen Ueberfluß, daß ſie zur Feuerung angewandt
werden. Bey Augvoldsnäs, auf derſelben Inſel,
liegen viele Wallnüſſe tief in der Erde verſchüttet.
Jezt iſt hier aber die Vegetation ſo herunter gekommen, daß nicht eine einzige Baumart mehr wachſen

kann, wenn sie nicht durch Häuser oder andere vor-
liegende Gegenstände gegen nördliche und westliche
Winde geschützt wird. Längs dem ganzen Ufer
erreichen die Bäume nicht mehr ihre ehemahlige
Höhe und Dicke, indeß vorher diese Provinzen von
hochstämmigen, fast undurchdringlichen Wäldern
bedeckt waren. Außerdem merkt man in diesem Stifte
an, daß seit 30 oder 40 Jahren nur halb so viel
Heu, als ehedem gewonnen wird, daß der Frühling
anstatt wie sonst am Ende Aprils, nur erst tief im
Maymonat erscheint, daß der Herbst und die Kälte
dagegen ihre Ankunft um einige Wochen beschleunigt
haben. Auch dieser früher eintretende Frost mag es
seyn, der die Erzeugung der Insecten verhindert,
von denen man sonst im Septembermonat äußerst
geplagt wurde.

   Doch wie ich angemerkt habe, das Innere der
Fiorde, wo sie durch ihre Lage gegen die wilde
Meeresfluth sicher gestellt werden, und die Sonnenwärme an den umringenden kahlen Felsenwänden
eine doppelte Kraft gewinnt, zeigt eine erstaunliche
Fruchtbarkeit. Wie mit den andern Früchten der
gemäßigten Zone, würde es hier wahrscheinlich auch
mit den Pflaumen glücken, wenn sie an Spallieren
längs wohlgelegenen Mauern gezogen würden, deren
Anlage man auch schon versucht hat. Man bereitet
aus wilden Aepfeln einen vortrefflichen Essig, und

führt davon jährlich 2 — 300 Auker aus. Doch hat
der fortschreitende Anbau des Landes, welcher sonst
überall der natürlichen Verschlimmerung des Klima's
entgegen wirkt, dieses hier (nach Hr. Herzbergs
Bemerkung) nicht im nämlichen Verhältnisse wie
in andern Ländern gemildert.

Im Jahr 1808, einem der wärmsten, die man
hier erlebt hat, war das Maximum der Hitze 20° 8.
Gewöhnlich fällt es zwischen 11 — 12°, so wie das
der Kälte 22°. Der Boden friert bis ⅔ Ellen Tiefe,
sehr selten bis 1 oder 2. Die Temperatur der Keller
ist + 4° bis 5°.

Man machte einen Versuch auf der südlichen
und westlichen Seite des Folgefonds, Rennthiere
zu naturalisiren. Es wurden 30 bis 40 davon aus
Lappland dahin gebracht, sie gewöhnten sich auch
wohl an ihren neuen Wohnort; da man sie aber
vernachlässigte, so verwilderten sie bald. Nun halten
sie sich fast allein um den Fuß des Gletschers herum
auf, wagen sich nicht über das Thal des Aakre-
elvs hinaus, noch weiter als bis Ormvig. Es
müssen, um ihrer habhaft zu werden, ordentliche
Jagden darauf angestellt werden; man salzt das
Fleisch ein, schmelzt und benutzt das Fett anstatt
der Butter, und braucht die Geweihe als Hirsch-
horn.

Einer der merkwürdigsten Gegenstände dieser Pro-

pinz ist der Gletscher Folgefond, Ullensvang
gerade gegenüber, dessen Höhe nach Hrn. Herzbergs trigonometrischer Messung 4973 par. Fuß
beträgt. Es ist nicht ganz genau, wenn man ihn
als isolirt betrachtet, da das Gebirge in dessen einem
Einschnitt er liegt, zu einer zwischen dem Fille-
und Hardangerfield heruntergehenden Kette
gehört. Man kann über ihn in seiner ganzen Länge
von 4½ Meilen, und größten Breite von 1 bis
1½ hingehen. Seine oberste Rinde trägt vollkommen, allein hat man diese durchstoßen, so ist nirgends in dem darunterliegenden losen Schnee ein
festerer Grund entdeckt. Darum verschwinden auch
nach einiger Zeit die Stäbe, womit die Einwohner
zuweilen Wege bezeichnen. Nicht sehr große Höhen
sind überhaupt in Norwegen zur Bildung der Gletscher nothwendig, noch liegen diese immer im Haupt-
gebirgsstamme, oder nach Einer Seite hin. Wenn
viele davon sich nach Westen kehren, so mag dies
daher rühren, daß die Weststürme den Schnee
am leichtesten in den ihnen zugewandten Vertiefungen aufhäufen können.

Die Abhänge des Folgefonds gehn sehr sanft
herab, und sein Gipfel bestehet in einer ununterbrochenen Ebene. Er hat Eispyramiden 5 — 6 Ellen
hoch. Er übertrifft die berühmten Gletscher von Justedal an Höhe; diese nimmt zu, weniger seine Ausdeh-

zung. Man hört, wie bey allen andern Gletschern, häufig ein Krachen darin, wenn neue Spalten entstehen. Seine Morainen sind in S u k l e d a l, ½ Meile gegen Westen; nach Osten zu hat er gar keine. Die von ihm herabkommenden Lauwinen richten zuweilen große Verwüstungen an. Im Februar 1807 riß eine solche auf der Westseite M o k l e ß u n g a a r d fort, zerstörte 24 dazu gehörige Häuser und begrub zwey Leute. Ein Knabe und ein kleines Mädchen wurden noch lebend aus dem Schnee hervorgezogen, die Fruchtbäume, welche jährlich an 100 Thl. einbrachten, schienen wie mit einer Axt abgehauen. Große Eisstücke, die sich sehr häufig losmachen, fallen mehrentheils ohne merkliche Lufterschütterung, doch die Schneefälle sind unausgesetzt mit heftigen Stoßwinden, ja mit lange nachher anhaltenden Orkanen begleitet; sie reißen ungeheure Felsstücke in ihrem Laufe mit, und drehen zuweilen die Bäume, welche sie einwickeln, wie Stricke zusammen.

Herr H e r z b e r g, dessen wohl-aufgeklärtem, nicht zu ermüdendem Patriotismus die ganze Provinz manche Wohlthat verdankt, so wie seinem Vater die Bekanntmachung und Ausbreitung der Erdäpfel, führte in S ö n d h o r b l e h n im September 1802 zuerst die Kuhpocken ein. Ich erwähne, was er bemerkte, daß unter 400 Eingeimpften ungefähr 3 einige Monate hindurch einen hartnäckigen Ausschlag bekamen.

Der Geist der Bewohner neigt im Allgemeinen zu reger Betriebsamkeit und mechanischen Künsten hin. Man muß Halsteen Kiepsö als einen ausgezeichneten Künstler in Verfertigung von Messern und andern ähnlichen Instrumenten rühmen; auch arbeitete er gerade damals an einer Maschine, um Feilen nach Englischer Art zu hauen. Der Winter mit seiner Langweile erzeugt in Norwegen manche Geschicklichkeiten und Kunststücke. Nur muß man sich, der Vollendung einzelner Handarbeiten ungeachtet, nicht einbilden, man könne darum in diesem Lande so etwas im Großen treiben, einträgliche oder auch nur vortheilhafte Fabriken anlegen. Die Zeit, welche darauf von einzelnen Händen verwandt werden müßte, würde den Preis unmäßig erhöhen, dieser aber die unvortheilhafteste Concurrenz mit ähnlichen leicht aus dem Auslande gezogenen Kunstwerken veranlassen. Ueberhaupt soll man nicht allenthalben Alles hervorbringen wollen.

Zwölftes Kapitel.

Das Bergenstift.

Hefthammer. Cultur und Industrie. Herrausholm. Giet-
legrøder (Riesentöpfe). Der Samlenfiord. Strandebarm. Slogsjövanker. Jønavandet. Wasserfall des
Koldalelvs. Juse. Uebergang über den Björnefiord.
Bergen. Klima und Erscheinungen im Dunstkreise. Norwegens Westküste. Gesellschaftsgeist. Charakter der Fischernationen. Denkart im Innern der Provinz.

Nachdem man das Vorgebirg, welches den Samlenfiord von Söefiord trennt, hinter sich hat, erreicht
man sogleich im Eingang des ersten Hefthammer,
ein Eigenthum des Cpt. Coucheron. Gleichfalls hier
findet man die Hauptaufmerksamkeit auf die Anlage
und Erhaltung der Obstgärten gerichtet, Leichtigkeit und Gewißheit des Absatzes schuf alle Landbe-
bauer zu Gärtnern um. Nicht geringeren Vortheil
würde ihnen diese Nähe der Hauptstadt auch in Rücksicht der bedeutenden noch im Innern dieser Inseln

und Halbinseln ansehenden Waldungen gewähren,
wenn hier, wie in andern Theilen Norwegens, der
Transport bis zum Gestade der Fiorde vermittelst
fließender Gewässer zu erleichtern wäre. Doch sind
die Landstrecken zu schmal zur Bildung hinreichender Ströme. Vorzüglich begünstigte Lagen bringen
auch hier ungewöhnliche Beispiele von Fruchtbarkeit
hervor, und Hesthammer gegenüber liegt ein Hof,
Lufang, nach Südosten gewendet, wo doppelte
Ernten im Jahre keine Seltenheit sind.

Ich fand hier recht gute Violinen, von den
Bewohnern dieses Fiords gearbeitet. Es ist ein hei-
teres, wohlgemüthes, rühriges Volk, auf das Wohlhabenheit, aus Schifffahrt und Handel erwachsend,
mächtige Einflüsse gehabt haben mag. Doch gibt es
rückständige Gebräuche, welche einen zarten moralischen Sinn andeutend vermuthen lassen, Leicht-
sinn und Sittenverderbniß seyen doch nicht im nämlichen Verhältnisse als Reichthum gestiegen. Die
Mädchen, welche sich Schwachheiten haben zu Schul-
den kommen lassen, deren Folgen dieselben unläug-
bar machen, sollen ihre Haare auf eine besondere
Art geflochten und aufgesteckt tragen. Man würde
sie mit eifrigem Spott verfolgen, wenn sie sich dieser
Sitte entziehen wollten, deren Beobachtung ihnen
im Gegentheil eine allgemeine Schonung und ver-
gessende Theilnahme zusichert.

Auf Hesthammernäs, dem kleinen Vorgebirge dicht am Hofe, steht ein Kreuz zum Andenken
eines Amtmannes, der an dieser Stelle des Fiords
sein Grab in den Fluthen fand. Die Stelle ist überhaupt für Fahrzeuge sehr gefährlich, weil der Felsen
sich den Wellen, die in den obern Fiord einströmen,
gerade entgegenstellt, und sie daher auf das gewalt-
samste nach Westen zurückdrängt. Auch richtete der
oben erwähnte Orkan, welcher das Pfarrhaus von
Ullensvang umstürzte, und hier vom gegenüberstehenden hohen Gebirge abprallte, gräßliche Verwüstungen an, vernichtete eine Brücke, deren man
sich zum Ein- und Ausschiffen bediente, trug eine
ganze lange Sandbank fort, sich zugleich so tief in
den Grund des Fiords einwühlend, daß diese Stelle
unter dem Felsen beynahe unergründlich geworden
ist. Bey 400 große Bäume wurden in dem nahe
gelegenen Wald entwurzelt. Endlich kam ein armer
Glöckner bey dieser Gelegenheit als Opfer eines
Liebeshandels um, der seine Rückkehr von der Kirche,
wo er den Gottesdienst besorgte, verspätet hatte.
Er wurde zugleich mit seinem Boote von den rasen-
den Fluthen verschlungen, ohne daß weder von dem
einen noch dem andern je etwas gehört worden
wäre.

Umsonst machte ich mich am 11. September von
Hesthammer auf den Weg. Das üble Wetter,

ein widriger Wind, und die unerträgliche Bewegung
der Wellen, die einen Sturm im Meere ankündigte,
nöthigten mich bald zum Umkehren. Bey jedem
Schritt nimmt man hier die Eingriffe wahr, die
ein regsamer Fleiß in das Gebiet der Wälder gemacht
hat. Nun sind die Felsenwände beynahe völlig ent-
kleidet, und ihre Nacktheit kann zu Landschafts-
Studien dienen. Kaum glaube ich, man könne das
höchste und umfassendste dieser Kunst erreichen, ohne
Norwegen in allen Jahreszeiten durchreiset zu haben.
Der Regen selbst, wunderbar die Pflanzenwelt erfri-
schend, gewährt den danebenliegenden abgewaschenen
Felsen eine Licht- und Farbenvertheilung, vielfache
Wiederscheine, welche ihren Charakter bis ins Unendliche verändern. Besonders gibt es hier eine
gewisse netzförmige Verbreitung der halbdurchsichti-
gen niedergleitenden Gewässer, die man vergeblich
suchen würde in Worten darzustellen.

Gegen Abend endlich erschienen Zwischenräume,
wo der Wind nachließ, und obgleich der Fjord noch
in großer Bewegung blieb, so unternahm ich dennoch
die Fahrt. Bey Herransholm mußten wir aber anhalten, um unsere Ruderer zu Athem kommen zu
lassen, denen Wind und Strom zugleich entge-
waren. Herransholm ist eine kleine Insel mit
einem Wirthshause darauf, das auf diesem ermüdenden Fjorde dem Reisenden sehr gelegen kommt.

Hierauf schifft man Solesnäs vorbey. Das
Ufer schießt mit ungeheueren Abstufungen ein. Es
sind unabsehbare aneinander angelehnte Schichten;
andere Stücke von gleichem Umfange haben sich
davon losgerissen, sich mehrmals umgewälzt, und
bilden nun Inseln verschiedener Größe. Weite, von
der natürlichen Verklüftung unabhängige Spalten,
nach mannigfachen Richtungen fortgerissen, geben
die gewaltsame Bewegung, wodurch sie entstanden,
zu erkennen. Die stürmischen Fluthen dieses Fjords,
welcher an allen heftigen Wallungen des Meeres
Theil nimmt, haben hier und da in den Wänden
große Löcher mit kreisförmiger Windung hinein-
gespült, die man Giettegryder (Riesentöpfe)
heißt.

 Ueber diese ist sehr weitläufig und hartnäckig
gestritten; zuweilen schrieb man sie den ältesten Bewohnern des Landes, wahrscheinlich Troglodyten
zu, welche ihre Speisen darin gekocht haben sollten.
Doch kommen sie wohl alle, wie diese hier, von
einer Bewegung des Wassers her, das in einer Aushöhlung losgerissene Steinchen vorfand, und darin
lange umdrehete. Man findet sie an ganz isolirten
Klippen im Meere, die beynahe unzugänglich sind,
und wo sie zu nichts in der Welt gedient haben
können; ebenfalls an den Küsten, allein niemahls
im Innern des Landes, noch viel höher hinauf, als

der Wasserspiegel. Einige Flüsse sogar, z. B. der Vogelv, haben ähnliche im kleinen aufzuweisen.

Die Unordnung in den Abstürzungen an beyden Ufern nimmt immer zu, wenn man Strausnäs vorüber ist, bis daß aus diesen steilen Vorgebirgen, großen und kleinen halb zusammenhängenden Felsengruppen ein höchst gefährliches Labyrinth erwächst. Die Rechnung und Angabe der Entfernungen an diesen wilden Küsten, möchten bisweilen den Reisenden zur Verzweiflung bringen. Eine Meilenweite heißt jeder Punct, den man mit dem Auge absehen kann. Jetzt kam noch die Nacht mit ihren Schrecknissen dazu, der Sturm wuchs, wie gewöhnlich des Abends, die Wolken flogen eilig über uns hin, ein Augenblick stürzten Regengüsse davon nieder, dann ward es plötzlich wieder helle, und der Mond goß blasse Strahlen auf das schäumende Wasser und die schwarzen Klippen. Das Boot war sehr klein, kaum fanden wir Raum darin. Ueberdieß war es unmöglich irgendwo hier ans Land zu kommen. Unsere Leute ruderten tiefschweigend fort. Sie schienen sich selbst nicht mehr in der Gegend zu kennen. Endlich, nachdem wir noch verschiedene Vorgebirge vorbey gekommen waren, von denen jedes immer als das letzte angekündigt wurde, stiegen wir um 2 Uhr nach Mitternacht an einem kleinen Fischerdorf ans Land. Dicht dabey liegt das Pfarrhaus von Strande.

barm. Die Hunde wurden lebendig, das Haus
kam in Unruhe, ein Mann, barfuß und in bloßem
Hembe, lief eilfertig über den Hof. Ohne Zweifel
hielt man uns für Diebe. Zuletzt wurden die Nahmen ausgesprochen, und die Gastfreundschaft einer
sehr verehrungswerthen Familie, der des Probsts
Kahrs, ließ uns in wenigen Augenblicken Gefahr
und Mühe vergessen.

Die um Strandebarm *) liegenden Gegenden haben nichts Auszeichnendes, einen schönen
Wasserfall in der Nähe ausgenommen; allein das
Kirchspiel selbst ist merkwürdig einer ungewöhnlichen
darin herrschenden Aufklärung wegen. Unter den
Bauern gab es einen Schriftsteller, Namens Peder
Jens Tvedt, von dem ich ein kleines Buch über
den Flachsbau vorfand. Dessen ungeachtet kennt
man hier bloß herumwandernde Schulmeister, welche
von einem Hofe zum andern ziehen, und während
dieser Zeit daselbst in Allem freygehalten werden.

Von hieraus kann man bequem über Land nach
Fuse kommen. Zuerst steigt man einen ziemlich
steilen Bergrücken, den Bergenebrekke hinauf;
oben findet sich die Quelle eines kleinen Stromes
der nach Westen netzförmig abfließt, und mit an-

*) Strandebarms Bevölkerung in 1801 belief sich auf
2101 Seelen.

I.   12

dern hinzugehenden Waffern den Oraja elv bildet.
Man hat eine sehr angenehme Aussicht auf Holands=
dal. Bey Nedre=Bolftad traten wir in eine
weite mit frischem Grün wohl überkleidete Kluft;
der Regen dauerte indeß ohne Unterlaß fort, und
die Korn= und Heuernte hatte schon zu leiden angefangen. Am Ende der Kluft liegt ein Wafferbe-
hälter, das Skogfiövand, worauf man sich einschiffen muß. Seine Fluthen find von einer so besonderen Klarheit, daß der Grund fast überall wahrgenommen wird. Noch viel merkwürdiger wird es
aber durch die Stellung seiner Ufer, welche ihn
als einen Punct angeben, wovon eine der Umwälzungen ausgegangen zu seyn scheint, deren gemeinschaftlichen Wirkungen Norwegens Westküste ihre
nunmehrige Form verdankt. Die den See umringenden Berge zeigen hier nur die Köpfe der Schichten, welche auf allen Seiten nach Außen fallen,
muthmaßlich wurden sie gerade an diesen Stellen
zerbrochen, und es liegen davon noch einige wagerecht gebliebene Stücke in der Mitte des See's, der
nun seine Arme nach drey Seiten in die entstandenen Klüfte ausstreckt, durch das zusammenströ-
mende Regen= und Quellwasser unterhalten.

Man kommt nahe an einem kleinen Hause (seiner
Bestimmung nach Husmandsplads genannt)
wieder ans Land, und nach einem kurzen Wege sieht

man einen andern Hof, Eide, bey welchem das
Jönavand anfängt. Dies ist ein runder See
von einer Form, als fülle er den Crater eines Vulcans
aus, überall von hohen Gebirgen umgeben, unter
welchen der Jönaknuben im Hintergrunde der
ansehnlichste ist. In diesem stillen Busen versun-
ken, werden seine Gewässer wohl nur selten aufge-
kräuselt, und werfen mit ungetrübter Klarheit das
heitere Bild von Himmel und Erde, von bescheide-
nen Hütten und blühenden Ufern zurück. Nach einem
regnigten Tage übermahlte die Abendsonne zum Ab-
schied den Gipfel der Berge, und durch den Wiederschein auch die kaum merkbaren Wellen in der Mitte
des See's.

Ich schiffte über ihn weg in Gesellschaft süßer
Träume. Man erreicht bey Hougevold das Ufer,
und von der darauf folgenden Höhe übersieht man
ein angebautes Thal, ein liebliches Wiesenmeer mit
vielen Silberflecken von stehenden oder fließenden
Gewässern. Dann kommt man zum Koldalsely
und begleitet ihn bis zu seinem Falle ins Kol-
dalsvand. Dieser Fall bildet sich um einen Felsen
herum, welcher den Strom in zwey ziemlich gleiche
Hälften theilt, wovon die eine durch einen Absatz
seitwärts nach der andern zu gebrochen wird, und
sich so wieder mit ihr vereinigt. Die Höhe des
Falles ist unbeträchtlich, aber das Ganze spricht

mit sanften Umgebungen den Geist freundlich an.
Auf dem nämlichen Wasser schifft man alsbann bis
nach Fuse. Der Koldalselv, der hier in den
Fjord ausläuft, wird darin noch eine geraume Zeit
unterschieden.

Fuse liegt am Ufer des Biörnefjords, der
großen Landstraße nach Bergen gerade gegenüber,
welche bey Hatvigen angeht. Das Wetter, so schön
am vorigen Abend, hatte sich in der Nacht verändert, und ein verstärkter Sturm wühlte im Fjorde,
worüber der Uebergang der starken, verschiedenen
und großentheils sich entgegengesetzten Strömungen
wegen an sich selbst schon gefährlich ist. Doch gestehe
ich, die Größe der Gefahr leuchtete mir, der Er-
mahnungen des Pfarrers von Fuse ungeachtet,
nicht eher vollkommen ein, als bis ich mich mitten
auf dem Wasser befand. Alle Anstalten der Schifffahrt waren auch in ihrer ersten Kindheit, und man
wird Mühe haben zu glauben, daß das Segel in
einem Stücke Leinwand vom Durchmesser eines etwas
großen Taschentuches bestand, welches mit einem
Zipfel an einer kleinen aufrechtstehenden Stange
fest gebunden war, und an den drey andern von
zwey Personen gehalten wurde. Die Wellen schlugen mit jedem Windstoß über das Fahrzeug her.
Allein die Vorsehung ersetzt oft sichtbarlich die Un-
zulänglichkeit menschlicher Hülfsmittel, wir landeten glücklich, obgleich wohl durchnäßt.

Man trifft auf ein angenehmes Land, doch auch
mit durchgehenden Felsenriffen gemischt, die in die
See hineinziehen. Eine wohlgebauete Brücke führt
über den Aasenelv. Dieser Fluß muß in der
Regenzeit einem großen Anwachsen unterworfen seyn,
und alsdann mit Gewalt strömen; fast überall sind
seine Ufer stark unterwühlt. Hinter Skifteland
fällt es deutlich in die Augen, daß man sich einer
wohlhabenden Handelsstadt nähert; die Häuser haben
niedliche Außenseiten, Verzierungen, Mahlerey und
Farbenanstrich nehmen überhand, das Land ist über-
flüssiger geschmückt. Wir befanden uns in Bergen,
ohne es gewahr geworden zu seyn, so innig ist die
Stadt durch Häuserreihen mit ihren Umgebungen
verbunden.

Jedem Fremden muß gewiß die äußerste Sauber-
keit und gesuchte Eleganz aufgefallen seyn, die man
hier an den Gebäuden wahrnimmt, und womit besonders die schön aufgeputzten Vorhänge durch die
klarsten Krystallscheiben hervorschimmern. Ob es
gleich anfing schon dunkel zu werden, so war doch
nicht ein einziges Fenster erleuchtet, höchstens ver-
breitete im Zimmer der Wiederschein eines früh-
benutzten Ofens ein ungewisses Zwielicht. Diese
Verlängerung der so reizenden Abenddämmerung im
vertraulichen Familienkreise scheint mir charakteristisch für Bergens häuslichen Geselligkeitsgeist, so

wie der Regenschirm es für Klima und Sitte war, worunter am Thore zwey Corporale aus der Wacht hervortraten, um nach meinem Nahmen zu fragen.

Bergen *) liegt nach Wibe und Aubert unter 60° 23′ 33½″. Allen Schwierigkeiten zum Trotz, welche der letzte Krieg seinem Handel entgegensetzte, hatte es doch immer einen Theil desselben mit England und Schottland bewahrt, während daß alle Gemeinschaft dieser beyden Länder mit Norwegens mittäglichen Provinzen aufhörte. Es hat daher viel weniger als diese gelitten, die Kaufleute mögen klagen so viel sie wollen.

Die Stadt ist im Ganzen nach altdeutschem Geschmack aufgeführt, fast durchgängig sind die Häuser weiß bestrichen, und werden durch die rothen Ziegeldächer ziemlich mahlerisch. Die Straßen stellen sich mit mehr Regsamkeit, Volksverkehr und Leben dar, als sich in Christiania zeigt. Man erstaunt zuerst, fast an allen Thüren kleine zierlich bemahlte Tonnen zu sehen, deren Gebrauch sich nicht sogleich errathen läßt; aber sie sollen von jedem Hauseigenthümer voll von Wasser gehalten werden, um es in einer Feuersbrunst nächst bey der Hand zu haben. Nach

---

*) Im 1801 belief sich Bergens Bevölkerung auf 18080 Einwohner. Das ganze Söndre-Bergenhuus-Amt, wozu es gehört, enthielt 63745.

Englischer Sitte ist der Nahme der Bewohner an
den Häusern verzeichnet, oft blumenreich mit Gold
auf Glas gemahlt. Das Pflaster ist, möchte ich
sagen, schlechter als in irgend einer bedeutenden
Stadt Norwegens.

Der Möllendalselv bildet dicht bey der
Stadt einen kleinen See, dessen Vereinigung mit
dem Meere leicht vermittelst eines Kanales zu ver-
kürzen wäre, da sie jetzt nur mit vielen Krümmungen und Umwegen durch den natürlichen Lauf des
Flusses vor sich gehet. Ebenfalls könnte man über
diesen eine Brücke werfen, welche die Gemeinschaft
zwischen der Stadt und dem Lande unmittelbarer
machen würde. Hierüber sind oftmahls Projecte entworfen, aber immer am Eigensinn der Eigenthü-
merin des Bodens gescheitert. Dieser Fluß, eigentlich nur ein starker Bach, ist reißend zur Zeit der
Ebbe, worin er sich aller Gewässer entladen muß,
die er während der Fluthzeit von den Gebirgen
empfing, und des eindringenden Meeres wegen zu-
rückhielt.

Die Temperatur des Stifts stimmt ungefähr
mit der der ganzen Westküste überein. Nach Herrn
Wibes Beobachtung steht im Sommer gewöhnlich
das Thermometer zwischen $+ 10°$ und $15°$, im Winter zwischen 0 und $— 5$, nur höchst selten kann es
bis auf $— 10$ bis $11°$ herabsinken. Das Frieren der

Horde hängt von keinem stärkeren Kältegrad ab,
sondern richtet sich wahrscheinlich nach der Menge
des vorher erhaltenen süßen Wassers durch Regen
und Flüsse, oder nach andern uns nicht bekannten
Umständen. Der Sommer fängt hier eigentlich im
Julius an, die strengste Kälte tritt am Ende Februars
und Anfangs März ein. Ebenfalls hier ist bemerkt
worden, daß die Intensität der Sommerwärme sich
vermindert habe, und daß die Schneeflecken auf
den umliegenden Gebirgen zusehends wachsen, ohne
daß doch die Winterkälte zugenommen habe. Der
Unterschied der Tag- und Nacht-Temperatur im
Sommer, der in den inngern Provinzen äußerst zur
Last fällt, wird hier minder gefühlt, noch weniger
auf dem Meere in der Nähe der Küsten, wo man
des Nachts eines warmen Landwindes genießt. Der
Nordwind, sonst im Sommer dies Meer ohne Ablaß
bestreichend, fällt gegen Mitternacht immer etwas.
Man mag ihn daher vom Schmelzen der Eismassen
am Pole herleiten, welches in der Nacht abnimmt.
Aus allen Gletschern, selbst den unbedeutendsten, ent-
wickelt sich ein fühlbarer Luftzug.

Bergen hat den ihm eigenen Ruf, daß es darin
unaufhörlich regne. Kaum unternimmt man eine
Lustfahrt auf die benachbarten Landhäuser, ohne im
Voraus Anstalten gegen den Regen zu treffen, und
selbst die wenigen Tage meines Aufenthalts, worun-

ter es einige trockene gab, sah ich fast Niemanden
in den Straßen ohne Regenschirm. Doch behauptet
man, daß das alte Sprichwort: „kein Sonnabend
ohne Sonne" wenigstens 40mal unter 52 eintreffe.

Die westlichen, südwestlichen und nordwestlichen
Winde treiben ohne Unterlaß die Dünste des Meeres
in das ihnen aufgeschlossene Thal ein, worin die
Stadt von hohen Gebirgen auf allen Seiten umzin-
gelt wird. Nach des verdienstvollen nun verstorbe-
nen Professors Arendtz mir gütigst mitgetheilten
Bemerkungen ist die Menge des jährlich in der Stadt
und ihren nächsten Umgebungen fallenden Regens
vier- ja mehreremale stärker, als selbst in einer Entfernung von bloß 3 Meilen davon. Eine sechs-
jährige Aufzeichnung gibt diese Regen- und Schnee-
wassermasse auf 73 Zoll an, also 3mal soviel als
in Abo, und 5mal soviel als in Upsala.

Der District von Bergen ist, so gut als die
ganze Westküste, heftigen Stürmen unterworfen;
doch kommen sie nicht alle aus einem Puncte des
Westen, und man erinnert sich besonders eines
wüthenden Orkans im December 1778 aus Norden,
und eines andern im November 1785 aus Süden.

Hr. Prof. Arendtz stellte in den sechs Jahren
von 1765 — 1770 über die Häufigkeit der Gewitter
Beobachtungen an, die er für ungefähr allgemein
geltend ansieht. So kamen im Februar 2 Gewitter,

im May 1, Julius 8, August 3, September 11,
October 3, November 3, December 5; keins in den
andern Monaten, so daß sich daraus die Anzahl der
Wintergewitter zu denen im Sommer und Herbste,
als im Verhältnisse von 1 zu 1½ stehend, ergibt.
Er bemerkt, daß sie im Winter gemeiniglich mit
West- oder Nordwestwinden kommen. Im Innern
des Stifts sind die Sommergewitter weniger häufig,
und ihre Anzahl ist überhaupt, wie aus der Angabe
erhellt, höchst unbedeutend.

Es verdient noch angeführt zu werden, daß der
Nordwestwind in den letzten Zeiten viel häufiger
wehet, als ehedem, und zu einer Art von Paßat-
wind geworden ist. Sonst herrschen im Frühjahr
und Sommer nördliche und östliche, im Herbst und
Winter westliche und südwestliche. Die Monate
von September, October und November sind darum
die feuchtesten, und es soll darin doppelt soviel Regen als in den übrigen fallen. Dies ist aber nicht
auf das ganze Bergenstift anwendbar, da es
aus andern Beobachtungen erwiesen ist, daß z. B.
in Söndmör der Junius, Julius und August
den meisten Regen liefern. Oestliche Winde sind sehr
selten, wenn man die schönen, beynahe stillen Tage
ausnimmt, wo der Wind dem Laufe der Sonne
folgt; sie wehen alsdann sehr stark.

Noch einige Worte über die Beschaffenheit der

Küsten dieser Provinz. Die Tiefe des Meeres in ihrer Nähe ist zwischen 3—400 Klafter aber 10—20 Meilen weiterhin westlich hebt eine große Bank an, Stor Eljen genannt, die sich beynahe die ganze Küste hinauf erstreckt; wahrscheinlich eine Fortsetzung der Jütländischen. Ebbe und Fluth sind sehr regelmäßig und bemerkbar. Vorzüglich die Springfluthen können sich bis 7—8 Fuß erheben; gewöhnlich steigt aber das Wasser bis 3—4 Fuß. Sie verspäten sich natürlich in den Fiorden, nach Verhältniß der Weite ihrer Mündung. Die Fluthen der Syzigien sind im Sommer des Abends stärker als des Morgens, im Winter umgekehrt. Man bemerkt, daß bis in einiger Entfernung ins Meer hinaus, die Strömung immer vom Lande herkommt, gleichmäßig bey den Fluthzeiten, wie bey der Ebbe. Dicht bey Bergens Hafen läuft ein unterer Strom, den man Döbvand nennt, dem obenliegenden beständig entgegen, und ist oft stark genug, den Lauf der Fahrzeuge selbst bey günstigem Winde zu verzögern. Ebenfalls hier sieht man neue Inselgruppen und Felsen hervortreten. Viele Seearme werden seichter und können nicht mehr mit Booten befahren werden.

So berühmt diese Gestade zur Zeit der alten Normänner waren, welche auf ihren Räuberzügen die benachbarten Meere in großer Entfernung durch-

schifften, so sind jetzt wenig Alterthümer zurückgeblieben, womit ihre Geschichte aufgeklärt werden
könnte. Bey der Eröffnung der alten Grabmähler
hat man kaum etwas anders als Aschenkrüge gefunden, wenig Kleinodien noch Münzen. Es scheint,
die Einwohner waren immer arm. Man weiß nur
von Harald Sigurdsen, auch Haardraade
genannt, der in den Morgenländern gewesen war,
daß er daher ein wenig Gold nach Hause geschickt
oder gebracht habe.

Wenn gleich der Geist von Bergens Einwohnern hauptsächlich zum Handel *) hinneigt, so kann
man sie doch keines Mangels an allgemeiner Bildung beschuldigen. Viele Hülfsmittel zur Erziehung
und Aufklärung sind vorhanden. Außer mehreren
öffentlichen Schulen **) besitzt die Stadt eine gute
Bibliothek, die zur Deutschen Kirche gehört. Andere
Vorkehrungen erweisen eine lobenswerthe Geneigtheit zum Wohlthun, worunter ein Hospital für
Aussätzige †) und eins für Wittwen ††) besonders

---

*) Im Jahre 1795 brachte Bergens Zoll 64334 Thl. ein, die
Accise 61206. Am Ende von 1799 besaß das Stift 53 Schiffe,
6906 Com. Lasten trächtig und mit 1035 Matrosen bemannt.

**) Das Seminarium Fridericianum wurde 1752 gestiftet.

†) Im Jahre 1545 eingerichtet.

††) Krohns Stiftung von 1788, wo 24 arme Bürger und
Wittwen freye Wohnung, Licht, Holz und 24 Sl. wöchentlich erhalten.

genannt zu werden verdienen. Die Anzahl der letztern ist in Seestädten immer beträchtlicher als tiefer im Lande.

Schon Fabricius hat der naturhistorischen Sammlung des Hrn. Greve in Aarstved erwähnt, worin er mehrere seltene und unbekannte Insecten antraf. Ob ich gleich nicht das Nähmliche in Hinsicht auf den mineralogischen Theil dieses Cabinets sagen kann, so schien mir das Ganze doch sehr gut geordnet und zierlich gehalten.

Es fällt an Norwegens Westküste besonders auf, wie die Bewohner davon mit so geringer Kraft und Leibesstärke begabt sind, als das Landvolk der innern Provinzen. Die bey der Fischerey nöthige Arbeit entwickelt nicht die nähmlichen physischen und moralischen Eigenschaften, welche der Ackerbau oder die Viehzucht erfodern, und nachmahls durch Uebung ausbilden. Man bedarf dabey nur der leidenden Hingebung, der Geduld und Unempfindlichkeit gegen Luft und Wetter. Der glückliche Mittelzustand zwischen kummervollem Mangel und übermäßigem Reichthum bleibt den Fischernationen größtentheils unbekannt; alles ist Extrem in diesem Handwerk und seinen Resultaten. Die daraus folgende Gleichgültigkeit für eine so unsichere Zukunft vernichtet den Geist der Ordnung, diese einzige Grundlage eines dauerhaften häuslichen Wohlstandes und Glückes.

Der Hang zur Trägheit mag zuweilen auch von vorhergehender außerordentlicher Bemühung und Kraftäußerung verzeihlich, ja nothwendig gemacht werden.

Dagegen offenbart sich im innern Theile des Bergenstifts, dessen Einwohner man zu den Gebirgsbewohnern rechnen muß, welche mit den andern Provinzen nur auf wenigen Wegen Gemeinschaft haben, eine sehr kraftvolle, selbstständige Gemüthsstimmung. Sie ist allem Fremden höchst abgeneigt, in alten Gebräuchen unerschütterlich. Die Empörung im Leerdal ist bekannt, die aus der ungewohnten Idee der Rekrutirung entstand, und die nur zu stillen war, als reguläre Truppen erschienen. Es muß dabey angemerkt werden, daß gerade aus diesen neu- und mit Gewalt geworbenen nachher die tapfersten und wildesten Krieger der Norwegischen Armee hervorgingen, die im Kriege gegen Schweden niemahls Quartier gaben. Hr. Amtmann Wibe, mit trigonometrischen Messungen zur Aufnahme seiner vortrefflichen Karte über diesen Theil des Landes beschäftigt, wurde ganz nahe an dem ihm selbst untergebenen Amte von Bauern, die ihn nicht anerkennen wollten, verhaftet. Man hat mich versichert, daß Hr. v: Buch, der hier auf eine einfache Art als Naturforscher reiste, nicht überall angenehm aufgenommen wurde, bloß weil man ihn hartnäckig für einen Ingenieur hielt, der zur Einrichtung eines neuen Auflagesystems das Land zu vermessen gekommen wäre. Doch fand ich diese Leute überall sehr geschmeichelt, und dankbar für die Aufmerksamkeit der Regierung, Beamte in ihr Land zu schicken, um nach dessen Natur und ihren Bedürfnissen zu fragen. Die natürliche Neigung, alles fleißig auf sich selbst zu beziehen, brachte manche komische Auftritte hervor. Ich konnte nie zu Fuß gehen, ohne daß sie sich unmittelbar einbildeten, es geschehe, um es ihren Pferden leichter zu machen. So zurückhaltend sich überall in Norwegen die Frauenzimmer zeigen, und so viel Gleichgültigkeit sie gegen alles was fremd ist, im Anfange zu erkennen geben, so fand ich doch, daß der mäßigste Einfall, der leichteste Ausdruck eines fröhlichen und zufriedenen Gemüthes, die ganze Versammlung in Lachen, Freude und Theilnahme versetzte. In ganz Norwegen ohne Ausnahme herrscht der Instinkt der Vernunft und eine wunderbare Klarheit in gewohnten Vorstellungen, welche nicht selten sogar ihre Unempfänglichkeit für neue interessant machen. Uebrigens klagt man, ich weiß nicht mit welchem Grunde, daß in den gebildeten Classen des Stifts der Patriotismus seltener sey, und als Beweis davon führt man an, daß die Gesellschaft für Norwegens Wohl nirgends weniger Mitglieder zähle.

Bergens gesellschaftlicher Ton soll in den letzten 6 Jahren an Anmuth gewonnen haben. Bis dahin waren Frauenzimmer aus den Zusammenkünften der Männer verwiesen, und ich habe nicht bemerkt, daß sie selbst ietzt den ihnen gebührenden Antheil daran nahmen. Es mag übrigens wohl darauf ankommen, welche Arten von Bekanntschaft das Schicksal einem Reisenden bey seiner Ankunft zuführt, um seinen Geschmack und selbst sein Urtheil auf lange Zeit zu befangen, und vielleicht mag es den angenehmen Familienkreisen zuzuschreiben seyn, die meinen Aufenthalt daselbst verschönerten, wenn ich in Rücksicht der Geselligkeit und anständiger, gebildeter Genüsse, die daraus entspringen, Bergen allen andern Städten Norwegens vorziehe.

Dreyzehntes Kapitel.

Das Bergenstift.

Desselben: Bolstadsfiord. Evangervand. Mahlerische Schönheiten des Districts. Bossevand. Bosse-Vangen. Grabmähler bey Moe und Hough. Nærdedal Gudbrang Närbefiord. Gletscher bey Fresvig. Amble. Häringsfang Marbal Uebergang über Marbalsfield. Gebirgsgruppe bey Horungen. Natur dieser Gebirgsebene. Gletscher des Ringelvs. Ostun. Fottun. Der Zystesfiord. Fladhammer. Obstgärten.

Eine von den gewöhnlichen Silberanweisungen, welche dem Reisenden in Norwegen, der sich darauf einlassen muß, soviel Zeit unnütz wegnehmen, veranlaßte, daß ich, von der Landstraße abweichend, längs der Küste hinauffuhr. Zuerst landete ich bey Saalhuus, einem Wirthshause, wo einiger Mangel an Bequemlichkeiten vom guten Willen vollkommen ersetzt wurde. Wenn man an Oesterfiord vorbey ist, ungefähr dem Pfarrhause von Hammer

I. 13

gegenüber, so breiten sich die Gebirge in Amphi-
theaterform aus, und ihre sanften Abhänge sind
durch einen erfolgreichen Anbau geschmückt.   Die
Insel Oesteröe, die wir am andern Tage erreichten, hat 2—3 Meilen in der Länge, und 2 in
ihrer größten Breite. Ihre Gebirge gehen über die
Schneegränze hinaus mit einer Erhebung von mehr
als 2600 Fuß.

Man schifft im Oesterfjord fort, welcher seine
Richtung nach Nordosten hat, bis zur Spitze der
Insel, die gänzlich umgangen werden muß, um in
den Stamnäsfjord zu kommen, der mit dem
Nordösterfjord fast parallel läuft.   Ehe man
Stamnäs erreicht, sieht man noch den Hesse-
dalsfos, einen sehr merkwürdigen Wasserfall;
hierauf schifft man gegen Osten in den eigentlichen
Bolstadsfjord ein. Alle Felsen stürzen sich hier
ganz senkrecht ins Meer, und setzen sonderbare
Gruppen von Terrassen zusammen, wovon die eine
stufenweise über die andere hinaufsteigt, und deren
horizontale Absätze mit Bäumen und Gebüsch ein-
gesäumt sind.

Der Bolstadsfjord ist zur Zeit der Ebbe so
seicht, daß das Boot über einige Stellen hinweg-
gezogen werden muß; zur Fluthzeit hingegen wird
das Wasser gewaltsam, und sehr hoch hinauf getrieben. Ist man einige Zeit in diesem Labyrinth von

heruntergefallenen Felsenstücken fortgeschifft, so findet man bey Lier Vorgebiege von angeschwemmten
Gesteinen gebildet, von Geschieben und Sande. Sie
haben eine Abdachung und regelmäßige Formen,
gleich den beschriebenen des Hitterdalelvs. Ehe
man bey Volsadörn landet, genießt man noch
einer Kascade des Tyaelvs, welcher hier in den
Fjord stürzt.

Wir befanden uns nun auf der großen Straße,
die über Fillefield hin verlängert, Bergen
mit den östlichen und südlichen Provinzen verknüpft.
Der erste Gegenstand, welcher darauf bemerkungs-
werth vorkommt, ist das Evangervand. An
einigen Stellen soll es mehr als 100 Klafter Tiefe
haben. In der Mitte liegt eine Sandbank, die vermuthlich vom Flusse selbst gebildet, nun seinen
Strom in 2 Arme theilt; da sie vom Wasser bedeckt
ist, hatte man sie nur von der Stille der Fluthen
darüber vermuthet, bis daß zum Vortheil der Schifffahrt man genauer mit den umgebenden Tiefen bekannt wurde, als die Leichname einiger daran Verun-
glückten aufgesucht wurden. Obgleich die größte
Breite des Sée's kaum 400 Ellen übersteigt, so ist
er doch sehr gewaltsamen Windstößen ausgesetzt, da
die beyden Seitenwände aus hohen Gebirgen bestehen, und die Winde ihn von Osten und Westen in
seiner ganzen Länge bestreichen. So lange er im

Winter nicht gefroren ist, muß die Straße sehr
beschwerlich über die Anhöhe gehen, da man sie
nicht unten an seinem Ufer, der Lauwinen wegen, weg-
führen kann, die hier sehr häufig fallen, immer
von ungeheueren Felsenstücken begleitet. Im Sommer ist er heftigen Gewittern und Sturmwinden
ausgesetzt, die beständig vom Meere herkommen.
Wintergewitter kennt man nicht; die Einschnitte
der Fiorde reichen nicht so hoch herauf, und man
hört den Donner zu dieser Zeit nur in der Ferne.
So soll auch in dem engen Thale die Hitze zu einem
solchen Grade steigen, daß vertrocknete Bäume sich
von selbst entzünden; sie kommt bey Süd- und
Südostwinden, die Seeluft kühlt immer ab.

Diese Gegend des Stiftes, welche in Hinsicht
auf Fruchtbarkeit, als die von der Natur am meisten
begünstigte angesehen wird, ist es nicht minder an
mahlerischen Gesichtspuncten. Man findet in sehr
unbeträchtlichen Zwischenräumen die reichste Ab-
wechselung von Scenen besonders sanfter Art, da
Kultur die Wildheit dieser Berge verschleyert. Viele
Höfe ragen auf runden behüschten Hügeln in das
Thal hinein. Bey Evanger fällt der Hogbals-
elv in den Hauptstrom, an dem der Weg immer fortgeht. Eigentliche Wälder haben sich von seinen
bebaueten Ufern weg, auf die Höhen und in einige
verschlossene Klüfte zurückgezogen, die Nadelhölzer

machen an vielen Stellen dem Laubholze Platz.
Jetzt hatte der Herbst schon die Blätter mit lebhaften Nüancen von Roth und Gelb zu bezeichnen angefangen. Bossevand ist ein wunderschöner Wasserbehälter von ovaler Gestalt. Entfernte abgerundete Gebirge, doch einzelne Flecken ewigen Schnee's
tragend, nähern sich ihm in abnehmenden Wellen,
und er nimmt die Tiefe des Kessels ein, den so mit
sanft-niedergehenden Wänden gebildet haben. Die
Heuernte war äußerst begünstigt durch das heitere
Wetter. Sehr viele Aecker fand ich mit Erdäpfeln
bepflanzt.

Bosse-Vangen wird das Paradies von Bergenstift genannt, und nicht ohne Grund. Die
umgebenden Höhen nehmen es gegen heftige und
kalte Winde in Schutz, der Reichthum von Gewässern, welche seinen Boden durchziehen, nährt und
fördert jede Art der Industrie; die vorbeygehende
Hauptstraße endlich erleichtert den Absatz und Umtausch der überflüssigen Erzeugnisse. Unglücklicherweise hinderte mich ein dichter Nebel, auch die
pittoresken Vorzüge des Landes gewahr zu werden.

Der Fluß, der dieses glückliche Thal durchströmt, seinen Nahmen immer nach den Stellen ver-
ändernd, an denen er vorbeyfließt, erweitert sich mehrmals zu Behältern, welche anzuzeigen scheinen, daß
seine Gewässer einem sehr schnellen Zuwuchs unter-

worfen sind, und sich alsdann, durch hervorspringende Felsen aufgehalten, seitwärts Platz machen.
So kommt man hinter Vosse-Vangen drey
solcher aufeinanderfolgenten Erweiterungen vorbey,
Sändevatten, Meksvatten und Lönavat-
ten. In der Mitte des letztern liegt eine kleine
Insel. Von allen Thalwänden fließen auch Gewässer
herab, bald mit senkrechten Stürzen, bald wie
Silberfäden von Terrasse zu Terrasse niedersprin-
gend, bald aufgelöst in gefärbten Nebel. Der letztere
Charakter gehört dem Wasserfall von Lönaheria,
der erste dem Bergshoughfos, der andere dem
Tvindefos an.

Man kommt hierauf über den Strandelv
und Mörkedalselv, welcher letztere zugleich die
Vereinigung des Mörkdals mit dem Hauptthale
bezeichnet. Beyde erfreuen sich gleich günstiger Umstände, und jenes ist nicht minder bebauet fruchtbar, häuser- und menschenvoll.

Doch kaum ist man in der Nähe von Vinge,
als die ganze Gestalt des Landes eine sehr merkliche
Veränderung leidet, zusehends rauher und wüster
wird. Nicht mehr sanft wellenförmig verlaufen sich
die Gebirge in einander, sondern sie scheinen unordentlich zusammengeworfen; die abprallenden Seiten, der veränderliche Fall der Schichten, erweisen
gewaltsame Umstürzungen. Nur selten sieht man

Massen, die in ihrer natürlichen Lage geblieben sind; aus dem Einsinken der andern ist augenscheinlich das Thal entstanden.

Bey Moe, ungefähr 1½ Meilen von Vosse-Vangen, stehen noch 3 Grabhügel hintereinander. Der in der Mitte ist mit einem Kreise von Steinen umgeben, die man noch sehr deutlich unter der reichen Vegetation unterscheidet. Er hat einen Durchmesser von 34—35 Schritten. Am Grabhügel selbst erkennt man die Versuche, in sein Inneres zu dringen, aber ohne einen bekannt gewordenen Erfolg. Der dritte Hügel ist diesem ganz nahe; übrigens ist nicht zu bestimmen, ob zur Wahl dieser Stelle die Nähe einer im Lande sehr angesehenen Quelle beygetragen habe, deren himmelklares, geschmackloses Wasser aus einem Sandhügel hervorkommend, sich im Sommer immer frisch erhalten und niemals im Winter gefrieren soll. Einige hundert Schritte gegen Süden liegt noch ein anderes dieser Denkmähler, aus dem man einen Aschenkrug und ein Beil gezogen hat.

Ein Monument von noch größerem Umfange findet sich unweit Stalheim bey dem Hofe Hough an der Ostseite. Mehrere Personen haben neuerdings darin Nachforschungen unternommen, und eben deßwegen ist es vielleicht nun wichtiger geworden, zur Erhaltung des davon Uebriggebliebenen das weitere

Unterſuchen zu verbieten, als dazu aufzumuntern, weil man doch wohl zu keiner bedeutenden Aufklärung weiter gelangen möchte.

Der Hügel, worin dies Denkmahl gelegen iſt, enthielt nach der allgemeinen Angabe 5 verſchiedene Grabſtätten, von denen man jetzt doch nur 3 deutlich erkennt, welche ungefähr gegen Weſten mit ihren ſchmalen Enden wie in einen Mittelpunct fächerweiſe zuſammenlaufen. Es ſind Zellen von Gneißplatten gebildet, die ſehr genau auf ihren Seitenkanten aufſtehen, und wovon eine horizontal darüber hinliegt. Die Grüfte ſelbſt ſind ungewöhnlich lang, von 8 — 9 Fuß, aber ſehr enge und wenig tief, da weder Breite noch Tiefe 2 Fuß überſchreiten, ſogar die hineingefallene Erde mit eingerechnet. Der Eigenthümer des Hofes Wicking Barſeü Hough zeigt ein Schienbein vor von 18 Z. Länge, und 2 Z. 3 L. dick am Ende, das man nach ſeiner Behauptung im längſten Grabmahl gefunden hat, zugleich mit 2 Zähnen von 2 Z. Länge, die jetzt verlohren gegangen ſind. Nach den letztern hätte man beſtimmen können, was ſich jetzt den überall ſchon angefroſſenen Beinen nicht mehr abſehen läßt, ob dieſe Ueberbleibſel dem Skelette eines Menſchen oder eines Pferdes angehörten, das vielleicht neben ſeinem Herrn begraben war. Die Entdeckung des Monuments geſchah erſt vor 18 Jah-

ten, und man weiß nicht mehr, ob andere Gegenstände als die erwähnten dabey ans Licht kamen.
Geschichte und Tradition sind gleich stumm über
seine Bestimmung, welche doch wohl bey einleuch-
tender Beziehung mehrerer hier versammelten Dinge
sehr merkwürdig gewesen ist.

Hierauf gelangt man nach St alheim, wo
dies große Thal von 6—7 Meilen Länge, das zuerst
von Westen nach Osten streicht, dann bey Vosse-
vangen sich nach Norden wirft und von Vinge
aus viele Krümmungen nach beyden Seiten erleidet,
unter einem hohen Bergrücken endigt, dessen Höhe
und Masse der umstürzenden Kraft widerstand. Allein
in der östlichen Seitenwand gab es eine schwächere
Stelle, sie wurde durchbrochen, und es entstand das
Näröedal, das in der nähmlichen Richtung, als
das obere, eben geschlossene, fortgeht. Es ist eine
enge Kluft mit der Form und Natur eines sehr tiefgehenden Felseneifes.

Von St alheim aus steigt man auf einem
Wege in Zickzack hinein. Kaum ist man auf seinem
Grunde, so zeigt sich am Puncte, wo die Spalte
anhebt, der St alheimfos, vom Flusse gebildet,
der von der Erhebung des oberen Thales, wo die
Wasserscheide ist, nach Norden abstoß. Der Fall
hat eine Höhe von 2—300 Fuß mit starker Wassermasse, die, in der Mitte von einem Felsen getheilt,

heftig und stürmend, hereinbricht. Hat man sich ein wenig von seiner Betäubung erholt, so stürzt wenige Schritte davon ein zweyter Wasserfall, der Söve-lynsfos über die westliche Felsenwand in die dunkeln Schatten des Thales unter einem Hofe hervor, dessen Lage, einem angeklebten Schwalben-neste gleich, Grausen erregt.

Ungefähr mitten im Näröedal, und an der einzigen Stelle, wo es sich ein wenig erweitert, liegt Hyland, umgeben mit einigem Gehölz und sehr reicher Vegetation, welche die immerwährende Feuchtigkeit des Bodens in Vereinigung mit zusammengedrängten Sonnenstrahlen hervorbringt. Diese locken im Sommer die Bewohner in die gräßliche Kluft, aber im Winter und Frühling bleibt der Hof unbewohnt, besonders der Lauwinen wegen, welche zuweilen einen Theil der Spalte bis zum Rande anfüllen sollen. Man verdankt der Kunst und dem Fleiße des Wegmeisters Hammer in Bergen die Zugänglichkeit, die Bequemlichkeit dieser Straße, wo die letztere möglich gemacht werden konnte. Am Ende der Kluft hat er eine artige hölzerne Brücke, Skjerpebroe, erbauet.

Wo das Näröedal aufhört, und am Rande des Fjords von derselben Benennung, welcher bloß einem noch tieferen Versinken desselben Bodens seinen Ursprung zu danken hat, liegt das traurige Gud-

varg. Die innere Einrichtung dieses Orts stimmt
vollkommen mit seiner beklemmten und melancholischen Lage überein. Mangel, Unordnung und Un-
reinlichkeit herrschen im Wirthshause, gerade wo
der ermüdete Reisende sich mehr als irgendwo nach
einiger Bequemlichkeit sehnt.

Man sieht von hieraus 3 bedeutende Cascaden,
wovon 2 senkrecht aus einer Höhe von mehr als 200 Fuß
herabspringen. Im Eingange des Näröefiords
ragen zuerst noch einige höhere Spitzen hinter den
Felsenwänden hervor, allein bald verflächen sich die
Gebirge durch ungeheuere Terrassen. Eine Halbinsel,
entstanden vermittelst der nämlichen Zerstörung der
Wände, rückt hierauf in den Fiord hinaus. Uner-
meßliche Gneißlager sind heruntergeglitten, und
stellen sich nun dar, als seyen sie am Ufer angelehnt. Dies ist ein Vorkommen, das fast alle Thäler
Norwegens miteinander gemein haben. Ueberall findet man die Natur darauf bedacht, die Spuren einer
ehemaligen gewaltsamen Revolution auszulöschen,
und diese Arbeit macht die Fiorde, so wie jede
andere Spalte, mit jedem Jahre enger und seichter.

Hier erscheint im Innern des Landes, mit Flecken
ewigen Schnee's umgeben, ein Gletscher, der seine
blaugrünlichen Arme sehr weit ausstreckt. Er liegt
unweit Fresvig, zwischen den Vertiefungen des
Gebirges, gleich dem Folgefond. Diese Gletscher,

selbst die im Justedal, verbreiten des Winters eine gemäßigte Temperatur um sich her, eine sehr warme im Sommer und eine sehr kalte im Herbst. Die ununterbrochene Feuchtigkeit der Atmosphäre, und die Lage der sie umgebenden Anhöhen mögen zureichende Gründe an die Hand geben, um diese Erscheinung zu erklären.

Ueber die zerrissenen Seiten dieser Gebirge, wo Klüfte von jeder Größe und Weite die Masse vom Gipfel an bis tief unter dem Wasserspiegel zerstückeln, geht der gefahrvolle Weg, den die Post im Winter nehmen muß, da der Fiord nie hinlänglich friert, um in seiner ganzen Ausdehnung zu tragen. Keine Worte können die Unordnung in diesen Gebirgslagern darstellen. Ueberall, wo eine Spalte den Boden eröffnet hat, fallen dessen Schichten unter allen Neigungswinkeln hinein. Von ihren Seitenwänden fließen viele Ströme herab. Bloß Holm gegenüber habe ich 31 Flußbetten gezählt, wovon ein Theil zu der Zeit trocken war, wahrscheinlich, den Einfluß der Jahrszeit unberechnet, auch deshalb, weil das Niederhauen und die Veröbung der oberen Wälder*) die Anziehungspuncte der Gewölke vermindert haben, welche von Süd und West durch die

*) Dies ist eine nie fehlende Folge, besonders in nördlichen Breiten. Polnen bemerkt es gleichfalls von Kentucky.

Seewinde hineingetrieben, sonst in diesen Fjorden bis zu ihrer völligen Einsaugung festgehalten wurden. Doch mag die hier niederströmende Wassermasse immer noch bedeutend genug seyn, da der Regen 6 Monate im Jahre hindurch als unaufhörlich betrachtet werden muß. Im Innern des Landes ist indessen die Regenbildung gewiß noch fühlbarer vermindert. Manche Flüsse sind seichter geworden, viele sind ganz verschwunden, während daß man auch nicht einen einzigen neuentstandenen anzeigen kann. Wäre dies in seiner Ausdehnung über das ganze Land zu erweisen, so könnte man den traurigen Zeitpunct voraus berechnen, wo in Norwegen der größte Theil der Vegetation aufhören werde.

Dyrdal heißt eine Poststation auf einem kleinen Vorgebirge, das vermuthlich aus einer Anhäufung von Felsen-Bruchstücken hervorgegangen ist. Dieser Boden kann jedoch sehr fruchtbar werden, und wir sahen darauf eine zahlreiche Heerde von Schafen weiden. Viele solcher Fragmente, welche jetzt Inseln bilden, gänzlich übergestürzt und das Unterste nach oben gekehrt, könnten wundersame Täuschungen in Rücksicht der Folgeordnung ihrer Lager veranlassen.

In einer durch ähnliche Einstürze entstandenen Aushöhlung ist der Fösnefos, dessen Strom senkrecht in eine kleine selbstgewühlte Bucht fällt. Die Höhe des Falles löst die Gewässer beynahe gänzlich in Dunst auf, welche Zersetzung auch vom schärfer Wind angezeigt wird, der aus dieser Nische hervorströmt, und in der Jahrszeit, wo der Wasserfall seine größte Stärke erreicht, zuweilen gefährlich seyn soll.

Man kommt nach **Simlends**, worauf ein Wirthshaus liegt, **Holm** vorbey, und erreicht endlich das Vorgebirge **Bleien**, welches diesen Fiord auf der westlichen Seite begränzt, und auf beyden Wänden von der Gewalt der Gewässer tief eingefurcht ist. Aber viele andere durchgehende Spalten und Schluchten zeigen sich noch ehe man Amble erreicht.

Dies nimmt auch der dem Eingange dieses Seearmes gegenüberliegenden Küste ungefähr die Mitte eines amphitheatralisch-ausgedehnten Thales ein, das mit einem sanften langen Abhange gleichmäßig niedersteigt. Es sieht nach Mittag mit freundlichen Ansichten eines sorgfältigen Anbaues. Der Hof war von **Sorenskriver Irgens** bewohnt, den Norwegen unter seine verständigsten und wärmsten Patrioten zählt.

Ganz nahe bey **Amble** steht **Kopanger**, ehemals eine ansehnliche Handelsstadt, wo man Fahrzeuge erbaute, da die Bay Tiefe genug haben soll, selbst Kriegsschiffe zuzulassen. Die alte Stadt nahm eigentlich den Kranz der Anhöhe ein, und reichte bis zum Waſſerſpiegel herab, der nach Tradition und andern Anzeigen viel höher anfing als jetzt.

Der Häringsfang war dieſes Jahr ſehr ergiebig. Ich ſah ſelbſt einen Schwarm von Fiſchen in die Bay treiben, von einem merklichen Gekräuſel auf der Oberfläche ſichtbar gemacht, und begleitet von vielen darüber ſchwebenden Waſſervögeln. Bey einer ſolchen Erſcheinung iſt keine Zeit zu verlieren, wenn man die ihre Richtung oft verändernden Fiſche ein-holen will. Es hatte Netzzüge gegeben, jeder von 250 Tonnen Ausbeute.

Sonſt iſt der Fang ſehr veränderlich, und die Fiſcher meinen, ſeine einträgliche Zeiten kehrten periodiſch von 10 zu 10 Jahren wieder. Immer hört man ſie klagen, daß es der Fiſche weniger, daß das Meer mit jedem Jahre wilder und ſtürmiſcher werde, daß man um etwas zu fangen, immer weiter darin hinaus müſſe, und ſo die Koſtbarkeit der An-ſtalten, die Nothwendigkeit mehrerer Hände und größerer Vorräthe zunehme. Zuweilen trifft man auf Stellen, wo die Fiſche truppweiſe ſich in größter Menge verſammeln: dies nennt man auf dem Kra-ken fiſchen. Man behauptet hierbey an der näm-lichen Stelle ſehr veränderliche Tiefen wahrzuneh-men, die von 120 Ellen allmählig bis zu 80 und 40 hinaufſtiegen. Neber das Abendtheuerliche in den Erſcheinungen des Krakens iſt ſchon hinreichend

gesagt, allein ich sehe nicht ein, warum es dem
gesunden Menschenverstande und analogen Erfahrungen so gänzlich entgegenstreite, auf dem Boden
des Meeres, das stellenweise eine geographische Meile
tief seyn kann, Thiere von sehr großem Umfange
stattfinden zu lassen. Sind sie, wie das vierfüßige
Ungeheuer am Obio, an vegetabilische Nahrung
angewiesen, wovon der Grund des Meeres gewiß
einen unbegreiflichen Reichthum hat, so können sie
tiefer leben, als die bekannten Fische, die vielleicht
nicht über die Gränzen des Lichts hinuntergehen.
Bloß außerordentliche Umstände mögen alsdann diese
Thiere zur Oberfläche heraufführen. Nicht alle Aussagen von Leuten, die als Augenzeugen des Phäno-
mens auftreten, sind des Vorurtheils, oder der
Leichtgläubigkeit verdächtig. Man kennt auch schon
im Englischen Canal, in dem bey Messina
und in der Nähe einiger Ostindischen Inseln,
Polypen mit vielen Armen von 10 Fuß Länge. So
wurde bey Thingöre-Land in Island vor
nicht vielen Jahren ein solcher an den Strand aus-
geworfen.

Man fischt an dieser Küste eine sehr große Menge
von Stichlingen (Gasterosteus Aculeatus),
die ihrer kleinen Stacheln wegen nicht zur Nahrung
dienen können. Selbst die Schweine mögen sie nicht.

Man gebraucht sie daher, Thran daraus zu ziehen, den sie auch in ziemlicher Menge liefern.

Ich fand hier eine sehr einfach eingerichtete Theerbrennerey aus alten Tannen - und Fichten-wurzeln, die man in sehr kleine Stücke zerschneidet, auf einen runden Platz aufhäuft, und mit anderm Holz umgibt, welches hierauf in Brand gesteckt wird. Der Heerd ist unten gewölbt und so vorgerichtet, daß der gesammelte Theer durch einen Canal ablaufen kann. Auch gab es vormahls in Elde bey Kopanger eine Salzfabrikation; der steigende Preis des Holzes machte, daß sie einging. Bey Amble siedet man Potasche und mit Vortheil.

Die ganze Halbinsel, in ihrer Breite von Köp-anger bis nach Kiörnäs von den beyden Sy-straadfiorden und dem Sognedalfiord um-schlossen, hat einen Ueberfluß an den interessantesten Situationen. Die Wälder, welche den Privatleuten gehören, sind noch in einem erträglichen Zustande; was aber davon Eigenthum der Regierung ist, theilt das gemeinsame Schicksal aller andern in Nor-wegen. Zwey Sägemühlen verarbeiten sie, aber ihr Nutzen wäre weit höher zu treiben, wenn das Berg = und Hüttenwerk von Aardal wieder in Auf-nahme käme, mit dem man von hieraus vermittelst der Fiörde in die nächste und leichteste Verbindung treten könnte.

k   14

Noch eine kleine Ausflucht unternahm ich ins Land hinein nach Hovland, das Eigenthum eines Hrn. Eide von Bergen, der eben angefangen hatte die Gegend herum zu bepflanzen und zu verschönern. Der Boden ist hügelig, schön bewachsen, reich an den so anmuthigen offenen Flecken, die in Parkanlagen so vortheilhaft zu benutzen sind. Hinter Kiörnäs kann man einer sehr unerwarteten Aussicht auf Sognedalsflären genießen, welches, an diesem Fiord gelegen, aus vielen kleinen Häusern und Fischerhütten (vielleicht mehr als 300 zusammengenommen) bestehet. Darunter befinden sich auch die Wohnungen einiger vornehmeren Personen, welche, von den Reizen der Lage angezogen, sich hier angesiedelt haben. Alle bebaueten Landstücke im Sognedal sind ungemein fruchtbar.

Von Amble aus wendete ich mich nach Aardal hin. Wir stiegen auf einige Augenblicke bey Offerdal ans Land und erreichten noch am nämlichen Abend Aardalstangen. Dies ist eine schmale Landenge, deren Raum von einer hölzernen gothisch-verzierten Kirche und einigen Gebäuden, die dem ehemaligen Kupferwerke zu Magazinen dienten, beynahe ausgefüllt ist. Der Aardalselv fließt hier aus dem Aardalsvand ab und durchschneidet die Erdzunge. Sein Strom, ungestüm beym Ausgang aus der See, wird sanfter weiter

hinab, wo er seinen Grund selbst, jedes Jahr durch
Niederschläge erhöhet. Ebenfalls hier sieht man ausgedehnte Sandterrassen an den Gebirgen anliegend.

Zur Zeit, als das Kupferwerk in voller Wirksamkeit stand, hatte man wiederholt Plane entworfen, das Bett dieses Stromes zu einem ordentlichen,
mit einer Schleuße versehenen Canal auszugraben,
und dadurch den See mit dem Fiorde unmittelbar
zu verknüpfen; denn so konnten die Fahrzeuge vom
Fiorde aus über den See hin, bis unter die Schmelzhütte bey Farnäs kommen. Es sind kaum 1800
Fuß, die durchschnitten werden sollten, und es läßt
sich schwer begreifen, warum eine Unternehmung,
bey der ein verhältnißmäßig so großer Vortheil aus
einem so geringen Opfer entsprang, nie zur Wirk-
lichkeit kam.

Man schifft sich auf dem Aardalsvand ein,
das eine Meile Länge hat. Die Kupferhütte (Aardalsvärk) lag am Ende desselben, ungefähr in
der Mitte der beyden Puncte, wo der See nördlich
den Fardalselv und östlich den Utledalselv
aufnimmt: Jener stürzt mit einem starken Sprung
aus dem Fardal nieder; dieser schleicht von Utle-
dal durch die sandige Ebene von Farnäs heran;
die Wohnungen liegen auf dieser Fläche, welche
ohne Zweifel in in einer langen Reihe von Ueberschwemmungen vom Flusse selbst abgesetzt wurde,

An ihrem nördlichen Rande von steilen Felsen abgeschnitten, erhielt sie so die Gestalt eines Delta. Eine
leichte Schicht vegetabilischer Erde liegt darauf, und
wenn man sie durch einen Damm, der die ganze
Länge des Flusses heruntergehen müßte, gegen neue
Versandungen in Schutz nähme, so würde man in
wenigen Jahren ihren Ertrag ansehnlich erhöhen.
Jetzt gibt sie sparsam Gras für einige Kühe und
Schafe. Am mittäglichen Ufer des Utlebalelvs
liegt aber Bedy, dessen fruchtbarer Boden mit
schönen Holzungen und blühenden Matten bedeckt ist.

Wird man sich entschließen dies Kupferwerk wieder ins Leben zurückzurufen, so wird die Zeit bald
dankbar den ersten unvermeidlichen Aufwand von
Mühe und Geld vergüten. Als wenn Wohlstand
und Mangel immer unzertrennlich seyn müßten, so
enthält das reiche und thätige Bergenstift fast
die größte Menge von Armen in Norwegen, die
nun den Kirchspielen zur Last fallen, und also hier
brauchbar zu beschäftigen wären. Doch finden auch
mancherley Schwierigkeiten statt, worunter die größten aus der Lage der Gruben auf unwirthbaren,
von allen Menschenwohnungen meilenweit entlegenen Gebirgen entspringen würden. Haltbare Wohnungen müßten oben angelegt werden und hinreichend
mit Vorräthen, besonders Holz versehen; denn im
Herzen des Winters hört alles Hinauf- und Herabstei-

gen auf. Kaum erscheint auch noch eine Spur von
den Wegen, auf die man im blühenden Zustand des
Werks viel Sorgfalt verwandt hatte. Mit großer
Mühe kletterten die Pferde hinan.

Deshalb hatte man auch schon ehedem eine nähere
Communikation mit den leicht verbindenden Fiorden
gesucht, und es gab zur Zeit der Englischen Administration ein Magazin im Lysterfjord, dem Kirchspiele gerade gegenüber, wohin man die Ausbeute
von Oevre- und Breslegrube, und von
St. Olafs-Schurf führte.

Doch möchte ich lieber einen andern Weg in
Vorschlag bringen, der über das Somsdal ginge.
Hier käme man an Kardalstangen heraus, wo
auch der bequemste Ort zu einer neuen Hütte seyn
möchte. Ein Damm würde den schon beynahe zureichenden Wasserstand des Soes, ohne Gefahr von
Ueberschwemmungen, zum Triebe der Kunsträder
hinlänglich erhöhen. Vorzüglich müßte man aber
der sorgfältigsten Aufsicht die in den Fiorden herum-
liegenden Wälder übergeben, welche, nach Aussage
der Beamten, hinreichend Holz zu einem mäßigen
und wohleingerichteten Hüttenbetriebe liefern könnten. Eine ununterbrochene und schnelle Gemeinschaft mit Bergen und andern interessanten Stellen
der Küste zur Herbeyschaffung der Lebensmittel und

Ausführung des Kupfers wäre alsdann sehr leicht zu gewinnen.

Sylvest, der Eigenthümer von Farnäs, ob-gleich sehr bange, das Werk auf seinem Grund wieder aufleben zu sehen, hatte uns doch sehr gast-frey aufgenommen. Er wollte uns endlich noch eine Zeitlang begleiten, denn der Weg über das Gebirge, den wir gewählt hatten, um in den Lysterfiord zu kommen, wird selten genommen, da man einen zwar längeren, doch ungleich bequemeren zu Wasser hat.

Zuerst steigt man die ganze Höhe hinauf, welche den Fall des Farkalelvs ausmacht, um das Thal zu erreichen, wovon er seinen Namen erhält. Man folgt hierauf seinen sehr unebenen Ufern, woran nur einzelne doch wohlunterhaltene Wohnungen lie-gen. Es geht immer langsam aufwärts bis zum Ende des Thals, wo die nördliche Richtung ver-lassen wird, und man sich mehr östlich wendet. Hier liegt Muren, eine verfallene Sennhütte, auf deren niedergebrochenen Wänden wir unsre Mittags-mahlzeit einnahmen.

Hier ist auch der Eingang in eine weite Wüste, worin alles stiller und stiller wird, und die Vege-tation allmählig verschwindet. Man hat Mühe zu glauben, Menschen seyen jemahls hier durchgekom-men. Unser Führer vermehrte diese ängstliche Ideen,

folge. Es fand sich, daß er den Weg nur aus Hörensagen kenne. Ungeheuere Granit- und Gneißblöcke
lagen in den Verklüftungen der dürren, unabseh-
baren Fläche aufeinander gethürmt. Keine höheren
Gebirge gibt es hier, von denen sie heruntergerollt
wären, noch ein Strom, der sie hätte tragen können. Es sind übergebliebene Fragmente einer obern
Bedeckung auf ihrer Geburtsstelle liegend. Die Gewässer, so wie man auf der Plattform fortgebet,
verlieren alle Bewegung und bilden, in den ausge-
höhlten Grüften zusammenstießend, unzugängliche,
immer weiter um sich fressende Sümpfe, hin und
wieder von grauem Rennthiermoos unsichtbar und
desto gefährlicher gemacht. An den Gebrauch der
Pferde ist gar nicht zu denken. Wir mußten sie an
den Zügeln hinter uns herziehen, und die Felsenmassen behutsam umgehen.

Nachdem man so ungefähr 2 Meilen gereist ist,
sieht man sich einer Reihe von einzelnen hervorstehen-
den Bergspitzen, den Horungen gegenüber und
zugleich nahe am Fuß ihrer ansehnlichsten Gruppe.
Ich hatte sie schon von den hochgelegenen Kupfergruben aus der Ferne beobachtet, aber von hieraus
zählt man deutlich 5 solcher Haufen, welche anein-
andergeschlossen in einem Cirkelsegment stehen, dessen
Convexität nach Nordost gekehrt ist. Man erkennt
sie an einer charakteristisch-dunkeln Farbe und an

ihrer Zuckerhut-Gestalt. Mehrere solcher einzelnen
Kuppen gibt es in Norwegen, die aus dem untern
Urgestein hervorragen, und die vielleicht alle Neber-
bleibsel zerstörter Schichten sind, in denen sie als
festere Knoten der Auflösung widerstanden. Auch
haben einige von diesen hier ein kraterförmiges Ansehen; besonders ein Kegel mit einer gegen Westen
gewandten Vertiefung. Ein Gletscher legt sich jetzt
darin an; denn die Stürme, welche sonst alle Spitzen
samt der Fläche, worauf sie stehen, vom Schnee
rein erhalten, haben diesen gerade darin aufgehäuft,
und die heißern Sommertage verwandeln ihn langsam in Eis. So kann der Gletscher noch in Länge
nach Westen zu wachsen, doch kaum jemahls über
die Gränzen der Seitenwände hinaus. Diese Gruppe
der Horungen soll weit im Meere unterschieden
werden, und den Schiffern zu einem Merkzeichen
dienen. Doch ist die nächste Küste bey 12 Meilen
davon entfernt.

Dieser ganze Theil der Gebirgsebene scheint bey
der Bildung der Fiorde sehr starke Beugungen und
Zerrüttungen erlitten zu haben, dem Ansehen nach
in einer seinem Niederschlage kurz nachfolgenden
Periode. Die Schichten fallen wundersam untereinander, fächerförmig, übergestürzt, dann wieder
horizontal, alles in sehr eingeschränkten Räumen.

Ist man dem äußersten nördlichen Puncte dieses

Spitzenkette gegenüber, so unterscheidet man deutlich einen zweyten angehenden Gletscher von größerer
Bedeutung, unter dessen Eismasse auch schon ein
Strom, der Ringelv, hervorgeht. Mit diesem
steigt man vom Eingange der großen Spalte an
herab, deren westliche Verlängerung den Lysterfiord ausmacht. Man folgt dem Rande eines
tiefen Abgrundes, in dem der Fluß zuweilen ganz
unsichtbar wird, zuweilen zwischen gräßlichen Felsenmassen sich schäumend durchzwingt, mit einer
Reihe wilder Fälle, denen nur mehr Höhe und
Wasser zum Hervorbringen aller mahlerischen Effecte
fehlt. Man sieht hier Würfel von fremdem Gestein
(Gneiß und Granit, die hier nicht anstehen), deren
einige 20 — 30 Fuß im Durchschnitt messen, und
die der Fluß in der Jahreszeit seiner höchsten Fülle
stark genug seyn muß, über seine gewohnten Ufer
hinaus zu rollen. Ihre scharfen Kanten waren wenig
angegriffen, und man mag daraus berechnen, welche
Zeiten und Entfernungen erfodert würden, um sie
zu Geschieben zu machen.

Der Strom fließt hierauf in den Bergselv,
und mit diesem ins Bergsdal. Dies schloß sich
allmählig vor unsern Augen auf. Es lag ein Nebel-
meer darin ausgebreitet, in dem einige dichtere
Wolken wie Schaum obenauf schwammen. Das Sonnenlicht röthete und vergoldete sie, als wären es
Inseln.

Ein erstaunlicher Wasserfall ist das erste, was
man beym Eintritt in die Tiefe des Thals unter
einer kleinen hölzernen Brücke gewahr wird. Er
wiederholt sich noch mehreremale weiter hinab, und
ein Zeichner würde hier Umrisse und Farben zu den
bewunderungswürdigsten Studien finden. Man lebt
hier gleichsam mitten unter den Kraftäußerungen
und dem mahlerischen Wesen des Wassers. Gegenüber Optun hängt auch ein solcher schäumender
Vorhang über eine senkrechte Abstürzung her. Wir
erreichten endlich dies wirthliche Haus höchst ermüdet,
halb verhungert; aber besonders konnte die reinliche
und gefällige Wirthin kaum Milch genug herbeyschaffen, um den quälendsten Durst zu stillen.

Man geht alsdann unzertrennlich am Bergselv fort, bis man Fortun erreicht. Von diesem
Orte aus, sagte man uns, soll der allerkürzeste Weg
nach Guldbrandsdal führen, allein die Pferde
können nicht darauf fort, und man bedient sich
dessen am meisten im Winter mit Schneeschuben
(Skier).

Der Fluß hat sich hier wieder in Gleichgewicht
und Ruhe gesetzt, gleitet auf einer selbstgebildeten
Ebene beynahe unmerklich fort, und läßt an seinen
Gestaden zu reichen und blühenden Matten Raum.
Daran steht die Kirche von Fortun. Es war
Sonntag, und deshalb viel Gedränge und buntes

Gewühl. Die Neugierde hält ihre eilfertige An-
dacht übrige Minuten lang auf. Der Pfarrer kam
zu Pferde, und begrüßte uns leicht vorübereilend,
als sey er des Anblicks von Fremden schon gewohnt.
Der Strom erweitert sich endlich in einem kleinen
See, bevor er bey Eide in den Lysterfiord
fällt. Hier schifften wir uns ein und segelten dicht
am Ufer von Lyster hin, das sich auf der letzten
Vorflächung der nördlichen Gebirgsabhänge sehr wohl
ausnimmt. Man sollte es kaum ahnen, daß man
so ganz in der Nähe von Justedal, dem eigentlichen Norwegischen Gletscherdistrict sey. Viele schöne
Wohnungen mit reich-versehenen und wohlgehal-
tenen Gärten darum, sind in diesem fruchtbaren
Thale versammelt, sie sind nicht allein von Landleuten,
sondern auch wohlhabenden Eigenthümern aus höheren Ständen bewohnt. Die Obstgärten steigen terrassenweise unter gesammelten Felsenstücken die Thalseite hinauf. Man sieht hier Kirschen, ja feinere
Birnen - und Aepfelarten. So kamen wir nach
Flabhammer, von der Familie Daae bewohnt,
der keine gesellschaftliche Tugend noch Liebenswür-
digkeit des Lebens fremd ist.

Flabhammer liegt auf einem kleinen Vorgebirge, das sich lang und schmal in den Fiord ausstreckt. Gegenüber stehen schwarze, senkrechte, him-
melhohe Felsen, welche den Genuß des Tageslichts

unfreundlich beschränken; die umliegende Gegend
aber ist angenehm und mit Sorgfalt angebauet.
Auch gibt es hier noch einige Ueberbleibsel aus
dem Nordischen Alterthum: ein Boutasteen,
von mehreren Ellen Höhe, dem Gebrauche nach
und ebenfalls mit der Tradition übereinstimmend,
ein Denkmahl irgend eines merkwürdigen Kampfes,
vermuthlich einer hier auf dem Fiorde gelieferten
Seeschlacht. Dazu gehört ohne Zweifel ein mächtiger einige hundert Schritte davon gelegener Grabhügel. Er ist einzig in dieser Gegend, und mißt
140 Schritte im Umkreis. Wahrscheinlich wurden
die Opfer des Streites, welche der Fiord nicht ver-
schlang, hier zusammen aufgethürmt und zur Ruhe
gebracht. Man weiß nicht, ob zu irgend einer Zeit
etwas daraus hervorgezogen wurde. Jetzt ist er mit
Bäumen bepflanzt und in einen Lustplatz verwandelt, empfehlungswerth wegen einer freyen Aussicht in die Länge des Fiords. Der Boutasteen
ist nicht vom Zerstörungsgeiste der Unwissenheit und
des Muthwillens verschont geblieben, Hr. Dano
mußte ihn noch neuerdings gegen seine eigenen Bauern
in Schutz nehmen.

Wenn man von Fladhammer nach Lyster
zu Lande reist, findet man bey jedem Schritt neue
Anlässe über die Emsigkeit der Bewohner zu erstaunen, womit sie zur Anlage ihrer Obstgärten

den unfruchtbaren Steinboden glücklich bekämpften.
Probst Quale in Lyster soll ein ausgezeichnetes
Verdienst um die Industrie dieser Gegend haben.
Wir kehrten unterwegs bey Ole Sjörsen Fuuhr
ein, der seinen Beynamen, der angenommenen
Sitte in Norwegen gemäß, von seinem Hofe Fuuhr
entlehnt. Die Gartenanlage war hier wirklich be-
wunderungswerth, einen steilen Abhang hinan unter Steinhaufen und kümmerlich zusammengetra-
gener Erde. Seine Frau setzte uns vortreffliche
Karavillen und Pepins als Ausbeute ihrer Betriebsamkeit vor. Man erzählte ebenfalls von einem
andern, Hans Olsen Leiermoe, der diese
Gartenkunst in nicht geringerer Vollkommenheit
treibe. Dies sind die wahren Helden, Eroberer
über die unfruchtbare ungefällige Natur, deren
Nahmen der vaterländischen Geschichte niemahls
fremd werden sollten.

Von der Ebene, worauf das Pfarrhaus liegt,
erkennt man deutlich den Eingang ins Dalsdal,
das zum Justedal und seinen Eisbergen führt.
Ich bedauerte schmerzlich, daß die schnell-fort-
rückende Jahrszeit meiner Neugierde von dieser
Seite unübersteigliche Schranken entgegensetzte.

Vierzehntes Kapitel.

Das Sognefield und Dovrefield.

Uebergang über das Sognefield. Gefahr im Winter. Cha-
rakter des Gebirges. Bäyerkupsäter. Quäunesvold.
Lom. Das Otevand. Baage. Tolstad. Silbergrube.
Uebergang über das Jettafjeld. Thal von Dovre. Tofte.
Charakter der Einwohner von Gulbrandsbal. Das
Dovrefield. Fogstuen. Jerkin.

Am nämlichen Tage erreichte ich Eibe und das
wirthliche Optun wieder, deffen erfrischenden Milch-
vorrath und bequemes Nachtlager ich nachher oft ver-
mißte. Von hieraus mußte man Anstalten zum
Uebergang über das Sognefield treffen, der bey
geringerer Breite des Gebirges, als die des Hardangerfields, mit einer einzigen Tagereise abge-
macht wird; aber doch mancherley Vorkehrungen
erfodert, da man diese ganze Zeit hindurch auf alle
menschliche Hülfe Verzicht thun muß: Vorzüglich

ist dies in den Wintermonaten der Fall. Schreckliche
Schneestürme belagern alsdann die kahle, ungeheuere Wüste, und umhüllen die Reisenden so dicht,
daß sie, auch nahe zusammengehalten, sich oft von ein-
einander verlieren: so sehr versagen Gesicht und
Gehör alle Dienste. Keine Hütte bietet hier Schutz
und Stätte dar zum Abwarten eines günstigeren
Augenblicks. Viele versinken in halbgefrorene Sümpfe,
oder vergehen mit ihrem Vieh vor Kälte und Ungemach. Hin und wieder trifft man auf Stangen,
um den Wanderer zu leiten, dem die zufälligen
Merkmahle von hohen Gesteinen und der Form des
Gebirgs unsichtbar werden; allein der Wind wirft
sie um, man verfehlt in der Betäubung die fort-
gehende Reihe, und zu nichts hilft das Wahrnehmen
des Irrthumes und Umkehren. Man behauptet, in
gewöhnlichen Fällen fänden die Pferde, welche mehrmals hinübergegangen sind, den Weg am sichersten
wieder. Sollte man nicht auf so gefährlichen Stellen
einige Häuser erbauen, um den überraschten Reisenden zum wenigsten ein Dach für die schreckliche
Nacht und so nahe neben einem gewissen Tode zu-
zusichern?

Noch in der Dunkelheit reiseten wir ab, um
den ganzen Tag vor uns zu haben. Zusammengebun-
dene Fichtenspähne wurden zu Windfackeln, und
erleuchteten das Ungeheuere um uns her, wunder-

bare Gestalten des feuchten, schimmernden Gesteines,
die grausenvolle Magie der Felsenrisse, Schatten
und wechselnde Contraste mit milchweißen, in der
Luft aufgehängten Wasserfällen. Große Blöcke des
dunkelsten Thonschiefers spreiteten überall zugespitzte
Ecken in den Weg hinein. Es ging ziemlich steil
aufwärts. Auch hier ist die schroffe Seite der Plattform gegen Westen gekehrt. Alle Schichten Skan-
dinaviens, deren hervorstehende Köpfe nun die hohen
Gebirgskämme ausmachen, wurden nach Einer Seite
und Richtung in die Höhe gehoben.

Die Gebirgsebene selbst, welche den höchsten
Gipfel einnimmt, stellt sich unter einer vom Aardalsfield abweichenden Gestalt dar. Diese ist
vielmehr die des Hardangerfields, unberührt
wie dies von den Revolutionen, welche seine Seitenwände herunterbrachen und tiefe Risse hinein-
sprengten. Nachdem man beynahe eine Meile in
verschiedenen Absätzen mit langen horizontalen Ruhe-
puncten gestiegen ist, erreicht man die Höhe, eine
vollkommene Fläche. Alsdann verschwinden Ströme
und Bäche, aller Umlauf der Gewässer, doch bemerkt man keine bedeutende Seen oder Moräste.
Die häuserhohen Blöcke, um welche sich der Weg
herumdrehet, zeigen alle ihre wohlerhaltenen Kanten
und Ränder, und stehen meist ruhig auf ihren wagerechten Grundflächen. Keine Bewegung ist unter

ihnen gewesen; es ist das natürliche, nun zerrissene, zerstückelte Netzwerk einer ehedem zusammenhängenden Decke.

Ein Nebel hatte eine Zeitlang an den Horungen festgehangen, verdichtete und legte sich nun in Schäfchen zusammen, und zog weiter. Wir sahen diese schwarzen Spitzen wieder oder vielmehr einen neuen Theil derselben, der nach Nordosten fortrückt; sie strecken sich durch den Smörstabben bis zur äußersten Spitze des Bäverdals, dem Bävertunsäter gegenüber. Mehrere Eisberge sind schon unter ihrem Schutze entstanden, diese zeigen viele dunkle Klüfte, und mehrentheils sickern allenthalben Ströme unter ihnen hervor. Ich sah deutlich den beträchtlichsten darunter, den Store Sneefond mit seinen Eisschollen.

Ungefähr auf der Mitte der Plattform fanden wir die erwähnten Stangen, als Merkzeichen des Wegs, ungefähr 30 — 40 Schritte voneinander auf Steinhaufen aufgerichtet. Diese Straße ist ziemlich besucht, doch vergeht kein Winter ohne Unfälle. Auch trafen wir bald auf eine Gesellschaft nach der nähmlichen Richtung hin. Ein Bauer mit 2 Pferden erschien und begrüßte uns mit Theilnahme, wie in der Wüste; wir gaben einander Rechenschaft von dem Vorhaben, von den Begebenheiten des Tages, vom Wetter und Wind, doch meine Ungeduld ließ

I: 15

ihn bald hinter uns, dem es nicht daran lag, etwas
früher oder später zu Menschen zu kommen. Es
erfreuet unaussprechlich, wenn das Gefühl der Hülfs-
losigkeit dringend wird, wohl zu wissen, daß jemand
uns nachkommt. Schneehühner (Tetrao Lagopus)
flogen schaarenweise und sehr oft bey uns auf, es waren
darunter Haufen von 20—30 Stücken. Gleichfalls
sahen wir ein Rennthier, sehr schüchtern in der
Ferne vorübereilen.

Am Fuße des Smörstabben, einem hohen
Berge über dem Båverdal, kommt aus einer
weiten Höhle der Båverelv hervor. Noch ehe man
zum Båvertunsäter gelangt, wo sich das Thal
nach Osten zu krümmt, wird dieser Strom von
Dondölen, einem Gebirgswasser erreicht. Sie
verschwinden zusammen einige Augenblicke lang
unter den hingestürzten Felsenmassen.

Längs den Ufern des Båverelvs ist der Boden
äußerst morastig, besonders am untern Theile; das
Bett ist flach, der Strom, der darin nur mit Mühe
fortschleicht, tritt beym mindesten Anschwellen über
seine Wände hinaus, und bleibt dann stehen bis
zum Austrocknen. Dies Anschwellen mag aber sehr
häufig und fortdauernd seyn; denn überall hängen
Wasserfäden von den Felsen herab. Das Thal wird
indeß augenscheinlich gefüllt, theils durch den nie-
dergeschwemmten Sand, theils durch die Elemente

der Glimmer- und Chlorit-Geschiebe, die er in seinem Laufe auflöst.

Der Bävertunsäter, den man nach dem beschwerlichen Niedersteigen sehr froh ist, am östlichen Fuße des Gebirges anzutreffen, war offen. Wer von dieser Seite über das Sognefield will, bringt hier gewöhnlich die Nacht zu, und in der glimmenden Asche fanden wir noch Spuren der geschiedenen Gäste. Kurz darauf schloß sich vor uns ein frisch bekleideter Thalweg mit heiteren Gebüschen auf, zwischen denen der Sulaelv mit einem schönen Falle niederkommt. Auch sieht man mit Vergnügen eine andere sehr gebahnte Straße von Ottrie her an Felsen herabsteigen. Alles erweitert und belebt den Weg.

Der nämliche Strom bildet durch Windung eine Art von Halbinsel, worauf Quännesvold liegt. Man hatte uns daselbst erwartet, und die Aufnahme war liebreich, doch mochte es die Erschöpfung des Geistes sowohl als des Körpers seyn, welche mich die ganze Nacht kein Auge schließen ließ. Früh waren wir wieder auf. Bey Flecke, dem ersten Hof, den wir trafen, stehet eine Art Denkmahl zur Nachricht, daß hier 8 Menschen von einer Lauwine erstickt wurden. Dergleichen fallen in diesen Thälern häufig herab. Ueberdies mögen es nützliche An-

zeigen seyn, welche den Reisenden auf die Gefahr,
die ihn umgibt, aufmerksam machen, aber es knüpft
sich zugleich eine trübe Gedankenfolge daran, die
man kaum den Ueberrest des Tages wieder los wird.

Die Straße ward hierauf immer freundlicher,
der Anbau des Thales verbreiteter, die Schätze der
Ernte standen noch aufgehäuft, um vollends zu
reifen und zu trocknen. Kühe gingen überall auf
dem schon gelb gewordenen Grase. Der mittäg-
liche Abhang war mit Häusern und Hütten wie
überdeckt; doch haben diese wenig Mahlerisches,
der Einfluß der Sonne bräunt bald die harzigten
Nadelholzstämme, woraus sie bestehen, oder die
Bretter, womit sie bekleidet sind. An der gegen
Norden gekehrten Wand liegt Rustang auf einem
Vorgebirge gleich einem Storchnest. Der Juvaely
kommt dann von Süden und fällt in den Hauptstrom des Thales. Er treibt hier eine Mühle. Sein
Bett ist mit einer ungeheueren Menge Gerölle bedeckt, und da seine Wasser die Chlorit-Erde des
Schiefers aufgelöst führen, so überraschen sie mit
einer ihnen eigenen grünen Farbe. In diesem ganzen Thale haben die Felsen ein merkwürdiges Farbenspiel. Der Glimmer- und Thonschiefer sind oft,
besonders bey Flecke, Ree, zwischen Rustang
und Hoff, braun und roth glänzend gefärbt.

Die Pfarrey vom Lom *) steht am Rande des Otevand, wovon ein Theil nach Westen zu die Tiefe eines sehr fruchtbaren und stark bebaueten Thales einnimmt. Der östliche Theil desselben ist bis Garmöe zu seicht, um beschifft zu werden, und selbst von hieraus ist er gefährlich bey widrigem Winde und unsicherem Wetter. Daran mag die schlechte Bauart der Boote wohl großentheils Schuld seyn. Die Ufer des See's sind mit achtungswerthem Fleiße benutzt; die Höfe zeigen Wohlhabenheit, und was ich als einen Maßstab derselben in diesem Lande ansehe, überall, wo ich einkehrte, fand ich ein schmackhaftes und wohlgebackenes Brot. Das Thal, sich von Westen nach Osten ziehend, und nur an der letzten Seite offen, liegt glücklich den Sonnenstrahlen zu; die höchste Aufmerksamkeit ist auf seine künstliche Bewässerung gerichtet; Canäle und hölzerne Rinnen vertheilen ergiebige Quellen. Doch wie man mehr nach Osten fortschreitet, sieht man das Klima auch ungünstiger werden. Die Weststürme, durch den vorliegenden Gebirgsriegel vom obern oder westlichen Theil ausgesperrt, haben im tiefern freyeres Spiel. Die Bäume scheinen hier im Wachsthum aufgehalten, mit einer bedeutungsvollen Krümmung nach Osten.

---

*) Es ist das erste Kirchspiel von dieser Seite in Christians-Amt, das eins der volkreichsten Norwegens in 1801: 66281 Einwohner zählte. Lom selbst hatte 3406.

Der Landweg bis Garmöe ist sehr artig. Mit
wenigen Kosten könnte man ihn zugänglich für alle
Arten von Fuhrwerken machen. Bey Storvig
hat man das in Norwegen seltene Schauspiel einer
Walkmühle mit 4 Stempeln zur Bearbeitung der
wollenen Zeuge, Teppiche, Strümpfe u. s. w., die
in ziemlicher Menge verfertigt werden. Eine hölzerne Brücke von 456 Schritten Länge, und auf
21 Pfeilern ruhend, führt über den Oteelv, der
aus dem Otevand fließt. Dann bekommt man
die Kirche von Vaage *) in der Ebene zu Gesicht.
Das gastfreye Pfarrhaus liegt höher auf einem Abhange, der sich dem Gebirgsrücken mahlerisch anschließt.

Schon oben habe ich angemerkt, wie Norwegen
voll von Personen ist, deren begierige Einbildungskraft häufig von verborgenen oder gar heimlich benutzten unterirdischen Schätzen träumt. Sie zeigen selbst
den Ort an, wo sie sich finden, und wer ihnen
glaubt, findet Gelegenheiten genug, Zeit und Mühe
zu verschwenden. Allein eine große Anzahl von
diesen Sagen, die mir vom ersten Eintritt ins Land
an, und besonders im Bergenstift, zukamen,
liefen wie Fäden eines Spinngewebes in Tolstad
zusammen. Dies liegt nicht weiter als eine Meile

---

*) Das Kirchspiel zählte in 1801: 3310 Einwohner.

von Vaage ab; im Pfarrhause wurde meine Neugierde durch mancherley Erzählungen von neuem
angeregt, und ich beschloß, einen Tag an dies
metallurgische Abentheuer zu wagen. Die Silbergrube sollte in den Händen des Besitzers von Tolstad seyn und ihm gute Ausbeute liefern. Alle seine
Verwandten, hieß es, seyen Goldschmiede, und
verarbeiteten Silber zu Geschmeide und Putz. Weit
ausgedehnte Holzungen habe er selbst neulich gekauft.

Der Bauer hatte ohne Zweifel schon Kunde von
meiner Ankunft und meinen Absichten erhalten. Doch
eine Todtenstille herrschte auf dem Hofe, niemand
kam uns unsre Pferde abzunehmen, wir mußten
uns selbst helfen. Es gehört zum eigentlichen Wesen
eines Dölers (Einwohners von Gulbrandsdal), der vermeintlich-adeligen Race von Norwegen, daß trüge er auch auf einmahl Frau und Kinder zu Grabe, sähe er ohne Rettung Haus und Hof
in Flammen aufgehen, kein äußerliches Zeichen den
Zustand seiner Seele verrathen soll. So saß mein
Mann unbeweglich, undurchdringlich in seinem
Wohnzimmer, spielte zur besseren Erhaltung des
Gleichgewichts mit einem Kinde, und hörte mit un-
erschütterlicher Kälte mein kleines Gewerb an. Nur
seine junge und schöne Frau zeigte einige Verlegenheit, und bot mit niedlichen Händen Kuchen und

Branntwein an. Aber auch nichts weiter ließ sich
bemerken; der Keller, wo angeblich der Schatz seyn
sollte, war überall mit Steinen versetzt, und ich
hatte keine Befugniß daran zu rühren, weder Fragen noch Vorstellungen, daß eine wohlthätige und
liebevolle Regierung dies Eigenthum vollkommen an-
erkenne, vermochten etwas. Hr. Director Dalborph
aus Röraas war nach mir da, er entdeckte in der
Nähe des Orts silberhaltiges Bley. Nachher soll
man hier gediegenes Silber gefunden haben, welches
ich dem Zeugnisse glaubwürdiger Personen gemäß
nicht bezweifele, ob es gleich weder mir noch dem
geschickten Bergrath Knoph gelungen ist, dergleich
chen in den ihm übersandten Probestücken zu entdecken.

Tolstad liegt am Oteelv mit schönen Waldungen umgeben. Die Ebene, welche sich bucht-
förmig in das Gebirge hineingebildet hat, ist mit
kleinen bewachsenen Hügeln besetzt, wahrscheinlich
Ueberbleibsel von einer ehemahligen Sandausfüllung
des Thales, und nun isolirt vermittelst der Ströme
und des Anbaues.

Der nächste Weg von Vaage nach Tofte
führt über einen Zweig des Settafields. Die
Entfernung beträgt alsdann ungefähr $1\frac{1}{2}$ Meilen.
Auf der höchsten Spitze ist die Quelle eines Baches,
des Klönbekke, der nach der andern Seite in

den Laugenelv abläuft. Sehr erfreulich eröffnet
sich beym Niedersteigen das Thal, mit einem lebendigen Gemisch von Wohnungen, Anbau und Gehölz.
Auch hier schmiegen sich Sandterraffen an die Urgebirge an, und die von Strömen zerklüfteten Ueberbleibsel derselben laufen gruppenweise und bewachsen
neben den Ufern des Fluffes fort. Während die wilden Gebirgswaffer aber die Seiten der felsigten
Grundlagen befurchen, tragen sie mit dem losge-
riffenen Gerölle von neuem zur Erhöhung des Strom-
bettes und zum allmähligen Ausfüllen des Thales
bey. So findet auch hier der ewig wiederkehrende,
das Alte immer wieder verwischende Wechsel der
Arbeit der Natur statt. Kaum hat sie das Ungeheuere in scharf-bezeichneten Maffen angelegt, so
fängt sie auch sogleich wieder an es an den Kanten
abzurunden.

Dicht an einem der bewachsenen Hügel schließt
sich die Kirche von Dovre an, sie bildet hier am
Fuße des hohen Gebirges und im Contraste seiner
kühnen Gestalten einen fremdartigen Gesichtspunct.
Doch nichts kann den Rückblick aus den Fenstern
des Wirthshauses von Tofte in das wild-verschnit-
tene Thal nach Süden zu übertreffen.

Die heiteren Wirkungen der Gebirgsluft erweisen sich schon in den frischen Mädchenangesichtern.
Alles ist derb und gedrungen, die Sprache der Be-

wohner kurz und kraftvoll. Unbeweglich hängen sie
am Glauben ihrer hohen Abstammung, und es mögen
gern darunter einige Nachkommen von den ehemahligen kleinen Districtbeherrschern seyn, die unter dem
Namen der Räsekonger zuweilen rühmlich bekannt
wurden. Noch tragen sie ihre langen charakteristischen Röcke, breite Taschen mit hinten zusammen-
schlagenden Spitzen, deren Mode doch wohl kaum
über 100 Jahr hinaus geht. Sichtbarlich bereitet
sich indessen eine Revolution vor, welche durch die
kurzen leichtfertigen Jacken und schief gesetzten Mützen
der jungen Leute angekündigt wird. Der Verkehr
mit Christiania hat wohl schon manchen Riß in
ihren Meinungen und Sitten gemacht, doch immer
wird diese Provinz im fortgehenden Verhältniß mit
den andern der Hauptsitz der alten Normänner bleiben. Höhe, Reinheit der Luft, Derbheit der Nahrung, Verschlossenheit des Wesens werden das gesetzte Leben, die ehrbare Stimmung der nordischen
Natur, den Egoismus der Unabhängigkeit, das
gesunde, aber beschränkte Denken hier am längsten
bewahren.

Man erhebt sich nun ohne Aufhören. Will man
den Gipfel des Hareballen (4297 Fuß nach
v. Buch), der etwas östlich vom Wege ab liegt,
besteigen, welches ohne weitere Mühe geschieht, wenn
Sonne und Wind etwas Gunst erweisen, so nimmt

man von diesem Punct aus gleichsam Besitz von
allen Verstückelungen der großen Plattform durch
tiefe Einschnitte und Zerreissungen, welche nun
unter dem Namen von Thälern, Flüsse, Anbau und
Wohnungen aufnehmen. Man unterscheidet von hier
deutlich den Sneehättan, Norwegens höchste
Spitze, außerhalb der zusammenhängenden Reihe der
Höhen, das merkwürdige Thal von Lessöe, in
diesem Lande einzig in seiner Art, wodurch das
Dovrefield von seiner nach Süden heruntergehenden Fortsetzung getrennt wird, und das Lef-
söevarks-oder Lessöekoughsvand, 1 ¼ Meile
breit, welches nach Südosten den Lougen- und
nach Nordosten den Rauma- oder Romsdals-
elv, also nach zwey entgegengesetzten Puncten zugleich, seine Gewässer versendet.

Das Dovrefield kommt, obgleich nicht in
allen, doch in vielen Hinsichten, mit den Gebirgs-
ebenen Norwegens überein, deren Schichten zum
Theil eine wagerechte, oder dieser nahe kommende
Lage behielten. Seine Unebenheiten, nachdem man
die obersten Flächen erreicht hat, sind unbeträchtlich, scheinen nur zufällig, unabhängig von seiner
Natur. Die Gewässer, ohne Abfluß und mit be-
schränktem Kreislauf, sind wie auf allen ihm ähnlichen Plattformen in Seen und Sümpfe zusam-
mengetreten. In der Fläche haben sich Busen gebildet,

die von allen Seiten gegen Winde gesichert werden;
obgleich nicht tief genug den Schnee darin zu Gletschern zu bilden, halten sie ihn doch bis zum Sommer fest. Die Wärme von den umfangenden Hügeln
verstärkt, löst ihn auf, die Wasser schwellen an,
bis sie den Rand eines Sattels zwischen den Erhöhungen erreichen, dann laufen sie in Bäche über,
und die Sonnenhitze dampft das übrige weg. Der
Wolasöe und Afföe sind eines solchen Ursprungs.
Die kleinen Thäler gewinnen im Sommer durch
Feuchtigkeit und erhöhete Temperatur eine bewunderungswürdige Gras-Vegetation, und vielleicht
könnte darin etwas absichtlich angebauet werden,
wenn man das überflüssige Wasser abzuleiten wüßte.
Man findet zwei solche sehr merkliche Aushöhlungen
bis nach Jerkin. Indeß kommt darum noch kein
hoher Baum darin fort, weil die Wipfel dieser
leicht über den sturmfreyen Luftraum hinausragen.
Die Birken sind alle verkrüppelt, neigen sich nach
Osten hin, und bloß die letzte Gebirgsconcavität vor
Jerkin scheint sie etwas gegen die Stürme zu
sichern.

An vielen Orten, wo der Schnee sich im Winter besonders aufhäufen mag, findet man Stangen
als Wegweiser aufgestellt, doch das wesentlichste
Hülfsmittel für den Reisenden ist ein Haus, Fog-

Knen *) genannt, wo man ein reinliches Zimmer
antrifft, ein prasselndes, wohlriechendes Wachhol-
derstrauchfeuer, Rath und Anweisung, die, von
Gebirgsbewohnern gegeben, in jeder Jahrszeit un-
trüglich sind. Eben so willig und angenehm findet
man sich in Jerkin aufgenommen, und es fehlt
hier gleichfalls nicht an mancherley Bequemlichkeiten, so wie der Besitzer viele gute Kenntnisse des
Lokalen gerne mittheilt. Man hört zugleich von
allen Reisenden, die seit 20 Jahren und drüber hier
durchgekommen sind.

*) Unter 62° 5' 20'' Polhöhe.

Fünfzehntes Kapitel.

Das Oesterdal.

Bey Jerkin wich ich von der großen Landstraße morgenwärts nach Foldal ab. Der Foldaelv zeigt den Weg, er kommt von den höheren Gegenden des Dovrefields, die wir eben verlassen hatten, hat als Fogsaae den Volaföe durchströmt, und schleicht nun hier träge den sanftesten Abhang nieder. Auch hier zeigen die dem Grundgebirge angebogenen Sandterrassen, daß er sich in ihrer Mitte eine Bahn eröffnen mußte. Die Abhänge sind mit etwas Gebüsch bekleidet, allein die hohe Lage hält die Birken selbst niedrig. Wenig Thon und Mergel, wahrscheinlich von den höheren Gebirgs-

fyßen abgespült, sind dem Sandboden beygemengt,
und er ist zum Ackerbau fast untauglich, selbst nicht
sehr ergiebig zum Wiesenwachs. Die Höfe sind auf
große Weiten zerstreuet; ein sehr geringer Verkehr
verbindet diesen District mit den Hauptstraßen, der
Weg, der ihn durchziehet, ist lediglich für Pferde
gebahnt. Die nach Mittag gekehrte Seite ist beynahe das einzige, worauf die Betriebsamkeit etwas
gewandt hat, auf der andern ist alles einer unfruchtbaren Natur überlassen, die Wand erhebt sich stufenweise bis zu immer höheren, steileren, dürreren Gebirgen, die in das Rundfield zusammen zu laufen scheinen, einer der höchsten Spitzen außerhalb
der Kette von Dovre.

Bald erkennt man die Nähe eines Bergwerks an
der gelbbraunen Ockerfarbe, welche das aus eisenhaltigen Kupfergruben ausgelaufene Gewässer in den
Hauptstrom mischt. Der Aufseher über diese Gruben,
und die damit verbundene Hütte, Hr. Skanke,
bewohnt ein wohlgelegenes Haus.

Herr Director Dalborph war mir von Plabsen, wo er dicht bey Frideriksgave oder Lo-
visahytte wohnt, bis Foldal entgegengekom-
men. Schon waren zum Vorzeichen des sich nähern-
den Winters Gebüsche und Gras des Morgens stark
mit Reif belegt. Ich fühlte daher das Glück, einen
Ort zu erreichen, wo man in der Mitte der liebens-

würdigsten und kenntnißreichsten Bildung zum Theil
überwintern konnte. Am 19. October, den Tag
nach meiner Ankunft auf Pladsen, deutete das
Tronfield, über dem Orte gelegen, ein unfehl-
barer Wetterprophet wie alle einzeln stehende Berg-
kuppen, noch bestimmter an, daß meine diesjährige
Reise ein Ende habe. Ein dichter, dunkelgrauer,
Thronhimmel breitete sich darüber in Schwammge-
stalt aus, und der erste Schnee fiel. Noch war ich
zur rechten Zeit gekommen, um die Kupferhütte in
vollem Betriebe zu sehen; man kann ohne Uebertreibung behaupten, sie sey die besteingerichtete ihrer
Art in Norwegen.

Die Umgebungen von Pladsen sind nicht sehr
freundlich. Rauheit des Klima's, die Dürre des
Bodens, die Sandwände, sich hier in dreyfache
Abstufungen hintereinander erhebend, lassen bloß eine
sparsame Nadelholz- und Grasvegetation zu. Doch
bauet man Erdäpfel und auch Getraide, obgleich
das letztere mit großem Aufwand von Dünger; oft
wird es auch von der Winterkälte überrascht und
geht verloren. Doch das Kupferwerk und Hrn. Daldorphs eigene Wirksamkeit haben die Gegend
wundersam belebt; er betreibt eine Potaschesiederey,
läßt Mühlensteine zurichten, und benutzt den Graphit
vom Thronfield, gereinigt und ausgewaschen,
zur Fertigung ganz tauglicher Bleystifte, oder bringt

ihn als Ofenschwärze oder Eisenschmiere in den
Handel.

Das Oesterdal hat sehr viel Industrie, Verkehr mit den Hauptstädten, daraus herfließende Wohlhabenheit und ländliche Eleganz. Nirgendwo findet
man Wohnzimmer so bunt mit allen Regenbogen-
farben ausgemahlt. Viel Weberey beschäftigt die
Frauen, und sie bringen es zuweilen darin zu einer
solchen Vollkommenheit, daß ihre Arbeiten den
Schwedischen Zeugen nicht nachstehen.

Am 26. November verließ ich mein freundliches
Plabsen. Man geht den Sölnenaae, der aus
dem Sölnenpletten entspringt, nieder, und
setzt über den Foldaelv nahe an der Stelle, wo
er sich mit jenem verbindet. Alsdann muß man eine
hohe bewachsene Erdzunge übersteigen, welche dem
Tronfield gegenüber ins Lille-Elvedal hin-
einragt. Sie besteht lediglich aus Sand, so wie
dieser allein die ganze dreyeckige, mehrere hundert
Fuß hohe und beynahe eine Viertelmeile breite Masse
bildet, welche den Raum zwischen dem Sölnenaae
unter Lövfahytte und dem Vereinigungspunct
des Foldaelvs mit dem Glommenelv ausfüllt.

Beym Herabsteigen stößt man auf diesen Fluß.
Das Tronfield war mit Schnee bedeckt, und
man fühlte seine Nähe beym Eintritt ins Thal, noch

I.　　　　　　　　　　　16

ehe die Gebüsche es sehen ließen. Ein ewiger Sitz kalter Nebel und Winde, setzt es die Temperatur der beyden Thäler, zwischen denen es liegt, unbegreiflich herunter; ein schneidender Luftzug umkreiset es in seiner ganzen Länge und Breite, und wird zuweilen im Winter fast unerträglich. Könnte ein Zauberstab diese Schweizeralpe in den Schoos der Erde niedersenken, so würde Norwegen mit einer neuen Kornprovinz, einem zweyten Hedemarken beschenkt werden, und die vereinigte Getraideausbeute vielleicht fremde Hülfe um ein Großes entbehrlicher machen.

Das Tronfield, bey ungefähr 4000 Fuß Höhe, bringt mehrere Alpengewächse hervor. Doch mag es überhaupt sehr gewagt scheinen, den Wachsthum der Pflanzen überall nach Barometerhöhen bestimmen zu wollen. Es möchte statt finden, wenn sie die vermeintliche Mitteltemperatur des Jahres angäben; doch das können sie nirgends, am wenigsten in Norwegen, wo mancherley Ursachen das Klima verändern. Die Schneelinie fällt viel höher auf den Inseln, wo das ganze Jahr hindurch Schafe unter freyem Himmel ausdauern, als unter dem nämlichen Breitegrade im Innern des Landes, wo nur Rennthiere gedeihen. Die Vegetation wird mehr durch Stürme als durch Kälte verkrüppelt und aufgehalten, und wo sie durch nach Osten gewendete

lagen gegen jene geschützt stand, z. B. in einer
kleinen Bay unter Nordkap, fand ich Pflanzen des
gemäßigten Himmelsstrichs in schönster Blüte. Eine
Schneelinie nach allgemeinen Ansichten gefertigt,
die auf jeden Meridian paßte, gibt es gar nicht,
und selbst auf ein gegebenes Land berechnet, möchte
sie wohl zu einer Wellenlinie werden, deren wechselnde Beugungen nur zufolge sehr genauer Untersuchungen angegeben werden können.

Die Ufer des Glommen sind traurig bis man
Tönset erreicht. Man ist zwischen senkrechten
Thonschieferplatten, einem wilden Strome, seinen
kahlen Geschieben und der abgerundeten trüben Masse
des Tronfields eingezwängt; nur einzelne Hütten, deren Armuth zum Ganzen paßt, unterbrechen
das Gefühl von langer Weile und endloser Leere.
Um so mehr wird man von der Aussicht erfreuet,
die sich hinter Tönset eröffnet. Sie kann für eine
der schönsten gelten. Auf dem gegen Morgen gekehrten, langsam niedersteigenden Abhange sind unzäh-
lige Häuser und Hütten, Felder und abtheilende
Steinmauern in einer reinlichen Zeichnung darge-
stellt, die von der vorspringenden Kirche anfängt.
Im tiefen Grunde liegen die Ufer des Glommen
mit der Brücke und der bebuschten, angebauten,
bewohnten Erdzunge, die er selbst abgesetzt hat.
Der Blick geht nach Süden zwischen dem Tron-

field, und einer Gebirgskette, die eine Fortsetzung des Sölenfields ist, in das Tyldal hinein. Das Tronfield zeigt nur seine schmale Seite, und thut wohl als Contrast. Ueberall sieht man die Bemühungen der Cultur; ein fleißiges, strebsames absichtliches Völkchen scheint hier zu wohnen.

Tönset*) unter 62° 18' und ungefähr 3100 Fuß über dem Meeresspiegel gelegen, ist der kälteste Ort in ganz Norwegen**). Dazu trägt ohne Zweifel

---

*) Es zählte 1801: 3021 Einwohner. Hedemarkens Amt, wozu es gerechnet wird, zählte deren 61123.

**) Im Jahre 1814 wurden vom Hrn. Lt. Ramm folgende Thermometerstände aufgezeichnet:

am 8. Januar	Kl. 10	Morg.	27° Reaum.
9.	— 6	Morg.	34 —
—	— 9	Ab.	35½ —
10.	— 9	Morg.	37 —
—	— 9	Ab.	36½ —
11.	— 9	Morg.	36½ —
—	— 9	Ab.	32
12.	— 9	Morg.	34½ —
—	— 9	Ab.	35½ —
13.	— 9	Morg.	35 —
—	— 9	Ab.	27 —
18.	— 9	Morg.	33 —
—	— 9	Ab.	33 —
19.	— 9	Morg.	34 —
—	— 9	Ab.	30 —

die Lage des Orts, dicht unter dem Tronfield, aber noch mehr die in einem Kreuzwege bey, wo sich das Thal von Indset ins Glommenthal aufschließt, und die Winde von Nord und Nordwest gebläseförmig, und in einem ununterbrochenen Zuge vorzüglich auf das östliche Ufer des Flusses ausströmt. Die nordöstlichen Winde hat man durch das Glommenthal selbst in ihrer ganzen Schärfe. Man hört alsdann zuweilen ein Krachen im vereisten Flusse, wie am Bothnischen Meerbusen. Es scheint eine allgemein bestätigte Erfahrung, daß vor Weihnachten die Kälte heftiger in den Tiefen als

am 20. Januar	Kl. 9	Morg.	26° Reaum.
—	— 9	Ab.	27 —
21.	— 9	Morg.	34 —
—	— 9	Ab.	35½ —
22.	— 9	Morg.	36 —
—	— 9	Ab.	32 —
23.	— 9	Morg.	26 —
—	— 9	Ab.	23 —
24.	— 9	Morg.	28½ —
—	— 9	Ab.	29 —
25.	— 9	Morg.	33½ —
—	— 9	Ab.	26 —
26.	— 9	Morg.	15 —

Es war freylich einer der strengsten Winter, dessen man sich erinnert, aber auch in andern Jahren hat man das Quecksilber hammern können.

auf den Höhen, nach dieser Zeit aber der Fall umgekehrt eintreffe. Die Thäler werden im Winter
von einem, ununterbrochenen, Luftzuge (Snee)
durchstrichen, dessen Richtung vom herrschenden
Winde bestimmt wird, der besonders auf gefrorenen
Flächen am durchdringendsten ist, und wie bis zu
den Höhen hinaufsteigt. Die Gewässer vereisen bey
Winden früher als bey stillem und klarem Wetter.

   In der letzten Hungersnoth, welche noch nicht
gänzlich in der Gesundheit des Landvolks verwun-
den ist, wurden in Tönset patriotische Versuche
vom Probst Dyrs gemacht, die Bewohner seines
Distriets an den Gebrauch der Moose zu gewöhnen,
welche nicht sehr entfernte Gebirge *) im Ueberfluß
liefern. Er hat diese Bemühungen bis in die darauf-
folgenden bessern Zeiten fortgesetzt; denn nichts ist
ungewisser in Norwegen, als hinreichende Lebensmittel. Ich fand Brot bey ihm, das zur Hälfte
aus Mehl, und diesen zu Brey gekochten Moosen
gebacken war; wenn gleich etwas bitterlich beym
ersten Anbiß, ließ es sich doch sehr wohl essen. Aber
noch immer kämpft der Pfarrer mit dem Vorurtheile
der Bauern, welche unter allen Dingen gewohnte
Nahrungsmittel am letzten vertauschen; die ärmsten

---

*) Doch gehören 4—5 Jahre dazu, ehe die Natur diese Moose
zu e ner neuen Ernte ersetzen kann

und hülfsbedürftigsten waren der Mauerung am hart-
näckigsten zuwider; lieber stopfen sie sich mit der
nahrungslosen Fichtenrinde, welche sehr viele zu-
sammenziehende Theile enthaltend, nach und nach
die Verdauungswerkzeuge völlig unbrauchbar macht.
Einer sogar in der Gegend von Foldal versuchte
seinen Hunger mit Speckstein zu stillen, und soll
ohne Beschwerde lange Zeit darin fortgefahren
haben *).

---

*) Es ist für Norwegen von höchster Wichtigkeit, die Anzahl
der Surrogate von einmahl gewohnten Bedürfnissen möglichst zu vermehren. Seine Handelsbilanz muß durch Concurrenz anderer Länder in Schiffbauholz und Eisen jedes
Jahr sinken; die unkluge Habsucht vieler Kaufleute hatte
durch zu starkes Zusammentreffen unter sich, und Anhäufung der Artikel auf Englischen Märkten diesen Unfall schon
lange vorbereitet; vom Besserwerden des Klima's durch
Niederhauen der Waldungen kann man nichts hoffen; die
Ernten werden wohl kaum an Ergiebigkeit zunehmen, und
selbst größere Ausbreitung des Ackerbaues würde die Einschränkung der Viehzucht, die Grundlage der Winterexistenz
des Landvolks, zur unvermeidlichen Folge haben. Sollte
man nicht auch darauf denken, Branntwein, dessen man
nun einmahl in Norden nicht mehr entbehren zu können
glaubt, aus andern Substanzen als dem kostbaren Getraide
zu brennen? Man hat neuerdings Versuche mit den Früchten des Ebereschenbaums (Sorbus Aucuparia) gemacht, die
vielleicht Aufmunterung verdienen. Ein solcher Baum, 20
Jahre alt, soll 1½ Scheffel Beeren liefern (ein Scheffel

Das Thal von Tönset war sowohl, als alle
die umliegenden, ehedem mit einer Sandausfütte-
rung versehen, in welcher der Glommen sich sein
jetziges Bett gewählt hat. An dem hinaufsteigenden
Glacisteppich ist sie noch sichtbar, und namentlich
Tönsetskirche liegt auf dem hervorspringenden
Winkel einer solchen Terrasse. Doch hat sich eine
mehrere Fuß mächtige Schicht eines mergelartigen
Thons darüber an die gegen Morgen gekehrte Thalwand gelegt, welche davon eine so große Tauglich-
keit zum Anbau erhält; die gegenüberliegende dagegen, ohne diesen Ueberzug, ist nur mit Aufwand
und Mühe zu bezwingen. Der Thonschiefer erscheint
überall in einem Zustand ungewöhnlicher Verwitterung. Bey etwas mehr Milde des Klima's könnte
man diesem Boden auch die edleren Kornarten ab-
fodern, während man jetzt bloß auf Hafer, die Grundlage des Fladbröds, rechnet.

Wie man sich Tolgen nähert, ist man sehr
erfreuet, die seit Bladsen beynahe vergessenen
Fichtenwälder wiederzufinden. Besonders in der
Nähe des Orts gibt es eine kleine Holzung dieser
Art, deren reinliche Erhaltung von der Aufmerk-

3 Pot Branntwein); es duldet jeden Boden, und ist zugleich tauglich zu Hecken u. s. w., um die öffentlichen Landstraßen zu schmücken.

samkeit der Eigenthümer einen vortheilhaften Begriff macht. Tolgen *) selbst ist eine Kupferhütte,
die zu Röraas gehört, und einen Theil der umliegenden Wälder verbraucht. Zu dieser Zeit war es
vielleicht die best-eingerichtete unter denen, woraus
dieses Werk bestehet. Die Bewohner des Districts
von Tolgen sind übrigens sehr feindlich gegen die
Administration von Röraas gesinnt; sie verloren
einen Prozeß gerade ihre Waldungen betreffend.

Dann folgt man ununterbrochen dem Laufe des
Glommen, und geht zuerst unweit Röraas über
denselben. Die Brücke, obgleich sehr kunstlos, wird
zu den besten des Landes gerechnet. Hierauf ver-
flächt sich das Terrain, und die Vegetation hört
auf; man fühlt, daß man sich Norwegens höchster
bewohnter Gebirgsebene nähert. Eine unzählbare
Menge hölzerner Häuschen breiten sich alsdann plötzlich auf der Fläche aus. Es sind Heuladen, und
jedes kleine dazu gehörige Gebiet ist auf die mannigfaltigste Weise befriedigt. Hinten darüber ragt ein
schöner, weißer, steinerner Kirchthurm hervor, von
auffallend netter Bauart und Form, an einen kahlen Felsen gelehnt, mit hohen schwarzen Schlacken-
haufen umgeben. Die Häuserchen ziehen sich immer
mehr zusammen. Man findet sich in Röraas, ohne

_____

*) Mit 2017 Einwohnern in 1801.

es zu ahnen. Alter, Sonne und Schwefeldampf haben die meisten Wohnungen melancholisch geschwärzt, und nur in der Hauptstraße stehen einige, die einer bessern Nachbarschaft werth wären. Kein freundlicher Baum erheitert, während der letzten halben Meile dahin, die beklemmende Empfindung von Oede und Einsamkeit.

Sechzehntes Kapitel.

Röraas und seine Umgebungen.

Plattform von Röraas. Lage der Stadt. Temperatur und
herrschende Witterung. Gesellschaftlicher Ton der Bewohner.
Wettlauf bey den Lappen. Der Fämundsöe und seine
Umgebungen. Waldungen.

Die Plattform, an deren westlichem Rande Röraas liegt, ist von der Natur auf die seltsamste
Art gezeichnet und abgesteckt. Thäler, welche ohne
Zweifel älter sind, als die Ströme, die jetzt
den Boden derselben einnehmen, beschränken und
isoliren dieselbe vollkommen, und geben ihr die Gestalt einer Epicykloide, deren große Axe sich von
Nordwest nach Südwest richtet. Der Glommen-
fluß, welcher von einer noch höheren Plattform,
Norwegens Central-Gebirgsebene, niederkommt, und
durch den Oeresund fließt, begränzt sie mit
diesem zugleich von Nordost nach Südwest; der

Feragenſöe beſtimmt ihre Schranken nach Mor-
gen zu, und eine Reihe kleiner Behälter, durch
Ströme verbunden, der Haaſöe, Rambergſöe,
Haaelf u. ſ. w. mitten inne liegend zwiſchen den
Feragenſöe und Glommen, vollendet gegen
Süd-und Südweſt die Gemeinſchaft der fließenden
Waſſer, und die bezeichnende Einfaſſung. Dieſe
Plattform iſt in der Richtung von Nordweſt nach
Südweſt durch eine Hauptthalkluft geſpalten, welche
die Reſultate des Regens und der Schneeauflöſung
in kleinen miteinander verbundenen Seen aufſam-
melt, und unweit Röraas ebenfalls in den Glommen ergießt. Es iſt die Erweiterung dieſes Thales
mit ſeinen Seitenäſten, welche die merklichſten Unebenheiten in der Gebirgsebene hervorbringt; die
untern Bewegungen des Bodens ſind nur hügel-
förmig. Hier jenſeit der Haupt-Waſſergränze bilden einige der höchſten Gebirge Norwegens, das
Slarvenfield, Bigelfield, Hummel-
field u. ſ. w., eine zweite und ſehr bedeutende
Einfaſſung.

Man erwartet ſchon von der hohen und zugleich überall ungeſchützten Lage von Röraas,
daß ſeine Temperatur ſehr niedrig ſey *). In dieſem

---

*) Aus Mangel an fortgeſetzten Beobachtungen kann man
keine Mitteltemperatur berechnen.

Winter stand das Thermometer sehr oft auf — 18°,
aber die Jahre, wo es bis auf — 28 und — 30° sank,
gehören nicht zu den ungewöhnlichen. In einem
alten, unvollständigen Journal eines Pfarrers im
Orte habe ich gefunden, daß im Jahre 1770 die
Kälte — 40° Celf. erreichte, mit sehr schnellen und
häufigen Uebergängen zu — 16 und — 14°. Es steht
auch darin angemerkt, daß im nämlichen Jahre die
Schwalben am 13. May erschienen, und am 24. August
wieder wegzogen. Man hat mich versichert, daß
die Birken, welche in einiger Entfernung von der
Stadt im Thale wachsen, kaum ihre jungen Blätter vor dem 7 — 8. Junius gewinnen.

Die Wärme erreichte vor 3 Jahren + 23° R.,
welches ihr Maximum zu seyn scheint, da hier kein
Zurückprallen der Sonnenstralen zur Erhöhung der
Temperatur beytragen kann. Mit der Intensität des
Sommers stehet die Ebbe und Fluth der Ernte in
genauester Verbindung; Wärme und Ertrag scheinen
jedoch seit einer langen Reihe von Jahren im Ganzen abgenommen zu haben.

Die erwähnten Anzeichnungen des Pfarrers enthalten gleichfalls interessante Angaben in Rücksicht
der herrschenden Winde. In der Anzahl der beobach-
teten Jahre waren die Abweichungen darin unbeträchtlich. Ich nehme das Jahr 1775 — 76 zum
Beyspiel. Hierin gab es 132 Tage mit Südostwind,

der gewöhnlich 3 — 4 Tage ununterbrochen anhielt;
106 waren mit Nord- und nordwestlichen Winden.
Im Jahre 1770 fielen 158 mit Südoft- und 108
mit Nord- und Nordwest-Wind ein. In diesem
kamen die Schwalben am 12 — 13. May, und verschwanden am 27 — 28. August.

Selten wird die strengste Kälte von Winden
begleitet, wodurch sie ganz unaushaltbar gemacht
wird. Aber dagegen finden bey milderer Temperatur, selbst von einigen Graden über dem Frierpunkte,
fürchterliche Schneestürme (Sne-Drifter) statt.
In einem solchen kehrte ich eines Abends von einem
nicht 1200 Fuß entfernten Hause in der nämlichen
Straße zurück, aber es war mir lange unmöglich,
meine Wohnung wieder zu finden, mit beständiger
Gefahr, im Andrange der Luft zu ersticken. Es ist
bemerkenswerth, daß darin auch die lautesten Töne
kaum in größter Nähe vernehmlich bleiben. Da die
Arbeiter in Storwartsgrube (der Hauptkupfer-
grube von Röraas) des Sonnabends zu ihren
Familien in die Stadt zurückkommen, also jeden
Montag eine neue Reise zu unternehmen haben, so
ist man genöthigt gewesen anzuordnen, daß in der
bösen Jahrszeit sich alle zusammenhalten, weil sonst
die etwas nachbleibenden ältern und schwächeren unfehlbar umkommen würden. Das schlimme Wetter
kommt immer von Süd und Südwest; Nord- Nordost-

und Nordwestwinde geleiten schneidendste Kälte, aber
klären den Himmel auf. Doch machte von dieser
sonst bewährten Erfahrung der Winter von 1812—13
eine ungewöhnliche Ausnahme, wo der Süd- und
Südostwind fast ohne Unterlaß wehete, und obgleich
das Thermometer doch niemals unter —12 bis 13° R.
fiel, der Himmel stets heiter blieb.

Das Thermometer steigt, wie überall, um einige
Grade, nachdem der Schnee in beträchtlicher Menge
gefallen ist, die Bildung der Schneeflocken mag
den Wärmestoff entbinden. Aber es schneyet in Norwegen bey weit tieferer Temperatur, als + 1°,
z. B. bey — 44 bis 6°. Bey noch niedriger, z. B.
bey — 12° habe ich mit einem klaren Sonnenscheine
in der Luft das Vereisen der Dunsttheile gesehen,
die in einem wunderschönen, blinkenden Regen den
hell - erleuchteten Raum in der Richtung des Luft-
hauches durchzogen. Immer neue Dämpfe schienen
an die Stelle der verdichteten und niedersinkenden
zu treten, so daß die glänzende Schöpfung lange
fortdauern könnte. Die hier bestätigte Erfahrung,
daß immer mehr Schnee in tiefern Gegenden als
in höhern fällt, beweiset schon den Antheil der
ganzen Atmosphäre an seiner Bildung.

Man wird bey dieser oder ähnlichen Gelegenheiten immer die mannigfaltigste Farbenbrechung
gewahr. Keine Worte gibt es für das Spiel des

Lichts in den Schneewolken über der niederſinken-
den Sonne; wie in runden Maſſen aufſchäumend,
ſcheinen ſie zuweilen ganz durchdrungen von Strahlen. Doch, auch der Sommer hat ſeine anmuthigen
Schauſpiele am Nordiſchen Himmel, wunderſchöne,
wollig-gekräuſelte, oder ruthenförmig ausgeſtreckte
Wölkchen, welche beſtändig eine vermehrte Elektri-
cität in der Luft, ſüdliche oder ſüdöſtliche Winde,
und nahe Gewitter ankündigen.

Zu den nächſten Umgebungen von Röraas
kommt höchſt ſelten irdend eine Art des Korns zur
Reife. Wagt man die Ausſaat daran, ſo iſt man
gewöhnlich gezwungen, ſie noch im Gras zum Futter des Viehes zu ſchneiden. Der Tage von reifen-
der Wärme gibt es nur ſehr wenige, in manchen
Jahren fällt noch Schnee um St. Johannis herum,
und man führt 3 berüchtigte Septembernächte an,
darum auch Eiſennächte (Jernnätter) genannt, welche gemeiniglich die letzte Hoffnung vernichten. Eben ſo wenig gerathen Balgfrüchte, noch
ſelbſt die alles duldenden Erdäpfel vermehren ſich
einträglich, wenn ſie nicht auf ſehr geſchützten und
ſonnigen Stellen gepflanzt und mit anhaltender
Sorgfalt gepflegt werden. Der Boden, ganz ſan-
dig, iſt nur fleckenweiſe mit Thon bedeckt, kaum
zu Wieſenwachs tauglich, und fordert doppelt ſoviel
Dünger als anderswo, den man noch dazu jedes
Jahr von neuem auftragen muß.

Die Walbungen, ober vielmehr die Gebüsche,
die in der umliegenden Gegend zerstreuet sind,
haben durch die Kenntnisse und Aufmerksamkeit des
Lt. Ramm, unter dessen Aufsicht sie nun stehen,
Vieles gewonnen. Meistens überall in dem ihm un-
tergebenden Districte, hat er die Vertheilung der
Gemeindewälder unter die Inhaber eingeführt. Dies
kann für einzelne Stellen, die in die Hände träger
und unordentlicher Wirthschafter gerathen, seinen
Nachtheil haben, wird aber doch für das Ganze
vortheilhaft werden, durch natürlich erhöhete Sorgsamkeit des bessern Theiles der Bauern, um das
zu bewahren, was nun als ein wirkliches unge-
theiltes Eigenthum angesehen werden kann.

Starke und anhaltende Kälte setzt Röraas
zuweilen den Besuchen von Wölfen aus, vorzüglich
des Nachts. Sie haben es besonders mit den Hunden zu thun, und man hat Beyspiele, daß sie auf
freyem Felde dieselben aus dem Schoose ihrer be-
sorgten Herren herausgerissen haben. Menschen grei-
fen sie nur in höchster Noth an; auf großen Flächen,
wie z. B. gefrornen Seen, und wo kein Haus oder
anderer erhabener Gegenstand sie für einen Hinter-
halt besorgt macht; ebenfalls müssen da mehrere
beysammen seyn. Wird man von ihnen verfolgt
(und sie traben oft geräumige Strecken neben dem
Schlitten her), so verscheucht man sie durch etwas,

I.   17

das hinten herunterhängt und nachschleppt: vielleicht halten sie es für eine Schlinge. Des Nachts
kann man eine brennende Fackel anzünden, oder
nur Feuer schlagen. Einige Winter hindurch verschwinden sie durchaus, vielleicht zerstören sie sich
in großer Noth untereinander selbst; andere Jahre
sieht man sie wieder truppweise. .

Um das innere Wesen der Norwegischen Geselligkeit kennen zu lernen, ist der Winter immer
die bequemste Jahrszeit. Jedes Haus wird dann
zu einem eigenen durch sich selbst bestehenden Staat,
und unabhängig von allen Umgebungen. Die Familie, von kurzen Tagen, trüben Wolken und unfreundlichem Wetter innen gehalten, schließt sich in
sich selbst ein; kommen mehrere von ihnen auf Tage
zusammen, so machen gleiche Umstände die Verbindung noch inniger, der Gedankenwechsel wird zwang-
los, höchst unbefangen und vertraulich. Der Kreis
der Ideen ist nicht sehr ausgedehnt, man hat ihn
schon seit Jahren erschöpft, selbst kleinerer Vorfälle
gibt es weniger, so müssen dann besonders bey Männern, denen bey Entfernung und schwierigem Post-
umlaufe zuweilen sogar politische Materien abgehen,
Tabackspfeife, Punschglas und Karten die langen
Stunden zwischen Theezeit und Abendessen erfüllen.
Aber man erstaunt, wenn man einmal der Art des
Zusammenseyns gewohnt ist, über die zuthunliche

Gutmüthigkeit, über den rechtlichen Geist, und die behagliche Fülle des gesunden Menschenverstandes, welche den Gedankenaustausch wo nicht beleben, doch in einem erfreulichen Daseyn erhalten. Mein Umgang in Röraas war nur eingeschränkt, aber täglich und angenehm. Fast alle unbeschäftigte Stunden, deren ich mich mit Vergnügen erinnere, verbrachte ich in der liebenswerthen und gebildeten Familie Knoph.

Es wäre unverantwortlich gewesen, so nahe bey den Lappen zu seyn, ohne mich unter ihnen umgesehen zu haben. Gerade lagen einige ihrer herumziehenden Familien dicht an der Gränze. Im 3. Jan. 1812 begaben wir uns daher auf den Weg, in einem bequemen Schlitten wohl eingepackt. Wir folgten dem Laufe der Gewässer, worauf man im Winter mit der nöthigen Vorsicht auf das allerbequemste fortkommt; denn die den Thalwänden folgenden Windströme fegen meistens die gefrorene Fläche rein. So fuhren wir ohne Anstoß noch Gefahr über den Rismaaesöe, und den Jösvigelv, der ihn durchfließt, sich tiefer mit dem Glommen vereinigt, seinen Namen zum zweytenmal in Haanelv verändert, da er weiter hinauf schon Dalselv geheißen hat. Nur die großen Flüsse sind in Norwegen von dieser Knechtschaft befreyt, ihre Namen nach Maßgabe der einzelnen Distriete, die sie berühren, annehmen, oder auf-

geben zu müssen. Für den Reisenden, der ein wenig
schnell über die kleinen Ströme und Gebirgswasser,
ja zuweilen mehrmals über das nämliche übersetzt,
ist eine Verwirrung schwer zu vermeiden. Und doch
führt die Kenntniß des Laufes und Zusammenhangs
der Wasser zur Kenntniß des Thalstreichens, also
zu jener der Natur des ganzen Landes.

Die Seen von Rismaae und Ramberg,
welche in der Linie dieses Stromes liegen, scheinen
dem ersten Ansehen nach bloß zufällige Erweiterungen desselben, aber können sehr wohl Ueberreste
größerer Wasserbehälter seyn, wovon man im Jä-
mundsöe, Feragensöe u. s. w. Beyspiele in
der Nähe hat. Die Sandterrassen, welche dieser
Gegend so charakteristisch eigen sind, finden sich fortdauernd an den Thalseiten angelagert, ragen selbst,
von der geringen Gewalt des Stromes unbewegt,
in sein Bett hinein, und krümmen oft seinen Lauf.

Man kommt hier durch einen Theil der zum
Kupferwerke gehörigen Holzungen. Sie bestehen
meistens in Birken, wenigen Fichten; in den letzten
Zeiten werden sie in ziemlicher Ordnung und Reinlichkeit gehalten. Höher hinauf fanden wir im Flusse
viele offene Stellen, der starke Strom verhinderte
das Frieren, selbst die leichteste Eisdecke, aber der
Schnee bildet gewöhnlich darüber ein täuschendes
Dach. Dies würde diese Löcher gefährlich machen,

wenn sie tiefer wären. Doch wo sie es sind, frieren
sie bis zum Boden hinab; denn hier gerade ist Mangel an Bewegung.

Die Kürze des Tages beendigte unsere Reise
bey einem Hofe, Quistgaard genannt, wo wir
noch ¾ Meilen von den Lappen entfernt blieben.
Am Tage darauf wurde der Weg viel beschwerlicher,
und die ersten Schlitten mußten im tiefen Schnee
die Bahn brechen. Die Gemeinschaft der Lappen
mit den angesessenen Einwohnern ist nur zufällig,
auf Umstände und Jahrszeit eingeschränkt: auch sind
ihre Fahrzeuge so leicht, daß jeder sich im Schnee
einen neuen Weg ohne Unbequemlichkeit ausführt.
Endlich trafen wir auf Spuren von Rennthieren
zwischen Wäldern und Buschwerk; man bedient sich
dieser Thiere zu Zeiten, um Personen von Stande,
die man erwartet, den Zugang leichter zu machen.
Sie kamen zuletzt selbst zum Vorschein, von zwey
jungen Mädchen bewacht und geleitet, die, auf
langen Schlittschuhen einherfahrend, mit Schnee-
stäben in der Hand, tief in Pelz und Tuchlappen
gehüllt, mehreren kleinen Hunden Anweisungen gaben,
welche mit unaufhörlichem Klaffen die Heerde zusam-
menhielten.

Nun waren wir bey ihren Wohnungen, einigen
alten verfallenen Sennhütten, die von vier Familien
besetzt waren. Die Nähe mehr aufgeklärter Districte

schien bedeutende Veränderungen in ihrer Kleidungs-
art hervorgebracht zu haben. Die Mannspersonen
trugen Pelzmützen, wie die Norwegischen Bauern;
die Weiber hatten ihre Kopfbedeckungen von Tuch,
Mützen mit nach den Backen zulaufenden Spitzen,
die Unverheiratheten von grüner, die Verheiratheten
von schwarzer Farbe, worüber alsdann eine Pelz-
kappe hergezogen wird. Ihr Anzug war nicht ohne
Zierrathen, und vorne an einigen Hemden sah man
silberne Knöpfe. Beyde Geschlechter tragen lange
Beinkleider, beyde schmieren sich das Gesicht mit
Rennthierfett ein, wahrscheinlich zum Schutz gegen
die Kälte im Winter, im Sommer gegen die Mücken.
Gewöhnlich leben sie, wo sie keine verlassenen Wohnungen zu beziehen finden, unter Zelten, die aus
einem Stücke groben Tuches bestehen, welches man
um vier Stangen wickelt, indem oben zum Ausgange des Rauches eine Oeffnung frey bleibt. Unten, wo es die Erde berühret, häuft man Schnee
daran auf, um das Eindringen der Luft zu verhindern.

Sie leben hier gesammelt in Familien, die zuweilen miteinander verwandt sind, doch vereinigt sie
meistens die Gelegenheit, und die Bedürfnisse ihrer
Rennthiere trennen sie von neuem. Denn diese sind
die eigentlichen Herren, und wenn sie weiter wollen,
muß der Lappe ihnen nach; besonders treibt sie im

Frühjahr die Sehnsucht nach jungen Grasspitzen und der Gebirgsluft unaufhaltsam fort. Auch hat der Lappe kein anderes Eigenthum als sie; denn auch die Weiden gehören ihm und keinem andern *). Auf der Gränze, zwischen zwey Reichen herumirrend, entziehen sie sich den Gesetzen von beyden, und keine Art Abgabe läßt sich von ihnen erzwingen. Sie hängen eben so wenig unter sich selbst ab, und es sind nur die gemeinschaftlichen Gebräuche, welche für sie etwas Bindendes haben.

Auch hier haben übrigens aufgeklärte Personen sie in Verdacht, daß sie ein wenig Hexerey treiben; jedoch sind es bloß die allerdümmsten unter ihnen, die es wagen, aus dieser Furcht Vortheil zur Unter-

---

*) Oft kommen sie mit den Bauern in Streit, deren persön-
liches Eigenthum ihre Rennthiere, zuweilen selbst wider
ihren Willen, betreten, und ein solches Ereigniß gab im
Jahre 1814 zu einer unverhältnißmäßigen, ja beyspiellosen
Rache Gelegenheit. Einige Einwohner der Districte von
Röraas und Reendal rotteten sich zusammen, um
3 bis 400 Rennthiere, die ganze Habe einiger armen Bau-
ern-Familien, völlig zu vernichten. Die Regierung nahm
sich mit Eifer der Untersuchung an, aber die Formen sind
lang und verwickelt, der vorgebliche Anführer dieser Räu-
ber- und Mörderhorde, ein Bauer von Aas, erlaufte sich,
und ich fürchte, die gerechte Entschädigung der Lappen ist
noch ausgeblieben.

tung übertriebener Forderungen zu ziehen. Diese kleine Vorurtheile wohnen ihnen ohne Zweifel bey, doch wohl kaum mehr, als der niedrigsten Volks-klasse in jedem andern Lande. Sie geben z. B. nie die Anzahl ihrer Rennthiere an. Viele ihrer häus-lichen Gebräuche sind mit einer geheimnißvollen Stille umgeben, und man kennt keinen Fall, daß jemand unter ihnen diesen wunderbaren Schleyer aufgehoben hätte. Darum beschuldigt man sie auch (ich meine den verdorbenen Theil dieser Nation, der auf der Gränzscheide beyder Reiche verwildert ist), daß sie sich ihrer alten Leute entledigen, dergleichen man sehr selten unter ihnen gewahr wird. Sie be-graben ihre Todten im Winter nicht, sondern hän-gen sie in einem Sacke an der Decke auf; ein glaub-würdiger Augenzeuge in Nöraas versicherte mich, so unter mehreren andern Effekten drey todte Kin-der eingewickelt gefunden zu haben. Uebrigens heißen sie sich Christen, und bedienen sich des nächsten Pfarrers, um alle die Ceremonien mit sich vorneh-men zu lassen, deren sie zur gesetzlichen Gültig-machung ihrer Angelegenheiten bedürfen.

Der Diebstal untereinander selbst scheint ihnen völlig unbekannt. Man versichert sogar, daß man kein Beyspiel kenne, wo sie Fremden etwas offen-bar entwendet hätten. Aber Eigennutz und Völlerey, vom übertriebensten Hochmuth begleitet, sieht man

ihrem ganzen Verkehr an. Niemals würde ein fremder Lappe mehr trinken, hätte der Hauswirth damit
den Anfang gemacht. Will man etwas mit Erfolg
verhandeln, so muß man dem Antrage, Taback
und Branntwein vorangehen lassen. Diese Lappen
hier standen unfehlbar auf einer sehr niedrigen
Stufe der Menschheit, vermuthlich waren sie durch
den Mißbrauch der geistigen Getränke vollends ent-
artet, und der Branntwein, welchen wir mitge-
bracht hatten, und ihrem schamlosen Treiben nicht
verweigern konnten, setzte die ganze Versammlung
und besonders die Frauenzimmer, in eine so wider-
liche Verfassung, daß uns allen freuer ums Herz
wurde, wie wir wieder davon kamen.

Unterdessen war die Renuthierheerde näher gekommen, ungefähr aus 4 bis 500 Stücken bestehend.
Eine Menge kleiner häßlicher Hunde von der Gattung, die man Spitze oder Pommer nennt,
liefen mit unglaublicher Hurtigkeit bellend um sie
her, und trieben sie auf das Geheiß des Führers
bald vor- bald rückwärts. Es liegt etwas, das
sich nie wieder vergißt, im Anblick eines so heran-
kommenden Trupps dieser Thiere, deren Geweih
grade die Hälfte der ganzen Höhe betragen, und die
sich doch damit auf das behendeste unter den herabhängenden Zweigen hindurch schmiegen. Ein eigenes Kni-
stern, wie von elektrischen Funken, in den Sehnen ihrer

Füße bezeichnet ihren Schritt. Sie können ihre
Zehen erweitern, um sich auf dem Schnee festzu-
halten. So schüchtern und wild sie auch aussehen,
so kann man sie doch zu Vielem erziehen, man
macht sie durch Scherze und spielende Neckereyen
zutraulich; die Gewandtheit der Lappen, welche der
ihrigen kaum etwas nachgibt, wird hierin sehr be-
hülflich. So bringt man sie dazu, sich ohne Mühe
einfangen und an den kleinen Schlitten spannen zu
lassen. Wir sahen junge Mädchen, welche die größte
Fertigkeit zeigten, ihnen aus einer weiten Entfernung Schlingen über die Geweihe zu werfen.

Im Sommer gehen sie frey, und verlaufen sich
oft sehr weit; im Winter gebraucht man die Vorsicht, sie des Nachts in Verzäunungen zusammen zu
halten. Sie fressen nur wenig Moos auf einmal
(im Winter unter dem Schnee und den Steinen
hervor), aber sie reißen davon sehr viel verschwen-
derisch aus. Uebrigens sind sie den Baumpflanzun-
gen nicht weniger schädlich als die Ziegen, besonders den jungen Bäumen, und die Weiden, welche
sie betreten, sollen lange unbenutzbar bleiben, weil
das Rindvieh, eines nachbleibenden Geruchs wegen,
den entschiedensten Abscheu dagegen äußert. Bloß
im Frühjahr kalben sie, so daß man im Winter nur
wenig Milch von ihnen erhält. Die Butter davon
kenne ich nicht; der Käse ist zäh, trocken, leder-

artig; man hat die Butter schon vorher aus der
Milch gezogen, die übrigens sehr fett ist. Die Rennthiere liefern auch den Hauptwintervorrath für die
Einwohner von Röraas und die Umgebungen. Die
Verkäufer bringen sie dahin, und schlachten sie selbst
höchst ungeschickt und barbarisch mit Messerstichen
in der Seite. Die Häute dienen zugleich zu Unter-
und Oberbetten.

Die Art, sich derselben zum Fuhrwerk zu bedienen, ist sehr unvollkommen, und gleich beschwerlich für den Führer und das Thier. Der Schlitten
hat die Gestalt eines abgeplatteten Bootes, worauf
der Fahrende sich nach allen Seiten umdrehen kann,
sich balancirt und in der Noth sehr geschickt mit den
Händen hilft. Ein einziger Strick, woran das Thier
zieht, geht ihm, am Halse befestigt, zwischen den
Beinen durch; ein anderer, ebenfalls daran gebunden, dient zum Zügel, und man lenkt das Thier,
indem man ihn von einer Seite zur andern über die
Gewölbe hin und her schleudert. Das Rennthier,
seiner Behendigkeit und der Gestalt seiner Zehen
wegen, sinkt nicht, oder sehr unbedeutend in den
Schnee ein, der breite Schlitten eben so wenig,
und so findet der kleine und gelenkige Lappe seinen
Weg überall.

Die hier gesehenen Lappen waren alle von kurzer
Statur und sehr häßlich, mit viereckigen, unten

spitz zusammenlaufenden Gesichtern und zurückge-
drängter Physiognomie; augenscheinlich lag darin der
Ausdruck, welchen die Miene in unfreundlichem
Wetter, oder von etwas geblendet, annimmt. Die
gewaltsame Sonnenhitze bringt sie bey den Negern
hervor; hier mögen von der ersten Jugend an Schnee
und Rauch das ihrige thun. Die gelenkigste Biegsamkeit in allen Gliedern zeichnet beyde Geschlechter gleich aus. Gräßlich eingewickelte Frauen liefen
uns überall auf ihren Schlittschuhen mit gefälliger
Leichtigkeit vorbey, von ihrem Hündchen gefolgt.
Sie hatten fast alle rothe und triefende Augen wie
die Männer; ich sah sogar einige fast Blinde darunter. Sie schnupfen den Taback, während die Männer ihn eckelhaft kauen; man sagt, sie seyen sehr
zur Wollust geneigt, der Branntewein machte sie
äußerst gesprächig und dringend.

So weit die Bemerkungen und Belehrungen des
Tages. Später werde ich auf dies Volk zurückkommen, und alsdann ausführlicher seyn können.

Die neuen Einrichtungen, welche Röraas erk
erfoderte, und besonders die Aufsuchung einer bequemern Stelle für Fämundshütte, führte mich
im Jahr 1813 zusammen mit dem Forstinspektor
Lt. Ramm zum Fämundsöe. Zuerst folgten wir
dem nämlichen Weg, den ich zum Besuch der Lappen im
Winter genommen hatte, bis Quißgaard, worauf

Wir die Reihe der Seen und zwischen-liegenden
Ströme bis Nordvig hinangingen, wo das nördliche Ende des großen Wasserbehälters anfängt. Welche
gewaltsame Ueberschwemmungen diese im Sommer
so unbedeutend scheinenden Gewässer veranlassen können, wird von den großen Anhäufungen von Steinmassen unweit Schiebdal angedeutet, die von
einer einzigen Regenfluth im Jahr 1789 herrühren.

Der Fämundsöe hat ungefähr 5 Meilen Länge,
und 4 in seiner größten Breite bey Solleröe.
Seine östlichen Ufer, von vielen Querthälern durchbrochen, hängen mit Gebirgen zusammen, welche
der großen Kette parallel laufen, und gehören zum
Theil einer besondern Konglomeratformation an,
wovon man auf dem westlichen und südlichen Ufer
viele Blöcke angeschwemmt findet *). Seine Gewässer sind stürmisch bey nördlichen und südlichen
Winden, welche dieselben in seiner ganzen Länge
ergreifen. Er soll an einigen Stellen über 2—300
Klafter Tiefe haben. Mit dem Miösee und andern
inländischen Seen hat er viele Traditionen gemein,
worunter die einer großen Wasserschlange, welche

---

*) Man findet dergleichen ebenfalls in den Umgebungen von
    Röraas, und selbst bis zur Höhe von Kongensgrube,
    mehr als 3000 Fuß über dem Meeresspiegel, und jenseits
    des Glommen fortgewälzt, welches ein großes, diese ganze
    Strecke bedeckendes Wasser voraussetzt.

einer von unsern Bootsleuten mit eigenen Augen
gesehen zu haben versicherte. Sie hatte die Dicke
eines mittelmäßigen Mastes, und über 100 Ellen
Länge; sie blieb ziemlich lange sichtbar für viele
Menschen, die am Ufer versammelt waren, und
von denen einige nach Hause eilten, um ihre Flin-
ten zu holen. Nur bey den heißesten Sommertagen,
also bey vermehrter Dunstentwickelung, soll man dergleichen bemerken; aus welchem Umstand diese Erscheinungen, welche auch in Island fast täglich
vorkommen *) sehr natürlich zu erklären sind.

Am südlichen Ende des Fämundsöe (Fä-
mundseude) fanden wir zwischen dem Drivsöe

---

*) Bey diesem phantasiereichen Volke vervielfältigt der nor-
dische Hang zum Außerordentlichen alle diese wunderbaren
Schöpfungen. So wurde von einem Holländischen Schiffer
ein Drache mit Kanonenschüssen von Ormebale nach
Hammerfiorden getrieben, wo er sich nun aufhält.
Eine große Schlange lebt im Lagarfliotet, und ein
anderes Ungeheuer gleichartiger Natur auf Hvamms-
fiorden in Dalesulsel. Das schlimmste ist, daß kein
Einwohner sich auf diesen Stellen zu fischen getrauet. Der
Lyngbakur (ihr Kraken) erscheint zuweilen an ihrer
Küste, wie eine Insel mit starker Bewegung (wodurch
sein Wesen als Lufterscheinung doch zweifelhaft wird); nur
jedes dritte Jahr braucht er einmal Nahrung, aber dann
verschlingt er auch alles, was ihm vorkommt, mitunter
ganze Wallfische und Kächelott.

und Wurusöe ein vortheilhaftes Lokal für die
neue Hütte. Der Drivsöe erhält seine meisten
Gewässer von Quitleelv; er wird mit dem Wurusöe durch den Wurusöeaae verbunden, welcher gegen Osten vom Fämundsende ½ Meile
und 3 Meilen von der Schwedischen Gränze entfernt ist. Die benachbarten Holzungen werden für
die neue Hütte von äußerster Wichtigkeit werden.
Schon hatte man die am Wurusöe, Drivsöe,
Glötrohrskaftet u. s. w. benutzt, aber viel bedeutender sind die nahe an der Reichsgränze und
von der jetzigen Hütte zu weit entlegenen sogenannten Gyltningstrakter.

Wir waren Zeugen eines Waldbrandes in dem
der Fämundshütte gegenüberliegenden Elgaa-
dal, welches sich in großer Hitze sehr häufig ereignet. Man bekämpft diese Entzündungen nur mit
größter Mühe; weil ihre heftigsten Punkte, welche
man gerade angreifen sollte, nur in dunkler Nacht,
die des Sommers fast gar nicht statt findet, wahrzunehmen sind; am besten ist es sie abzugraben. Auch
in Schiebdal entstand während meines Aufenthalts in Röraas ein solcher Brand durch einen
Blitzstrahl.

Der Zustand der Waldungen ist, wie ich schon
mehrmals angemerkt habe, überhaupt ein Gegenstand, worauf man in Norwegen nicht Sorgsamkeit

genug verwenden kann. Einem Theile der Schwierigkeiten ist in dieser Provinz durch Aufhebung der Gemeinschaften begegnet. An regelmäßige, neue Pflanzungen ist schwerlich zu denken; denn man muß dabey, besonders an so wenig geschätzten Stellen, die Nachtfröste fürchten, welche sogar im Sommer nicht ausbleiben. Zweyjährige Birkenstämme gingen deshalb vor einigen Jahren in Tönset, auf einem sehr gedeckten Orte am Ufer des Glommen und in der besten Jahrszeit zu Grunde. Man kann eben so wenig auf Selbstaussaat rechnen; denn hochgelegene Bäume haben nur wenig Samen, und z. B. in den Nordlanden kommt dieser nur jedes 7 — 8te Jahr zur Reife.

In den letzten Jahren hatten die Nadelholz-Waldungen hier außerordentlich gelitten. Die meisten jungen Bäume waren von ihrer Rinde entblößt, welche man bey allen Wohnungen zur traurigen Nahrung der halb verhungerten Einwohner aufgehängt sah. Der Borkenkäfer (Dermestes Typographus) hatte dazu noch einen weiten Bezirk in der Nähe von Trondheim heimgesucht. Gewöhnlich wüthet er 2 — 3 Jahre, dann verschwindet er wieder. Man behauptet, die Ameisen sollen ihn wirksam bekriegen, und in diesem Falle würde die Fortpflanzung und Ausbreitung dieser Thiere, aus denen man hier auch neuerdings Essig zu destilliren

angefangen hat, zu einem Gegenstande der Staats-
Oekonomie werden.

Vorzüglich sollte man auch die Pflanzungen der
Birken unterhalten, wovon nichts zum häuslichen
Gebrauch verloren geht, Blätter und Rinde zum
Futter, Gerben und Dachdecken dienen, Zweige
und Wurzeln zu kleinen Arbeiten. Man fehlt in
Norwegen, besonders darin, daß man sie zur unrech-
ten Zeit, d. h. wenn sie schon Blätter getrieben
haben, fällt. Es ist bemerkenswerth, daß wenn
man ansehnliche Nadelholzwaldungen ganz nieder-
gehauen hat, immer zuerst Birken freywillig erscheinen, und nur später von Fichten verdrängt werden.

Der Mangel an Holz wird hier zum Theil durch
den Gebrauch des Grastorfes ersetzt, wodurch man,
da dieser sich nur erst nach mehreren Jahren wieder
erneuert, der Viehzucht ein wesentliches Hülfsmittel
entzieht.

~~~~~~~~~~~~~~~~~~~~~~~~~~~~~~~~~~~~~

Siebenzehntes Kapitel.

Norwegens Central-Plattform.

Der Oresund. Forellenfang. Stuedal. Seen auf der Plattform. Höchste Gebirgsebene Ebenungen. Bezirk der Quellen von drey Hauptströmen Norwegens.

Auf dem Wege von Röraas nach Norwegens
Central-Plattform kommt man zuerst Storwartsgrube vorbey. Von hieraus nehmen Sümpfe und
unfruchtbare Steppen immer zu; man findet keine
bedeutende Hügel, der Boden ist nur durch langsame Wassereinwirkung zu runden Vertiefungen aus-
gefressen, hemmt überall den Umlauf der Gewässer
und sammelt sie theilweise auf. Man erreicht durch
ziemlich ausgedehnte, doch niedrige Birkenholzungen
hindurch, den großen See Oresund.

Von der Anhöhe, die man niedersteigt, nahm
er sich wunderschön aus. Seine ruhigen Fluthen

umfaßten, wie ein Spiegelrahmen eine Halbinsel,
lieblich bebüscht und bewohnt, dazu noch von dem
heitersten Sonnenhimmel beleuchtet. Es war so
still auf seiner Oberfläche, daß man nur mit
Mühe die Gränzen der wirklichen Ufer von denen
unterscheiden konnte, die sich darin so grün und
freundlich abbildeten.

Dieser See, dessen Naturschönheiten nur dem
Fremden auffallen und werth sind, verschafft sich
dagegen unter den Einwohnern ein gerechtes An=
sehen durch seinen einbringenden Forellenfang. Die
Fische versammeln sich im Herbst auf seinen seichten
Stellen; in den andern Jahrszeiten stellt man ihnen
niemals nach. Die Fischerey mit der Angel macht
den Norwegischen Bauern Langeweile. Der Glom=
men, welcher den See in seiner ganzen Länge durch=
fließt, führt ihm aus den oberen Gebirgswassern
diese Fischart so wie viele andere in Menge zu.
Aber es ist nicht leicht zu begreifen, warum sie ihm
nicht weiter folgen; denn er ist in dieser Hinsicht
als Norwegens ärmster Fluß verschrieen.

Wir schifften uns in einem leichten Boote bey
Bekaas ein, um den See in seiner Breite zu
durchschiffen. Auf den Höhen nahmen wir noch
einige Ingenieur=Offiziere wahr, die, um die große
Karte des Landes zu vollenden (woran die Regie=
rung schon seit mehreren Jahren mit Erfolg arbeiten

ließ), eben ihre Triangel zogen. Die ganze Umgebung dieses Wasserbehälters ist lebendig von Anbau
und Wohnungen, aber auf die pittoresken Fichtenwälder, die zum Norwegischen Landschaftscharakter
unentbehrlich sind, muß man auf dieser Höhe Verzicht thun. Die Birken hatten sich jedoch in niedliche Gruppen zusammengethan, und gerade bey
einer der schönsten von ihnen, unweit Myrmoe,
landeten wir. Hier fanden wir Pferde vor, und
stiegen vergnügt auf.

Der Weg war kaum zwischen den dicht ineinander gewachsenen Birkengebüschen erkennbar. Sobald
diese östlich sich ein wenig weggezogen hatten, und
das Auge nach den Höhen hin vordringen konnte,
so war der erste Gegenstand, den man an ihrem
Fuße erblickte, der Mösöe. Er liegt in einem
tiefen Thale, durch welches man allein noch vom
Hauptgebirgsrücken geschieden ist; der Möaa e macht
sich daraus los, fällt in den Stuesöe, und verstärkt zuletzt den von der Central-Plattform kommenden Tyaelv, mit ihm gen Norden abfließend.
Der Stuesöe breitet sich beynahe im Morgen-
schatten des merkwürdigen Punktes aus, von dem
die Hauptzüge des Skandinavischen Gebirgssystems
nach allen Richtungen auslaufen. Man siehet über
ihm das Helagsfjäll, in seiner ganzen Höhe
und Pracht, und nicht weit davon den Gebirgsriß
von Skarvdörn.

' Da die Nacht herankam, mußten wir nach Stuedal herunter, um daselbst bis zum Morgen zu bleiben. Das Haus, dessen Bewohner übrigens eine
mehr als gewöhnliche Cultur zu erkennen gab, er-
füllte mich am Abend mit Bildern, die mit denen
des Tages unendlich in Widerspruch standen. Dieser
für die geognostische Uebersicht des Landes so wichtige Punkt hatte mich bis dahin tief mit der Theorie
seiner Bildung beschäftigt; nun fand ich dagegen
das menschliche Leben in einen kleinlichen Kreis von
Alltagsideen getreten. Das Zimmer, das ich bewohnte, war wunderbar mit bunten an der Wand
angeklebten Kupferstichen geschmückt: da war Bon-
daparte met sin Gemal in einer kurzen Schwedischen blauen Jacke mit rothen Beinkleidern und
Halbstiefeln, schön frisirt und gepudert, mit aus-
nehmend feiner und schlauer Physionamie. Jonas
saß unter einem großen Kürbiß, und vor ihm stand
predigend ein Engel mit zeisiggrünem Haare, der
König Belsar (Balthasar) schmaußte an einer
schlecht besetzten Tafel in Gesellschaft von drey
Schwedischen Bauern und einer jungen Dame des
nämlichen Standes, mit Ordenskreuzen auf beyden
Seiten verziert. Alles Hausgeräth war mit grellen
Oehlfarben überstrichen; ein langes Gestell mit blen-
denden Tellern besetzt und eine große Laterne glänzte
in ihrer Mitte. Hierzu kam eine dogmatische und

ökonomische Sammlung von Schwedischen und Dänischen Schriften. Gleiches Interesse und verschiedene Bedürfnisse schmelzen hier National - Charaktere,
Kenntnisse, Geschmack ineinander, und man bequemt
sich so im Norden weit besser zusammen als im Süden
des nämlichen Landes, wo sich mehr Eifersucht im
bürgerlichen Verkehr einnistet und von außen kommende Eingebungen, Vorfälle, Fabeln, jeden Augenblick den Haß auffrischen, welcher die benachbarten
Völker entzweyet, eben weil sie benachbart sind.

Hier sah ich denn auch die Zubereitung des ver-
derblichen Rindenbrotes wieder in vollem Betriebe.
Die Holzmasse wird zum Trocknen aufgehängt, dann
durchgeklopft, und zu einem Brey gestampft, den
man im Ofen backt. Die Einwohner haben hier nur
Viehzucht, und den Ertrag derselben zum Umtausch
gegen alle ihre anderweitigen Bedürfnisse. Alle Versuche, um wenigstens Erdäpfel und Kohlrüben, die
doch bey Vadsöe unter 70° 10' Breite gedeihen,
hier hervorzubringen, liefen bis jetzt fruchtlos ab *).
Ihre Ernte beschränkt sich ausschließlich auf Heu,
und oft wird diese noch durch Hitze und Kälte,
Dürre und Nässe im Uebermaas, oder zur unrech-
ten Zeit, geschmälert. Die Jagd ist wenig ergiebig.

---

*) Mit den Rüben glückte es doch in Coppoa, eine Meile
davon entfernt.

Die Krammetsvögel, welche sich bis hieher verirren,
kommen am Ende des Maymonats an, und verlie=
ren sich im Anfange Octobers. Von Wölfen sahen
wir Spyren. Im Winter wird dies schmale und
und tiefe Thal wie von der ganzen übrigen Welt
abgeschnitten. Die Orkane, welche von Norden
kommen, fegen es gleichsam in seiner ganze Länge,
von allen nur etwas beweglichen Dingen rein, ja
reißen von den Felsen zuweilen die Moosdecken
herunter.

Ersteigt man die Plattform von diesem Thale
aus, so findet man auf verschiedenen übereinander=
liegenden Abstufungen zwey Seen, den Culings=
föe und den Borföe, wovon der letztere fast
⅛ Meile lang seyn kann, und sehr viel Fische ent=
hält. Andere gleichfalls bedeutende liegen höher
hinauf. Der Grönföe, der seinen Namen einer
zu Röraas gehörigen Kupfergrube Grönskalet
gibt, hat ungefähr ½ Meile im Umkreis, und wird
ebenfalls als sehr fischreich betrachtet. Man mag
fragen, woher kamen die ersten Stammeltern der
mannigfaltigen Fischgeschlechter in allen diesen Ge=
birgsseen, die unter sich in keinem, und mit den
Flüssen=in einem von unter her unzugänglichen
Zusammenhange durch hohe Sprünge und Stürze
stehen?

Viele kleinere Gewässer stehen mitten unter den Morästen, welche der Wolkenzug und seine unmerkliche Destillation wie das Schmelzen ewiger Schneeflecken ohne Ablaß mit neuem Zufluß versiehet. So entspringen Bäche daraus. Der Svartsöe entledigt sich seines Ueberflusses vermittelst des Svaartaaen. Ein anderer See sendet einen Bach in das Guldal nieder, wo er den Guulelv, dessen Ursprung ebenfalls in der Nähe liegt, verstärkt. Es ist in einem kleinen Bezirke von einer halben Meile im Durchmesser, daß sich die Quellen von 3 der vornehmsten Flüsse Norwegens, beysammen finden. Aus dem Riastensöe, dem seine Haupt=Gewässer, wie die des mit ihm verbundenen Laugensöe, von dieser Gebirgsebene zurinnen, kommt der Glommen hervor, durchziehet den Rinsöe und den Oeresund; sein Lauf bis zum Ausfluß ins Meer mag 40 Meilen betragen. Der Tyaelv entwickelt sich aus dem Grönsöe, welcher durch 2 Bäche, den östlichen und westlichen Gräna, gebildet wird; er vereinigt sich hierauf mit dem Neaelv, durchfließt den großen Sälbasöe, und kommt nach einem Laufe von 14 Meilen von seinem Ursprunge an, als Nidelv nach Tryondhiem, wo er in den Fiord fällt. Zuletzt der Guulelv, dessen ich eben erwähnte. Auch der Holten und der Aasenelv, welche den Guuelv vergrößern,

quellen am westlichen Rande dieser Plattform
hervor.

Man bezeichnet sie mit dem Namen Lövun-
gen. Es ist eine Art von Sattel von beynahe
4000 Fuß Höhe über dem Meeresspiegel, unter
dem Kjölfield und dem Bockhammer, welche
beyde mehrere hundert Fuß über demselben erhoben, als Ableiter des Dunstkreises dienen, und
die Feuchtigkeit desselben in die darunter liegende
Ebene niederrinnen lassen. Die meisten Flüsse Norwegens entspringen aus Seen. Wo Quellen entstehen, liegen sie höchstens 7 — 8 Klafter unter
dem Kamme des Bergrückens, von dem sie abhängen, der Mangel an leitenden Thonschichten läßt
sie kaum tiefer entspringen; viele versinken auch
zwischen den umgestürzten Schieferlagern, ohne
jemals wieder zum Vorschein zu kommen.

Es sey vergönnt, hier einige Augenblicke still
zu stehen, auf diesem Centralpunkte, welchen der
Lauf der Gewässer immer mit Sicherheit angiebt.
Oder vielmehr zu einer noch bequemern Uebersicht
erhebe man sich bis auf eine benachbarte Felsensäule,
die man jenseits des Stuedals in seiner Nähe
erblickt.

Achtzehntes Kapitel.

Gebirgssystem Skandinaviens.

Diese Felsensäule ist das Helagsfiäll, unter 62° 56' M. Br. Die Gebirgsketten, die der Struktur Norwegens und Schwedens zu Grunde liegen, gehen von ihm beynahe strahlenförmig aus. Ob es gleich nicht selbst den höchsten Punkt unter ihnen ausmacht, so liegen ihm doch sehr hohe ganz nahe, wie der Sylttoppen von 6652 Fuß über dem Meeresspiegel. In seinem Umkreise nehmen fast alle bedeutende Flüsse Norwegens und Schwedens ihren Ursprung: der Glommen, Tynaelv, Gyulelv (wie eben schon erwähnt wurde), und der Tryssild- oder Clara-elv, der aus dem Fämundsöe ausströmt, auf der Abendseite, auf der Morgenseite die Liungan, Liusnan und Oesterdalsälf, ohne der unzählbaren Menge der Gebirgswasser zu gedenken, welche die Haupt-

ſtröme vergrößern, auch meiſtens vor ihrem Erguß
darin kleine merkwürdige Seen bilden.

.Der Hauptgebirgsſtamm, der ſich von dieſer
Centralmaſſe nach Norden wendet, ſinkt anfänglich
gegen Aſele-Lappmark, hierauf ſteigt er von
neuem, erreicht ſeine größte Höhe in Lulea-Lappmark unter dem 66 — 68°, und fährt hierauf fort
unmerklich bis zum Meere abzufallen, in das er mit
Abſtürzen von 12 — 1400 Fuß niederſinkt. Dies
iſt der eigentliche ſogenannte Severyggen *)
(Severrücken), deſſen Name gleichfalls auf ſeine
ſüdliche Verlängerung übergetragen wird. Er endigt
mit Mageröe, denn keine ſeiner öſtlichen
oder weſtlichen Veräſtungen kann man als ſeine
wahre Fortſetzung anſehen. Der Peldovuo-
matunturi, den ich, von Enare kommend,
überſtieg, hat nicht 1600 Fuß Höhe, und verliert
ſich ſüdlich in eine abnehmende Hügelreihe. Es

---

*) Ich muß hier der Verwirrung erwähnen, welche in der
Benennung dieſes Gebirgsſtammes ſtattfindet. Schätzbare
Reiſende nennen ihn Kiölen, doch im Lande ſelbſt iſt ein
ſolcher Name für dieſen Hauptbergrücken unbekannt. Die
beſten Schwediſchen Geographen nennen ihn dagegen Seve.
Auf jeden Fall kann er nicht Kiölen heißen, denn dies
iſt die Benennung des Gebirgſtückes, welches die Central-Plattform Norwegens mit dem Dovrefield
verbindet.

giebt keinen nach Finnland ablaufenden Arm,
wie auch schon Hr. v. Buch angemerkt hat. Aber
das ganze nördliche Ufer Norwegens muß als
ein fortgehender Rand einer ehemaligen hohen Gebirgsebene angesehen werden, die nach dem Bothnischen Meerbusen hin abfällt. Diese Senkung
der Schichten nach Süd und Südost ins Land hinein liegt ganz deutlich am Tage von Havasund
an bis zum Tanafiord hin (welches der letzte
Theil des nördlichen Randes ist, Wardöe ausge-
genommen, den ich gesehen habe), und die Neigung der den Urgebirgen gleichförmig übergelager-
ten neueren Gebirgsarten von Vadsöe, und den
ganzen Varangerfiord entlang, läßt vermuthen,
daß ihre Grundlage unveränderlich dem nämlichen
Gesetz des Abfallens folge.

Man unterscheidet sechs von diesem nördlichen
Hauptgebirgsstamm ausgehende Seitenberästungen,
welche, der Neigung ihrer Lage folgend, nach und
nach ohne Unterbrechung bis zum Bothnischen
Meerbusen herabsinken.

Die dem Helagsfjäll am nächsten liegende
hebt vom Aribsfjäll an, und zeigt sich sehr
steil. Sie streckt sich nach Südsüdost aus, umschließt den oberen Theil von Jämtland, mit
sehr großen Vertiefungen des Bodens, welche zwischen
ihr und dem westlichen gerade vom Helagsfjäll

ausgehenden Zweige liegen. Daraus sind beträchtliche Seen entstanden, z. B. der Storsjö u. s. w. Das Gebirge verläuft sich gegen Hernösand und Sundsvall, wo es zum Theil mit senkrechten Abstürzungen endet, welche doch wohl noch mehr einem andern Gebirgszweige zugehören möchten, dessen Enden sich hier mit dem seinigen verbinden.

Der zweyte Ast geht von einer großen östlichen Krümmung des Severyggen unter dem Namen von Lycksele-fjäll aus, und ist noch steiler als der eben angeführte. Er streicht nach Südsüdost, theilt sich beym Stöttingsfjäll, das eigentlich als seine Verlängerung in der ursprünglichen Richtung angesehen werden muß, und steigt alsdann zugleich mit einem andern Zweige nach Süden hinab, indem er auf dem Boden eines tiefen Thales die Angermannaälf mit einem sanft niedergehenden Abhange fortleitet. Eine Lokalrevolution, die an den steilen Abhängen schuld seyn mag, woraus die Ufer dieses Stromes größtentheils bestehen, scheint sich kaum bis zu den sanften Flächen erstreckt zu haben, welche dem allgemeinen östlichen Charakter des Sewegebirges zufolge sein Bett ausmachen.

Unter dem Wikistjock geht das Ferras-fjäll nach Südsüdwest hervor, während dem erstern Theil seines Laufes von der Laïsälf, und im

zweyten von der Bindelälf begleitet. Sein Kamm
zieht eine lange Zeit mit geringer Unterbrechung
fort. Auch ist er während ¾ Theile seines Laufes
arm an Seitenzweigen. Er theilt sich nur, wo er
in dem Bothnischen Meerbusen endigt bey
Umea. In der Nähe des Hauptstammes hat er
sehr hohe Punkte, welche mit ewigem Schnee bedeckt sind, dann sinkt er allmählig, um sich mit
schönen Fichten- und Tannenwaldungen zu beklei-
den, und im Busen seiner Thäler eine kraftvolle
und lachende Pflanzenwelt aufzunehmen.

Einen ähnlichen Charakter bietet der Ast dar,
welcher unter der Benennung des Barcurte-
fjälls vom Sevegebirge einen halben Breitegrad nördlicher unter dem Jogujock abgehet. Er
bildet die Mittellinie von Pitea Lappmark.
Die an seinen beyden Seiten fortgehenden Thäler,
welche den Lauf der Skelleftea- und der Pi-
teaälf bestimmen, leiden bedeutende Unterbrechungen in ihrem Laufe, sind an einigen Stellen abgeschnitten und verdämmt, bilden verschlossene Säcke
an andern, und zeigen durch viele Seen die Verklüftungen ihres Grundes. Am Stocketjavell
theilt er, und verlauft sich mit zahlreichen kleinen
Zweigen ins Meer.

Beym Sulitjelma steigt ein großer ansehnlicher Gebirgsast nieder, dessen Zweige beynahe das

ganze Lulea-Lappmark ausfüllen. Er zerfällt
bald in zwey Unterabtheilungen, deren obere einen
halben Breitegrad hindurch parallel am Seve fort-
streicht, ein tiefes Zwischenthal bildend, welches
die Seen Vassojaur und Virisiaur einnehmen.
Hierauf kehrt sie zur allgemeinen Richtung aller Aeste
nach Südsüdost zurück. Die zweite Unterabthei-
lung, deren bedeutendste Masse ungefähr in ihrer
Mitte die Benennung des Raskasfjälls annimmt,
vereinigt sich mit der erstern vermittelst des Gebirges Ravaive, welches zugleich das dazwischenliegende Thal verriegelt, und denen darin versammelten Gewässern nur an einer einzigen Stelle,
unter dem Jockmock, einen Ausfluß, vermittelst
einer Reihe sehr langgestreckter Seen, verstattet.

Der Jvarsten in Tornea-Lappmark ist
endlich der Ausgangspunkt des letzten dieser ansehnlichen nach Osten ablaufenden Aeste. Am mittäglichen Fuße des Kaitom, welcher wahrscheinlich
den höchsten Theil seines Kammes ausmacht, erstrecken sich in einer Länge von mehr als 14 Meilen
die stehenden und fließenden Wasser, welche den
Luleaälf ernähren. Nördlich am nämlichen Gebirge entspringt die Kaittomälf, und es ist wahrscheinlich zwischen einigen seiner Unterverästungen,
daß sich gleichfalls das Bett der Kalikälf aufschließt, die mit der Kaitomälf unter Swap-

pawara zusammenströmt. Hierauf verändert die
Kalikälf unter der Breite von Kengis; immer
mit der Torneaälf parallel laufend, ihre östliche
Richtung in eine südliche, und fällt in den Bothnischen Meerbusen, gerade am nördlichsten Ende
desselben.

Ostwärts vom Hellagsfjäll gehen unmittelbar zwey Aeste von ihm aus, die dicht bey dem
Punkte ihres Abscheidens sich noch überall im Charakter hoher Gebirgszüge erweisen. Aber weiter
abfallend schmücken sie sich bald mit Waldung und
üppiger Vegetation. Der obere unter dem Namen
von Tuntis- und Rafröfjäll bildet nach einem
Fortgange von 10—12 Meilen einen Ellenbogen
beym Ovicksfjäll, und steigt nach Süden nieder,
die westlichen Ufer des Storsjö bildend, verriegelt diesen nach Süden zu, und sendet einen
neuen Zweig gen Norden, der nach einer Krümmung um einen Wasserbehälter von 6—8 Meilen
Durchmesser, sich mit dem Jämtskogen, dem
indeß fortgesetzten Hauptaste, vereinigt und die Provinzen Gefleborg und Jämtland scheidet. Die
letztere erhält von ihm ihr hohes Niveau.

Das Thal, dessen Boden der Fluß Ljumgan
einnimmt, trennt jenes Gebirg von der untern
Kette, welche, mit ihm parallel laufend, die nämlichen Krümmungen und Beugungen hat. Ihre

Zweige erstrecken sich bis, in das Herz der Provinz Gefleborg, und verlaufen sich mit zwei Spitzen bei Hudicksvall und Söderhamp.

Es ist bemerkenswerth, wie alle diese südlich und östlich gelegenen Zweige des Seve, durch Hügelreihen netzförmig verbunden werden, die sich von Nord nach Süd, oder von Nordwest nach Südost hinziehen. Daraus entsteht die endlose Menge kleiner beschränkter Thäler, welche zum Theil mit Seen oder Morästen gefüllt sind, und deren Boden aus den Elementen des Granits oder Syenits bestehet. Kleine Bäche schleichen schlangenförmig zwischen den niedrigen bebuschten Hügeln herum, ohne sonderlichen Fall, selbst in der Regenzeit.

Den oben genannten beyden Parallelen ungefähr gegenüber macht sich auf der westlichen Seite des Hauptstammes der große Ast los, welcher, Norwegen durchstreichend, diesem Lande seine Gestalt gewährt. Zuerst unter der Benennung des Kiolen, darauf als Dovrefjeld ziehet er sich gegen Westen hin mit sanfter Biegung nach Süden, und schließt mit fortgehender Verlängerung in dieser Richtung in Romsdalen, und in der Nordsee. Er begreift Norwegens ansehnlichste Gebirgshöhe Sneehättan.

Eine zweyte Verlängerung, welche vom Dovrefield in der Nähe von Lessöe ausgeht, steigt

I.   19

von Norden nach Süden mit geringen Seitenbe-
wegungen nieder. Sie behauptet den Charakter
einer ausgedehnten Gebirgsebene mehr als irgend
eine andere Verästung des Seve, worunter einige
sonst einzelne ebene Punkte enthalten. Diese Plattform, 12—14 Meilen breit, geht mit einzelnen
Spitzenerhöhungen von 4500 — 5500 Fuß Höhe,
unter dem Namen von Langfield, Sognefield, Fillefield, Hardangerfield, Houglefield, Jöglefield vom 62. bis 59. Breitegrad herunter, wo sie gebirgsmäßig in zwey Aeste,
das Set- und Byglefield zerfällt, und theils
im Lysterland, theils bey Christiansand
endigt. Will man einer Gebirgslinie von Hardangerfield aus nach Südsüdwest folgen, so kann
man annehmen, sie schließe zwischen dem Bukke-
und Bommelfiord. Aber die Gebirgsmasse ist
vielleicht nur westlich durch eine große Kluft gespal-
ten, wie der Lauf des Roldalels und der damit
zusammenhängende Bukkefiord anzuzeigen scheint,
während das Houglefield die wahre Verlängerung des Systems ist, welche zwischen Ryefylke
und Raabøygdelauget nach Lysters Vogtey
niedergehet.

Sehr viele Einschnitte trennen östlich diese
dahin geneigte Gebirgsebene in Thäler, welche auf
diese Art durch mehr oder weniger breite, doch immer

niedersteigende Stücke der Gebirgsmasse selbst, eingefaßt werden. Hierzu gehört der Zweig, welcher
Besses Thal von Lomms Thal trennt; der
bedeutende Ast, welcher unter dem Bäverelv
vom Sognefjeld nach Süd und Südost zwischen
Gulbrandsdal und Valders nach dem Otevand, Lougenelv, Vinsterwand, Dokke-
und Etneelb heruntergeht; der hohe Bergrücken,
welcher, vom Fillefjeld ausgehend, zwischen
Toten und Hadeland über dem Oesteraas,
und davon weiter hinab zwischen dem Ojerenföe
und Bonkefjord bey Follaug endigt, und
wozu der Kern des Egebjergs noch gehören mag;
der Ast, welcher vom Fillefjeld unter Lett-
dal ausläuft, und bis zum Tirlfjord hinab;
die Gruppen, welche das Hallingdal einnehmen,
und die südlichen und östlichen Wände des Nummedals bilden; das Tindfjeld mit seinen Verästungen, welches sich im Goustafjeld wiederfindet (6088 Norw. Fuß nach Esmark); und
Kongsbergs Gebirgen ihre Grundfeste liefert.

Nach Westen zu hat diese Gebirgsebene bloß
steile Abfälle und gräßliche Klüfte, welche mehrentheils sehr tief und meilenlang in sie eindringen,
und vom Meere unter dem Namen der Fjords
ausgefüllt sind. Da die Umwälzung, welche sie
erzeugte, sehr gewaltsam gewesen seyn muß, so ist

jede Spur von regelmäßigen Verknüpfungen verschwunden. Die Gipfel sind in allen erdenklichen
Richtungen in der Länge und Breite gruppirt, mit
Biegungen verhältnißmäßig nach dem Grade ihrer
Cohärenz bey der Spalten-Entstehung. Doch kann
man im System einige Seitenzweige unterscheiden,
z. B. den, welcher hinter dem Vereinigungspunkt
des Dovre- und Langfields zwischen dem Nord-
fiord und Söndfiord auf einer Seite, zwischen
dem Sognefiord und dem Justedalselv auf
der andern eindringt, und Justedals Gletschen,
unter dem Namen der Suphbräer, begreift, den-
jenigen, welcher unter dem Leerdalselv zwischen
ihm und dem Urlandsfiord bis nach dem
Sognefiord und Vosse-Vangen verrückt;
den Zweig, welcher den Lauf des Rundalselvs
bestimmt, sich zwischen Vosse-Vangens Gewässern ausstreckt, mit manchen Unterbrechungen
durch Seitenthäler bis zum Biörne- und Hard-
angerfiord fortgehet, und den Folgefond
einschließt: Alle diese Bergstrecken, in deren Urform
Lokalumstände, und die nach dem ersten Bruche
eintretende Gewalt der Gewässer vieles abgeändert
haben, sind mit sehr steilen Abschüssen versehen,
deren Höhe besonders auf den Inseln bis zu 3—4000
Fuß hinansteigt.

Unter dem Kiölen steigt nach Süden hin ein langer Bergrücken nieder. Wie er, nach einiger Meilen Fortgange, das Strebofiäll, welches gegen Abend abweicht, erreicht hat, so ziehet er sich von der senkrechten Linie ein wenig ab, und umfaßt das weite und lange Thal, dessen Boden der Fämundsöe einnimmt. Der erste davon ausgehende Zweig enthält einige von Norwegens höheren Punkten, das Humel- und Sölenfield, welche durch einen Seitenast das Reendal'einschließen, und in ihrem Fortgange vom Glommelev bis zum Ofrensöe begleitet werden. Das Gebirge steigt hierauf immer weiter hinab, und einer seiner Zweige schließt mit einer Hügelreihe bey Svine-sund; der andere weicht nach dem Wenernsöe aus, und endigt mit der Götadlf, der er ihren Lauf anweist bey Göteborg.

Vom Strebofiäll über dem Fämundsöe, und dem Arme gegenüber, der das Humel- und Sölenfield begreift, fängt ein anderer östlicher an, der die Gränze zwischen Herieadal- und Stora Kopparbergslän zeichnet und das Bett der Dalsälf bilden hilft. In der Nachbarschaft des Urstammes ist dieses Gebirgsast sehr steil und dürr, aber bedeckt sich in einiger Entfernung davon ebenfalls mit Waldung und Weiden. Es eröffnet sich beym Getryggenbierg in Zweige, welche Gefles Gebiet von beyden Seiten umfangen, und dann in der Nähe des Meerbusens endigen.

Der senkrechte Hauptstamm setzt indeß eine geraume Zeit parallel mit dem Sölenfield fort, und bildet so das Bett des Fämundsöe, und des daraus herfließenden Claraelvs bis Almberg, unter der Breite des Miöseg und Siljan. Hier weicht er nach Südsüdost ab, bestimmt die Gränzen zwischen den Provinzen von Stora Kopparbierg und Carlsstad, streicht am östlichen Rande des Wenern- und westlichen des Wetternsiös hin, zieht hierauf wieder ein wenig nach Osten, durchsetzt die Provinzen von Jönköping und Kronaborg, dringt in die von Christiansstad ein, und verläuft sich mit zahllosen Veräßlungen in die Ebene nach Westen, Süden und Osten.

Die westlich über dem Dovrefield ablaufenden Zweige hängen nur sehr lose mit dem Hauptstamme zusammen, und streichen meistens parallel mit demselben. So derjenige, welcher unter dem Aribsfiäll beym Smörfiäll abgeht, nach einer leichten Krümmung gegen Südsüdwest niedersteigt, und an der Mündung des Trondhiemfjords schließt. Ein zweyter macht sich unter

dem Sulitjelma los. Das ganze System von
Höhen, welche von Bärge, letztem mittäglichen
Punkt von Loffoden an, den gedrängten Unsel-
Archipel bis Mageröe bildet, erscheint nur als
eine Parallele, die hin und wieder durch Quer-
bänder, mit dem Hauptgebirgsrücken bis zur Vereinigung beyder unter Nordkap zusammenhängt.

Außer den Thälern, welche nun durch die hohen
Bergketten gebildet sind, findet man überall Spuren
von unregelmäßigen Erweiterungen, welche selbst
ziemlich beträchtliche Höhen einschließen. Es mögen,
wie an der östlichen Seite des Sevegebirges,
große Becken gewesen seyn, von stille stehenden
Gewässern erfüllt. Diese ließen einen Bodensatz
zurück, der von Tellomarken aus, an der
großen Plattform, die Bergen absondert, bis
zum Dovrefield und längs demselben fortgehend,
bis zum Eingang des Guuldals überall noch in
hohen Terrassen erscheint, wo die nachher durch-
strömenden Flüsse ihn nicht weggewaschen haben.
Unmöglich ist es, nach so vielen späteren Veränderungen der Oberfläche, ihre Gränzen genau zu
bestimmen, aber man kann mehrere dergleichen nach
den zurückgelassenen Spuren mit leichten Umrissen
bezeichnen. Ein solches Bassin erstreckte sich vielleicht zwischen den westlichen Ufern des Miffer-

und der den östlichen des Nordsöes bis unter
das Gousafield, wovon nun die benannten
Wasser nebst dem Huidsöe und dem Flaavand
übrig geblieben sind; ein anderes mochte sich von
Ferkin aus unter dem Dovrefield nach Osten
ziehen, das Bett des Glommen begreifend; ein
dritter schloß wahrscheinlich den Oresund ein,
Asraas Thäler und den Fämundsöe. Im
Oesterdal ziehen sich die Terrassen tief hinunter,
und Sand findet sich auch um den Mlösen herum.
Doch die ganze Landstrecke am östlichen Abhange
des Seve, mit ihren zahllosen Wasserbehältern,
den nämlichen hohen und weit verbreiteten Sand-
aufhäufungen, und mit der erwiesenen Abnahme
seiner fließenden und stehenden Gewässer kann durch
einen noch wahrzunehmenden Vorgang die Geschichte
verflossener Jahrhunderte an der westlichen Seite
des Gebirgsstammes belegen.

Wollte man zuletzt mit einfachen doch scharfen
Umrissen eine Zeichnung von Norwegen (als von
Schweden gänzlich getrennt) darstellen, so möchte
man sagen: es bestehe hauptsächlich in einem Gebirgs-
kessel, welchen der Ueberrest einer hohen Plattform um-
gebe, deren äußerer Rand durch tiefe Einschnitte
ausgehöhlt, sich doch hinauf ziehend, ganz um den
Hauptgebirgsrücken herumlege. In diesen Rand

ist nun das Meer durch die eröffneten Abgründe
gedrungen, und die Weststürme haben, nebst
einer unüberlegten Industrie, die sparsamen Wälder bis in die Thäler verdrängt, welche den Gebirgs-
kessel selbst durchziehen. An der Außenseite stürzen
sich bloß Gebirgswasser in kurzen Sprüngen herunter; die großen Ströme gehören der Mitte des Landes an, und bewegen sich zum Theil vom nordwestlichen, doch meistens vom nordöstlichen Rande, wo
die Central-Plattform liegt, entweder von Norden
nach Süden herunter, oder die von da gleichfalls
ausgehenden Gebirgsäste durchbrechend, von Osten
nach Westen, mit häufigen, schönen und hohen
Wasserfällen, und mehrere lange Seen durchströ-
mend. Nur längs den Küsten liegen einige Städte,
der Ueberrest des Landes ist mit einzelnen Wohnungen bedeckt, gebräunten Balkenhäusern, von wenigen
Kornfeldern und vielem Wiesenwachs umgeben,
kleinen unabhängigen Herrschaften, dem hohen und
derben Geiste des Volks gemäß. Zahlreiche Sägemühlen in der Nähe von Flüssen, welche zu Zeiten
unter den schwimmenden Balken beynahe unsichtbar werden; einige Eisen- und Kupferwerke in
wälderleeren Räumen. Am Gestade des Meeres
die Wohnungen einzeln oder gruppenweise in grünen
Vertiefungen eingenistet, mit den Werkzeugen zur

Fischerey, zum Bereiten und Trocknen der Ausbeute bringt.   Ueber alles dieß bis zum 69 — 70° ein meistentheils schöner, heiterer, krafterfüllender Himmel hergespannt; alsdann oft tiefe, undurchdring- liche Nebel, ein Meer wie Bley, die traurige Stille der Einöde.

Wissenschaftlicher Theil.

~~~~~~

Neunzehntes Kapitel (1) *).

Schweden.

*) Umgebungen von Helsingborg. Steinkohlengruben von Höganäs. Skane. Beschaffenheit des Bodens bis Trollhätten.

Die Hügel, welche Helsingborg umgeben, steigen von der westlichen Seite steil an, und sind von geringer Höhe. Sie bestehen aus einem feinkörnigen Sandsteine, welcher vielartig geschichtet, mit Lagen von Steinkohlen, Thon und kohligem Sandsteinschiefer wechselt. Dieser Sandstein, in unausgemachter Breite (wahrscheinlich mehrere Meilen betragend), geht längs der ganzen Küste von Landskrona bis zum Kullen fort. Die

---

*) Die Zahlen weisen auf die korrespondirenden Kapitel des historischen Theiles hin.

Höhen verflächen sich zuerst gegen das Fischerdorf
Wiken zu, nördlich von Helsingborg, wo sie
durch eine beynahe vollkommene Ebene mit dem Fuße
des genannten Berges zusammenlaufen.

Das Meeresufer bey Helsingborg ist mit
vielen Blöcken von Granit und Gneiß, Geschieben
von Feuersteinen, dichtem und blättrigem Kalkstein
belegt. Unter den Graniten gibt es solche, die völlig
mit den auf Seeland umherliegenden übereinkom-
men, und die ich nirgends, weder in Schweden
noch Norwegen, anstehend gesehen habe. Sie
gleichen eher den Gebirgsarten der Karpathen;
das Steinpflaster von Kopenhagen bietet die voll-
ständigste Sammlung davon dar.

Die Steinkohlengruben von Höganäs erstrecken
sich von Körrordby aus, wo man den ersten
Schacht abgeteuft hat, auf einem Plane von ungefähr 500 Fuß *) Länge bis nach Küet, welches
ihren letzten Punkt nach Südsüdost angibt. Hier
haben die aufgegangenen Waßer der Arbeit ein Ziel
gesetzt; die Dampfmaschine, welche daselbst angelegt wurde, vermochte nicht sie zu gewältigen. Nun
verfolgt man das Flöz im Aufsteigen vom ersten

_____

*) Der Schwedische Fuß von 12 Zollen, von dem in diesem
    Lande immer die Rede seyn wird, macht 131, 6 Linien des
    Französischen aus. Eine Elle 24 Zoll, 3 Ellen einen Faden.

Ausgangspunkt Kårrörby aus, und demnächlich wird man ungehindert darauf fortrücken können, bis man mit demselben zu Tage ausgeht. Hiervon soll man nicht mehr als 8 — 10 Faden entfernt seyn. Die Gewässer sind sehr dringend; ich sah eine Quelle von Armdicke. Man sammelt sie unter der Pumpe der Dampfmaschine Nr. 9.

Das Fallen des Steinkohlenflötzes von Nord-nordwest nach Südsüdost hin schwankt zwischen 5 bis 7°; es scheint mit der Neigung der Schichten des Kullen, auf deßen Grundlage es vielleicht mit aufliegt, einigermaßen übereinzustimmen.

Die Art und Zusammensetzung des Terrains verhält sich ungefähr folgendermaßen. Nachdem man die Lage von Gartenerde, welcher viele Granit- und Gneißgeschiebe beygemischt sind, durchsunken hat, findet sich ein aus Quarzkörnern locker zusammengefügter Sandstein. Dieser bildet das Dach des obersten Steinkohlenflötzes, welches mit dem Namen der Gräfin Ruth bezeichnet, unbenutzt bleibt. Es ist 9 — 10 Zoll mächtig. Ein ähnlicher Sandstein folgt hierauf (Fru Bagge Flöz genannt), und setzt bis zum zweyten Kohlenflötze nieder, welches abgebaut wird, und deßen ganze Mächtigkeit 18 Zoll beträgt, doch nur 7 Zoll Steinkohlen von erster Güte enthält. Je tiefer man kommt, desto thoniger wird diese, und endigt zuletzt in einen vollkommenen

Thonschiefer, auf einem andern Sandsteine,[*] aufliegend, den man mit dem Bohrer untersucht hat,
ohne weiter Steinkohlen weder darin noch darunter
zu entdecken. Den Sandstein, welcher also, so viel

---

[*] Die Lagen, nach der verschiedenen Nutzbarkeit eingetheilt,
sind folgende:

1) Dachflöz.
2) Erste Qualität der ersten Art.
3) Sohlenflöz.
4) Erste Qualität der zweyten Art.
5) Dachgestein.
6) Zweyte Qualität der zweyten Art.
7) Dritte Art.
8) Berg.
9) Vierte Art.

Es kann interessant seyn, zur Vergleichung die Folgereihe der Steinarten in Boserup, östlich von Helsingborg kennen zu lernen, wo Steinkohlenflötze bis zur Entdeckung derer von Höganäs abgebaut wurden. Die Lager
finden sich von oben nach unten auf folgende Weise:

Grauer Sandstein mit eisenhaltigen Thonschichten, 3–8
Lachter;
Steinkohlen, 1 Fuß;
Schwarzer eisenhaltiger Thon, 4–6 Fuß;
Grauer Sandstein mit Schnüren von Steinkohlen 6–9 Fuß;
Schwarzer Thonschiefer, $2\frac{1}{2}$–$3\frac{1}{2}$ Fuß.
Steinkohle, 1–$1\frac{1}{2}$ Fuß;
Schwarzer Schieferthon, welcher immer kieselartig wird,
bis er zuletzt in Sandstein übergeht. (Hisinger.)

man weiß, unter dem Thonschiefer die Grundlage
des Brennmaterials ausmacht, und den man am
Ringsjö, bey Cimbritshamm und Andra-
rum, wiederfindet, wo ihm der Alaunschiefer aufliegt, ruht allem Anscheine nach, selbst unmittelbar auf dem Urgebirge, welches den Norden von
Schweden mit zusammenhängenden Lagern einnimmt, doch im Süden nur hügelweise auftritt.

Der Brennstoff, welcher aus Höganäs Gruben
gezogen wird, ist eine Glanzkohle, und sie zeigt im
Zustande ihrer höchsten Reinheit alle Eigenschaften
der trockenen Steinkohle, wie sie Brongniart
angibt. Aber sie schließt vielen Schwefelkies ein,
der überhaupt diesem ganzen Boden eigen ist. Seine
Zersetzung in freyer Luft veranlaßte vor einiger
Zeit die Entzündung eines Haufens geförderter Kohlen, und vernichtete so an 80000 Tonnen davon.

Die mittelmäßige Güte des Materials nicht
in Anschlag gebracht, haben diese Gruben Vorzüge
von besonderer Art, die sich selten beysammenfinden.
Das Flöß hat gerade die für den Abbau so bequeme
mittlere Mächtigkeit; es treffen darin weder dürre
Klüfte und Verrückungen ein, noch findet man böse
Wetter, so schrecklich in den Brittischen Steinkohlengruben.

Die Methode der Arbeit ist eine Nachahmung
derjenigen, welche in Whithaven und New-

L   20

caftle gebräuchlich ist. Man verschrämt die Kohlen einige Fuß lang, und stuft sie dann mit eisernen Keilen und Fimmeln ab. Es ist mir vorgekommen, als gäbe man nicht genug acht darauf, große Stücke zu gewinnen, deren man doch zur Vollkommenheit metallurgischer Arbeiten nicht wohl entbehren kann.

Man läßt den Bau durch Führung parallel-laufender Oerter und Strecken im Festen stehen, so daß überall zur Stützung des Gebirges Kohlenpfeiler zurückbleiben; ein letztes Hülfsmittel, wenn einmahl alle zugänglichen Punkte erschöpft seyn werden. Der Sandstein, welcher das Dach bildet, hat so zusammenhängende Blätter, daß man jeder Verzimmerung entübrigt seyn kann.

Die Anordnung der mechanischen Kräfte kommt von einem Engländer, Hrn. Staffort, her, und erinnert, obgleich schwach, an die Anstalten seines Vaterlandes. Ebenfalls hier werden an 40 kleine Pferde (die von Oeland kommen) zum innern Transport mit großem Vortheil angewandt. Man bedient sich niedriger vierräderiger Karren, zwey neben einander in parallelen Fahrten laufend. Die Pferde arbeiten 12 Stunden ohne Ablaß, worauf 12 Ruhestunden erfolgen. Zu Tage hält man ihrer 30, um die Steinkohlen in Körben und auf Schleifen abzuführen.

Die Bergleute arbeiten durchgängig in Gedinge: Ein Hauer, der täglich nicht mehr aushauet als 1½ Elle in der Tiefe mit 1 Elle in der Breite, gewinnt 6 Skil. für iede Tonne Kohlen von erster Güte, 2½ für die zweyte Art. Die Knaben, welche mit dem Fuhrwesen zu thun haben, erhalten 12 Skil. täglich. Man arbeitet bey Lichtern, welche hier weniger kostspielig als Thranlampen fallen. Die Bergleute müssen sich dieselben, wie das Gezähe, selbst halten; allein die Administration liefert sie zu einem billigen Preise, so wie das Brot; Wohnung, und was sie an Steinkohlen zu eigenem Gebrauche verlangen, haben sie umsonst. Die ganze Anzahl der hier angelegten Personen, belief sich auf 200 ungefähr.

So wie in Großbrittanien bestehen die Kohlenwege, worauf der Brennstoff in die Magazine oder zum Einschiffen abgeführt wird, aus zugehauenen Balken, welche eine Art von Rost bilden; die Wagen aus einem trichterförmigen Kasten, oben länger und breiter als unten, mit einem beweglichen Boden, welcher sich vermöge eines Gelenkes öffnen läßt. Sie laufen auf vier Rädern von gegossenem Eisen, die vordern sind niedriger als die hintern, nach der Stärke des Abfalles, auf dem sie sich niederbewegen. Die Brücke zum Einladen ist nur eine Fortsetzung dieser Bahn, und geht 600 Fuß

in das Meer hinein; am Ende derselben sind zwey
Klappen angebracht, um die Steinkohlen in die
Fahrzeuge fallen zu lassen, welche sich darunter an-
legen.

Man findet über dies Steinkohlenwerk Dampf-
maschinen vertheilt, wovon 3 zur Förderung des
Brennstoffes und der Berge, 4 zur Zusumpfhaltung
bestimmt sind. Die größte, d. h. diejenige, welche
am Schacht von Ruet steht, ist außer Thätigkeit,
da sie nicht Kraft genug hat, die hier aus allen
Strecken zusammenlaufenden Gewässer zu gewältigen; doch hat ihr Cylinderkolben 74 Zoll Durchmesser, und sie wurde von 4 Kesseln unterhalten.
Nr. 9, welche die obern Oerter löset, hat einen
Cylinderkolben von 45 Zoll mit 3 Kesseln, thut
12 Hübe in einer Minute, und bringt in dieser
Zeit 18 Tonnen Wasser zu Tage. Eine kleine Re-
servemaschine ist dicht dabey; eine an Brorsbacka
mit einem Cylinderkolben von 53 Zoll ist ebenfalls
unwirksam; diejenige, welche in Körrordly die
Steinkohlen fördert, hat einen Kolben von 28 Zoll.
In allen diesen Maschinen geschieht der Einguß des
Wassers zur Verdichtung der Dämpfe noch in den
Cylinder selbst, und ihre ganze Einrichtung läßt
viel zu wünschen übrig.

Kann man der mir gegebenen Nachricht Glauben beymessen, so können täglich bis 300 Tonnen

Kohlen von erster und zweyter Art gewonnen werden; die Menge der unnützen Berge, welche man
ebenfalls fördern muß, beläuft sich ohne Zweifel
auf eben so viel. Doch wurde die ganze Ausbeute
des Jahres 1809 nur auf 80000 Tonnen geschätzt,
welches doch ein sehr wünschenswerthes Resultat
seyn würde, wenn nicht davon die erstaunliche
Menge abgezogen werden müßte, welche die Dampf-
maschinen täglich verbrauchen, ohne einmahl zu
rechnen, was in den Häusern der Arbeiter, ohne
Oekonomie aufgeht. Man verkaufte die Tonne der
besten Kohlen zu 1 Rd. Banco, der zweyten Art zu
⅓; höchst unnatürliche Preise, welche der Krieg
und das in Dänemark dadurch hervorgebrachte
vorübergehende Bedürfniß veranlaßt hatten. In
Schweden selbst schlägt man bey dem Gebrauch
den Werth dieser Steinkohlen zu ⅓ der Brittischen
an.

Nach einer in Schwedischen Journalen bekannt
gemachten Angabe belief sich die totale Masse des
gewonnenen Brennmaterials vom ersten Aufschließen
der Flöße an bis 1814, auf 1,326041 Tonnen,
wovon 336371 im Reiche selbst, 155391 auswärts,
der Ueberrest aber auf der Stelle verbraucht wurden,
oder sich noch in den Magazinen befanden.

Die Versuche zu ihrem Abschwefeln haben sich
bloß auf die Erbauung eines Ofens mit 2 eisernen

Cylindern, über einem Rost liegend, beschränkt. Sie waren so erfolglos als unvollständig.

Dies Bergwerk wurde vom Berghauptmann Pohlheimer im Jahr 1796 eingerichtet. Um die ersten Kosten zu bestreiten, trat eine Gewerkschaft zusammen, worunter Graf Ruth den allergrößten Theil der festgesetzten 120 Actien über sich nahm. Immer steht einer der Actionisten dem Werke vor. Es scheint, daß sogleich bey der Anlage ein Hauptfehler dadurch begangen wurde, daß man nicht den ersten Schacht so tief als möglich im Fallen des Flötzes absank, um dies nachher aufsteigend zu verfolgen. Dies hätte die kostspielige Gewältigung der Gewässer erspart.

Man sieht in Skane kein Urgebirgsgestein, als nur gruppenweise, wie den Kullen, Söbraas, Linderödsas u. s. w., welche sich von Nordwest nach Südost durch das Land ziehen. Sie bestehen in einem dünnschieferigen, doch im Gemenge dem Granit sehr ähnlichen Gneiß, mit Hornblendeschiefer und Grünstein. Sonst kommen nur jüngere Gebirgsarten zu Tage: Sandstein (welcher zuweilen Bleyglanz und Flußspath enthält), schieferiger Thon und jüngerer Kalkstein. Die Thonschiefer enthalten Steinkohlen gegen Westen, und sind alaunhaltig gegen Osten. Der Kalk ist reich an Versteinerungen.

Noch ehe man Quibille erreicht, erscheinen
die Bergreihen mit Hügeln gemischt, welche blos
aus Blöcken gneiß- und granitartiger Natur zusammengesetzt sind; hinter Sloinge nehmen sie eine
auffallende Kuppenform an. Diese Geschiebe, welche
umhergestreuet das Land sehr tief ins Innere hinein
bedecken, hören etwas vor Göteborg auf. Der
granitartige Gneiß setzt alsdann in mächtigen Schichten fort, welche zuweilen von Lagern, Gängen
und Trümmern von weißem Quarz und rothem Feldspath durchsetzt werden. Hornblendelager finden sich
ebenfalls zwischen Quibille und Sloinge
darin.

Mit dem Fortgehen längs der Götedlf erheben sich auch die Gebirge. Bey Lahall steht Gneiß
mit rothem Feldspath, wechselnd mit granitartigen
Lagern an, und nimmt endlich herrschend den ganzen Umfang des Bodens ein.

~~~~~~

Zwanzigstes Kapitel. (2)

Schweden.

Umgebungen von Trollhättan. Boden bey Göthefund.
Weg bis Moß.

Da das Terrain um Trollhättan herum fast
allein aus einer viele Fuß tiefen Gartenerde besteht,
so würde es schwer halten, sich eine genaue Uebersicht von der Zusammensetzung desselben zu verschaffen, wäre es nicht, außer an den Felsen am Ufer
der Göte, durch die bey der Kanalanlage veran-
laßten Ausgrabungen, hier und da etwas entblößt.
Es kommt dadurch ein schöner Granit zum Vorschein, reich an rothem Feldspath, worin der Quarz
zuweilen Nieren, Lagen und Trümmer bildet, und
der Glimmer nicht selten von der Hornblende verdrängt oder ersetzt wird. Dieser Granit ist an den

Ufern der Güte sehr verwitterlicher Natur, wozu auch der Schwefelkies, den er häufig eingesprengt enthält, beytragen mag. Er ist mit dem Gneiß, worin er wechselt, den er einschließt, oder von dem er eingeschlossen wird, nach Maßgabe, daß die Schieferung der Gebirgsart, oder das Fortgehen des Glimmers deutlicher werden, auch am Bruche herrschend. Nichts kann mannigfaltiger seyn, als die Art seines Gemisches und Vorkommens in geraden und gekrümmten, selbst wellenförmigen Lagern von der verschiedensten Mächtigkeit *).

Am Eingange des Kanals sieht man große Anhäufungen von Geschieben, worunter einige von

*) Bey Trollhättan ist er von grüner Hornblende, röthlichtem Feldspath, prismatischem Kalkspath und krystallisirtem Titan (Titane silicéo-calcaire ditétraèdre. Hauy) eingewickelt in Feldspath und Quarz, begleitet. (Hisinger.)

Viele berühmte Naturforscher wollen überhaupt und überall den Granit vom Gneiß getrennt wissen. Aber die Natur geht in ihrer Absonderung nicht immer so genau zu Werke, daß sie eins dieser Gesteine unabläßig dem andern unterordnet. Es muß eine krystallinische Mischung gegeben haben (zum wenigsten in Schweden und Norwegen leuchtet dies ein), worin die Anordnung der Glimmerblättchen, und die daraus zum Theil hervorgehende Anlage zur Schieferung, nur theilweise, lokal und von beschränkten Einwirkungen bestimmt wurde.

mehreren Fuß Durchmesser, wahrscheinlich Gestalte des
Flusses, als er sich hier zuerst sein Bett bildete. Gleich
häufig und ansehnlich findet man sie auch am nördlichen
Ufer wieder, ebenfalls hier auf Gneiß und Granit
liegend. Bey Akersvaß erkennte man ein Thon-
lager, welches die nämlichen verfallten und zerbrochenen Schaalthiere [*) enthält, die Uddeval-
las Umgebungen so merkwürdig machen; Muscheln,
deren Originale im benachbarten Meere anzutreffen
sind. — Nun machen sie ein mächtiges Lager von
100 — 150 Fuß Höhe aus, das sich über die Inseln
Björn, Okuß, Stangenäs, Södernäs
nun in einer Breite hin erstreckt, die auf dieser
Seite, wie angeführt, Akersvaß und Litta-
ßoet erreicht.

Bey Hogdal findet man den Granit, ohne
die leichteste Spur einer gneißartigen Schieferung,
charakteristisch und in großen Massen anstehend. Er
ist, vermuthlich der nämliche, welcher lagerweise
bey Trollhättau vorkommt, wiedererscheinend
höher hinauf am Glommenelb und Wässen-
ßöe, sehr häufig am östlichen Abfall des Seve-

---

*) Meistens Fragmente von Murex despectus und antiquus,
Ostrea Islandica, Lepas balanus und tintinnabulum, Mytilus,
Pholadis und edulis, Area rostrata, Tellina planata, u. a.
(Hißinger.)

gebirges. Auch an Schwedens Westküste fand
ich ihn, bey einer spätern Reise, am Södrgard
von Strömstad wieder, selbst ohne Zeichen seiner
Verwandtschaft zum Gneiße, wenn man einige fein-
körnigere Lager darin ausnimmt. Ich komme auf
ihn wieder beym Paradisbakken zurück.

Bey Svinesund, auf der Schwedischen
Seite, ist das herrschende Element der granitartigen Gebirgsart, ein rother Feldspath in großen
Kryställen. Auf der Norwegischen ist sie mehr mit
grauem Quarze gemengt, enthält Hornblende, und
schiefert sich in dünne Platten zu Gneiß. Der
Meereseinschnitt scheint beym ersten Anblick die
Scheide zwey verschiedener Steinarten zu bilden,
doch trennt er sie nicht so gänzlich, daß nicht auf
jeder Seite Spuren von der gegenüberliegenden zu
finden wären. Auch schwankt die Gebirgsart fort,
auf keine große Weiten genau bestimmt, Gus-
lund vorbey, stark verwitternd bey Thöns,
häufigst vielartiger Gneiß, doch auch Granit in
unabhängigen bedeutenden Massen hier und da, wie
am Ufer des Glommen.

Einundzwanzigstes Kapitel. (3)

Norwegen.

Verzeichniß der alten und neuen Maße und Gewichte zum Bergwerks- und Hüttengebrauch in Norwegen. Eisenwerk von Moß. Umgebungen. Mineraliensammlungen in Christiania. Alaunfabrik in Oslo.

Da die neue Bergwerksverordnung vom 7. September 1812 in den Norwegischen Bergwerken und Hütten die alten Maße und Gewichte *) bedeutend verändert hat, so scheint die Angabe ihrer gegenwärtigen Verhältnisse den örtlichen Anwendungen derselben vorausgehen zu müssen.

*) Sie waren am 26. September 1685 von der sogenannten Bragnessischen Commission festgestellt.

Holz; die Klafter ¾ Ellen lang:

Ehedem 3½ ☐ Elle, oder 980 Cubikviertel,
Jetzt . 3¼ · · — 845 ·

> Der Unterschied: 135 Cubikviertel,
> oder 2 7/64 Cubikellen.

· Röstholz; die Klafter 3 Ellen lang:

Ehedem 3½ ☐ Elle, oder 2352 Cubikviertel,
Jetzt . 3¼ · · — 2028 ·

> Der Unterschied: 324 Cubikviertel,
> oder 5 1/16 Cubikellen.

Kohlen; die Last, welche 12 Tonnen enthält:

Ehedem . . . . . 102086 37/64 Cubikzolle,
Jetzt . . . . . . 108000 ·

Der Unterschied: 5913 27/64 Cubikzolle,
⅔ Tonne, oder 1/18 der neuen Last,
1/17 der alten.

Erz; die Tonne

Ehedem . . . . 15160 59/64 Cubikzolle,
Jetzt . . . . . 13824 ·

Der Unterschied: 1336 59/64 Cubikzolle.

Auf diese Art sind:

100 Klafter Holz alten $= 115\,{}^{165}/_{169}$ neuen Maßes.

Röstholz $= 115\,{}^{165}/_{169}$ — —

100 Laß Kohlen alten $= 94\,{}^{46261}/_{69120}$ neuen Maßes.

100 Tonnen Erz $= 109\,{}^{5497}/_{8192}$ — —

Das Tonnenmaß, dessen man sich bey Erzen bedient, ist verschieden vom Getraidemaße derselben Benennung, welches nur 7776 Cubikzolle enthält. Jenes dagegen muß $5\,{}^{5}/_{24}$ Cubikfuß oder 9000 Cubikzoll betragen.

Das Terrain von Moß, welches vom doppelten Hohofen und den Hammerwerken eingenommen wird, erstreckt sich vom Fuße der Hügel, weran die Stadt angebauet ist, bis zum Fiord hinab. Alle Werkstätte können das Aufschlagewasser aus einem und demselben Kanale erhalten, welcher sich von einem kleinen aus dem Bandföe abströmenden Bache losmacht; der Besitzer des Eisenwerks ist ebenfalls Eigenthümer des Wassers. Der Ueberrest des Baches wirft sich alsdann auf die Sägemühlen, welche dem Streichen, der Höhe nach, hintereinander fortziehen. Der Hüttencanal hat 8 — 9 Fuß Breite, und 6 Fuß Tiefe; die ganze Höhe seines Falles beträgt 48 Fuß: zuerst treibt er einige Kornmühlen, die hoch genug liegen, daß das dazu angewandte Wasser von neuem gebraucht werden kann, alsdann 24 Kunsträder. Möchte man sich bey dieser Einrichtung

chen Wunsch erlauben, so wäre es der, daß die
Kornmühlen aus dieser Reihe weggeschafft und durch
eine Werkstatt ersetzt würden, welche der höchsten
Kraft bedarf, z. B. durch den Kanonenbohrer, jetzt
am untern Ende, und nahe am Punkte gelegen, wo
alle Wirkung des Falles aufhört.

Dies Eisenwerk besteht aus einem doppelten
Hohofen (zum Kanonengusse), 3 Frischfeuern, einem
Zainhammer, einem Wälz- und Schneidewerke (meistens zum Nageleisen), und mehreren Nagelschmieden. Die Hohöfen sind nach Garneys Zeichnung
und Angaben erbauet, welche auf Schwedische Erze
berechnet, nach dem Norwegischen Hüttenbetriebe
am passendsten zukommen, wenn man beym Hohofen-
bau durchaus nicht mit der Untersuchung seiner eigenen Materialien anfangen will. Ihre Höhe vom
Bodensteine an ist 31½ Fuß. Die andern Verhältnisse giebt Hr. Hausmann mit vollständiger Genauigkeit an. Jetzt bedürften die Schächte einer
Hauptreparation. Da sie keine sauerstoffarme, überhaupt leichtgehende Erze zu verschmelzen haben, so
wäre durch ihre Erhöhung vielleicht ein Theil der
vorläufigen Röstung zu ersparen. Diese letztere dauert
jetzt 14 Tage in aus Schlackensteinen erbauten
Röststätten. Der Gebrauch dieser Schlackensteine,
14 Engl. Zoll lang, 7 Zoll hoch und breit, von
den Hohöfen selbst geliefert, ist auf jede Art der

Gebäude ausgedehnt, sie ergreifen und halten den
Mörtel sehr fest, sind dem Wasser undurchdringlich,
und sollen so feuerfest werden können, daß sie an
einigen Orten in Schweden zum Zustellen der Oefen
angewandt werden. Uebrigens giebt hier nur die bey
der Schmelzung zum Stangeneisen fallende Schlacke,
taugliche Ziegel.

Die Erze werden von Gruben geliefert, deren
Betrieb ebenfalls vom Eigenthümer der Hütte ab-
hängt. Die Gruben von Arendal geben oxydulirte.
Eisenerze, welche gern frisch geben, die von Skeen
zum Theil oxydirte. Ihr Gehalt ist sehr verschieden.
Die von Langgangsgrube bey Skeen geben
35 prCt. Roheisen, von Aalekjend (ebend.) 26,
von Hemyraajen auf Langöe 20, von Raneklev bey Arendal 24, von Bolla bey Skeen
46, Anna Catharina (ebend.) 60, von Skotten (ebend.) 28, von Holtsoge bey Riisöe
30, von Wedding bey Arendal 40.

Zum Kanonengusse vergattirt man sie folgendermaßen: von Skotten ⅑, Hemyraasen ⅙,
Langgangsgrube ⅙, Wedding ⅙, Anne
Catharina ⅑, Raneklev ⅙. Man versuchte
einmal ein titänhaltiges Erz von Egersund *),
das 22 prCt. enthält, der Beschickung zuzusetzen;

Dies Erz ist nachher auch chromhaltig befunden.

es gieng leicht durch, aber das Product war fast durchgehends Eisenschaum mit allen Eigenschaften des Graphits.

Ein Centner Erz erfodert bey gewöhnlicher Beschickung 1½ Last Kohlen; doch bedarf es nur 1 Last, wenn man die reichsten auswählt. Man ist alles Zuschlages entübrigt. Die Kanonen, welche dies Werk liefert, sollen denen von Fritzöe in der Dauer vorzuziehen seyn. Man gießt sie bis zum Caliber von 24. Die kleineren Gußwaaren, wie Ofenplatten u. s. w. werden theils im freyen Sand, theils im Ladenguß mit ziemlicher Nettheit verfertigt. Das tauglichste Gestübe zum Ueberstreuen des Abdruckes soll von Birken und Espenkohlen herkommen.

Zu den Frischfeuern (deutscher Art) ist der Hammer auf einem Gerüste von Gußeisen vorgerichtet; er wiegt 1 Schiffpf. 18 Lispf. Man könnte wöchentlich 56 — 58 Schiffpf. feine Arbeiten, und 80 gröbere ausschmieden; doch erzeugen die Höhöfen jährlich nur 934 Schiffpf. Roheisen, woraus mit einem Kohlenaufwand von ungefähr 1500 Lasten 754 Schiffpf. Frischeisen hervorgeht. Die Last Kohlen kostete 3 Rbr.

Da den Eigenthümern des Eisenwerks kein hinreichender District von Waldungen hat angewiesen werden können, so ist der Preis der Kohlen nicht

L. 21

nur willkürlich und ungeheuer geschlagen, sondern man hat auch in den letzten Jahren nicht mehr davon habhaft werden können, als jährlich 3000 Laß, womit man 1800 Tonnen Erz zugutemacht. Diese ergaben ungefähr 1500 Schiffpf. in Kanonen, Ofenplatten und Roheisen. Ohne Erfolg wurde ein Versuch gemacht, Steinkohlen zum Frischen zu gebrauchen.

Man unterhält 3 Nagelschmieden. Der Absatz dieses Artikels war in diesem Augenblicke bedeutend, da die Schweden wegen des schlechten Papiergeldes die Concurrenz nicht aushalten konnten. Man verkaufte 1000 Stück von 4 Zoll Caliber für 5 Rd. Diese Schmieden könnten jährlich bequem 1500000 Nägel von 3 — 4 Zoll, und 120 Schiffpf. Schiffnägel aller Größe liefern. Auch schmiedet man hier Sägen, Ketten, Ackergeräthschaften u. s. w.

Man hat 2 Kanonenbohrer, den einen horizontal, den andern perpendiculär, der erste mit einem mittelschlächtigen Kunstrade kann aus Mangel an Wasserkraft, keine Stücke über 3 Caliber bohren, welcher Unbequemlichkeit durch den letztern mit viel rascherer Wirkung nachgeholfen werden muß.

Das Schneide- und Walzwerk ist Schwedischen Ursprungs. Es beschäftigt gewöhnlich 8 Personen. Ein kleiner Englischer Flammenofen dient zum Glühen der Stäbe. Man arbeitet hier nur 3 — 4

Monate im Jahr, weil es an Abfatz fehlt. Kohlen-
mangel, Steigen des Tagelohnes, und zuletzt noch
eine Epidemie, welche die Anzahl der Arbeiter bis
auf 120 einschmolz, hatten ietzt dies sonst wohl
eingerichtete Werk beynahe ganz heruntergebracht.

Die Umgebungen von Moß bieten Porphyr
und Syenit dar, deren gleiches Vorkommen mit
denen von Christiania weiter unten auseinander-
gesetzt wird. Auch findet man hier erdigen, schwarzen Stinkstein mit muschligem Bruch, welcher
jenen zum Theil als Grundlage dient.

Außer dem hinreichend bekannten Mineralien-
Cabinet des Hrn. Prof. Müller finden sich in
Christiania, 2 andere Sammlungen, der Cathe-
dralschule und der Cadetten-Akademie gehörig,
beyde unter der Aufsicht des kenntnißvollen Prof.
Flor. Die Errichtung einer eigenen Norwegischen
Universität wird auch wohl diesem Hülfsmittel zum
Unterricht in einer dem Lande unentbehrlichen Wissenschaft eine größere Ausdehnung geben müssen.
Hierzu sind auch schon zwey namhafte Sammlungen, die des Hrn. Prof. Esmark und Bergraths
Petersen, theils angekauft, theils verehrt. Vielleicht würde ihnen mit großem Nutzen das Königs-
berger Bergakademie-Cabinet, das besonders so
wichtige Dokumente und Aufschlüsse zur Geschichte
der Norwegischen Silbergruben enthält, hinzugefügt

werden können, ob es gleich nicht immer vortheilhaft seyn mag, alle Quellen des Wissens auf
einem Punkte des Landes zusammenzutragen.

Es ist übrigens eine merkwürdige Erscheinung,
doch Norwegen nicht ganz allein eigen, daß es jetzt
fast unmöglich geworden ist, sich daselbst auf den
wichtigen Stellen selbst nur eine einigermaßen bedeutende Sammlung Norwegischer Mineralien zu
verschaffen. Viel besser findet man sie, ich möchte
beynahe sagen an jedem andern Orte, wo Fossilien
zu Kauf stehen. Arendals alte Halden sind schon
lange erschöpft, und was sonst den Grubearbeitern
zufällig in die Hände geräth, wird verheimlicht,
und kommt nur bey guter Gelegenheit zu ungeheuern Preisen ans Licht. Prof. Müller fand in
England Silberstufen von Nötebroes Grube,
die auf der Stelle gar nicht zu erhalten sind. Wahrscheinlich waren sie an Englische Matrosen verkauft,
und von diesen weiter abgesetzt.

Die Alaunfabrik von Opflö ist auf einer Seite
an den Egebierg angelehnt, aus dem sie das zu
verarbeitende Material zieht, auf der andern liegt
sie an dem Christianiafiord und dem sich darin
öffnenden Aggerselv. Dessen ungeachtet muß
ihre Lage als ungünstig angesehen werden, denn so
nahe einer belebten, holzverzehrenden, jetzt noch
fabriklosen Hauptstadt, werden alle zu ihrer Existenz

nothwendigen Bedingungen erschwert. Ihr Schicksal hat daher immer sehr gefährlich geschwankt. An
der darin befolgten Verfahrungsart haben sich mehrere
versucht, doch nie durchgreifend, noch mit bedeutendem Erfolg. Indeß ist es ausgemacht, daß der
darin erzeugte Alaun einer größeren Reinheit, und
die Methode einer strengern Oekonomie bedarf, um
Concurrenzen aushalten zu können.

Der Alaunschiefer wird in einem offenen Bruche
ganz nahe am Werke gewonnen. Seine Schichten
liegen in ansehnlicher Mächtigkeit an den fein-
schieferigen Gneißlern des Egebiergs an; ihr
Streichen und Fallen ist schwer zu erkennen, eine
Revolution zerklüftete sie, und sie werden nun
durch Porphyrgänge durchsetzt, deren Köpfe hier
und da heraussiehen. Unten erscheinen Lager von
Stinkstein, die man gleichfalls unter Aggershuus
Schloß, und weiter westlich bey Bälkeröe
wiederfindet. Der Alaunschiefer von Andraeum
in Schweden wechselt auch mit Kalklagern dieser
Art. Wahrscheinlich gehören sie hier beyde zusammen.

Der Schiefer enthält viel Schwefelkies in kleinen Lagern, Nieren und Knollen, in der Mitte
von Anthracit Elipsoiden. Man findet darin auch
Anomiten (Entomolithus paradoxus), Abdrücke
von Farrenkräutern, und andere in Gestalt kleiner

durcheinander liegenden, bloß auf einer Seite aus-
gezackten Sägen; diese letzteren besonders am Gal-
genbalke.

In vielen, ja in den allermeisten Werken dieser
Gattung werden die Alaunerze, die Schwefelthon
und Kalt führen, und verwitterbar sind, lange,
oft mehrere Jahre hindurch, der Einwirkung der
Atmosphäre vor dem Auslaugen überlassen; hier
sieht man sie aber ganz frisch gebrochen als tauglichst
zur Alaunbereitung an. Dies möchte auch zu glauben seyn, wenn das Salz sich zum Theil darin
schon als gänzlich gebildet vorfände, wie im Alaunschiefer der Tolfa.

Hr. Hausmann hat die Reihe der Operationen
zum Auslaugen und Versieden so genau und wissenschaftlich beschrieben, daß mir wenig anzumerken
übrig bleibt.

Die Auslaugekästen erlitten seit der ersten Einrichtung verschiedene Veränderungen; im Anfange
waren sie schmal und tief, den Grundsätzen der
Verdünstung zuwider. Doch ist überhaupt wohl
unter diesem Himmelsstrich die Behandlung der natürlichen Verdampfung auf den Bühnen von geringerer Bedeutung, als die der künstlichen in den
Pfannen.

Hr. Da Camera schlug während seines Hier-
seyns dazu einen Reverberirofen vor, um das Feuer

von oben herab wirken zu lassen. Eine ansehnliche Hölzersparniß wäre ohne Zweifel dem Gelingen dieses Versuchs gefolgt, aber er mißglückte, die Gutlauge war allerdings stärker als sonst, aber schoß in den Wachsfässern nicht in Krystallen an. Der Gedanke mochte ebenfalls von den Einrichtungen bey der Tolfa entlehnt seyn. Allein es gehört vermuthlich ein verschiedener Wärmegrad dazu, gekohlte Kiesel- und Thonerde mit Schwefel zu Alaun zu verbinden, als das von der Natur schon vorgebildete, ausziehend darzustellen.

Im Winter steht die Siederey, und man beschäftigt sich nur mit dem Brechen des Schiefers. Die höchste jährliche Ausbeute übersteigt nicht 500 Tonnen; im letzten Jahre erreichte sie nur 327. Funzig Arbeiter, worunter 20 weibliche, stehen unter der Aufsicht eines Schwedischen Sieders, der im Ganzen die in Andrarum übliche Methode, doch nicht ohne eine wunderbar geheimnißvolle Zurückhaltung befolgt.

Zweyundzwanzigstes Kapitel. (4)

Bárum und Hakkedal.

Reise nach Bogstad. Eisenhütte von Fossum. Eisenhütte von Bárum. Reise nach Hakkedal. Eisenwerk. Dals-grube. Eisenhammer bey Hougb. Umgebungen.

Gleich beym Austritt aus Christiania erblickt man einen schwarzen Thonschiefer, der, mit einem grauen, schwärzlich grauen und schwarzen Versteinerungskalke wechselnd, dem Anscheine nach der ganzen Umgebung zu Grunde liegt. Er stellt sich in auffallender Unordnung dar. Die gebrochenen Lager, seiger auf den Kanten stehend, oder unter Winkeln von 45 — 60° nach West und Nordwest geneigt, bilden tiefe parallel - laufende Furchen, welche die Thalwände in ihrer Breite durchschneiden. Gleichsam ein doppelter Durchgang macht ihn ebenfalls in der Länge in kleine Stäbe zerfallen,

353

als wäre es Griffelschiefer. Kalkspath durchbricht
ihn in Lagern, zuweilen in übersetzenden Schnüren und Trümmern. Dies vollendet sein Zer-
bröckeln in allen Richtungen. Die Kalksteinlager
dazwischen, voll von Schwefelkies-Knollen und
Körnern, erhalten durch die Verwitterung derselben viele Zellen und Höhlungen: darum erscheinen
sie ebenfalls wie aus Kugeln und Nieren zusammengesetzt. An einigen Stellen laufen sie gerade aus,
aber desto gebogener und gekrümmter sind sie an
andern. Auf Ladegaardsöe hat sich eine solche
Schicht zu einer Art Grotte gekrümmt. Im Streichen und Fallen folgen sie dem Thonschiefer, zu
dem sie gehören, große Fetzen sind nach den meisten
Punkten des Horizonts hingebogen.

Schon beym Eintreten in die kleine Vorstadt
Pebervigen hat man einen großen Porphyrgang
hinter sich gelassen, welcher unter dem Schlosse
von Aggershuus in den Fiord hinaussetzt. Bald
findet man hierauf einen andern, der halbmondför-
mig gekrümmt, die kleine Halbinsel Tyvholmen
bildet. Mit dem Fortschreiten werden diese Gänge
noch häufiger. Ihr Streichen und Fallen sind eben
so mannichfaltig, als die Masse, woraus sie bestehen.
Bald ist es ein thoniger, kieselthoniger, oder feldspathreicher, bald ein trapp-, hornstein- oder horn-
blendeartiger Teig, worin rhomboidalische Feldspath-

Kryſtalle (Feldspath binaire, HAUY), oder priſ-
matiſche (F. prismatique) von weißer, dunkel-,
fleiſch-rother, oder rauchgrauer Farbe und vielfacher
Größe, eingeknetet liegen, wo ſelbſt zuweilen die
Hornblendtheile mit nicht mehr bemerkbarer Feinheit in den Feldſpath verfließen, ſo den Grünſtein
bilden, ja zu Trapp und zu Waſke werden. Auch
erſcheinen darin Kügelchen von zeiſiggrünem Epidot;
ſogar findet er ſich blaß und mit Kalkausfüllun-
gen (über Jonſerud), und kündigt ſo den Man-
delſtein von Drammen und Holmeſtrand
an.

Dieſe Gänge können eine Mächtigkeit von
12 — 15 Fuß erreichen, bieten ſich alsdann nach
dem Zerfallen und Verſchwinden der umſchließenden
Thon- und Kalkwände, als ſelbſtſtändige Maſſen
bar. Sie überſetzen und durchkreuzen ebenfalls einander ſelbſt. Endlich iſt es der nämliche Porphyr,
welcher als ſeine herrſchende Rinde über die Höhen
in großer Erhebung herliegt mit Uebergängen in
Syenit und Granit. Längs dem ganzen Wege bis
Bogſtad und Bärum ſteht er an, oder liegt in
Blöcken umher. Der Berg, welcher Bogſtad
beherrſcht, beſteht daraus, ſeine Spitze 960 Fuß
über den Meeresſpiegel erhebend.

Im Eiſenwerke von Foſſum haben die Röſt-
ſtätten 40 Fuß Länge, bey 12 Fuß Breite, jede

Gattung des Erzes wird darin einzeln behandelt. Man gebraucht dazu Scheitholz mit Kohlenlösche gemengt, wovon man 3 mit Erzschichten wechselnde Lagen zu einer Höhe von 5 Ellen, und Breite von 3, aufbettet. Zu 6000 Tonnen Erz sind 120 Klafter Holz zureichend; jede Röstung umfaßt auf einmal 400 mit einer 8tägigen Dauer.

Die Erzgattungen, minder mannichfaltig als in Moß, beschränken sich auf 2, wovon eine von Langöe, die andere von Solberggrube bey Arendal herkommt, welche Hrn. Anker gleichfalls zugehört. Die Ausbeute beyder Gruben wird längs der Küste bis nach Sandvigen geführt, woher sie alsdann durch Landtransport Fossum und Bärum erreicht. Das Erz von Langöe wird als das beste angesehen, sein Verhältniß zum andern bey der Gattirung ist 9¼ zu 4.

Auch hier ist kein Zuschlag nöthig. Ebenfalls verunglückte ein Versuch, titanhaltiges Erz mit aufzugeben, es störte die Schmelzung. Doch bedient man sich desselben in geringer Menge, wenn der Schacht angefressen ist.

Die Kohlen waren in diesem Jahre von sehr mittelmäßiger Beschaffenheit, welches von einer Forstökonomie herkam, da man, um die Wälder zu schonen, zuerst alle Abfälle und halbverfaulte

Stämme verkohlt hatte. Das Verkohlen geschieht
für Hrn. Ankers eigene Rechnung.

Der Hohofen hat 30½ Fuß Höhe vom Bodensteine an, 4⅓ Weite in der Gicht, über der Raſt
6½. Er faßt 10½ Laſt Kohlen. Das Geſtell iſt
aus Engliſchem Sandſtein. Man hat dazu ebenfalls
den feuerbeſtändigen von Hedemarken anzuwen-
den verſucht; es hielt aber nicht über 4 — 6 Monate aus.

Dem Hohofen liegen zwey pyramidaliſche Bälge
von alter Bauart vor. Nach Hrn. Ankers Meinung verdienen ſie den Vorzug vor allen neuern
Erfindungen und Verbeſſerungen des Gebläſes, wenn
ſie mit Sorgfalt eingerichtet und gefügt ſind, wo
alsdann mehrere Jahre ohne die mindeſte Reparation
hingehen können. Das prismatiſche Kaſtengebläſe
erfodert allerdings in Norwegen häufige Ausleerun-
gen, doch vermuthlich nur deshalb, weil das dazu
angewandte Holz nicht trocken genug iſt, und die
Arbeiter der neuen Methode überhaupt nicht hold,
das meiſte ſelbſt unter der ſtrengſten Aufſicht ver-
pfuſchen.

In einem Tagewerke (24 Stunden) ſetzt man
18 Gichten durch, wozu der Satz zu 9 Tonnen
Kohlen in 13½ Trögen geröſteten Erzes (wovon
9¼ von Langöe Erz und 4 van Solberg) beſteht. Der Trog wiegt 3 ℔., da alſo auf jede Gicht

40½ ℔. kommen, so machen 18 Gichten ein Gewicht von 729 ℔., oder (55 ℔. auf die Tonne gerechnet) $13^{14}/_{55}$ Tonnen bey 13¼ Last Kohlen aus. Hieraus erfolgen ungefähr 14 Schiffpf. in Roheisen und Gußguth. Der Hohofen geht 2 — 3 Jahre ohne Unterbrechung fort.

Die hier producirten Gußwaaren, besonders Oefen u. dgl., sind sehr artig, und nach geschmackvollen Modellen geformt. Da sie wohlfeiler sind als die noch zierlicheren von Näsvärk, so findet man sie in Norwegen fast überall in Gebrauch. Zum Formen wird ein in der Nähe der Hütte befindlicher Sand angewandt, den man trocknet, und mit einer höchst unbedeutenden Menge ungefähr ¹/₆₀ Salz vermischt.

Hr. Anker war auch darauf bedacht, sich die auf Näsvärk üblichen Verfahrungsarten zu eigen zu machen, und unterhielt daselbst mit Einwilligung des sehr uneigennützigen Eigenthümers einige Arbeiter zu diesem Behufe. Fossums und Bärums Eisenproducte bestehen zur Hälfte aus solchen Gußarbeiten.

Man hat hier einen Stabeisenhammer nach Deutscher Art. Es wurde einmal versucht auf Wallonisch zu schmieden, aber der Kohlenverbrand war unverhältnißmäßig groß zu dem daraus entsprießenden Vortheil. Auf jedem Heerde wird ungefür 2 Schiffpf. Roheisen auf einmal gefrischt, mit einem Abgange von 6 Lispf. auf jedes Schiffpf. Jede Woche wird 25 — 30 Schiffpf. in Stangen geliefert, jährlich 14 — 1500.

Die Hohofenschlacken, woraus man gleichfalls Ziegel zum Häuser-, Röststätteban u. s. w. formt, sind minder dazu geschickt, als die aus der Eisenhütte von Roß; man behauptet deswegen, weil eine vollkommenere Schmelzung weniger Metalltheile in die Schlacken übergehen lasse.

Der Hohofen von Bärum ist in einem achteckigen Gebäude eingeschlossen, worin sich ebenfalls das Formhaus befindet. Seine Höhe ist die nämliche als in Fossum, doch weicht er davon etwas in seinen inneren Verhältnissen ab; er hat 4¼ Fuß Weite in der Gicht und 7 über der Rast. Doch enthält er gleichfalls 18 Last Kohlen, das Gebläse besteht in Bälgen von gewöhnlicher Form.

Auf dem Beschickungsboden schlägt man das geröstete Erz in 2 — 3zöllige Stücke, zu welcher Arbeit auch Frauenzimmer gebraucht werden.

Man gibt während 24 Stunden 24 Gichten auf, jede in 8 Tonnen Kohlen und 9 Trögen Erz bestehend, wovon 7 Langäe- und 2 Solberg-Erz sind, jeden Trog zu 4½ Lispf. Gewicht, also 40½ Lispf. jede Gicht, oder 972 täglich, mit einem Kohlenverbrande von 16 Lasten. Daraus erhält man 18 Schiffpf. in Roheisen und Gußartikeln, welche letztere gänzlich mit denen in Fossum über- einkommen. Ehemals kannte man nur den freyen Sandguß, jetzt hat man beynahe für alle Arbeiten den Lehmguß eingeführet.

Das Erz kostet die Hütte, den Transport von Langöe mit eingerechnet, ungefähr 3¼ Rd. das Schiffpf. Man verkaufte dagegen das Stabeisen zu 33 Rd., und die Gußwaaren 16 Rd. pr. Schiffpf. Die jährliche Ausbeute beyder Werke, Fossum und Bärum zusammengenommen, belief sich auf 10000 Schiffpf., wovon 5500 auf das letztere fallen.

Bärum hat 2 Frischfeuer auf dem nämlichen Fuße als Fossum. Außerdem gehören zum Werke 8 Nagelschmieden und ein Schneidewerk. Noch ein Hammerwerk liegt in Mariadalen, in einer kleinen Entfernung von der Hütte. Die Anzahl der Arbeiter belief sich in Bärum auf 400, in Fossum auf die Hälfte.

Sehr passend ist eine Ziegelbrennerey in der Nähe von Bärum angelegt. Der Thon dazu findet sich auf der Stelle selbst. Man verarbeitet ihn in einem durch Wasser getriebenen Pochwerke. Der Ofen hat 26 Fuß Länge, 17 Breite: man brennt jährlich 37000 Mauersteine und 18000 Dachziegeln. Fünf Arbeiter können in einem Tage 3000 der erstern und 100 der letztern verfertigen.

Kaum hat man Christiania auf dem Wege nach Hakkedal hinter sich, so findet man einen feinkörnigen Feldspathporphyr, den mit Kalkstein wechselnden Thonschiefer durchsetzend. Hierauf erscheinen Gänge von Porphyr mit Grünsteinbasis und sehr deutlichen rhomboidalischen Feldspath-Krystallen darin. Bey Linderud steht Zirkonsyenit an, und enthält Gruppen von blättrigem Molybdän *). Unten liegt splitteriger Hornstein (Petrosilex, dichter Feldspath).

Der rothe Feldspathporphyr zeigt sich von neuem bey Kalbakken, bey Groverud Gneiß, schwarzer Kalkstein, auf diesem Kieselschiefer, worüber endlich Syenit in einem mächtigen Lager. Am kleinen See Skytakjerna kommt der Grünstein-Porphyr hervor, und rother Feldspathporphyr, der Magneteisenstein enthält. Dieser geht an der Brücke zwischen Skytte und Moe beynahe in Mandelstein über, die weißen abgerundeten Feldspathkörner liegen in einer bräunlich-schwarzen Hornsteinmasse. Bey Moe zeigt sich der Gneiß von neuem unter dem Thonschiefer. Am Ritelv bey der Brücke,

---

. *) Hr. Prof. Müller hat zuerst dies Metall, eins der ältesten, in diesem Syenit entdeckt, der übrigens in Christiania zum Straßenbau dient; alle nach der Stadt bey Linderud vorbeyfahrende Bauern sind verpflichtet, davon eine gewisse Ladung mitzunehmen.

welche zur Gränzscheidung dient, liegen Pyribulende-
lager darin. Alsdann findet man bis Hakkedal
nichts als Birkenshenit. Das Wirthshaus liegt
am Fuße eines hohen Felsens dieser Art, der in
mächtige Blöcke verwittert. An mehreren Stellen
gleicht das Gemenge vollkommen dem grob- und
großkörnigen Syenit von Laurvig. Der, welcher
in der Nähe des Eisenwerkes bricht, und dessen man
sich zum Bauen bedient, enthält haarförmigen
Epidot, und (nach Hrn. v. Buch) Titan.

Der Hakkedalselv gibt die Aufschlagewasser
zum Hüttenbetriebe her. Er entspringt eine Meile
jenseits des Werks, seinen Namen, dem Norwegischen Gebrauche der Flüsse getreu, mehrmals ver-
ändernd; vorher heißt er Hacxefluevandet, nachher Nitelv. Die Canäle, welche das Wasser auf
die Kunsträder leiten, sind zum Theil in den Felsen
gehauen, eine sehr mühselige Arbeit in der ver-
klüfteten Steinart, unbezwinglich durch Schießen.
Allein da das Wasser darin nicht gefriert, so erspart
man nun mehrere Arbeiter zum Offenhalten desselben. Wo der Kanal im Freyen stehen mußte, ist
er mit Fichtenzweigen bedeckt. Man hat 2 Kunsträder zusammen in einer Radstube zur Holzersparung
beym Einheitzen.

Die Anzahl der Röstställten war eigentlich auf
3 von ovaler Form, und 6—7 Fuß Tiefe beschränkt,

I.   22

doch hatte ein momentaner Ueberfluß an Kohlen, für welche das Magazin nicht mehr Raum hatte, die eilige Erbauung von zwey andern veranlaßt. Jede Stätte kann 200 Tonnen Erz fassen, die mit 3½ Cubikklaftern Holz und 1 Tonne Kohlen ungefähr auf jede Tonne Erz geröstet werden. Auf die unterste Holzschicht, mit Schalholz und Spänen geebnet, wird eine Lage von Erz (die größten Stücke immer in die Mitte) von 1½ Fuß Höhe gebettet, diese hierauf mit Kohlen, fortwechselnd mit Verminderung der Erz- und Holzschichten, bedeckt. Man bekleidet die Pyramide mit Lösche und Gestübe zu einer Dicke von 6—8 Zollen und mehr, sorgt auch ohne Ablaß dafür, daß die Flamme nirgends hervorbreche, besonders in den letzten 3 Tagen. Diese Verfahrungsart entschwefelt das Erz vollkommen; das von der Dalsgrube kommende bedarf einer sehr starken Röstung, welche hier stellenweise bis zu einem Anfang von Schmelzung getrieben war. Das geröstete Erz wird hierauf in einem Pochwerke zerkleint, und von der nämlichen Welle in Kübeln zum Beschickungsboden hinaufgehoben. Der Hohofen ist 32 Fuß hoch, 24½ Zoll weit in der Gicht, 34½ im Gestelle, 43 über der Rast. Er ist nicht älter, als von 1807 und 8 her. Der Rauchschacht ist aus Spenitstücken aufgeführt, welche die ganze Tiefe des Mauerwerks haben, durch genaue

Behauung ohne Mörtel aneinanderpaffen, und mit eifernen Ankern zufammengehalten werden. Man hat dazu einen größeren Arbeitsraum als gewöhnlich gelaffen, um den Schmelzern bey fchwierigen Operationen die Hitze erträglich zu machen. Der Schacht ist aus Englifchem Sandstein, das Geftell meiftens aus dem von Hohemarken ausgeführt.

Der Hohofen war feit dem 6. April 1809 im Gange und es follte nicht vor Anfang Junius diefes Jahres (1810) ausgeblafen werden. Man wollte ihn alsdann bis 1811 kalt liegen laffen, weil ein hinreichender Vorrath von Roheifen da war, um das Hammerwerk von Wittebal, das einzige, worauf man fich befchränken wollte, eine geraume Zeit im Gange zu erhalten.

Der Wind wird von 2 gegenüberftehenden Seiten in den Ofen geführt. Das Gebläfe beftehet, nach Schwedifchen Modellen, in 3 Kaften, deren Inhalt (jeder ungefähr 100 Cubikfuß Luft) fich in einen Condenfator vereinigt, woraus er in die Düfen kommt. Die ganze Mafchine ift ohne einen einzigen Nagel durch hölzerne Pflöcke, und auf eine Art zufammengefügt, daß fie bey entftehender Feuersgefahr augenblicklich auseinandergenommen und ftückweife gerettet werden kann.

Alle Kaftengebläfe haben übrigens unvermeidliche Unbequemlichkeiten, welche aus ihrem fehr compli-

ebten Bau und der daraus leicht entstehenden Ver-
rückung ihrer Theile entspringen. Die schiebende
Bewegung des aufwärts drückenden Scheibers ist
besonders unvortheilhaft. In Schweden hat man
sie daher wieder durch eine Art gewöhnlicher Bälge
ersetzt, welche eigentlich von Nordwall angegeben, doch von Whitholm zu größerer Vollkommenheit gebracht, nun unter des letzteren Namen
bekannt sind *).

Noch ist in Hakkedal der Nutzen zweyer ent-
gegenstehender Formen nicht völlig abgethan; denn
der bessere Gang der Schmelzung seit Einführung
derselben kann der vollkommneren Einrichtung des
Hohofens mit gleichem Rechte zugeschrieben werden.
Uebrigens sind die Winde einander nicht genau gegenüber. Hr. Baumann hatte im Sinne die Leitungs-
röhre des zweyten unter dem Hohofen zirkelförmig
gebogen wegzuführen, damit er durch scharfe Win-
kelbrechungen nicht geschwächt werden möchte. Die
Beschleunigung der Schmelzung durch lebhafteren
Umgang des Gebläses ist ihr übrigens immer unvortheilhaft. Sehr viel Metall geht dadurch in die
Schlacken über. Hr. Baumann nahm diese Wirkung sogleich wahr, wenn er die Form nur im min-

---

*) Im 4. Bande von Hrn. Haukmanns Reisebeschreibung
findet man eine sehr genaue Nachricht hierüber.

dessen über die wagerechte Richtung erhob, er ließ sie daher zuerst horizontal, und endigte damit, sie etwas niederzudrücken. Doch muß man dies nur als auf diesen einzelnen Fall anwendbar ansehen.

Wenn der Gang der 3 Gebläse-Prismen eine Schnelligkeit erhält, um in der Minute 7 — 8mal zu wechseln, so kann man 15 Gichten in einem Tagewerk durchsetzen. Der Satz einer solchen Gicht bestehet auf 12 Tonnen Kohlen aus 1 Tonne Erz und $\frac{1}{10}$ Tonne Zuschlag, wozu die Erze so gattirt werden, daß man zu $\frac{9}{10}$ von Dalsgrube-Erz $\frac{1}{10}$ eines andern von Tornbjörnsboe (bey Arendal) schlägt. Vom letzteren nimmt man immer so wenig als möglich, weil die Weite des Transports es zu kostbar macht. Dessen ungeachtet hat man es zu $\frac{1}{8}$ versucht, in der Hoffnung, alsdann des Zuschlages gänzlich entbehren zu können, der immer den Kohlenaufwand vergrößert. Jetzt, wie es darauf angesehen war den Hohofen nur eine kurze Zeit noch in Gang zu erhalten, war das Verhältniß bis zu $\frac{1}{15}$ gesunken; die Erfahrung hatte aber $\frac{1}{10}$ als das beste erwiesen. Der Zuschlag ist ein kieselhaltiger Kalk (Konit), den man am Fuße des Bäringskullen bricht. Man glaubt ihn vortheilhafter zur Schmelzung als den reinen Kalkstein, welcher zum nämlichen Gebrauche in der Nähe von Aasgaard gegraben wird; die beygemischte Kieselerde verhindert vielleicht das Uebergehen des Metalls in die Schlacken.

Gibt das Gebläse 10 bis 10½ Hübe in der Minute, so kann man in 24 Stunden bis 23 oder 24 solcher Gichten durchbringen; aber immer zum Nachtheil des Schmelzens. Man sticht 2male in der angegebenen Zeit ab.

Der von der Dalsgrube kommende Stein ist arm, sein Gehalt kann nicht höher als auf 16 Ltspf. per Tonne angeschlagen werden. Doch kommt er hoch zu stehen, theils weil die Grube sehr wasserbedürftig ist, theils weil er auf das sorgfältigste geschieden werden muß, um die unartigen Geschicke, Schwefelkies oder gar Kupferkies auszuhalten. Hierzu kommt noch ein beschwerlicher Sand-Transport, so daß die Tonne über 3 Rd. kostet.

Das Ausbringen des Hohofens, wenn er die besten Erze der Dalsgrube zugutemacht, und die Schmelzung nicht übereilt wird, kann sich wöchentlich auf 90 bis 100 Schiffpf. Roheisen belaufen. Allein jetzt verschmolz man nur die ärmsten derselben, und erhielt darum bloß 60 bis 70 Roheisen, kleine Gußwaaren mit einberechnet. Man förmt die letzteren in einem angefeuchteten Sande, wozu man ein wenig Salz aufgelöst hat. Sie haben ein minder geschmackvolles Aeußere, als die von Bårum oder Nåsvärk, aber die Küchengeschirre sind sehr geachtet, weil darin die Speisen nicht schwarz werden,

dessen man die Gefäße von Bärum beschuldigt.
Man verfertigt auch sehr brauchbare Glocken, indem
man das Roheisen ein wenig spröde hält, wodurch
der Klang geschärft wird. Der größte Gewinn wird
aber aus dem Stabeisen gezogen, mit dessen Bereitung man sich auch beynahe ausschließlich beschäftigt. Die hier geschmiedeten Nägel sind in großem
Rufe. Die Schlacke ist niemals flüssig genug, um
zu Steinen geformt werden zu können. Sie bildet
ein auffallendes, bläulichgelbes Porzellain, das ziemlich eisenfrey ist, wenn in der Beschickung keine
Nachlässigkeiten vorfallen.

Da das Werk die ihm nöthigen Kohlen aus
seinen eigenen Holzungen ziehen muß, und das Ver-
schneiden der Stämme in Bretter bisher immer
als die vortheilhafteste Benützung derselben angesehen wurde, so hatte die Administration des Ankerschen Fideicommisses, welchem das Werk
angehört, beschlossen, daß in Zukunft lediglich Abfälle, vertrocknete Stämme und Baumspitzen verkohlt werden sollten. Dadurch wurde die Schmelz-
zeit des Hohofens auf 4 bis 5 Monate im Jahre
beschränkt, welches gerade zureichte, um 2 Frischfeuer mit dem nöthigen Roheisen zu versorgen. Doch
kann man es als ausgemacht betrachten, daß die
auf diese Art gewonnenen Kohlen mehr kosten und
minder taugen werden, als die nach gewöhnlicher
Methode ausgebrachten.

Das bey dem Hohofen liegende Hammerwerk mit 2 Feuern ist nach Deutscher Art. Man wollte es eben eingehen lassen, und sich auf die Unterhaltung des bey Hougb einschränken. Es mag vortheilhaft seyn, die Stangenschmiede in einiger Entfernung vom Hohofen zu halten, weil sonst die Controllirung des Roheisens und der Kohlen fast zur Unmöglichkeit wird.

Da das Roheisen immer sehr schwefelhaltig bleibt, so ist das Ausschmieden sehr mühsam, und um den Rothbruch zu verhindern, muß es wohl 3mal gefrischt werden, welches Abgang und Kohlenverbrand außerordentlich vermehrt. Man erhält von 21 Lispf. Roheisen ungefähr 15 Lispf. Stabeisen. Jedes Schiffpfund des letzteren erfodert einen Kohlenaufwand von 20 — 24 Tonnen.

Die Anzahl der Arbeiter, denen das Werk feste Wohnung gibt, beläuft sich auf 24, die Schmiede und einige Tagelöhner mit einbegriffen.

Es gereicht zu einem besonderen Ruhm der Administration, daß sie, wie sich aus den Wirkungen ergeben hat, die Vorschläge Hrn. Baumanns zum Emporbringen des Werks immer mit aufmunternder Bereitwilligkeit und ohne vernichtende Einschränkungen angenommen hat.

Die Dalsgrube ist 2 Meilen von der Hütte entlegen. Die Anstalten zur Gewältigung der Gruben-

waffer sind bis jetzt sehr complicirt und unvollkommen gewesen. Ein schwerfälliges Kunstrad von 36
Fuß Durchmesser bewegt ein Feldgestänge, das nicht
nur einen Raum von 1600 Fuß durchgeht, sondern
auch dazu einen ansehnlichen Hügel hinanschiebt.
Es gibt keine Worte, das mühsame ängstliche Treiben dieser wankenden und knarrenden Maschine aus-
zudrücken, welche jeden Augenblick in Begriff zu
seyn scheint, in sich selbst zusammen zu stürzen. Man
gedachte daher sie mit einer Roßkunst zu vertauschen,
um ein Pumpwerk von 5 bis 6 Kunstsätzen zu
treiben. Durch die Vorrichtung eines Rades, das
mit einem der Kegel des Göpelkorbes zusammenhängt,
soll sie auch den Dienst eines Kehrrades zur Berg-
und Erzförderung verrichten. Man fand einige
Schwierigkeit beym Aufrichten dieses Göpels; um
die Schwängel möglichst verlängern zu können,
mußte der hügelige Boden zum Umgange der Pferde
erhöhet und aufgemauert werden.

Das Erz bricht auf einem Lager, das zwischen
Gneißschichten saiger steht, und in diesen von
Südost und Nordwest streicht, mit einer Mächtigkeit von ungefähr 10 Fuß und in noch unerforschter Tiefe. Man hat darauf einen Schacht abgeteuft
und davon 2 Oerter übereinander ausgelängt. Da
das Lager eine Art von talkiger Saalbande hat, so
ist man auf die Besorgniß gefallen, das Erzmittel

möge sich mit der Zeit ablösen und in das unterste
Ort niedersinken; dies ist aber wohl eine Vorstellung aus dem Kleinen entlehnt; auch ist es mir
vorgekommen, daß Lager verengere sich keilförmig
nach unten, oder vielmehr krümme sich wellenförmig,
welches dieselbe Sicherheit gewährt. Da das Sauge-
werk wegen der bevorstehenden Veränderung des
ganzen Maschinenwesens in Stocken gerathen war,
so hatten die aufgegangenen Wasser das unterste
Ort ersäuft. Wie der östliche Abfall des Hügels,
auf dessen Kamme der Schacht niedergeht, sehr prall
ist, so kann die Lage zur Ansetzung eines Stollen
nicht günstiger seyn.

Das Erz ist ein Magneteisenstein, oft Schwefel-
und Kupferkies enthaltend, und zum Theil mit
Quarz, zum Theil sehr stark mit Kalkspath gemengt.
Man findet auch Roth-Braunsteinerz in kleinen ver-
wirrt-zusammenliegenden Linsen, oder stralig, grau
metallisch glänzend um Quarzkrystalle herumlie-
gend.

Unter Hrn. Baumanns Aufsicht steht ebenfalls die Eisenhütte von Feiringen, welche kennen zu lernen ich nicht Gelegenheit gehabt habe. Doch
merke ich hiervon einige interessante Umstände an.

Da eins von den daselbst zu verschmelzenden
Erzen sehr viel Schwefelsäure enthält, so wird es

mit einem Zuschlag von $\frac{1}{48}$ Quarz beschickt, welches das Anfressen des Schachtes verhindert.

Ein anderes dieser Erze gab ein kaltbrüchiges
Eisen.   Hr. Baumann veränderte gänzlich die
Natur desselben, indem er es 2mal röften, hierauf
in kleine Stücke zerschlagen ließ, und in einen
Behälter niederlegte, dessen Wasser monatlich zweymal verändert wurde, es fleißig umrührte, und
zuletzt den Sonnenstralen aussetzte. Doch mußte man
hiermit 2 Jahre lang fortfahren, erhielt dann aber
ein vortreffliches Eisen.

Die Schmiede bey Hough im Rittedal hat
einen Frischhammer zu 2 Feuern. Ich muß bey
dieser Gelegenheit anmerken, wie unvortheilhaft es
ist, daß alle Werke in Norwegen sich ihre Hammer
und Amboße selbst zurichten müssen, und daß sich
dazu keine eigene Schmiede vorfindet.

Hr. Baumann hatte im Sinne, bey einem
der Feuer einen Versuch zu machen, wie weit es
dienen könne, zwey Formen auf entgegengesetzten
Seiten bey verengertem Heerde zu gebrauchen, und
das Roheisen auf mehreren Punkten zugleich in den
Wind zu bringen. Auch will er ein Kunstrad ersparen, indem er beyde Herde aus einem Kasten-
gebläse versorgt. Ein Kohlenmagazin sollte auf
einer gemauerten Brücke über einen Bach weg angelegt werden.

Das Stabeisen, das von diesem Hammer geliefert wird, ist ganz vorzüglich. Die Stangen
haben 2 bis 2½ Zoll Breite und ⅜ Höhe. Man
bezeichnet sie mit 1, 2 und 3 Ankern, dem Merkzeichen des Fideicommiß, um jeden Schmied, für
seine Lieferung verantwortlich zu machen. Man
unterwirft die Stangen der Pfahlprobe, wie in
Schweden, ehe man sie annimmt.

Unweit des Hammers, und in einem Hügel,
Houghbjerg genannt, sieht man Spuren von
einem Kupferkiesgang. Es sind fast unmerkliche
Trümmer, in einem Quarzgesteine zerstreuet, welches
ungefähr von Westen nach Osten einen Grünsteinporphyr durchsetzt; dieser wird durch einzelne
größere Feldspathkrystalle charakteristisch, und geht
weiter hin in Syenit über. Südwestlich am Hügel
hatte man dicht unter dem Kamme ein Feldort
eingetrieben, das aber nun unter Wasser stand.
Einer löblichen Tradition nach sollte der Gang
2 Fuß Mächtigkeit erwiesen, und in der Teufe sich
ausgekeilt haben. Man soll ihn fast 30 Fuß lang
abgebauet haben. Zu Bjerknäs, am jenseitigen
Ufer des Flusses, behauptet man ebenfalls, Spuren
von Kupferkies gefunden zu haben.

~~~~~~

Dreyundzwanzigstes Kapitel. (5)

Südliche Provinzen Norwegens.

Bassin von Christiania. Weg bis Hiellebek. Parabise
dakken. Umgebungen von Drammen. Jarlsbergs-
dårf. Weg nach Eidfos. Umgebungen. Eisenhütte. Rö-
gebjergsgrube. Reise nach Holmestrand. Walde.
Salzwerk. Laurvig. Umgebungen. Eisenhütte von
Fritzöe. Helgeraae und Barkevig. Fridrichs-
våren. Umgebungen.

———

Es ist ein meisterhaftes Stück in des Hrn. v. Buch
Reisebeschreibung, wo er die Umgebungen von
Christiania malerisch darstellt. Die Gebirgsarten sind mit Sorgfalt zergliedert, Vergleichungs-
punkte mit langen und wohl durchdachten Erfahrungen kommen allenthalben vor, man sieht den Geist
der Philosophie über die weitläuftige Aengstlichkeit
des Details erhoben. Hr. Haus mann, dem nämlichen Ideengang getreu, bietet eine sehr schätzbare

Nachlese von demjenigen dar, was dem angenommenen Systeme an mangelhaften Stellen nachhelfen mag. Mir sey es erlaubt, die Beobachtungen zu bekräftigen, die ich gleichförmig fand, andere, welche abwichen, ohne Ansprüche einer zukünftigen Bestätigung zu übergeben, doch besonders allen Resultaten für jetzt zu entsagen.

Man kann sich die Uebersicht dieser merkwürdigen Gegend sehr erleichtern, wenn man sich ein Bassin vorstellt, das östlich vom Egebierg anhebt, wo der Gneiß verschwindet, nördlich durch die Gebirge von Hadeland und Ringerige beschränkt wird, und westlich in der Nähe des Paradisbakken schließt. Doch lassen sich die charakteristischen Eigenthümlichkeiten dieses Bassins in geognostischer Hinsicht, keineswegs auf gleiche Art geographisch beschränken. Auf vielen einzelnen über diese Gränzen hinaus liegenden Punkten, oder auch zusammenhängenden Strecken, besonders nord- und westwärts, finden sich dieselben, oder höchst ähnliche Steinarten.

Man kann ebenfalls annehmen, der Gneiß begrenze dies Bassin östlich und westlich. Er erscheint bis jetzt als die Grundlage der Norwegischen und Schwedischen Gebirge. Aber es ist unmöglich, auszumachen, in welchem Verhältniß er mit den andern bekannten Gneißarten stehe. Sein auszeichnender

Charakter ist das granitartige in seinem Gemenge.
Er erscheint an der Westküste groß- und kleinfaserig;
dann wird er Granit, ohne Folge noch Ordnung.
Der Glimmer, sich an keinen zusammenhängenden
Niederschlag bindend, liegt darin in Gruppen sowohl, als mit nebeneinander fortgehender Blättchen;
der Feldspath durchwandert alle Größen und Farben in kleinen Räumen; höchst selten finden sich anhaltend wechselnde, deutlich und rein abgesonderte
Lager, wo man Granit oder Gneiß, einen durch
den andern förmlich eingeschlossen, erblickte. Selbst
massenweise liegen beyde zusammen, und gehen an
den Seiten ineinander über. Es ist kaum zu verkennen, daß sie zu einer Zeit niedergelegt wurden,
und daß die Unterscheidungszeichen des Systems
sich hier nur als Wirkungen eingeschränkter, ört-
licher Verbindungen, nicht von der Verschiedenheit
einer inneren Natur abhängig, erweisen.

Ganz das nämliche Phänomen bieten der Glim-
mer- und Thonschiefer dar, welche dem Gneiße
aufliegen. Sie gehören in Norwegen wahrscheinlich
einem einzigen, gleichzeitigen Niederschlag an. Zahlreiche Beyspiele ihrer unzertrennbaren Vermischung
werden in der Folge vorkommen; man bleibt häufig
zweifelhaft, welcher Name dem Gestein zu geben;
der Glimmerschiefer ist selbst oft noch gneißartig,
der Gneiß fast schon Glimmer- oder Thonschiefer,
grauwackenartig.

Es ist der Thonschiefer, den man als die Grundlage oder Scheidewand der sogenannten Uebergangs-
formation ansieht. Aber hier ist sie wenig oder vielmehr gar nicht von der Grundlage getrennt. Der
Orthoceratiten - Kalkstein kommt nicht allenthalben
in ihm vor; die Grauwacke ist meistens granit-
oder gneißartig, in oft ein Kieselconglomerat (wie
am Sämundsöe, und noch deutlicher am Va-
rangerfjord); oder doch mit ihm verschmolzen.
Die ihr aufgesetzten Gebirgsarten von krystallinischem Gewebe liegen an andern Orten dicht am
sogenannten Urgestein an, ja gehen selbst in dasselbe über. Ich führe hier den unleugbaren Uebergang des Granits am Paradisbakken in den
Syenit bey Drammen vorläufig an. Die Erklä-
rung der darin vorkommenden Versteinerungen muß
daher anderswo gesucht werden, als in Perioden
von völliger Ruhe, welche an derselben Stelle das
animalische Leben zuließ. Nicht mit Wahrschein-
lichkeit anzugebende Veränderungen in der Thon-
schieferabsetzung erzeugten darin Risse und Verklüftungen, welche von einem andern Niederschlage
ausgefüllt wurden, der alle zur Granit- und Syenit-
bildung nöthigen Elemente enthielt. Aber an einigen Stellen war eins derselben herrschend, und es
ward ein Porphyr daraus, allenthalben das Gepräge
seines Ursprungs, und oft des modificirenden Ein-

Flusses der Thonbasis tragend: Was nach Ausfüllung
der Klüfte und Spaltungen übrig blieb, wurde über
die ganze Oberfläche ergossen, mit vermindertem,
der Grundlage nächstliegendem Thongehalt; und
vielleicht dadurch ◼◼◼schränkter gewordenen krystal-
linischer Entwickelung. So kam Syenit, wo sich
Hornblende vorfand; oder Granit ohne dieselbe
zum Vorschein.

Dies ist die Folgereihe der Bildungen, so wie
die erste Ansicht sie in Norwegen darstellt, aber
Uebergänge von einer in die andere, ohne Zwischen-
glieder und genau zusammenschmelzend, lassen sich
zu Hunderten aufweisen *).

Der Thonschiefer um Christiania ist im Allgemeinen genommen schwärzlich, oft in dünne Platten brechend, der Verwitterung sehr unterworfen.
Er enthält Knöllen von Schwefelkies (bey Val-
keröe und sonst), er wird durch die feinere Einmischung desselben zum Alaunschiefer (am Ege-
bjerg), und zeigt einige, wiewohl seltene Ab-
brücke einer Art des Lycopodium (Hausmann),
Anomiten u. s. w. Zuweilen wird er schwarz und

*) Man mag hierbey auch leicht in Zweifel gerathen, ob man
den Gebirgsarten ihr Alter, nach Maßgabe ihrer Textur
und der Größe oder Farbe ihrer Elemente, wirklich ansehen könne.

I. 23

dicht (vermuthlich durch Zusatz von Kieselerde), und zur Grauwacke, nicht selten auf diese Art porphyrartig; ja man erkennt ihn im schwarzen Kieselschiefer wieder. Der darin liegende und damit wechselnde Kalkstein findet sich ▪▪▪gelagert, doch von sehr verschiedener Mächtigkeit, gelblich, grau, zuweilen schwarz, selbst bläulich (bey Aggers=huuskirche), charakteristisch durch die eingeschlossenen Orthoceratiten und Pectiniten *); durchsetzt von vielen schmalen Gängen, Trümmern, und dünnen Lagen von weißem Kalkspath. Die Schichten krümmen und beugen sich zugleich mit dem Thonschiefer. Noch unausgemacht ist es, ob der Stinkstein, den man an einigen Stellen findet, nicht aus ihm durch zufälliges Hinzutreten von Kohlenstoff oder Bergpech hervorgegangen sey.

Der Porphyr, welcher die Gänge ausmacht, und nach Verwitterung der umschließenden Thonschieferwände massenweise dasteht, hat mehrentheils eine thonige feldspatreiche Basis, mannichfaltig modificirt durch Hinzukommen anderer Substanzen, wie Hornblende, Glimmer und Quarz. Die Hornblende überhaupt scheint einen wesentlichen Charakter dieser

---

*) Ein Terebratulit von 3—4 Zollen Länge findet sich in einem mergelartigen Schiefer bey der Cathedralkirche in Christiania.

Porphyre auszumachen. Aus Grünstein bestehet die Halbinsel Tyvcholm dicht bey der Stadt, und nördlich erscheint er am Draggenhul, schöne rhomboidalische Feldspathkrystalle einwickelnd, und von kleinen Schwefelkies-Punkten durchdrungen, die zuweilen zu Sternen gesammelt sind.

Ganz von der nämlichen Natur sind die Lager von Porphyr, welche über diese Gänge und ihre Umgebungen herliegen; mit demselben Reichthum verschiedener Gestalten, besonders durch rauchgraue Feldspathkrystalle ausgezeichnet. Diese letztere Modification bildet die Gebirge von Bärum, Bogstad und Kroghskoven.

Wo aber die Hornblende in Menge und zugleich mit Uebermaß von Feldspath vorwaltet, wird der Porphyr oft zum Syenit, wo sie fehlt zum Granit. Dem Wesen ihrer Verbindung gemäß, liegen sie dem Porphyr und einander nicht immer auf, sondern auch zur Seite. Der Syenit ist meistens kleinkörnig, oft wird er von Lägern und Zwischenmassen porphyrartiger Textur unterbrochen.

Daß die Syenitmasse des Bassins von Christiania mit der von Frideriksvärn innig verwandt sey, mag auch die Gegenwart des Zirkons in beyden erweisen; doch trifft man ihn nicht überall in gleicher Menge an. Der rothe und graue Feldspath ist darin immer überwiegend, sie schließt Epidot

und Titan, Magnet- und Schwefelkies, ja Molybdän (bey Linderud) ein. Glimmer und Quarz
verschwinden zuweilen [t]). Sie wird Granit mit
vollkommen krystallinischem Gewebe (beym San-
nefön), gewöhnlich mit metallisch-glänzendem
·Glimmer gemengt, mit grauem und muscheligem
Felbspath. Aber das Porphyrartige kommt oft wieder hervor, und man wird über die Benennung des
Gebildes verlegen.

Diese Reihe von Gesteinen, welche von mehreren Naturforschern Uebergangsgebilde genannt werden, sind in Norwegen den anerkannten Urgebirgs-
arten alle gleichförmig übergelagert, ja gehen in
sie über, denn der Granit vom Paradisbakken,
der mit dem Syenit dieser Formation ganz unläug-
bar bey Tangen zusammenschmilzt, ist kein jüngerer Granit, sondern mit dem Grundgneiße gleichzeitig **). Der Syenit enthält Molybdän, das bis
jetzt noch keinem neueren Gesteine zukommt. Am
Goustafield liegt der Hornsteinporphyr auf einer
Grauwacke mit talkiger Grundmasse, worin Speck-

---

*) Gerade der von Linderudsaat enthält weder Glimmer
   noch Hornblende.

**) Der Urthonschiefer geht an vielen Orten in den sogenann-
    ten Uebergangsthonschiefer durch die unmerklichsten Nüancen
    über (in Balders u. w.)

stein mit rußen Quarzkörnern und magnetischen
Eisenoktaedern vorkommen (Esmark). Diese
Grauwacke gehört daher wohl dem Urthonschiefer an,
auf welchem hier auch der Hornsteinporphyr unmit-
bar und gleichförmig gelagert aufliegt.

Uebrigens wird es die Zukunft abmachen, ob
es überhaupt nöthig sey, eine solche Uebergangs-
periode anzunehmen, von der Urperiode durch einen
Zeitpunkt allgemeiner Ruhe getrennt, oder ob die
eingeschobenen problematischen Gebilde *) nicht noch
besser durch einen gerade entgegengesetzten Zustand
ununterbrochener Gährung und lebhafter Thätigkeit
zu erklären stehen.

Es ist vieles von den Nachforschungen gesprochen,
welche man in der Gegend bey Christiania nach
Steinkohlen angestellt hat. Man erreichte mit dem
Bohrer 120 Fuß Teufe, immer den nämlichen
Thonschiefer vorfindend, worauf man zuletzt ein

---

*) Ich erlaube mir hier in Rücksicht des Versteinerungskalks
bloß anzuführen, daß, wenn man an der Genuesischen
Küste den Uebergang von dem Madreporgestein durch alle
Schattirungen bis in den Carrarischen Marmor beynahe mit Händen greift, wie kein Beobachter läugnen wird,
Büffons Meinung über den allgemeinen Ursprung alles
Kalksteines aus Zoophyten doch nicht mehr so ganz ver-
werflich scheint. So hätte der Urkalk bloß alles Gepräge
seiner ersten Elemente verloren.

angebliches Fragment Steinkohlen hervorzog. Prof.
Esmark, dessen Urtheil in Mineralogie und
Geognosie sehr viel gelten muß, versichert, es sey
ihm wie ein Stück Fisch in Steinkohle verwandelt
vorgekommen. Doch traf man auf nichts Aehnliches
mehr, und es fehlte nicht an Vermuthungen, daß
dies Fragment absichtlich ins Bohrloch hineingewor-
fen sey. Die Kostbarkeit der hoffnungslosen Arbeit
setzte ihr bald ein Ziel. Der erste Gedanke entsprang
vermuthlich aus dem trügerischen Ansehen, entweder des schwarzen Thonschiefers, oder des Stink-
steines. Allein man mag auf der andern Seite wieder zu weit gegangen seyn, wenn man das Daseyn
von Steinkohlen auf diesem Boden für völlig unmöglich ausgegeben hat. Gewisse Schieferkohlen
haben einige Verwandtschaft mit der erwähnten
Art Kalksteines bezeigt; so in dem Thale der Arve,
in den See-Alpen der montagne noire, in den
Kordilleren. Indeß, wäre auch die Unmöglichkeit auf dieser Stelle nicht zu erweisen, so läßt die
Zerrüttung des Bodens, die Unordnung in den
Lagern, vermuthen, daß sich dergleichen nie bau-
würdig finden werden.

Zwischen Thonschiefer, Kalkstein und den por-
phyrartigen Gebilden mit ihren mannichfaltigen
Schattirungen und Uebergängen leitet der Weg ohne
Unterbrechung am Meeresufer den mittäglichen Pro-

vinzen zu. Bey Habek findet sich eine erstaunliche
Menge Schwefelkies im schwärzlichen Kalksteine,
der hin und wieder in so dünne Schichten bricht,
daß er mit dem Thonschiefer im Verhalten völlig
übereinkommt; die vielförmigen Höhlungen darin
sind zuweilen mit einer trappartigen Thonmasse angefüllt. Die Berge erscheinen mit den sanften Umrissen, die, wie dem Porphyr, einer jeden Gebirgsart mit thoniger Grundlage zukommen. Mir schien
es übrigens, als sey auf diesem Wege die Mischung
und das Verhältniß der bildenden Elemente noch
vielfacher und abwechselnder als irgendwo. Kiesel,
Kalk, Thon, Feldspath, von Epidot und Eisen
durchzogen, gefärbt, verschiedentlich gruppirt, lassen
nirgends eine genau bestimmende Classification als
höchstens lachterweise zu.

Hiellebek, wo man ehedem ein nun verlasse-
nes Bleybergwerk betrieb, hat sich außerdem einen
gewissen Ruf durch seinen Kalkstein erworben. Dieser
ist krystallinisch-körnig, von einem losen Gewebe,
beynahe porphyrartig zusammen gebacken. Da man
ihn bisher nur sehr oberflächlich und mit geringer
Rücksicht auf seine Natur gebrochen hat, so hofft
man immer, er werde in mehrerer Teufe schon dichter werden, und alsdann besser der Verwitterung
widerstehen, welche jetzt seinen Werth sehr herab-
setzt. Einige Werkstätte, leichte Holzgerüste mit

einem Dach darüber, sind der Ort, wo man ihn in Meilenzeiger, Grabmähler, Grabsteine u. s. w. umformt, deren scharfe Kanten und gefällige Umrisse von wenigen Jahren atmosphärischen Einflusses abgerundet und verwischt werden.

Von größerem Interesse ist dieser Kalkstein für den Mineralogen. Er schließt faserigen Grammatit ein, Augit, Koffolit, Mesotyp, Epidot, grünen Glimmer, Schwefelkies, Blende, Wißmuth in geringer Menge. Nach Esmarks neuerer Entdeckung enthält er ebenfalls gelbes, oxydirtes Braunsteinerz. Auch finden sich Lagen von braunem Granat darin, mit blauem Flußspath gemengt. Dieser Kalkstein bildet ein nach Norden fallendes Läger, und mag der nämliche seyn, welchen der Thonschiefer überall anderswo einschließt, der aber an dieser Stelle, von lokalen Umständen begünstigt, zu einer mehr krystallinischen Entwickelung gelangt ist.

Das herrschende Gestein des Paradisbakken ist Granit, in kleinkörnigen Elementen eines fleischfarbenen Feldspathes, wenigen grauen Quarzes und Glimmerblättchen in wandelbarem Verhältniß. Er gleicht im Ganzen der Masse von Hogdal und dem Granit, welcher massenweise am Ufer des Glommenflusses und Mlösensee's, oder mit dem Gneiße lagerweise wechselnd, an der Schwedischen Westküste vorkommt. Hier erscheint

er in ungewöhnlicher Ausdehnung, sich bis S v a n g -
st r a n d erstreckend, mit deutlichen aufeinander folgenden Lagern von Hornstein, Kalkstein, Thonschiefer, Sandstein, und zuletzt den porphyrartigen
Gebilden bedeckt. Er erreicht den H o l t e f i o r d.
S o l b e r g a a s (1709 Fuß über dem Meeresspiegel, E s m a r k) besteht daraus. Man findet ihn
südlich von H ä r u m, und so wie er wahrscheinlich
dem ganzen Thale von L i e r zu Grunde liegt, bildet er größtentheils die vom C h r i st i a n i a - und
D r a m s f i o r d umfangene Halbinsel.

Endlich wird er unten am Ende des D r a m -
m e n e l v s, oder noch deutlicher südlich am jenseitigen Ufer desselben, durch Einmischung der Hornblende (und gerade der langen schwarzen Hornblende-
Krystalle, welche das Charakteristische des Zirkon-
syenits ausmachen *), zum Syenit, der nun weiter
hin südlich vorwaltet. In der südwestlichen Gebirgs-
strecke bis zum E g e r s ö e soll er hin und wieder
in der Tiefe alter Bergwerke vorgekommen seyn, ob
man sich gleich kaum auf die oryktognostische Unter-
scheidungsgabe der Häuer verlassen kann. Da es
ausgemacht scheint, daß abgerundete Quarzkörner
aus einer unordentlichen oder unterbrochenen Kry-

---

*) Auch finden sich in diesem Granite die nämlichen kleinen
Höhlungen, worin im Zirkonsyenit sich Krystalle ansetzen.

stallisation entstehen können, so ist es nicht ungereimt, selbst die Grauwacke, welche sich ja (wie eben
erwähnt) am Goustafield mit talkiger Grundlage und einzelnen Specksteinkörnern darstellt, also
dem Urgebirge nicht ganz fremd seyn kann, gleichfalls
als ein granitartiges Gemenge derselben Elemente
anzusehen, dessen vollkommenere Krystallisation nur
durch einen starken, aus dem dazwischentretenden
Thonschiefer hinzukommenden, Thongehalt verhindert wurde.

Nördlich über Drammen ragt ein Mandel-
steinporphyr hervor. Die Nüsse darin, verschiedener
Größe, sind mit Kalkspath und Quarz ausgefüttert,
zuweilen von Chloriterde bekleidet, welche ein Gemenge, auch eigene Kugeln bildet. Die Grundmasse ist sehr veränderlich, doch kann man sie als
aus Thon, Feldspath und Hornblende bestehend ansehen, mehr oder minder verhärtet, beynahe Wacke,
basaltartig; im Ganzen den andern nahe liegenden
Porphyrgesteinen verwandt, aber dem völlig basal-
tischen von Holmestrand zuführend.

Die Thalwände, zwischen welchen der Drammenelv niederkommt, bestehen von Hogsund
an aus Thonschiefer, welcher Kieselschieferlager einschließt. Unter Dustatt sticht ein eisenhaltiger
Sandstein hervor, der zuweilen an die Stelle des
Kieselschiefers zu treten scheint, und worauf als-

dann der Porphyr unmittelbar ruht. Dieser mag
hier oft eine Grauwacke seyn, welcher bloß das thonige
Bindungsmittel wieder entzogen ist. Der mittäg-
liche Abhang zeigt meistens das Gestein, wodurch
der Granit in den Syenit übergeht.

Ich fand es noch weit bis nach Jarlsbergs-
värf hinauf. Man sieht hier ebenfalls den Man-
delsteinporphyr über dem Feldspathporphyr gelagert.
Auch am Abhange über Drammen trafen wir
niedergehend häufige Geschiebe des weißen krystallinischen Kalksteines von Hjellebek an, wahrscheinlich liegen daher auch hier Schichten davon dem
noch granitartigen Syenite auf.

Ueberall giebt es auf diesen noch schön mit
Wäldern bekleideten Höhen Spuren von Eisenerz.
Eine schon bekannt gewordene grüne Zinkblende
lag in bedeutender Menge neben dem Pochwerk von
Jarlsbergshütte aufgeschüttet, welche die Erze
von Konrudsgrube zugutemacht. Der Schmelz-
ofen hatte nur 16 Fuß Höhe, und kann bloß einige
Monate hindurch in Umtrieb erhalten werden. Herr
v. Cappelen wollte die ganze Thätigkeit desselben
auf die Unterhaltung zweyer Nagelschmieden beschränken. Er gewinnt die Kohlen aus seinen eigenen Holzungen, und es war zur Aufbewahrung derselben schon ein Magazin erbauet, das 8000 Tonnen fassen konnte.

Am Ufer des Fiords ist alles Syenit. Im Sandesogn erblickt man noch Borgengrube, ein altes Eisenbergwerk, das ebenfalls Hrn. v. Cappelen gehörte. Das Erz, ein Magneteisenstein, fand sich daselbst zwischen zwey Kalksteinbänken *) eingelagert, welche durch einen Einsturz zerbrochen und in der Mitte eingesunken waren. Man bauete das Erzlager daher zuerst niedergehend bis zur Spitze des Winkels ab, und wollte nun wieder aufsteigend hinan, aber die Wasser strömten in unbezwingbarer Menge durch den schwammigen Höhlenkalkstein herbey. Ebenfalls in der Vigulsgrube, nicht weit davon, ward Eisenerz, doch in einem etwas dichteren Kalksteine, gebrochen.

Auf der letzten Meile nach Eibfos, wenn man von der Landstraße nach Holmestrand abgewichen ist, sieht man den rothen Feldspathporphyr in beynahe senkrecht stehenden Schichten an den Syenit angelehnt. Dieser Porphyr erstreckt sich bis ans Meer und Valöe-Salzwerk. Eine beständige Annäherung desselben zum Syenit läßt sich an vielen

---

*) Dies Vorkommen eines Erzes, das sich sonst, und nicht weit davon, lagerweise im Gneiß findet, kann ebenfalls auf die Muthmaßung führen, dieser Kalkstein möge wohl auch zum Urgebirge gehören. Und doch liegt er dem Syenite auf.

Stellen gar nicht verkennen. Beyde sind hier offenbar zugleich und zusammen niedergelegt.

Wie man Biergetvand vorbeykommt, erscheinen gegen Mitternacht mächtige Lager des Syenits, vollkommen wagerecht aufeinander geschichtet. Er enthält den Zirkon in kleinen Krystallen, der Feldspath ist blaß fleischfarbig, und bildet zuweilen prismatische doch nie deutlich ausgeprägte Krystallformen; man sieht wenig Quarz, noch weniger oder fast gar keinen Glimmer.

Dicht dabey nordwestlich steht der graue Feldspathporphyr in ziemlich hohen Gebirgen. Am Eidsbakken sind kleine Lagen, Trümmer und Krystalle eines weißen Feldspaths, in einer schwärzlichblauen, trappartigen Grundmasse eingeschlossen. Auch findet man darin den Feldspath gruppenweise wie im Granit, hellgrüne Epidot, Krystalle (var. périhexaédre. HAUY.) eines olivengrünen Augits. Oben darüber liegt wieder Syenit mit krystallisirtem fleischfarbigem Feldspath, muschligem, glasglänzendem Quarz und einigen Glimmerblättchen. Die darin befindlichen Hornblendekörner sind gewöhnlich sehr klein.

Der Porphyr am Eingange des Egersöes ist abwechselnd grau und roth, nach Maßgabe der Farbe seines Feldspathes, von mehr oder minder thoniger Basis, diese doch zuweilen so stark mit Kieselerde versetzt, oder auch so feldspathreich, daß sie harn-

steinartig wird. Ebenfalls enthält er sehr häufig
Hornblende, und es schien mir, als sey er in
diesem Falle stärker der Verwitterung unterworfen,
welche sonst wohl hauptsächlich der Auflösbarkeit
des Feldspathes zugeschrieben wird. Bey der Eisenhütte selbst, wo er einen schönen rothen Feldspath
einschließt, wird er durch saigere Klüfte eines
trapp - oder grünsteinartigen Gesteines durchsetzt,
welche besonders an einer der Seitenflächen ein
talkiges Saalband führen. Der Saugekollen,
ebenfalls in der Nähe der Hütte, besteht aus hell-
rothen rhomboidalischen Feldspathkrystallen in einer
dunkelrothen Hornsteinmasse. Andere dazwischenliegende Schichten enthalten den Feldspath in kleineren, selteneren, beynahe nelkenbraunen Krystallen,
und der Grundteig ist schwarzgrau, kieselartig verhärtet.

Der Hohofen von Eidfos hat eine Höhe von
34 Fuß, in seiner größten Weite 16, und in der
Gicht 10. Er enthält 16 Last Kohlen. Er ist über
40 Jahr alt, vermöge häufiger Reparationen aus
lauter Stücken und Fetzen zusammengesetzt. Man
hatte den Schacht verändern müssen, und beynahe
wäre · bey dieser Gelegenheit eingestürzt. Dessen
ungeachtet war er schon seit 2 Jahre in Gang, und
sollte noch 7 Monate, so lange Kohlen da waren,
aushalten. Man gibt täglich (in 24 Stunden)

12 Gichten auf; die Verschickung besteht auf 1¼ Last
Kohlen in 16 Trögen Stein, 3 Lispf. 8 ℔. wie-
gend. Zusammen machen sie daher bey 15 Last
Kohlen, 12⅞ Schiffpf. an Erz aus, woraus 10½
Schiffpf. in Roheisen und Gußwaaren erfolgen.
Man verschmelzt 4 Gattungen Erz, eins von Aase-
rud zu 5 Trögen, von Rötebroe zu 4, von
Fähn (bey Ulefos) zu 3, und von Röge-
bjerg zu 4. Das jährliche Ausbringen ist unge-
fähr 3120 Schiffpf. an Roheisen und 1040 in
verschiedenen Gußartikeln, also zusammen 4160
Schiffpf.

Da die Schmelzung bisher den Wünschen des
Eigenthümers nicht entsprochen hat, und die Schlacken
sehr viel Metall enthalten, so hat man Vorrichtun-
gen zu ihrer Verpochung getroffen.

Man mischt hier dem angefeuchteten Formsand
weiter kein Salz bey, aber streuet viel Gestübe über
den Abdruck. Es gibt in Norwegen keine Eisenhütte,
wo so mannichfaltige und scharfsinnig erdachte Guß-
stücke angefertigt würden; des Eigenthümers Ta-
lente sind dafür ausgezeichnet. Sehr gute Schrauben
werden ebenfalls hier gedreht. Nur vermißt man in
allen diesen kunstreichen Schöpfungen, einige Reinlichkeit und Bestimmtheit der Umrisse, welches vom
blasigen und schlackigen Roheisen herrührt, und bey
der gegenwärtigen Verfassung des Hohofens nicht
zu ändern steht.

Es waren hier 10 Röststätten, deren jede 2 bis 300 Tonnen Erz enthalten konnte, in einer Pyramide von 6 bis 10 Cubikfuß aufgestürzt. Man bettet das Erz auf zwey Lagen großen Klafterholzes mit Kohlen bedeckt.

In den Hammerwerken werden 15 bis 16 Lispf. Roheisen auf einmal mit einem Abgange von 5 bis 6 Lispf. und einem Kohlenverbrande von 2 Last für jedes Schiffpf. gefrischt. Es sind ihrer 2, jedes zu 2 Feuern. Monatlich schmiedet man 100 Schiffpf. in Stangen von verschiedenem Caliber aus. Auch hat man eine Sägeschmiede.

Die Anzahl aller beym Werke angestellten Arbeiter belief sich auf 40.

Nicht weit vom Eingange des Egersöes erscheint der Syenit in regelmäßigen Lagern von 1 bis 2 Fuß Mächtigkeit wieder. Der Porphyr liegt ihm zur Seite. Auch am westlichen Ufer steht Syenit *) an. Er mag hier dem Glimmerschiefer unmittelbar aufliegen.

---

*) Er ist sehr mannichfach in seiner Zusammensetzung. Theils besteht er aus sehr kleinen Hornblendekörnern und einigen wenigen Glimmerblättchen in einer herrschenden aschgrauen Quarzmasse, mit kaum merkbarem frischfarben Feldspathe eingesprengt, und kann alsdann als ein Porphyr betrachtet werden; theils ist der Feldspath darin roth, der Quarz muschlig, glasglänzend.

... Die Vögelfängerhütte, welche, wie gesagt, die Hütte mit einem Theile des zu verschmelzenden Erzes versieht, liegt an östlichen Abhange des Alfers, ... dem ... desselben ... Die Natur des Erzlagers ist ... scheint aus einer ... von ... zu bestehen, ... Granite einge- ... den ... Kalkstein gangweise durchsetzt. Diese ... Massen, deren Umfang ... beschränkt ist, ... Stockwerke nennen zu können, folgen ein- ... in einer Richtung von Nordwest nach Südost. ... der nördlichen Seite giebt es Spuren einer ähn- lichen parallel-laufenden Reihe solcher Nester. Das Dach ist ein ... Gestein, von ... ... Mächtigkeit. Der Kalkstein mischt sich dem ... zu zahllosen ... bei. Man sieht ... überhaupt die ganze Gebirge in Gängen und ... durchsetzen, immer eisenhaltig, mit einer solchen Stärke, daß die Magnetnadel ihn überall ... Das Erz ist ein Magneteisenstein, in der Tiefe soll es reicher werden; ...

... Die Hauptgrube hat 18 Fuß Teufe, ungefähr auch die nämliche Breite und Länge. Das eigent- liche Erzlager ist aber ¾ Fuß mächtig, und scheint sich im Niedersinken zu zertrümmern. Ein kleines Kunstgezeug mit einem Satze, das von einem Bach, dem Hammerrand, getrieben wird, ist bis jetzt

L. 24

hinreichend gewesen, die gesammelten Tagewasser
zu erheben.

Man erreicht von Elbfos aus wieder die
Straße nach Holmestrand, und sieht nichts mehr
nichts als Thonporphyr. Die Chaussee ist in dieses
Gebirgsart eingebrochen, welche sich in der Nähe
von Holmestrand in ungeheuern schroff aufge-
stürzten Massen darstellt, seine Thonbasis zugleich
nach und nach in Wacke, und endlich in einen
dichten schwarzen Basalt umändert. Weiße Feldspathprismen (rhomboidalisch), häufig und klein,
sind mit grünlichschwarzen Augitkrystallen zusammengebacken; die Masse ist zuweilen löcherig, doch
eisenhaltig, denn Mandelsteine bey Drammen häu-
lich, mit Kalkflößen angefüllt, welche von Quarzkrystallen ausgefüttert werden. Doch verschwinden
die Kalkflöße weiter hin, und blos der Augit wachet
in dieser Basaltmasse zurück. Das Ansehen ist verschieden, weißer beym Uebermaße von Kalkspath,
grüner bey Anhäufung des Augits. Cordiers
scharfsinniger Muthmaßung und der höchsten Wahr-
scheinlichkeit nach ist aller Basalt nur eine Mischung
von Augit (nicht Hornblende) und Feldspath. Der
Augit ist sehr häufig im angezeigten Mandelstein,
welcher hier offenbar in Basalt übergegangen ist.
Kann der Basalt an einigen Stellen durch vulka-
nische Wirkungen, als eine wahre Augitlave, ent-

kauben seyn, so mag eine ähnliche Mischung, wie
der Grünstein aus Hornblende und Feldspath, ebenfalls durch Neptunischen Niederschlag aus Feldspath
und Augit hervorgehen können. So wie es einen
Urgrünstein gibt, kann auch ein Urbasalt statt finden.

Er steht bey Holmestrand auf einem gelb-
graulichen Sandsteine, der nach West und Südwest
hinfällt, längs dem Meere unbedeutende Anhöhen
bildet, auch in einen gelben eisenhaltigen Sand zerfällt. Derjenige, gleicher Natur, welcher bey An-
gersklev ansteht, wird in Hasselvärk zum
Hohofenschacht gebraucht.

Ein löcheriger Kalkstein erscheint wieder bey Her-
tesund; aber alsbann ist alles Porphyr. Ein
mächtiger Gang desselben, beynahe saiger aufstehend,
streicht bey Sönderkleva in Nordwest und
Südost, er wird von neuem mandelsteinartig bey
Huukvndsnimbe; bey Finsta haben die
Feldspathkrystalle wieder ihre gerundete Form ein-
gebüßt; der rothe eisenhaltige Thonporphyr wechselt
dann oft mit einem grauen, feldspatbereichern, mit
vielfachen Farbenspielen und Grundmassen. Sie
setzen ohne Zweifel nur den Basaltporphyr von Holmestrand fort, ohne einer dem andern aufzuliegen,
blos zur Seite ineinander übergehend. Der Syenit
erscheint sehr deutlich und schön beym Ekebierg,
zwischen Klavens und Fylpaa, wo er eine

Reihe von Gebirgen bildet, welche sich in der Fiord vermittelst vieler kleinen Inseln verlaufen. Um Jarlsbergs Schloß herum ist alles rother Porphyr mit rhomboidalischen Feldspathkrystallen. Hierauf erscheint der schwarze Kalkstein von neuem.

Das Lokale, und die Verfahrungsarten in Baloe Salzwerk, sind theils durch Hrn. Langsdorf, theils durch Hrn. Lerches umständliche Berichte so genau bekannt geworden *), daß ich mich auf einige wenige und allgemeine Anmerkungen einschränken kann.

Der große Behälter zur Aufbewahrung der Lauge macht einen Hauptgegenstand der Aufmerksamkeit aus, damit man immer einen hinreichenden Vorrath behalte, und das Sieden durch zuweilen eintretende Armuth des Seewassers und andere Zufälle bey seiner Förderung nicht in Stocken gerathe. Er hat 172 Fuß Länge, 18 Breite und 8 Tiefe, aus getheerten Brettern aufgezimmert. Außer ihm giebt es noch einen kleineren, von 150 Fuß Länge, 27 Breite und 5½ Tiefe, dessen Bretterwände durch eine dazwischen liegende hänfene Schnur, welche durch die Feuchtigkeit anschwillt, vollkommen wasserdicht verbunden sind.

---

*) S. auch Hrn. Hausmanns Reise.

Das zu verstehende Meereswasser hat, nicht sowohl des höheren Breitegrades, sondern der Nähe des Drammsfiords wegen, einen sehr schwachen Salzgehalt *). Man schöpft es, in mög, lich größter Tiefe, durch hölzerne Röhren von 450 bis 500 Fuß Länge. Diese müssen oft wegen der zerstörenden Bohrpholaden erneuert werden, gegen die man bis jetzt noch kein hinreichendes Mittel entdeckt hat. Man hat hier eine Fluth gewöhnlich von 2 bis 3 Fuß.

Der Mangel an fließendem Wasser zur Treibung der Saugewerke hat die Einführung der Windmüh, len veranlaßt. Die erste wurde 1790 erbauet. Sie haben zum Theil die vorher nothwendigen Roßkünste ersetzt, und da in den letzteren Zeiten oft ein gänz, licher Pferdemangel eintrat, können sie als die Retter des Werks angesehen werden. Anstatt wie ehedem 36 eigene und 60 Bauernpferde unterhalten zu müssen, reicht man jetzt mit 30 zum Gebrauche bey anhaltenden Windstillen aus. In der nämlichen Zeit, daß die Roßkünste 1 Zoll hoch Wasser in den

---

*) Die Annäherung zum Aequator, entscheidend für die Ver, dünstung des schön geschöpften Seewassers, macht es in seinem natürlichen Behälter nicht immer reicher. Im Mit, telländischen Meere unter 35° N. Br. ist das specifische Ge, wicht desselben 10236, die beyden Extreme vom Aequator bis zum Nordpol, geben aber 10295 und 10251.

Behälter brachten, liefern die Windmühlen jetzt 4;
sie geben 6 bis 7 Pumpenhübe in einer Minute.
Die Pferde sind indeß brauchbarer zum Versehen der
Gradirhäuser, denn sie verbreiten das Wasser gleich-
förmiger: der eiligere unaufhaltbare Gang der
Windmühlen verschüttet sehr viel.

Die beyden Gradirhäuser, wovon das gegen Mittag
gelegene 1870 Fuß in der Länge und 40 Fuß in der
Breite, und das gegen Norden 1845 Fuß Länge
bey der nämlichen Breite hat, sind nicht ausgezeichnet in ihrer Bauart. Täglich kann man 2 bis
300 Cubikfuß Wasser gradiren, man läßt es 6mal
hintereinander durchgehen, ehe es zu den Behältern abgeführt wird. Sein natürlicher Gehalt war
4°; ausgenommen vom April bis zum Junius, der
Zeit daß die Ströme das Product der Schneeschmel-
zung ins Meer ergießen, wo er oft auf 1° fällt;
man bringt ihn alsdann im Gradirhause bis zu 21°,
und Hr. Lerche hofft durch neue Hülfsmittel und
Verdoppelung der Aufmerksamkeit ihn selbst bis zu
26° zu erhöhen. Hat man ihm Englisches Steinsalz beyzumischen, so steigt der Gehalt bis 32°. Da
dies aber zur Zeit des letzten Krieges nicht herbeyzuschaffen war, so mußte der Holzaufwand verdoppelt
worden, um zum nämlichen Resultate zu gelangen.

Man hatte Wachholderbüsche anstatt der Dor-
nen gebraucht. Diese letzteren mußten sonst

jedes Jte oder 4te Jahr mit neuen erseßt werden;
das Warkhalbergefräuch hatte aber schon 6 Jahre
lang ausgehalten, und schien nach länger brauchbar.
Außerdem findet man hier keine bekannte Einrichtung zum Anreicheren der Lauge vernachlässigt.
Unter andern sind 11 Verdünstungsbassins auf einer
wohlgeschlagenen Thonsohle vertheilt.

Die Dimensionen der Siedepfannen sind folgende:

Die großen:

1. 24 Fuß, 1 3. lang, 17 F. 5 3. breit, 18 3. tief
2. 23 ⸗ 10 ⸗ ⸗ 17 ⸗ 10 ⸗ ⸗ 18 ⸗ ⸗
3. 20 ⸗ 6 ⸗ ⸗ 17 ⸗ — ⸗ ⸗ 18 ⸗ ⸗
4. 22 ⸗ 11 ⸗ ⸗ 16 ⸗ 10 ⸗ ⸗ 18 ⸗ ⸗
5. 23 ⸗ 2 ⸗ ⸗ 16 ⸗ 1 ⸗ ⸗ 18 ⸗ ⸗
6. 24 ⸗ — ⸗ ⸗ 16 ⸗ 11 ⸗ ⸗ 18 ⸗ ⸗
7. 18 ⸗ 7 ⸗ ⸗ 14 ⸗ 11 ⸗ ⸗ 22 ⸗ ⸗
8. 24 ⸗ 3 ⸗ ⸗ 17 ⸗ 9 ⸗ ⸗ 18 ⸗ ⸗
9. 23 ⸗ 5 ⸗ ⸗ 17 ⸗ 10 ⸗ ⸗ 18 ⸗ ⸗
10. 20 ⸗ 6 ⸗ ⸗ 15 ⸗ 9 ⸗ ⸗ 20 ⸗ ⸗

Die kleineren:

Hinter N°. 1. 18 F. lang, 17 Fuß breit, 11 3. tief
⸗ ⸗ 2. 15 F. 9 3. L 16 F. 11 3. br. 23 3. tief
⸗ ⸗ 3. 15 ⸗ 3 ⸗ ⸗ 14 ⸗ 8 ⸗ ⸗ 10 ⸗ ⸗
⸗ ⸗ 6. 14 ⸗ 8 ⸗ ⸗ 5 ⸗ 2 ⸗ ⸗ 11 ⸗ ⸗
⸗ ⸗ 7. 18 ⸗ — ⸗ 17 ⸗ — ⸗ 11 ⸗ ⸗
⸗ ⸗ 8. 19 ⸗ — ⸗ 16 ⸗ 11 ⸗ ⸗ 7 ⸗ ⸗

Die großen Pfannen bestehen aus zusammengenieteten und gelötheten Eisenplatten. Da die Unterhaltung derselben den Arbeitern obliegt, so lassen diese es nicht an Sorgfalt fehlen, nachdem sie beim Sieden die angehäuften erdigen Salze vom Boden und anstoßen, wo sie sich gewöhnlich zu 1 bis 2 Zollen, doch niemals zu 5 bis 6, absetzen. — — — — —

Zu 8 dieser Pfannen, welche mittler Regel, ist der Heerd nach Deutscher Art mit einem Circulationsfeuer, hinten um 16 eiserne, 10zöllige hohle Cylinder herum, welche den Pfannen gleichfalls zu Stützen dienen, vorgerichtet; ein anderer Heerd wirkt nach Englischer Methode auf die höher und von der Wirkung des Feuers entfernter liegenden. Man feuert mit Holz, wovon jährlich 3000 Klafter aufgehen, oder mit Torf, jährlich zu 6 bis 7 Millionen Stücken. Man gewinnt den letzteren auf Osmundsröd, wo der beste in einer Tiefe von 4 Fuß vorkommt. Doch kann man nur die Heerde nach Deutscher Art damit feuern.

Die größte Pfanne faßt 612 Cubikfuß Lauge, und liefert daher 34 bis 86 Tonnen Salz.

Man läßt die Lauge von 21°, 36 Stunden lang sieden; nur 24, wenn man sie mit Steinsalz hat anreichern können, und hält sie hierauf während 84 Stunden in einer Temperatur von 70 bis 80° Reaum. Sie erhält auf diese Art eine Stärke

von 48°; das Salzsiedern Wesen, und man läßt
die Mutterlange in einem Behälter ab, worauf sie
nachher zu einer zweyten Siedung gezogen wird.
   Man siedet bis Weihnachten und fängt im
Hornmonat von neuem an. Wäre der Holzanswand
nicht so stark, so könnte damit den ganzen Winter
hindurch fortgefahren werden.

   Die jährliche Ausbeute beläuft sich auf 30000
Tonnen, welche damals zu 8 Rb. jede berechnet
wurden. Aber der Krieg hatte die Magazine angefüllt, um so mehr, da die Ausfuhr mancherley
Weitläuftigkeiten von Seiten der Norwegischen Re-
gierungscommission ausgesetzt gewesen war. Es ist
sehr unrichtig berechnet, den Verkauf von Manu-
fakturproducten zu erschweren, die sich immer nach
Maßgabe des Absatzes wieder zu erzeugen geneigt
sind.

   Kaum ist man auf dem Wege von Basös nach
Banvig, Strö, vorbey, so sieht man alle
Anhöhen in Syenit bestehend, dessen grauer Feldspath schon das Farbenspiel ankündigt, welches dem
von Frederiksuden so auszeichnend eigen ist.
Der Boden wird sehr sandig; es ist ebenfalls
aufgelöster Syenit. Er steht in Masse charakteristisch nicht weit von der Brücke über den Dau-
penelv an und setzt fort bis zur Stadt.
   Die Lager der Felsen, welche Banvig um-

geben, senkrecht aufstehend, streichen in Nord und
Süd. Das Gestein ist oft von andern Gängen eines
rothen Syenits, von mehreren Fuß Mächtigkeit,
durchsetzt, welche schon die merkwürdigen Saalbän-
dern eines kristallartigen Gemenges ablösen, worin
fleischrothe Feldspathkrystalle angehäuft liegen. Auch
wird sie an einigen Stellen durch Anhäufungen von
Hornblende schwärzlich gefärbt. Diese Saalbänder
geben den Gängen, welche die entblößten Seitenflächen des Baues zukehren, eine auffallend rothe
Farbe. Der schillernde Feldspath von einem schönen
Blau findet sich häufig in den Klippen und losen
Blöcken, welche zwischen den Häusern der Stadt
selbst umherliegen.

Die herrschende Substanz im Syenit ist der
Feldspath, und zuweilen in einem solchen alles
andere umwickelnden Uebermaße, daß das Gestein
zu einem wahren Porphyr wird. Daß er eigentlich
auch zur Norwegischen Porphyr-Formation gehöre,
kann man zum Theil gleichfalls aus dem nämlichen
grünlichschillernden Feldspathe abnehmen, den man
bey Egersund in einem wirklichen Porphyr antrifft. Auch ist es vermittelst der Farbe dieses Feldspathes, welche alle Nüancen von roth, weiß, grau
und bläulich durchläuft, vielmehr als durch das
Hinzutreten anderer Substanzen, daß die Physiognomie des Gebildes sich so unbeschreiblich verändert.

Der Zirkon begleitet es gemeiniglich unter allen
Umständen, mehr oder weniger hervorstechend und
krystallinisch entwickelt.

Deßlich an der Bay über das Syenit, mit
schwärzlichen Adern durch örtliche Vermehrung der
Hornblende, einige abgerundete Hügel. Man findet
darin einzelne Lagen von Feldspath, Quarz oder
Talk. Bey Halsen liegt ein Block von Syenit
mit rauchgrauem Feldspath der Augitkrystalle von
verschiedener Größe umfängt. Auch im rothen Feldspathe selbst liegen Adern und Trümmer von weißem.
Manche der ältesten Granite haben gleichfalls
solche einzelne Anhäufungen eines ihrer Elemente,
welche sich mit Regelmäßigkeit und Absonderung
fortziehen, als seyen es Gänge.

Die Eisenhütte, welche man Fritzøvärk
nennt, hat, wie die von Moß, einen doppelten
Hohofen zum Kanonenguß. Jeder hat die Höhe
von 24 Fuß, eine Weite von 4 in der Gicht, 7 im
Kohlensacke, und enthält 12 Faß Kohlen. Da sie
fast ganz untauglich geworden waren, so war Herr
Bergrath Petersen, der die Aufsicht über das
Werk führte, darauf bedacht, zwey neue mit mehreren Formen und andern Verbesserungen vorrichten
zu lassen; welche der Fortgang unserer Kenntnisse
nothwendig macht.

Bey der gewöhnlichen Schmelzung zu Roh-

und ... hat man in 24 Stunden 42 Gichten
Stein, ... 1 ... Die Gicht
besteht aus 18 Trögen, deren ... von Braastad, ... von Klyte-
... Langöe, ... Lerredtvedt
(... 3 Lispf. ... jeden Trog) enthalten, welches
zusammen für die 18 Gichten 38 Schiffpf. 8 Lispf.
oder (... 3 Schiffpf. 3 Lispf. auf jede Tonne) ...
Tonnen ausmacht. Davon erhält man täglich 11 bis
12 Schiffpf. in Roheisen und Gußwaaren, oder 77
bis 89 Schiffpf. wöchentlich von 72 Tonnen Erz,
welches daher ungefähr 34 bis 36 prCt. ausmacht.
Man sticht nach jeder 6ten Gicht ab. ...

Beym Kanonengusse gibt man in 24 Stunden
15 Gichten auf, jede zu ¼ Last Kohlen und 18 Trögen Stein. Diese bestehen aus 2 von Braastad,
4 von Tornblörneboe, 3 von Klabehiere,
4 von Langöe und 5 von Lerredtvedt, welche
(zu 3 Lispf.) auf die Gicht 54 Lispf. ausmachen,
also für 15 Gichten 40 Schiffpf. 10 Lispf. oder
25⅚ Tonnen täglich, daher wöchentlich 90 Tonnen, woraus in jedem Hohofen 70 bis 75 Schiffpf.
also in beyden zusammen 140 bis 150 gewonnen
werden, welches gemeiniglich 7 Kanonen vom
Caliber von 18 bis 24 gibt. Man bringt hier also
27 bis 28 prCt. aus. Jede 15te Gicht wird abge-
stochen.

Die Einrichtung ist nach Maßgabe der beyden
Schmelzungsarten ein wenig verschieden.

	Zum größten:	zum kleinsten:
Länge des Gestelles	42 Zoll	37
Weite an der Rückseite	24	28
an der Formseite	23½	27½
an der Tümpelseite	22½	17
Vom Bodensteine bis in den Wind	17	15½
bis zum Tümpel	20	18
Höhe des Wallsteines	14	12

Schon bey Moß habe ich des ungünstigen Vorurtheils gegen die aus Fritzöe kommenden Kanonen im Gegensatz der Eisenhütte von Moß erwähnt,
und das in den neuern Zeiten eher zu- als abgenommen hat. Das Eisenerz, welches die Gruben
von Arendal liefern, von so ausgezeichneter Güte
zur Bereitung des Stabeisens, daß es beynahe mit
dem Danemora-Eisen wetteifern kann, ist zur
Stückgießerey für sich allein untauglich. Hrn. Pe-
tersens Vorgänger bediente sich dabei eines Roth-
eisensteines aus einer der Gruben von Fölföe
dazu, worauf man eingetretener Streitigkeiten
wegen hat Verzicht thun müssen. Moß, wie ich
angemerkt habe, läßt dagegen eine Grube betreiben,
die dem Hohofen ein solches Erz liefert. Neuerdings
hatt man daher in Baurvig versucht, einen Reverberirofen zu einer solchen Schmelzung vorzu-

richten. Aber man erhielt weißes Roheisen, und
die Probe mißlang. Schon vorher in Dänemark
angestellte Versuche hatten es auch erwiesen, daß
die Norwegischen Erze überhaupt in Flammöfen
nichts als weißes Roheisen liefern.

Das Erz wird vorher auf 6 ovalen Stätten
geröstet. Diese sind aus Schlackensteinen erbauet,
und eine jede faßt 500 Tonnen. Man röstet mit
wechselnden Kohlenlagen. Wenn Holz dazu genommen wird, so hat die unterste Schicht 1½ Fuß
Mächtigkeit, abnehmend im Aufsteigen. Dadurch erspart man von 80 Last Kohlen, welche sonst dazu
aufgehen, 25. Jede Röstung dauert nicht länger
als 4 bis 5 Tage. Die Erze von Braastad und
Tornbjörnsboe werden zusammen behandelt, um
ihre Röstung vollkommener zu machen, da das erste
sich nicht in großen Stücken gewinnen läßt; die
3 andern werden jedes für sich behandelt.

Wenn die Hohöfen in ihrem völligen Gange
sind, so verbraucht man in dieser Eisenhütte jährlich über 30000 Last Kohlen, wovon bloß die eine
Hälfte aus den zum Werke gehörigen Waldungen
gezogen wird, die andere aber von den 4 Meilen
im Umkreise wohnenden Bauern geliefert werden
muß, mit denen die Contracte jährlich erneuert
werden. Diese liberale Verfahrungsart hat bey

den andern Hüttenzinnthümern weder Beyfall noch
Nachahmung gefunden.

Die jährliche Erzeugung der Hohöfen ist ungefähr 3000 Schiffpf. in Gußeisen, und 7000 in
Stabeisen.

Das Auffchlagswaffer zum Gezeuge kommt aus
dem Farrisvand, einem See von 2 Meilen
Länge, dessen Abfluß die Natur schon durch einen
Felsendamm erschwert. Die Gewalt der Gewässer
hat sich darin natürliche Kanäle gebildet; ein ge-
mauertes elliptisches Wehr macht diese Ableitung
noch vollkommener, regelmäßiger, und sichert die
Hütte gegen zufällige Fluthen in der Thau- oder
Regenzeit.

Der Kanonenbohrer ist horizontal. Außer dem
der Hütte selbst anliegenden Hammerwerke gehören
zu ihr 4 andere Frischfeuer zu Hagen es, ½ Meile,
und 2 zu Roholt, 2 Meilen davon entfernt.

Endlich sind Helgeraae und Barkevig
gleichfalls ein Eigenthum des Werks.

Ersteres ist ein kleiner Seehafen. In seiner
Nähe sieht man den Syenit sehr deutlich dem Thonschiefer und schwarzen Kalkstein aufliegen. Er bildet
hier runde Kuppen gleich dem Porphyr.

Barkevig hat einen Hohofen von 5 Fuß mehr
Höhe, als der von Fritzöe. Die Beschickungsweise
beyder stimmt doch überein. Man bauete noch an

einem Werke ... Grund ... Gartengebäuden
in einem engen Thale, welches ... die See ...
läuft, verschafft der Zu- und Ausfuhr alle erdenk-
liche Bequemlichkeit. Der in dieser Hinsicht ...
gegrabene Kanal könnte, wenn er von Schlacken
und anderen Unrathe rein gehalten würde, die Fahrzeuge beynahe bis an die Thüre des Hohofens, heranfah-
ren. ...

Die Kohlen, deren dies Werk bedarf, kommt ...
von Bärble und Eicken. Seine Erze sind
die nämlichen, welche in Laurvig verschmolzen
werden. Das daraus gewonnene Roheisen wird
nach diesem Werke zum Frischen abgeführt. Da die
alten Hohofenschlacken einen starken Metallgehalt
erweisen, so hat man zur Aufbereitung derselben
ein kleines Pochwerk mit 4 Stempeln errichtet.

Die Wasser fließen diesem Werke durch ein höl-
zernes Gerinne von 400 Fuß Länge zu. Der Damm,
welcher sie sammelt, wäre, ein wenig tiefer herunter mit viel größerem Vortheil gegen gewissen
Syenithügel angeben die Hütte. Gewöhnlich haben
die Lager senkrecht auf. Doch fallen auch einzelne
andere nach mannichfaltigen Punkten. Sie werden
augenscheinlich von einem Umsturz der Ufer mit
ergriffen. Nahe am Wehre ist der Syenit besonders
reich an Zirkon, auch liegen zusammenhängende
Fetzen eines oder des andern seiner Elemente aus-

gebreitet darauf, welche so gesammelt den atmosphärischen Einwirkungen besser widerstehen.

Auf dem Wege nach Frideriksvärn herrscht
der graue Syenit, vom rothen nur zuweilen unterbrochen; er enthält ebenfalls Fragmente von schillerndem Feldspath. Die ausgezeichnetsten Pracht-
stücke dieser Art, glänzend überdieß durch die Nettheit und Größe der Zirkonkrystalle, fanden sich bey
Frideriksvärn, als man einige Festungswerke
im Felsen gründete. Hr. Nepperschmidt, der
davon sehr schöne Stufen in Umlauf gebracht hat,
soll sich zu ihrer Aufsuchung eines Soldaten bedient
haben, den dieser leichte Gewinn mit der Gegend
sehr bekannt, doch über seine Quellen eben so zurückhaltend gemacht hat. Jetzt trifft man kaum mehr
auf dergleichen: Doch ist das Ungefähr dem Mineralogen zuweilen noch günstig. Unweit der Kirche
fand Hr. Esmark sehr schönen Wernerit in diesem
Gestein.

Der Syenit geht von Frideriksvärn bis
nach Skeen hinauf. Er wird porphyrartig auf
der östlichen Seite des Louvenelvs, wo der
Feldspath alle seine andern Bestandtheile überwiegend einhüllt. Gegen Südwest nach Brevig hin
verschwindet er, und man sieht nur Thonschiefer
und Kalkstein.

An der Landspitze bey Frideriksvärn, welche

I.   25

ohnmöglich die Bas bilden läßt, und worauf das
Blockhaus steht, erscheint Granit mit grauem
Feldspath, Hornblende, und schwarzem, zuweilen
metallisch glänzendem Glimmer; in einigen schmalen Adern zeigt der Feldspath sich schillernd. In
seiner Zusammensetzung kommt er ziemlich mit dem
bey Kaurnig überein. Auch westlich von der Festung
setzt er fort, deutlich geschichtet, mit Neigung nach
Nordost. Gegen Norden liegt ein leberbrauner Feldspath darin ohne Farbenspiel.

Auf der kleinen Insel, östlich am Eingang der
Bay, wo das Fort steht, und unter dem Kalkub-
berg, zeigt sich Granit mit grauem Feldspath,
ungefähr nach Nordost einfallend, mit Verklüftungen, welche dieser Neigung senkrecht aufsehen, und
besonders an denen Stellen sich am häufigsten finden,
wo der Feldspath in größeren Krystallen angeschossen
ist, oft von Hornblende-Krystallen begleitet.

Diese Lager sind noch viel deutlicher westlich
auf der kleinen Insel. Der Feldspath ist überall
roth gefärbt, wo er der Luft- und Regeneinwir-
kung ausgesetzt war. Die den Verklüftungen zunächst
liegenden Theile legen besonders unverkennbar diese
atmosphärische Färbung vor Augen, welche einem
Eisengehalt im Feldspath zugeschrieben werden kann,
oder eine den talkerdigen Gesteinen ähnliche Natur
andeutet. Den Steatit habe ich doch im Norden

hinauf mit dieser Verwitterung eine ganze rothe
Insel (Rödöe) bilden sehen:

Zuletzt findet sich östlich ein großes Lager von
Syenit mit schillerndem Feldspath und grobkörnig
in einer Mächtigkeit von 10 bis 12 Fuß, von andern immer mit dem Aufsteigen kleinkörniger wer-
denden Schichten überlagert. Auch kleinkörnige
Gänge und Trümmer durchsetzen die Hauptmasse in
einer Richtung von Nordost nach Südwest; eine
neue Uebereinstimmung mit dem Verhalten des
Porphyrs bey Christiania:

Vierundzwanzigstes Kapitel. (6)

Südliche Provinzen Norwegens.

Reise nach Porsgrund und Elgen. Eisenhütte von Fot-
sum. Dazu gehörige Gruben. Eisenhütte von Holden.
Gruben. Bolds- oder Bolvigsvärk. Reise bis Langbe.

Der Syenit geleitet den Mineralogen lange Zeit
auf dem Wege nach Porsgrund. Der Feldspath
desselben ist zuweilen schillernd, welches dem Ganzen
in einiger Entfernung und einem starken Tageslichte
gegenüber ein bläuliches Ansehen gibt. Seine Schichten sind immer sehr deutlich, mehr oder weniger
nach Norden geneigt. Das Korn seiner Bestandtheile wechselt oft an Größe; hinter Vaspotten
findet man es sehr klein, dann wieder zunehmend.
Ebenfalls die Farbe fällt zuweilen aus dem Grauen
ins Schwärzliche, doch ist sie allenthalben einer
auffallenden ganz porphyrartigen Verbleichung un-

verworfen, der hier allein die sonst ebenfalls ver-
witternde Hornblende widersteht; sogar der Quarz
erscheint mit einem feinen Kaolinstaube überzogen.
So verhält sich der Syenit bis Porsgrund.
Mehrere Substanzen, feldspathartig, oder von Grün-
stein-, daher Hornblende-Natur, durchsetzen ihn
gangweise. Es sind seine eigene Bestandtheile, nur
verändert. In den Ablösungen seiner Schichten
liegen oft Lagen von weißem muscheligem Quarz.

Auf diesem ganzen Wege sind Blöcke von Porphyr, Kieselschiefer und Grünstein umhergestreuet,
deren Lagerstätten nicht entfernt seyn können. Unweit
Langangsund findet man einen weißen körnigen
Kalkstein anstehend; es ist der Marmor von Hjellebek. So wäre denn dieser Syenit nichts als
eine Veränderung des Granits von Paradisbakken. Der Syenit bis Skeen fortsetzend, mit
geringem Quarzgehalt, macht endlich dem Muschel-
kalkstein Platz.

Die Stadt ist in ihrer ganzen Länge an einer
solchen Kalksteinmasse angelehnt, welche sich nach
Nordosten hinneigt, und deren mehr oder weniger
dünne Schichten mit Versteinerungen angefüllt sind,
meistens Bivalven, Madreporiten, Trochiten und
Entrochiten, einige Voluten und Ammoniten, und
anderen noch unbeschriebenen Univalven. Die Lager
haben wechselnd eine graue und gelbe Farbe, und

es ist mir vorgekommen, als enthielten die gelben
Schichten weniger Versteinerungen, und als seyen
die grauen dagegen mehr aufgelöst und verwittert,
welches leicht aus der nämlichen Ursache herkommen
kann.

Dieser Kalkstein mit seinen Versteinerungen, zuweilen mit Quarzlagern bedeckt, welche sich dem
Sandsteine nähern, geht bis Fossum fort. Jenseits dieses Orts wird er schwarz und körnig, und
durchzieht in mächtigen Lagern eine kieselerdige,
trappartige Thonschieferformation, welche das ganze
Thal mitten inne zwischen Gneiß und Syenit ausfüllt, zwischen Moen, ¾ Meile von Fossum,
bis Brevig.

Fossumsværk liegt sehr günstig am Hüt-
tenelv, welcher den Hoppestabs- und Vöeelv
aufnimmt. Die Hütte stand damals unter der Aufsicht des Bergraths Collet, und von ihm beynahe
ganz neu erbauet, macht sie seinen Kenntnissen Ehre.
Der Hohofen hat ungefähr 30 Fuß Höhe, 3 Fuß
4 Zoll Weite im Gestell, 5 Fuß über der Rast,
2 Fuß 4 Zoll in der Gicht. Man hatte ihn frisch
gestellt, wärmte ihn jetzt seit 14 Tagen an, und
sollte ihn in 8 anlassen.

Die Röststätten sind oval, von Schlackensteinen
aufgeführt, 8 Fuß hoch, sehr vortheilhaft zur Koh-
lenersparung angelegt. Jeder enthält 300 Tonnen

Erz, zu dessen vollständiger Röstung ungefähr 100 Last Kohlen aufgehen.

Man verschmelzt jährlich bey 4000 Tonnen Erz, welche, den Transport mitberechnet, 30000 Rd. kosteten, und woraus 1400 Schiffpf. in verschiedenen Gußartikeln und 2400 Schiffpf. in Möbeisen, aus dem letztern aber 1700 in Stabeisen herausgehen. Alle Operationen des Schmelzens, die Röstung mit einbegriffen, erfordern 12500 Last Kohlen, deren Preis, bis zur Hütte gebracht, sich auf nicht weniger als 28125 Rd. belief.

Fossum ist die älteste Eisenhütte in Norwegen. Ehemals goß man hier auch Kanonen, aber stellte diesen Betrieb der Schwierigkeiten des Transports wegen ein.

In den Eisenhammern, deren es 2 gibt, frischt man 15 Schiffpf. auf einmal, woraus 11 Lispf. Stabeisen mit einem Kohlenverbrande von 18 bis 20 Tonnen gewonnen werden. Noch ein anderer Stabeisenhammer, dem Werke gehörig, liegt bey Aas, ¾ Meilen von Fossum, so gleichfalls 3 Nagel- und eine Sägeschmiede.

In einem Lande wie Norwegen, allen Extremen von Kälte und Hitze unterworfen, kann nichts wichtiger seyn, als wohlgetrocknetes Holz immer in Bereitschaft zu haben. Man verkürzt hier daher die dazu natürlich erforderliche Zeit durch Trockenhäuser mit circulirenden Wärmeleitern, die von einem außen geheizten Ofen ausgehen.

Die Gruben, welche die Hütte mit Erz versehen, liegen größtentheils in der Nähe. Ich erwähne blos der vornehmsten:

Bredgangsgrube, ⅛ Meile westlich, von Fossum entfernt, auf einem saiger stehenden Lager im Gneiß. Die Gangart des Erzes, welches ein dichter Magneteisenstein ist, bestehet aus einem Gemenge von Quarz, schwarzem blättrigen Augit, hellgrünem Epidot, Hornblende und braunrothem Granat, von welchem letztern, so wie vom Quarze schöne Krystalle vorkommen. Der letztere ist vom Epidot zum Theil gefärbt; auch findet sich Kalkspath, hellgrüner Flußspath und Bergleder um die Quarzkrystalle angelegt.

Das Metalllager hat eine wechselnde Mächtigkeit zwischen 2 und 12 Fuß, erweitert und verengt sich mehrmals im Niedergehen, als bestehe es in einer Reihe aufeinanderstehender, eyförmiger Nieren, welche durch schwächere Uebergänge zusammenhingen. Wagerecht laufende Bänder von einem halben Lachter Mächtigkeit durchschneiden das Lager an 2 bis 3 Stellen; sie bestehen in einem sehr harten, rauchgrauen, kieselhaltigen, mit Säuren wenig aufbrausenden Kalkstein, viele silberweiße, sehr kleine Glimmerblättchen und Spuren von rothbraunem

Granat enthaltend. Dies mögen leicht Gangausfüllungen gewesen seyn, die saiger niedergingen, ehe das Lager umstürzte.

Die größte Teufe der Grube reicht bis auf 45 Lachter. Die des Erzlagers ist unbekannt: An mehreren Stellen setzt die Gangart taub fort. Der jährliche Gewinn an Erz ist 1000 Tonnen. Die Förderungsanstalten sind noch sehr einfach, da die wahrscheinlich von einem nahegelegenen kleinen See kommenden Wasser wenig aufgehen. Man gießt sie mit Kübeln aus, da die Natur des Schachts keine Kunstsätze zuläßt. Ein Pferdegöpel reicht hierzu hin, und zugleich zur Erz- und Bergförderung.

Dicht dabey liegt Langangsgrube, zu Moß Eisenhütte gehörig. Das saiger stehende Lager, von 2 bis 5 Fuß Mächtigkeit, wird ebenfalls durch ein Band von Kalkgestein durchsetzt. Es ist 50 Lachter in der Teufe und 22 in der Länge aufgeschlossen.

Mehrere kleinere Gruben laufen parallel in derselben Richtung, wahrscheinlich auf eine ähnliche im Gneiße liegende Erzniederlage abgesunken. Da diese aber nicht über 1 oder 2 Fuß Mächtigkeit hatte, so ist sie nicht weiter abgehauet. Andere, wie St. Olafs-Schurf, in gleicher Streichungslinie und auf einem Erzlager von 2 bis 3 Fuß, und Slottenschyrf, sind noch im Betriebe.

Wichtige Gruben liegen ...... gegen Nordwest von Fossum. Die sie einschließenden Anhöhen beherrschen das schöne Ferventhal, worin
die Hütte liegt, und man entdeckt von ihnen selbst
das Skrimsfield in den Umgebungen Kongsbergs. Sie bestehen aus dem granitartigen Gneiß,
welcher Quarz und Feldspath in ansehnlichen Gruppen und Trümmern einschließt. Man erkennt an
verschiedenen Stellen durch eine bräunliche Verwitterung den Eisengehalt. Die Masse des kiesel-
artigen Thonschiefers, welche den Grund des Thales ausmacht, und jener Gebirgsart auf- oder an-
liegt, zeigt dagegen gar keine Spur eines Metalles.

Die hier liegenden Gruben sind: 1) Glet-
boegrube, ½ Meile von Fossum. Im nämlichen Gesteine als in Bredgangsgrube werden
in ihr ähnliche Nieren von veränderlichem Durchmesser abgebauet; ähnliche Bänder, doch mehr trapp-
oder grünsteinartig, durchziehen sie, und eine seitwärts einfallend schnitt das Lager rein ab. Der
Schacht ist nicht tiefer als 8 Lachter abgesunken.
Man gewinnt darin 8000 Tonnen Magneteisenstein,
welcher ein sehr weiches, doch zähes Eisen gibt.

2) Glasserengrube, ¼ Meile von der
Hütte entfernt. Ihre Ausbeute beläuft sich jährlich
auf 6 bis 700 Tonnen; das Erz, obgleich auf einem
ähnlichen Magneteisensteinlager, als das der vorigen

Grube brechend, ist in seinem Verhalten in der
Schmelzung durchaus verschieden, und liefert ein
sehr hartes Eisen.

Wenn man über die Dalshöge hinweg ist, so
sieht man auf dem Boden eines kleinen Thales
Eyemslager anstehen, mitten inne, zwischen Gra-
nitschiefer von 2 bis 3 Fuß Mächtigkeit. Es erscheinen große Stücke Quarz und Feldspath darin
zusammengebacken ohne Hornblende noch Glimmer.
Alle diese Lager werden von einem Trapp- oder
Grünsteingange 2 bis 3 Fuß breit durchsetzt. Am
Ufer des Nordsöe sind die Schichten hingegen
umgestürzt, und stehen fast senkrecht. Das Gestein
ist mehr gneißartig geschiefert; am entgegenstehen-
den Ufer sieht man nur Gneiß, doch auch quarzige
Lager mit Hornblendekörnern darin.

Der Hohofen von Holdens Eisenwerk ist nach
Schwedischen Zeichnungen erbauet, hat 30 Fuß
Höhe, 4 Fuß 8 Zoll Weite in der Gicht, und die
größte von 9 Fuß 4 Zoll. Er faßt 17 Last Kohlen.
Die Gicht ist zum Theil aus Schlackensteinen auf-
gemäuert, der Schacht und das Gestell aus Eng-
lischem Sandstein. Er kann Campagnen von dritthalb
Jahren ausgehalten, worauf aber das Gestell erneuert
werden muß.

Zu Gußwaaren gibt man in 24 Stunden 15
Gichten auf, deren Satz zu einer Last Kohlen in

16 Trögen Erz (wovon 16 auf die Tonne gehen) besteht. Will man Roheisen hervorbringen, so wird das Verhältniß des Erzes zu den Kohlen vergrößert. Man rechnet, daß aus 12½ Trögen Erz sich 1 Schiffpf. Roheisen ergibt. In einer Woche läßt man ungefähr 15mal laufen. Das Gebläse, von gewöhnlicher pyramidalischer Form, wechselt 5mal in der Minute. Aus der Hohofenschlacke formt man Steine, 75 Stück täglich, 14 Zoll lang, 8 breit und 6 hoch.

Wenn man den Hohofen in ununterbrochenem Gang erhalten kann, so soll sich die jährliche Ausbeute auf 800 Schiffpf. in kleinen Gußwaaren und 5000 Schiffpf. Roheisen belaufen. Ein Hauptfabrikationsartikel dieser Hütte besteht in eisernen Töpfen aller Größe, von 4 bis 5 Zoll bis zu 3 Fuß Durchmesser. Sie haben sehr artige Formen, und man behauptet hier, in Räsvärk, wo man sonst die Eleganz der Zeichnung und die Reinlichkeit der Umrisse in Norwegen aufs höchste treibt, habe man doch in diesem Punkt Holdens Arbeiten nicht erreichen können. Aber sie haben dabey eine üble Eigenschaft, welche alle Freude an ihrer Gestalt verdirbt: die, alle Speisen zu schwärzen, welches entweder einem Uebermaß von Kohlen bey der Beschickung oder dem unbekannten Titangehalt irgend eines ihrer Erze zuzuschreiben ist.

Man berichtet, ehemals habe man hier ebenfalls Kanonen gegossen.

Es gibt hier 4 Röstätten im Viereck gebaut, deren jede 250 Tonnen des aus den mittäglichen Provinzen, von Arendal, Asley-, Alvekyl- und Halden-Gruben kommenden Steines fassen kann; aber von demjenigen, welcher in den benachbarten Bauen von Föhn bricht, werden auf einmal 300 Tonnen geröstet. Jede Röstung erfordert 4 Klafter Holz und 50 Laft Kohlen.

In den Hammerwerken, deren eins bey der Hütte selbst und 2 bey Störte liegen, frischt man 18 Lispf. Roheisen auf einmal, mit einem Abgange von 5 Lispf. Um 1 Schifpf. Stabeisen zu erzeugen bedarf man gewöhnlich 2 Laft Kohlen. Ueberdies hat man 6 Nagelschmieden, ein Walz- und Schneidewerk, die letzteren mit den Schwedischen Anstalten dieser Art übereinstimmend. Die Anzahl der Arbeiter jeder Art belief sich auf 400.

Das Terrain, welches die in der Nähe gelegenen, zum Werke gehörigen Gruben einschließt, besteht in Porphyr und Grünstein, auf Gneiß gelagert. Alle Gruben liegen auf dem Kamme einer mäßigen Anhöhe zusammen, und es ist sehr interessant wahrzunehmen, wie in einem so sehr beschränkten Raume die Metallniederlagen sich in so vielfachen Gestalten, Richtungen und Neigungen darstellen. Hr. Haus-

man: hält, sie für Wesen aus Quarz; ich glaube
aber, sie liegen zum Theil bis tief in Spalten des
Gneißes niederschend, doch schon in dem darüber
gelagerten Trappgesteine, dessen eigenthümliche Bere
lüftungsart zu dieser systemlosen Vertheilung
der darin eingesetzten Materie Veranlassung gab.
Das darin enthaltene Erz ist Rotheisenstein und seine
von dem in Norwegen gewöhnlich sich im Gneiße
vorfindenden Magneteisenstein so abweichende Natur
läßt auch einen verschiedenen Ursprung vermuthen.

Die von mir besuchten Gruben in diesem kleinen
Bezirke sind: Auf Fåhns-Ås, wo die Erze
meistens Eisenglanz und Blutstein sind.

Glückauf (zu Solden) streicht in Nordnordost und Südsüdwest, ein Tagebau, 6 Lachter
tief, 8 bis 10 Fuß breit. Ein saiger stehender
Trappgang durchschneidet die Erzniederlage mehrermale.
Die Gebirgsart ist ein Mandelstein-Porphyr.

Magdalena Charlotte Hedwig (zu Hol-
ben), auf einer 2 Fuß mächtigen Erzniederlage
in einer Trappgebirgsart. Das Erz ein Eisenglimmer; ein offener Tagebau, 5 bis 6 Lachter tief.

Dalekarlgrube streicht in Nord und Süd;
nur eine Schurfarbeit.

Bergmestergrube, 30 Lachter tief, die
Erzniederlage 1 bis 2 Fuß mächtig, hat das ganze
Verhalten eines schlangenförmig gewundenen Gan-

ges mit deutlicher Ablösung vom Nebengesteine,
streicht in West und Ost, mit 15 bis 20° Neigung,
20 Lachter in der Länge aufgeschlossen.

Devre Aasegrube streicht in Nord und Süd,
10 bis 12 Lachter abgeteuft; man scheint auf 2
parallellaufendenGängen gebauet zu haben. DieGrube
hat einen Stollen und eine Art Schachtes, übrigens ist sie in einem sehr schlechten Zustande. Die
Metallniederlage macht in der Teufe eine Bewegung nach Westen zu, und krümmt sich dann wieder
gegen Osten. Der Hauptgang hat 3 Fuß Mächtigkeit. Sein Erz ist ein schuppiger Eisenglanz mit
dichtem Brauneisenstein, es ist reich, leichtflüssig,
und man verbessert damit die strengen, welche man
zu verlassen hat. Die Grube ist sehr wassernöthig.

Torsnäsobben scheint auf einem nach Westen,
also dem Inneren des Gebirges zufallenden Gange
zu liegen, dieser hat ein deutliches Saalband zuweilen sehr dick, aus Chloriterde bestehend.

Navnlösgrube: sehr alt, und schon lange
verlassen.

Bratellegrube streicht in Ostnordost und
Westsüdwest, 6 Lachter tief, der Gang beynahe
saiger aufstehend.

Am Ufer des Sae's, der kleinen Insel Salöe
gegenüber, findet sich Bolla (Fossum gehörig).

streicht in Nordnordwest und Südsüdost, 3 Lachter eingeteuft, voll Wasser.

Hough, streicht in Nordwest und Südost, mit 6½ Lachter Teufe, auf mehreren parallel-laufenden Gängen, nach Südwest geneigt, und von 1 Fuß Mächtigkeit.

Adlersgrube, auf einem Gange mit Trosnäsodde, in Nord und Süd streichend, fast saiger, 3 Fuß mächtig, 10 Lachter in der Länge, 16 in der Teufe abgebauet.

Vaskergrube, streicht im Süd und Nord, auf 2 in nämlicher Richtung hintereinander herlaufenden Nieren. Das Erzlager ist durch Gänge von Schwefelkies in 2 bis 3 Lachter Entfernung und von einer gleichen Mächtigkeit mehrmals durchsetzt. Die Grube ist sehr wassernöthig, vermöge der Nähe eines Morastes, des Fähusmörs.

Der Navulöse-Aas, welcher ganz dicht am Fähusaas liegt, ist ohne alle Spur von Erz.

Südöstlich von der Hütte, auch im Districte von Fähn, liegen:

Magnetgrube (zu Holden gehörig), und Haslegrube (zu Roß). Beyde letztere verlassen.

Haabet streicht in Nordwest und Südost.

Russegrube (zu Vold) streicht in Ost und West, verlassen seit 5 bis 6 Jahren, 4½ Lachter lang, 4 breit und 13 tief. Sie ist berühmt wegen der octaedrischen Eisenkrystalle, welche darin brachen und Silber enthalten. Sie finden sich meistens drußig, in den Höhlungen eines derben gemeinen Magneteisensteines von Kalkspath, Quarz und Baryt begleitet. Man trifft noch Eisenschaum auf den Halden, die sonst sehr durchsucht sind.

Storegrube (ebenfalls zu Vold) mit gleichem Streichen, von nämlicher Abteufung und 4 Lachter lang zu Tage eröffnet *).

Auf dem Wege von Holden nach Vold sieht man bey Solum den Gneiß in mächtigen Lagern anstehen. In der Nähe des Eisenwerks selbst, und am Rande des Voldfjords, steht aber eine merkwürdige Gneißmasse, an der man sich über Gang-Theorien vollständig belehren kann. Der Gneiß streicht in Ost und West, durchsetzt von Nord nach Süd von einer großen Anzahl Kieseltrappgängen; durch diese ziehen wieder andere eines sehr harten Grünsteinporphyrs, sehr viele weiße, kleine, längliche Feldspathprismen (nebst einigen größeren rothen) in einer grünlichschwarzen Hauptmasse enthaltend; andere eines reinen glasglänzenden muscheligen Quarzes, in dessen Höhlungen deutliche Krystalle ange-

---

*) Dies ist Alles, was ich über diese Metallniederlagen habe mit einiger Genauigkeit bestimmen können.

I. 26

schossen sind; andere von Chloriterde, — alle in
der nämlichen Richtung. Endlich laufen von West
nach Ost Syenit- oder Granitgänge, grobkörnig,
mit rothem Feldspathe, weißem muscheligen Quarz,
kleinen Körnern schwarzer Hornblende, großen dun-
kelgrünen Glimmerblättchen gruppenweise zusam-
mengehäuft, zuweilen Talk- und Trappkügelchen
enthaltend. Diese Gänge, Schnüre und Trümmer,
wie man sie nennen will, welche sich unter so zahlreichen Beugungen netzförmig durchschneiden, erscheinen überdies als durch Kreuzung anderer auf die
Seite geworfen *).

Die Gewässer, welche Bolds Kunsträder treiben, kommen aus einem höher liegenden Teiche,
worin man sie durch ein Wehr zu dem nöthigen
Stande erhebt. Das Bassin hat keinen sichtbaren
Zufluß durch die Bäche, sondern scheint nur durch
den Regen und Schnee, oder wahrscheinlich durch
Quellen auf seinem Grunde genähet. Dicht bey
dem Damme hat es eine Tiefe von 50 Fuß. Das

---

*) Aus dieser Masse erhellt, wenn man successive Gangaus-
füllungen nach Maßgabe, daß sie sich durchsetzen, zulassen
will, daß der Trapp- und Grünsteinporphyr eher niedergeschlagen wurde, als der Granit oder Syenit, der sonst
häufig anderswo, und selbst hier in der Nähe, unmittelbar im Gneiße liegende Gänge bildet, und nicht zu den
Uebergangsgesteinen gerechnet werden kann.

Wehr von gleicher Höhe, zwischen zwey Felsen ein-
gebäuet, die oben ungefähr 60 Fuß und unten nur
8 bis 10 Raum lassen, besteht aus Balken, welche
auf der Seite des Wasserdrucks mit einem doppelten Dielenfutter bekleidet sind. Die Felsen, zwischen
denen es eingeklemmt ist, ein sehr feldspathreicher
Gneiß, von Granitgängen durchsetzt, die zuweilen
Hornblende enthalten, verwittern sehr leicht. Man
zapft das Wasser aus des Behälters größter Tiefe,
wodurch der nöthige Vorrath selbst in den strengsten
Wintern und heißesten Sommern gesichert wird.

Housmann theilt sehr interessante Nachrich-
ten vom Baue des Kunstrades mit, worauf das
Aufschlagewasser durch einen langen Kanal aus
diesem Wasserbehälter geleitet wird: so wie auch
über die Verbesserungen an den pyramidalischen
Blasebälgen, welche dem Hohofen vorgelegt sind.
Dieser ist alter Bauart, sein Schacht aber vom
Bergrath Collet neu vorgerichtet. Seine Höhe
ist ungefähr 28 Fuß, seine Weite im Gestelle 4
Fuß 2 Zoll, über der Rast 5 Fuß 10 Zoll, in der
Gicht 2 Fuß 6 Zoll. Der Schacht ist aus einem
Glimmerschiefer erbauet, der sehr feuerfest ist, wenn
man nur der Flamme den Querbruch zuwendet.

Eine Gicht besteht hier in 1 Last Kohlen, und
ungefähr 1 Tonne Erz, woraus sich 18 bis 20 Lispf.
Roheisen ergeben. Von diesen Gichten giebt man

in 24 Stunden 16 auf. Das gewöhnliche Ausbringen ist 95 bis 105, selten 106 Schiffpf. Roheisen.
Man könnte es vergrößern, wenn sich mehr Kohlen
herbeyschaffen ließen, deren Mangel den jährlichen
Ertrag in den letzten Zeiten selbst auf 4000 Schiffpf.
herabgesetzt hat, 500 Schiffpf. in Gußeisen mit
einberechnet; welches lediglich in Ofenplatten besteht.

Die von Schlackensteinen erbaueten Röststätten
haben innerhalb abgerundete Winkel, 12 Fuß Länge,
16 Breite, und 6½ Tiefe, mit 2 gegeneinander
überstehenden Oeffnungen, wodurch das Herausziehen des gerösteten Steines erleichtert wird. Jede
faßt 300 Tonnen, die man mit 4 Klafter Holz von
8 Fuß Länge und mit 80 Last Kohlenlösche und
Gestübe röstet. Das Erz von Fåhn bedarf eines
stärkeren Kohlenzusatzes als das von Näs.

In diesem Werke gehören 2 Eisenhammer auf
Herre, worauf man 13 Lispf. Roheisen auf einmal aus dem Abgange eines Fünftels und einem
Kohlenverbrande von 19 Tonnen auf das Schiffpf.
frischt. Man kann in jedem Hammerwerke mit
2 Feuern wöchentlich bis 40 Schiffpf. Schmiedeeisen hervorbringen, wenn man nicht feinere Waaren
anzufertigen hat. Das Werk zieht einen Theil seiner
Kohlen aus seinen eigenen Holzungen; das Magazin
zu ihrer Aufbewahrung ist aus Schlackensteinen

erbauet, die zu 12 Zollen Länge und 6 Zollen Breite
und Höhe in der Hütte selbst geformt werden. Man
war im Begriff noch ein zweytes Kohlenhaus dieser
Art zu erbauen, so wie auch die Anzahl der Röststätten zu vermehren.

Das Trockenhaus ist um ein Stockwerk höher,
als das von Fossum. Das Holz bleibt 8 bis 10
Tage darin, man kann es alsdann selbst zur Ver-
studerung gebrauchen. Doch ist zur größeren Sicherheit die Wasserleitung mit einer Lage Eisenvitriol
überstrichen, welche alle atmosphärische Einwirkung
völlig ausschließt.

Auf dem Voldfjord eingeschifft kommt man
Ringholmen vorbey, einem schmalen Felsen,
der kaum seine Spitze über die Fluthen erhebt. Er
besteht aus Hornblendeschichten, welche ohne Zweifel dem Gneiße zugehören. An der östlichen Küste
des Fjords erscheint der Thonschiefer in ganz dünnen Lagen, welche, mit ähnlichen von Kalkstein
wechselnd, lange Strecken einförmig fortziehen,
mehrere hundert Fuß senkrecht über die Fluthen
erhoben. Schon Hr. v. Buch hat die interessante
Bemerkung gemacht, daß viele eindringende Seearme in Norwegen hoch auf der Gränze zwischen
zwey verschiedenen Steinarten liegen, wo das Terrain
als minder zusammenhängend am leichtesten gebrochen

werden könnte. Dies kann aber zu gleicher Zeit
für einen Beweis gelten, daß diese Steinarten,
selbst in der Tiefe, mehr neben einander stehen,
oder seitwärts ineinander übergehen, als übereinander hergelagert sind.

Südliche Provinzen Norwegens.

Eisengruben von Langöe. Reise bis Egeland. Wisahütte. Dazu gehörige Gruben. Gegend bis Näs; Eisenhütte. Gruben. Arendal. Gruben dieses Districts. Froland und Värk. Gruben zwischen Froland und Näs.

Schon mehrmals ist der Eisengruben auf Langöe Erwähnung geschehen, welche zum Theil der Regierung, zum Theil Hrn. Peter Anker gehören, die Hütte von Laurvig, Bärum und Fossum hauptsächlich, und beyläufig mehrere andere Werke mit Erz versorgen.

Die Ankerschen Gruben auf dem östlichen Theil der Insel, vielleicht ein Drittel des Ganzen ausmachend, sind alle auf einem einzigen Gange abgeteuft, der nach Südwest oder dem Innern der

Erhöhung zu mit einer Mächtigkeit von ½ bis 2
Lachtern abfällt. Jede noch so unbedeutende Ab-
sinkung, oder vielmehr jede noch so leicht aufgeritzte
Schurfarbeit hat darauf ihre eigene Benennung *).
Der letzte ausgerichtete Punkt stößt beynahe mit
der Reihe von Gruben zusammen, welche die Regierung bearbeiten läßt. Der Gang durchsetzt ein
Porphyrgestein mit sehr kieselhaltiger Basis **) mit
Trümmern und selbst reinen Kryskallen von Quarz.
Der Gang hat gewöhnlich kein sehr ausgezeichnetes
Saalband; und alsdann dringt das Metall in das
Nebengestein; zuweilen aber liegen Talkblätter zwischen diesem und dem Ganggestein. Es scheinen
auch vielmehr zwey sich schleppende Gänge zu seyn,
welche bald von einander abfallen, bald sich wieder
scharen, wechselsweise verstärken und anreichern,
wenn einer von ihnen durch das Gebirge erdrückt
wird. Endlich sind sie zum erstenmale in einer der

---

*) Kaasbakkegrube; Aeldgamle; Oester- und Vester-
Kampenhoug; Oester- und Vester-Kaja; Fröken
Ankers Grube; Rönninggrube; Frederika Kaas;
Neues Glück; Frue Anker; Frue Kaas; Oester-
und Vester-Björnnäs.

**) Eine ähnliche Eisenstein-Niederlage im Feldspathporphyr
in unregelmäßiger Erstreckung ist von der Halkedals-
värk zugehörigen Poulsgrube aufgeschlossen. (Hausmann.)

letzten Gruben, Vester-Kampenhoug, abgeschnitten, doch schmeichelt man sich immer noch mit
der Hoffnung, jenseits der tauben Mittel wieder
Erzpunkte auszurichten.

Da vor der Ankunft des jetzigen Obersteigers
der Bergbau wie auf Raub, mit Nachbrechen jeder
Metallspürung ohne Plan noch Vorsicht betrieben
wurde, so sind mehrere von den alten Gruben eingestürzt, doch ist der Ertrag noch 6 bis 7000 Tonnen jährlich. Die Anzahl der daben angelegten Arbeiter belief sich auf 50.

An der westlichen Seite der Insel ist die herrschende porphyrartige Gebirgsart viel reicher an Thon
und Kalf. Gänge verschiedener Natur, talkartig,
chloritisch, trapp- grünsteinartig, durchsetzen dieselbe. Die Grube von Tangmyraas ist in einem
Grünsteinporphyr, welcher in sehr deutlichen Schichten, besonders an der nördlichen Seite ansteht, die
mehrere Fuß mächtig nach Nordnordwest abfallen,
und von einer zahllosen Menge kleiner, kaum die
Dicke von 2 Linien übersteigender Eisensteintrüm-
mer durchzogen sind. Diese laufen meistens von West
nach Ost, oder schlängeln sich im Gesteine, bilden
manche Knoten und malerische Verbindungen. Es
ist deutlich, daß der Stoff zu diesen Adern mit dem
einschließenden Teige zugleich niedergelegt wurde, da
in diesem Falle an einer Ausfüllung von außen her

gar nicht zu denken ist *). Sie bilden zusammen
eine Metallmasse, deren Ausdehnung noch unbekannt ist.

Als Gegenstand des Bergbaues betrachtet, ver-
diente diese Masse wenig Aufmerksamkeit, wenn sie
sich nicht mit der größten Leichtigkeit in einem offenen Tagebau abbrechen ließe, und vermöge ihres
Kalkgehalts nicht einen Zuschlag lieferte, dessen
andere in Laurvigs Hohofen zu verblasende streng-
flüssige Erze höchlich bedürfen.

Diese Metallniederlage ist noch durch eine Bande
von chloritreichem Trapp- oder Grünstein von 2 bis
3 Lachtern Mächtigkeit, welcher selbst das Eisen
färbt, wo er es berührt, durchsetzt. Auch soll sie
mit dem östlichen Gange zusammenlaufen, und ihm
vielen Kalk zuführen.

Das Erz aller dieser Gruben ist gemeiner, zuweilen fasriger Magneteisenstein.

Der Gietternaas, 12 bis 1600 Fuß von
Fröken Ankers Grube entlegen, enthält einen
Gang braunen Titaneisens von 2 Lachtern Mächtigkeit. Er soll in Südwest und Nordost streichen, mit
einer Neigung nach Südost, und in einer Länge von
150 bis 200 Lachtern aufgeschurft seyn.

---

*) Zum wenigsten müßte das Ganze als ein ungeheurer
Gang angesehen werden.

Auf der nördlichen Seite der Insel soll sich ein merkwürdiges Mergellager mit Muschelschalen finden.

Man nimmt deutlich wahr, daß das Umstürzen der Schichten auf Langöe nach der westlichen Seite zu vorgegangen ist, während der übrige Theil, welcher die Gruben der Regierung enthält, in seiner wagerechten Stellung blieb.

Der Raum zwischen der Insel und dem festen Lande ist mit kleinen Inseln angefüllt, worunter selbst einige nur als große Blöcke von einigen Lachtern Durchmesser erscheinen, unbezweifelt Fragmente der zerbrochenen und übergestürzten Ufer. Man sieht zwischen dem gemeinen Kieselthonporphyr unordentlich zusammengeworfene, senkrechte oder stark geneigte Bänke von Gneiß mit granit- oder syenitartigen (denn die Hornblende fehlt selten darin) Gängen durchzogen, welche immer große Stücke eines röthlichen Feldspathes, selbst von einem Viertelfuß Durchmesser, enthalten.

Die Umgebungen von Krageröe haben nichts Ausgezeichnetes. Eine große Felsenmasse, Steinmann genannt, welche die Stadt beherrscht, besteht aus Porphyr mit kieselreicher Thonbasis, mit Feldspathgängen und röther gefärbten Trümmern gleicher Natur, deren höhere Farbe von dem hier überall verbreiteten Eisen herrühren mag. Diese

Porphyrmasse scheint unmittelbar dem Gneiße auf=
zuliegen, welcher hier dem Glimmerschiefer nahe
verwandt ist, häufige Adern von Quarz und weißem
Feldspath enthaltend. Der Gneiß nimmt das ganze
Terrain bis Egeland ein, in senkrechten oder
stark und vielfach gesenkten Schichten. Zahllose
Feldspath= und Quarztrümmer durchziehen ihn netz=
förmig, doch trifft man sie ebenfalls lagerweise
darin von mehreren Fuß Mächtigkeit, und wahr=
scheinlich sehr weiter Erstreckung. Es fehlt darin
auch nicht an granitähnlichen Stellen. Ueberhaupt
zeigt das Gestein die Unordnung in der Mischung,
welche den Porphyrgebilden nicht selten zukommt;
gemengte Elemente, wie auf einem marmorirten
Papiere zusammengerührt; farbige Streifen der einen
Substanz die andere schneckenförmig umwindend,
und selbst wieder von einer dritten umflossen; Glim=
mer= und Thonschiefertheile schweben ganz deutlich
darin.

Ihm liegen deutlicher charakterisirte Steinarten
ein oder auf: eine quarzreiche, körnige Hornblende
mit vielen Granaten, und ein sehr schönes Quarz=
gestein mit violettem Talk gemischt, das letztere
vielleicht ein Granit, in dem der Glimmer mangelt.
Solcher ein = oder aufgelagerter Quarzgemenge gibt
es wahrscheinlich noch andere. An der letzten Brücke,
ehe man nach Röc gelangt, sieht man Geschiebe

eines solchen mit rosenrothem Feldspath darin umherliegen.   Der Gneiß selbst ist überall reich an
Granat.   Auf Brokelandseie, wo der Hol-
denfiord sich in das Mitvand ergießt, steht
ein kleiner Felsen isolirt aus den Fluthen hervor,
mit einer dicken, schön blutrothen Granatkruste bekleidet, welche die atmosphärischen Gewässer oder
das Schlagen der Wellen von den Gneißumgebun-
gen entblößt haben.   Alle Berge, die längs dem
Vastöevand hergehen, bestehen aus einem solchen
sehr glimmerreichen Gneiß von zahlreichen doch immer mächtigen Granatgängen durchzogen, in Begleitung von andern quarz- und feldspathartigen,
oder einem schönen Gemenge von Quarz, weißem
Feldspath, Glimmer, grünem, schwärzlichen und
silberfarbenen Talk.   Dies ist ein wahrer Granit.
Es sind aber keine Gänge, die von außen hinein-
gefüllt wären, sondern dicke Schnüre, die schlangenförmig in der Grundmasse ohne Streichen noch
Fallen, ohne Ablösung, Ein- noch Ausgang, herum-
kreisen.   Ueberhaupt ist in Norwegen diese gang-
förmige Verbreitung einer Steinart in der andern
sehr häufig.

Egelands Eisenwerk liegt am Vastäevand,
ungefähr eine Meile von Oester-Risöer. Der
Strom, welcher unter dem Namen des Svart-
vand die Aufschlagewasser hergibt, kommt aus

438

einem entlegenen Gebirge, und nachdem er mehrere
amphitheatralisch übereinander liegende Seen durchzogen hat, theilt er sich ein wenig über der Hütte
in zwey Feste, deren einer die Nagelschmieden, der
andere, von neuem in 2 Zweige zerfallend, die
Gebläse des Hohofen und des Eisenhammers treibt.

Der Hohofen, uralter Bauart, von 1754 her,
ist in einer sehr mittelmäßigen Verfassung. Er hat
30 Fuß Höhe, eine überall gleichförmige Weite
von 6 Fuß, und faßt 10½ Last Kohlen.

Man giebt in 24 Stunden 20 Gichten auf, deren
Satz zu 1 Last Kohlen in 10½ Trögen Stein besteht, wovon 5 Erz von Langsöe (15 ℔. wiegend),
1 von Ardöe (2¼ ℔.), 3½ von Rässküll
(10½ ℔.) und 1 Svartmalm von Svarte-
Grube und Schurf kommend, (3¼') also zusammen 31 ℔. ausmachen. Die ersten drey Gruben
gehören zu Arendals Umgebungen, sind theils
Eigenthum des Werks, theils kauft man ihnen das
Erz ab; das Svartmalm kommt aus der Nähe,
da es aber den Rothbruch erzeugt, so wird es nur
in diesem geringen Verhältnisse zugesetzt.

Die 20 Gichten bilden so ein Ganzes von 620 ℔.
Gewicht. Nach jeder 10ten Gicht, wo man absticht,
erhält man 5 Schiffpf. Roh- und Gußeisen. Das
jährliche Ausbringen, wenn der Umgang ununterbrochen ist, (wie doch hier nur selten der Fall zu

439

seyn pflegt) kann sich auf 1040 Schiffpf. in Gußartikeln und 2600 in Roheisen belaufen.

Die Röstung des Steines geschieht in runden
Röststätten, deren jede 395 Tonnen faßt, mit einem
Kohlenaufwande von 56 Last. Bloß das unterste
Bett wird aus Scheitholz gebildet. Man hat ein
eigenes Magazin für die Kohlenlösche.

Die Ofenplatten werden nach sehr alten Modellen und häßlichen Zeichnungen gegossen. Die Küchengeschirre dagegen haben mehrere Formen nach Art
der Holländischen und derer von Holdens Eisenhütte. Das Eisen ist im Allgemeinen sehr unrein,
voll von Zellen und Schlacke. Man formt dagegen
sehr haltbare Schlackensteine. Die Hornblende im
Svartmalm, welche der Güte deß Roheisens so
nachtheilig ist, scheint auf die Zähigkeit der Schlacken
um so günstiger zu wirken.

Man frischt mit 2 Feuern, und gewiß einer
außerordentlichen Kohlenverschwendung. Mitten in
der Nacht hatte diese Stangeisenschmieden, ohne alle
Uebertreibung, das Ansehen eines Vulkans; eine
mehrere Fuß hohe Flammensäule strömte bey jedem
Gebläsehub aus dem Schornsteine, wüthende Funken sprühten aus Thüren und Fenstern, machten
einhüllend die Arbeiter darin unsichtbar und erleuchteten alle Gegenstände draußen in einer sehr großen
Entfernung.

Man frischt auf einmal 18 Lispf. Roheisen,
woraus 14½ Lispf. Stabeisen, nach der Angabe
mit einem Kohlenaufwand von 2 Last pr. 1 Schiffpf.,
hervorgehen. Jeder Hammer kann jährlich 1400
Schiffpf. liefern. Noch stehen unweit des Hohofens
2 Nagel- und 1 Zainhammer.

Die zum Werke gehörigen Gruben liegen gegen
Nordnordost. Das Gebirge, das sie einschließt,
streicht in Südwest und Nordost, mit auf den Kanten aufstehenden oder stark nach Südost fallenden
Lagern. Es sind Gneißschichten mit Hornblendelagern, welche das Eisen und immer sehr viel Granat
enthalten, und worauf die Absenkungen unordentlich und so tief niedergetrieben sind, bis daß, auf-
gehende Wasser, der Arbeit ein Ende machten. Die
Gruben sind:

1.) S v a r t e s k i e r y , oder S t o r e k j e n b -
g r u b e ; streicht in der allgemeinen Richtungslinie
in einer Weite von 4 Fuß, und Länge von 6 Lachtern aufgeschlossen.

2.) Einem mit dem ersteren sich parallel fortziehenden Schurf, 7 Fuß weit, 30 lang, und der
Angabe nach 16 Lachter tief.

3.) S v a r t e g r u b e . Die Beschaffenheit des
Erzlagers ist durch einen Betrieb auf Geradewohl
beynahe unbegreiflich geworden; es scheint aber,
daß man es von der Seite im hängehden (Dache)

angegriffen, es durchsetzt habe, und nun im Tauben fortrücke, mit anstehendem Erz auf beyden Seiten im Streichen. Da man 11 Lachter im wilden Gesteine eingegangen ist, ohne weitere Erzpunkte auszurichten, so war den Arbeitern aller Muth entfallen.

Noch gibt es 2 andere zur Hütte gehörige Gruben, Oegrube und Fandsgrube, beyde in einer Entfernung von ¾ Meilen. Ich habe sie nicht gesehen, Ihr Erz ist ebenfalls von vieler Hornblende verunreinigt.

Die Hornblende, dem Gneiß ein- und aufgelagert, herrscht entscheidend in diesem ganzen Districte längs dem Bastöevand. Der glimmerreiche Gneiß erscheint auch mit Quarzlagern, ehe man Söndelev erreicht. Ueber den Fiord hinauf findet man bey Besterröd die Hornblende mit ausgezeichnet schönen Granaten. Bey Oefferröd sicht in der Nähe des zu Egelands Hütte gehörigen Hammerwerks ein ansehnliches Massiv von weißem, muscheligem Quarz an, wahrscheinlich Ueberrest eines großen nun entblößten Lagers. Hinter Söngevand ist granitartiges Gestein mit wenig Hornblende; Hornblendemassen liegen dazwischen. Gegen das Thal zu zeigen sich wieder Schichten eines reinen blaulichen Quarzes; alles Gebilde im Gneiß, der auf diese Art bis Näs fortsetzt.

I. 27

Längs dem Thuelv ziehen sich bläuliche Thonniederlagen hin; der Sand ist stark eisenschüssig.

Der Hohofen von Näs, oder Boselands
Eisenwerk hat 30 Fuß 6 Zoll Höhe, 4 Fuß Weite
in der Gicht, 5 im Gestelle, 6 über der Rast. In
24 Stunden gibt man 11 Gichten auf, deren Satz
aus 14 Tonnen Kohlen mit 3 Schispf. Stein besteht, den letzteren mit folgender Gattirung der verschiedenen Erze; des von Solberg zu 21 Theilen,
von Alve 20, von Näs[*]) 4; von Lingerud
6, von Fields 4, von Buöen 3, und Lane-
böe 2[**]). Man verstärkt das Verhältniß der Kesel-
haltigen Erze, welches in dieser Angabe als das
kleinste erscheint, wenn der Schacht angefressen ist.

Das jährliche Ausbringen ist 4800 Schispf. in
Stabeisen und 1000 in Gußwaaren, welche in Ofenplatten u. s. w. bestehen. Man bedient sich zu allen
diesen Arbeiten des Gusses im Laden, wovon diejenigen, welche minder bedeutende Gegenstände, wie
Töpfe u. dgl. enthalten, in der Nähe des Ofens

---

*) Es findet sich mit sehr vielem nachenrothen Granat und
  einem Hornblende gemischt, und ist vortrefflich als Zuschlag.

**) Diese Angabe weicht, wie mehrere andere, ein wenig von
  denen Hrn. Hausmanns ab; ich kann deshalb aber nicht
  in Anspruch genommen werden, da ich die meinigen bey
  allen Werken schriftlich von den Aufsehern erhalten habe.

eingegraben und unmittelbar durch Kanäle gefüllt werden; für die andern schöpft man das Metall.

Hr. Aal, Eigenthümer dieses Werks, selbst durch metallurgische Arbeiten bekannt, hatte das Glück, Hrn. Crawford von Carrons Eisenwerken her zum Theilnehmer seiner Entwürfe und Aufseher ihrer Ausführung, die von einem ansehnlichen Vermögen unterstützt wurde, zu erhalten. Ein lobenswerther Geist der Liberalität und des Patriotismus macht die von ihm eingeführten Methoden zugleich dem ganzen Lande wichtig, denn er verstattet dazu selbst solchen Personen den Zugang, welche durch Anwendung der hier gesammelten Kenntnisse gewiß den Ertrag seiner Industrie vermindern müssen. Aber so bezeigt sich der rechtliche, unbefangene Sinn des Norwegers, wenn in ihn noch kein Krämergeist eingedrungen ist.

Die Ofenplatten von Näsvärk haben einen wohlverdienten Ruf von Eleganz der Formen, Reinlichkeit der Zeichnung und der Umrisse. Die Figuren, en reliaf, welche, mehrentheils Antiken nachahmend, die Mitte der Stücke verzieren, werden in eigenen aus Zinn und Bley angefertigten Formen abgegossen, und alsdann passend und haltbar aufgenietet. Die andern Stücke werden in Kasten geformt. Man glaubte bisher, die Nettigkeit und Ebenheit und Gestalt, welche diese Gußartikel aus-

zeichnen, werden durch ein heimlich gehaltenes For-
mengemenge gewonnen; es mag immer seyn, doch
nach den erhaltenen Versicherungen besteht das ganze
Geheimniß in nichts, als in größerer Sorgfalt, die
durch Abdrückung des Modells, in einer einfachen
Mischung wohlgesiebten und gereinigten Sandes und
feinen Kohlengestübes dargestellte Form, genau aus-
zugleichen, abzurunden, mit Anschärfung der Ecken
und Kanten. Nach fleißigster Vollendung dieses
ersten Abdruckes bestreut man ihn stark mit Gestübe
und paßt ihn nochmals mit Graphit ab. Der Koh-
lenstaub erhält die zu diesen Operationen nöthige
Feinheit durch rollende Kugeln in einer schnell um-
gedrehten Tonne. Man trocknet die Formen in
einem eigen dazu eingerichteten Zimmer mit Kamin-
wärme auf Englische Art.

Die Röststätten sind oval, und fassen eine jede
350 bis 400 Tonnen Stein. Man bemerkte, daß
die Schlackensteine des Hohofens zu ihrer Aufmaue-
rung untauglich waren, weil das Erz sich mit ihnen
verschmolz, und sie hierauf in Stücke zerfielen. Sie
werden daher aus Gneißplatten oder auch aus Frisch-
schlacken erbauet, welche beyde sich zu diesem Gebrauche gleich eignen.

Ein Ueberfluß von Aufschlagewasser macht das
Werk noch mancherley Vervollkommnungen und
neuer Anlagen empfänglich. Unter den Letztern hatte

man auch eine Schleiferey zum Poliren des Stahls
und Eisens nach Englischer Weise, mit 2 Reverberir-
öfen zur Eisenverfeinerung, im Sinne.

Dicht bey dem Hohofen stehen 2 Hammerwerke,
jedes zu 2 Feuern. In jedem werden wächentlich
27 bis 28 Lispf. Roheisen zu 16 Lispf. Stabeisen
ausgeschmiedet: zusammen liefern sie jährlich 3000
Schiffpf. Den Abgang schlägt man auf ⅕ an,
den Kohlenverbrand auf 2 Last für jedes Schiffpf.
Außerdem werden noch 2 Nagelschmieden und 1
Zainhammer unterhalten.

Von den zu Näsvärk gehörigen Gruben liefert
Solberg jährlich 1000 Tonnen Stein, Alve
1200, Näs 600, Lingerud 800, Fields
(1 Meile vom Werke) 600, Buäen wird nicht
mehr gebauet; in Aaneböe bricht das nämliche
Geschick als in Lingerud. Man belegt sie wechselsweise.

Salbergrube, eine der vorzüglichsten, ist
der Eisenhütte ganz nahe. Das Erzlager, worauf
sie abgesunken ist, liegt ganz im Streichen der umschließenden Gneißschichten in Südsüdwest und Nordnordost. Ohne Spur eines sonst den Norwegischen
Lagern nicht ganz fremden Saalbandes hat das Erz
an vielen Stellen das Nebengestein durchgedrungen,
und es scheint merkwürdig, daß der Gneiß immer
im Verhältniß der Nähe des Metalles kieselhaltiger

wird. Die Kieselerde, wie besonders die Kupfer-
niederlagen dieses Landes glauben machen, ist vielleicht der Vereinigung der Metalltheile ganz besonders günstig. Da sich nicht nur in den Wänden
des Nebengesteines diese Metalldurchdringungen, sondern tiefer im Tauben ganze Nester und Nieren
Eisenerz zeigen, so muß man wohl annehmen, Gneiß
und Metall seyen zusammen niedergeschlagen, und
haben sich nachher erst im Lager selbst geschieden.
Mancher sogenannte Gang mag wohl den nämlichen
Ursprung haben.

Das Lager steht fast saiger auf, oder hat mit
den Gebirgsschichten zugleich eine starke Neigung
nach Südsüdost, es zeigt in seinem Fortgehen eine
Art wellenförmiger Bewegung, und verändert die
Mächtigkeit 2 oder 3mal; die stärkste ist immer
unter 1 Lachter, die schwächste ½ Zoll. Es ist in
einer Länge von 14 bis 15 Lachter, und einer Tiefe
von 40 abgebauet. Ein Gang von Grünsteinporphyr
ungefähr 1 Lachter Dicke, durchsetzt es unter einem
rechten Winkel. Das Ausgehende desselben erscheint
deutlich auf dem Gipfel der Anhöhe, und er reicht
zu einer nicht untersuchten Tiefe. Solche Kluft-
ausfüllungen, jünger als das Umstürzen der Schichten, sind besonders häufig in dieser Gegend. Auch
granitartige Gänge sollen durch Solbergs Metallniederlage an andern Punkten ziehen. Man hatte

deren 3 entdeckt; eines von ihnen schnitt das Erz völlig ab.

Kongsgaube, ¾ Meile von der Hütte, liegt an Skaalandsende auch hier ist das Lager wellenförmig gekrümmt. Viele Grünstein- und Trappgänge erscheinen auf der Oberfläche der Umgebungen.

Gneiß mit granit- und freinartigen Durchsetzungen, liegt am ganzen Wege bis Arendal. Den Namsö sieht ein solcher Gang, worin Talk die Stelle des hornblende vertritt. Die Stadt selbst ist an seigeren Gneißschichten angelehnt, Gebirche bilden den Boden, welcher Arendals Eisenerzniederlagen enthält, und diese Gesteine gehört offenbar zu den höheren Gebirgsschichten, welche auch den Glimmerschiefer Kongsbergs theils unter, theils inneliegend mit geringer Modificationen und Anomalien die bekannte Grundmasse des Landes ausmacht.

Die senkrechte Stellung der Schichten ist um so entschiedener, als man dem Gebiete des Meeres näher kommt; ins Land hinauf liegen sie vorgerückter, ja man kann ganz horizontale Punkte (z. B. bei Frolandsvaet) auffinden. Die Eisengrube Graakaas-Malmfield bietet das Phänomen einer zirkelförmigen Beugung des Metallagers, zugleich mit den ungeheuren Gneißschichten dar. Das

Erzsegment von anderthalb Lachter Mächtigkeit
an beyden Enden ist überdies in der Mitte viel
schmaler, so daß man sich vorstellen kann, die
Krümmung habe die eingeschlossene Erzniederlage
in einem noch weichen und nachgiebigen Zustande
zusammengeklemmt. Auch bey der Grube Kienaa-
fen kann man eine ähnliche Beugung erkennen.

Alle Eisensteinlager um Arendal herum scheinen in 2 oder 3 Parallelen begriffen zu seyn, deren
äußerster Punkt bis jetzt nach Westen hin bey der
Kirche von Oyestad, wo sie zusammenlaufen und
östlich ungefähr bey Golberggrube, oder vielleicht noch tiefer nach Crayerve zu, angekommen werden kann. Man mag sich vorstellen, weil sie
ehedem vielleicht alle einem einzigen Lager angehört haben, dessen in der Länge haubenweise unterbrochene Fragmente nun einzeln auf ihren Kanten
aufstehend und in einer mit ihrer Teufe überein-
stimmenden Entfernung von einander erscheinen.
Außerhalb diesen bezeichneten Zonen hat noch keine
der umgebenden Höhen eine Metallspur gezeigt, entweder weil die unter ihnen wagerecht fortgehenden
Erzlager tiefer liegen, als man niedergekommen
ist, oder weil überhaupt in Norden die Metallniederlagen nur fleckenweise und krystallartig abgesetzt wurden.

Arendals Lager werden von einer Granat-

masse begleitet, aus der entweder schön krystallisirte
Granaten sich entwickeln, oder welche derb und
gesteinartig um den Magneteisenstein herliegt. Sie
umwickelt auch die schönen Krystallisationen neuer
und mannichfaltiger Fossilien, welche Arendals
mineralogischen Ruf begründet haben *); sie wechselt ebenfalls mit dem Gneiß. Diese Masse, gemengt
mit Augit, Hornblende, Glimmer u. s. w. bildet
selbst ungeheuere Nieren von 50 und mehr Lachter
Durchmesser, deren Mitte den Magneteisenstein einnimmt, z. B. bey Baugsfevandet, und vielleicht auch auf Höyre-Aasen und Storo-
grube, wo sie von 10 Lachter Mächtigkeit eine
auffallende Berückung hervorbringt, und mit der
Bergart der angränzenden Anhöhen verschmelzen,
den Eisenstein von allen Seiten umfängt. So hüllt
sie gleichfalls, mit vielem Kalke vermischt, das arme
Erz von Oesterlien liegrube ein. Eine ähnliche Masse, mit Augit und Hornblende gemischt,
theilt Klodebjergsgrube in der Tiefe. Dies
Granitgebilde scheint übrigens bis jetzt mehr den

---

*) Es mag die Frage entstehen, ob die Elemente des Eisens
nicht eine stärkere Anziehungskraft, als die irgend eines
andern Metalles gegeneinander ausüben, um zu den vielen
Drüsenhöhlen in seinem Gänggestein Anlaß zu geben,
worin sich nachher so viele vollkommene Krystallisationen
entfalten können.

Erzlagern zugekommen, welche dem Meer nahe
sind, als den übrigen.

Die Zerwühlung selbst brachte natürlich Zerklüftungen in den zerbrochenen Lagern hervor, welche
nachher durch mannichfaltige Materien ausgefüllt,
nun als durchsetzende Gänge erscheinen. Die meisten
davon streichen in Ost und West mit einem Falle
nach Mitternacht. Ihre Nähe soll dem Erze immer
Schwefelsäure zuführen.

Ihre Gangart ist entweder ein Syenit, oder
Grünstein, oder Grünsteinmergel, Granit, oder
Syenit. In Tornbjörnsboegrube durchsetzt
der Granit mit einer Mächtigkeit zwischen 2 und
½ Fuß das ganze Eisensteinlager zwar in Zwischenräumen von ungefähr 12 Lachtern; in den entferntesten Theilen des Baues zeigen sich kleinere Gänge
und Trümmer desselben. In Storegrube durchschneidet ein ähnliches Gestein, doch beinahe ohne
allen Glimmer und Hornblende, das ganze Gebirge,
und weist nachher mehrere Nesse. Andere enthalten
Feldspath und Kalkspath. Es kommt ein einziges
Beyspiel in Nötebroegrube vor, wo der Kalkspath fast allein eine Gangmasse ausmacht, welches
Glaserz enthielt. Die Gänge bestehen auch zuweilen aus der Substanz selbst der steinartigen oder
metallischen Lager, welche sie durchsetzen, welches
zu einem Beweise des Satzes dienen kann, daß im

Augenblicke der Zerklüftung diß Masse der Grundlage wahrscheinlich noch nicht völlig verhärtet war.

Die Erze, welche um Arendal herum herthen
bestehen alle in einem Magneteisenstein, der nach
Maßgabe seiner Nachbarschaften sich verschiedentlich
beim Schmelzen erweist. Man findet keine Spur
von Sualbändern oder Besteegen, das Erz ist meu-
rentheils angewachsen und durchdringt das Nebengestein, das dadurch ebenfalls in seiner natürlichen
Zusammensetzung einige Veränderung erleiden.

Nun noch einige Worte über die auszeichnenden
Eigenschaften der einzelnen Hauptgruben.

Als die vornehmste derselben kann Torn-
eisensboegrube nordöstlich von Arendal
betrachtet werden. Das Erzlager ist, wie schon
erwähnt würde, von Granatlagen begleitet, welche
mit den Gneisschichten wechseln, so wie von dem
merkwürdigen so viele interessante Fossilien enthal-
tenden Gemenge. Das Erzlager hat 3 Lachter Mächtigkeit, und man hat fast 200 davon in der Länge
abgebauet. Ein ordentlicher Strossenbau ist darauf
vorgerichtet. In dem entferntesten Theile des Lagers,
den man erreicht hat, scheint es sich zu zertrümmern. Der durchsetzende Granit besteht aus vielem
Quarze, wenigem Feldspath und Glimmer; die
ganze Eisenerzniederlage hat die Gestalt einer großen
Niere, die bey Langsöevand schließt.

Die Granatmasse, worin der breiteste Theil des Erzlagers wie eingehüllt ist, hat ungefähr 10 Lachter Mächtigkeit. Der Bau wird mit vieler Einsicht betrieben; man hat durch einen Versuchsort nach 16 Lachter Fortrücken ein zweites Metalllager ausgerichtet. Die Grube liefert jährlich 3000 Tonnen Erz, doch haben 9 Arbeiter zuweilen 300 Tonnen monatlich gewonnen. Man bezahlt ihnen 10 Rd. für das Lachter (d. h. 1 Lachter Tiefe, ¼ Breite, und 1 ¼ Höhe.)

Am Langsöevand, 6 bis 800 Fuß von Cornbjörnsgrube entfernt, liegen die sogenannten Langsöegruben, Barboe-Ulregrube (Haffels Eisenhütte zugehörig), und Barboe-Langsöegrube (zu Egelands Werk). Sie sind beyde auf dem nämlichen Lager von 2 Lachtern Mächtigkeit abgebauet, und werden von einem Stollen von 30 Lachter Länge gelöset. Die Teufe des abgesunkenen Schachtes kann 30 Lachter betragen; im Felde ist sie ungefähr 70 aufgeschlossen. Ihre jährliche Ausbeute ist 1000 Tonnen. Mehrere Steinklüfte durchsetzen das Lager.

Breakag Molmfield ist seiner merkwürdigen halbzirkelförmigen Beugung wegen schon angeführet. Das Lager streicht auf einem der äußersten Baue, Greygoldenlövegrube, mit den Gebirgschichten zugleich in Nordnordost, kommt alsdann aus seiner Stunde, und wird Nordnordwest.

In den reichsten, gerade von den beyden Enden des Baues ausgerichteten Erzpunkten ist das Lager 1½ Lachter mächtig, um die Hälfte weniger in der Mitte. Es steht fast saiger oder hat eine starke Neigung nach Süden. Die Länge des abgebaueten Feldes kann auf 300 Lachter angeschlagen werden, worin es ungefähr 25 Absinkungen gibt, wovon doch nur eine einzige von 18½ Lachter in der Länge, und 15 in der Tiefe in Betrieb steht. Das Lager wurde von einer senkrecht einfallenden Gesteinkluft aus einem Gesteinge von Quarz und Feldspath mit ein wenig Hornblende bestehend abgeschnitten. Man mußte sie durchschlagen, um wieder zu den Erzpunkten zu gelangen. In ihrer Nähe wird der Magneteisenstein immer doch nur auf eine geringe Weite von Schwefelkies verunreinigt.

Solberggrube, ¼ Meile von der letztern entfernt, auf einem in Südwest und Nordost streichenden Lager, hat 2 Abteufungen, wovon die obere, Hoyre-Aasen (18 Lachter tief, 32 lang), von der untern, Store-Grube (18 Lachter tief und 20 lang) nur durch eine der erwähnten Granatmassen abgesondert ist; diese zeigt sich überdies noch an einer der Seiten der Metallunterlage in ansehnlicher Mächtigkeit, überhaupt der Gebirgsart der ganzen umliegenden Gegend stark beygemengt. Ein gemeinschaftlicher Stollen löset beyde Gruben

gebäude. In Storegrube fand sich in einer
Teufe von 14 Lachtern eine keilförmige Steinkluft
aus Feldspath und Quarz bestehend, aber sie verschwand nach 31 Lachtern, doch durchstreicht sie das
benachbarte Gebirg, darin zahlreiche Verästungen
ausbreitend. Das Lager ist reicher an Erz in der
Tiefe.

Klobebiergsgrube (Laurvig gehörig)
streicht zugleich mit den Gebirgsschichten in Nordwest und Südost mit starkem Fall nach Süden,
25 Lachter in der Teufe und 25 im Felde getrieben.
Im Gesenke wird das Erzlager durch eine mit Hornblende gemengte Granatmasse in 2 Theile abgesondert. Eine einzige Gesteinkluft durchläuft sie von
Osten nach Westen. Auch sieht man darin, jedoch
selten, einige Kalktrümmer.

Rötebroegrube (zu Eidfos) stand einmal
in großem Rufe des Glaserzes wegen, das in einem
Kalkspathgange von ½ Lachter Mächtigkeit brach.
Man verlor ihn aber wieder, vermuthlich aus Mangel an Aufmerksamkeit. Der weiter fortgerückte
Bau macht es jetzt unmöglich dem verhauenen Punkte,
ohne außerordentliche und sehr schwierige Vorkehrungen zu kommen. Das Eisenerzlager hat die
hier fast allen andern gemeine Mächtigkeit von 2
Lachtern und ist ungefähr 34 abgeteuft. Man kann
es hier als in 3 Theile zerfallend ansehen, woran

der erste eine Metallschicht von 1¼ Lachter, der zweite ein Gemenge von Quarz und Feldspath, und der dritte eine andere Metallschicht von ⅜ Lachter begreift; so hat sich hier das taube Granitgestein, das sonst gangweise aufsetzt, in der Mitte des Lagers selbst gesammelt. Das Streichen dieses ist in Südwest und Nordost.

Osterkjenliegrube (zu Fossum). Das Erz ist sehr arm, in einer Granatmasse eingewickelt, mit sehr vielem Kalke gemengt. Die Absinkung, 40 Lachter tief, ist seit 20 Jahren verlassen. Man rückt mit einem Feldort auf einem parallel-laufenden Lager fort, bloß von der ersten Grube durch eine Gneißbank geschieden.

Westerkjenliegrube (zu Egerland) streicht in Ost und West, 20 Lachter in der Tiefe und eben soviel im Felde getrieben. Das Erz gleicht dem der vorigen Grube, mit grünen Granaten und Kalk vermengt.

Kißwaasen (zu Fossum), eine alte wieder gewältigte Grube, deren Erzlager aber nach einem Jahres-Betrieb von neuem ausging. Ihre Teufe reicht auf 36 Lachter. Das Erz ist reich, das Streichen in Nordnordwest und Südsüdost, zugleich mit den Gebirgsschichten.

Andere Gruben im nämlichen Felde sind Honaasen (zu Bolb) von 13 Lachter Teufe, nun ersoffen. Ein Stollen, der sie lösen sollte, verfehlte sie nach 40 Lachter Fortrücken. So ist auch Soldal (zu Frolandshütte) neuerdings wieder aufgenommen, aber die Menge der ihr vermuthlich aus einem nahen Moraste zugehenden Wasser hat der Arbeit schnell ein Ende gemacht.

Raneklev (zu Moß) seit mehreren Jahren verlassen; man behauptet, weil das Erz sich verloren habe, wahrscheinlich von einem übersetzenden Gange abgeschnitten.

Jenseits der großen Landstraße nach Christiansand, welche das Grubenrevier durchzieht, findet man Bedingfield, in Ost und West streichend, mit 3 Absinkungen und Krangelegrube. Auf dieser Seite kommt der Granat minder häufig vor, der Gneiß ist überall mit Metallpartikeln eingesprengt. Die Lager gehen den gegenüberstehenden parallel.

Storegrube, zum nämlichen System gehörig, welche unbenutzt bleibt, weil man Ueberfluß an Erz hat; Ulrike, zu Kienliegrube gehörig. Lerrestved begreift eine Reihe von Grubengebäuden und Schurfen, deren Erze zu wenig anders als zum Kanonengusse taugen. Man betrieb davon 3, die ungefähr 600 Tonnen Erz lieferten.

Auch auf Buöen ist der Gneiß die herrschende Gebirgsart, vielleicht ein wenig reicher an Quarz als näher nach Arendal zu, von granitartigen

Gängen mit wenig Glimmer durchzogen. Die Erzlager streichen gerade in West und Ost, mit einer
südlichen Neigung von 45° ungefähr; das Metall in
zwey parallelgehenden Schichten ist in einer horn-
blendereichen Gangart niedergelegt. Gegen den Gipfel
der Anhöhe zu, worin sie eingeschlossen sind, steht
ein ansehnliches Quarzmassiv mit Granaten an,
beynahe von 40 Fuß Mächtigkeit in Gneiße eingelagert.

Noch findet man hier Langnäsgrube mit
dem nämlichen Verhalten als Buöens Gruben,
gleichfalls verlassen; alsdann die von Näs, deren
erster Theil zu Näsvärk gehört. Das Erz liegt
in einer Niere von weißem muscheligen Quarz, die
etwas verengert fortrückend mit dem zweyten Theil
(der Volds Eigenthum ist) beynahe parallel läuft.
Die Niere hat ungefähr 40 Fuß in ihrem größten
Durchmesser; das Erz hat einen starken Kieselge-
halt.

Näsküllen, ¼ Meile von Buöen, ist ein
Eigenthum von Vold. Eine von den drey dazu
gehörigen Gruben, Gamle Mörrefiär, ist über
92 Lachter tief. Ihr Erzlager gehört ebenfalls zum
System der umgestürzten Schichten, liegt in der
gemeinschaftlichen Streichungslinie, nur steht es
nicht so saiger auf, sondern fällt stark nach Süden,
denn die Metallniederlage wird in mehrerer Teufe

I.   28

mächtiger, reicher im nämlichen Verhältniß; ihr Dach wird dadurch nach und nach von der senkrechten Linie entfernt (jede 2 Lachter 3 Zoll ungefähr), indeß die Sohle unverrückt saiger stehen bleibt. Man kennt bis jetzt darin 5 Granitklüfte in Zwischenräumen von 7 oder 8 Lachter einfallend. Es gibt vielfältige Drüsenhöhlen darin mit prachtvollen Quarzkrystallen ausgefüttert. Auch hier wird in ihrer Nähe das Erz schwefelkieshaltig.

Diese Grube leidet sehr an bösen Wettern, und ist im August-, September- und Octobermonat dieserwegen nicht befahrbar. Das Thermometer zeigte an der Mündung des Schachtes . . 18° Reaum.
27 Lachter tief . . . . 5½° —
60 — — . . . . 7° —
in der größten Teufe . . . . . 8¼° —

Ich merke hier an, daß sich in einem Raume von 80 Lachtern 14 parallel-laufende Erzlager angeben lassen. Wenn man sie nicht als bloße Fragmente und abgerissene Streifen einer einzigen großen Metallfläche betrachten will, so muß man annehmen, daß es hier mehrere aufeinanderliegende Erzschichten gegeben habe, welches doch, so viel man aus denen schließen kann, die sich noch in ihrer natürlichen wagerechten Stellung befinden, in Norwegen bis jetzt ohne Beyspiel zu seyn scheint.

Die zweyte dazu gehörige Absinkung ist Stolla

oder Holden, 16 Lachter niedergetrieben, aus
Mangel an Arbeitern nicht im Umgange, eben so
wenig als die dritte, Aslaksgrube. Jene streicht
parallel mit Gamle Mörrefiär, und man bemerkt bey ihr eine dem Verhalten der letzteren
gerade entgegengesetzte Veränderung in der Mächtigkeit und Stellung ihres Erzlagers, welches in
der Tiefe schmäler wird.

Man kann noch zum nämlichen System Dreier-
grube (zu Egeland) rechnen, westlich 24 Lachter von Stolla liegend. Das Erz bricht mitten
in einer Granatmasse.

Die Beschaffenheit des Terrains auf der Insel
Tromöe stimmt völlig mit der des festen Landes
überein, wovon sie ohne Zweifel blos ein abge-
rissenes Bruchstück ist.

Die Eisengrube Alveholm, die auf einer
kleinen Insel dicht am Rande von Tromöe liegt,
ist 60 Lachter abgeteuft, in Nordwest und Südost
streichend, auf einem Lager von gemeinem Magneteisenstein 2 bis 3 Lachter Mächtigkeit. Zwey oder
3 Steinklüfte syenitartiger Natur durchsetzen es.

Ein wenig nordöstlich liegt Alvelandsgrube,
60 Lachter tief. Der Gneiß ist hier ungewöhnlich
häufig von weißen Quarz- und Feldspathtrümmern
durchkreuzt.

Es gibt noch mehrere andere Abteufungen auf

Eisensteinlager in T r o m ö e, unter dem Namen von
Lövensfjoldgrube, Liergrube *), Mag-
dalene Charlotte Hedwig, von geringer
Tiefe oder Bedeutung.

Auf dem Wege nach F r o l a n d s Eisenhütte
sieht nichts an als Gneiß. Man sieht hier und da
mächtige Quarzmassen darin einliegend; durchsetzende
Granitgänge mit und ohne Hornblende, zuweilen
auch ohne Glimmer.

Die Umgebungen von F r o l a n d, besonders
wenn man den Lauf der Gewässer aufwärts verfolgt,
bieten selbst schon am Eingange des schmalen Thales, auf dessen Sohle sie niederkommen, den Gneiß
in natürlicher, wagerechter Stellung dar. Er ist
sehr quarzhaltig. Man trifft ebenfalls grobkörnigen
Granit in Lagern dazwischen liegend. Die Quarzschichten darin enthalten den Quarz oft muschelig
mit Glasglanze, zuweilen in Krystalle entwickelt,
oder mit silberfarbenem Glimmer gemengt. Sie
wechseln meistentheils mit dem Granit.

----

*) Zu E l d f o s gehörig, liefert einen derben stahlgrauen Mag-
neteisenstein in einer Gangmasse von grünlichschwarzem
Augit und rothem Quarze, oder in Körnern mit gelblich-
braunem Granat, oder Hornblende und kleinen Quarzkörnern gemengt. Der Granat findet sich hier auch schön
rochenillenroth, u.s.w.

Das Eisenwerk von Froland steht ebenfalls unter der Aufsicht Hrn. Crawfords, dem Näs Eisenhütte so vieles verdankt. Hier haben die unartigen Geschicke, welche man zu verblasen hat, seinen Talenten einen verschiedenen Wirkungskreis aufgethan. Da allem Fleiße zum Trotz das ausgebrachte Eisen immer kaltbrüchig bleibt, so hat Herr Crawford die ganze Betriebsamkeit dieses Werkes fast ausschließlich auf Gegenstände gerichtet, welche diese böse Eigenschaft ertragen können.

Man bauete noch am Hohofen. Der Englische Sandstein, den man zum Gestell und Schacht gebrauchen wollte, war schon angekommen.

Das Erz, welches man zugutezumachen hat, kommt von Lingerudsgrube, 1¾ Meile von der Hütte entfernt. Die ehemalige Hohofen-Beschickung bestand in 1 Last Kohlen, 54 Lispf. Erz und 5 Lispf. Flußzuschlag für jede Gicht, deren man 10 in 24 Stunden aufgab, und wovon 44 bis 47 prCt. Roheisen ausgebracht wurden. Man röstete das Erz hauptsächlich mit Kohlen im Verhältniß von 2 Tonnen zu 1 Tonne Erz.

Die Hauptindustrie ging in diesem Augenblick auf den Guß von Kugeln. Der Kupuloofen, dessen man sich dazu bedient, ist eigentlich ein niedriger Schachtofen von 5 Fuß 6 Zoll Höhe bey 3 Fuß Durchmesser, von 8 gußeisernen Platten erbauet, welche auf einer andern solchen mit gemauerter Grundlage aufstehen. Diese Platten haben unten einige Zoll mehr Breite als oben, damit die Anker, wodurch sie umfaßt werden, desto fester anliegen. In diesem Ofen schmelzt man nur mit Cinders, zu denen man aus Oekonomie einige Körbe Holzkohlen setzt. Will man lediglich die letzteren gebrauchen, so muß der Hohofen erhöhet, erweitert und ungefähr mit den nämlichen Dimensionen eines Hohofens versehen werden.

Er wird zuerst mit Mauerwerk, alsdann mit einem Hemde von Ziegelmehl ausgefüttert, das durch Kneten mit Thonwasser zum nöthigen Grad von Consistenz gebracht, und um einen in die Mitte gestellten Holzcylinder von 15 Zoll Durchmesser festgestampft wird. Nach Herausziehung des Cylinders wäscht man die Oberfläche der Bekleidung mit Thonwasser ab, und trocknet sie sachte mit Kohlenfeuer ohne das Gebläse anzulassen. Dies geschieht erst nach völliger Austrocknung und Anfüllung des Heißen Schachtes mit Cinders.

Das Gebläse besteht in 2 pyramidalischen durch ein Kunstrad von 12 Fuß getriebenen Bälgen, deren Wind in einen Regulator vereinigt, durch 2 Windlotten in den Ofen geführt wird. Es soll wesentlich zum Gelingen des Schmelzens beytragen, wenn man sogleich im Anfange die Flamme nach der

obern Oeffnung hinaufzieht, welches durch Anzünden des Cinder-Dampfes vermöge eines glühenden
Eisens ins Werk gesetzt wird.

Das geschmolzene Eisen fließt durch ein Auge
in einer Rinne von Letten auf einer schiefliegenden
Sohle in eine Vertiefung, woraus es mit Kellen
geschöpft wird.

Das Formen der Kugeln geschieht in 2 läng-
lichen auf einander passenden eisernen Laden, angefüllt mit feingesiebtem Sande und Kohlengestübe,
den letzteren in einem, um so stärkeren Verhältnisse,
als die Arbeit feiner und vollendeter seyn soll. Die
darin abzudrückenden Kugelmodelle bestehen aus einem
Gemenge von Bley und Zinn symetrisch auseinander gereihet. Nachdem die Laden genau zusammen
befestigt sind, stellt man sie senkrecht und füllet sie.

Dieser Ofen, welcher von 24 Stunden ungefähr 18 in Gang ist, kann 8 Tage lang aushalten,
ohne daß man die innere Bekleidung verändern
darf; sie wird blos jede 4te Stunde gereinigt. Man
verschmolz nur altes Eisen, jedes Schiffpf. mit
1 Tonne Cinders und einem Abgang von 2 bis
4 Lispf. nach Maßgabe der Reinheit des dazu an-
gewandten Metalles. Das monatliche Ausbringen
kann sich auf 178 Schiffpf. belaufen.

Außer den Kugeln gießt man noch Haubitzen
von 4 ℔. Caliber ohne Kern; die Seele wird nach-

her durch einen kleinen horizontalen Bohrer ge-
glättet.

Man hat nur ein einziges Frischfeuer zum Ausschmieden des Stangeneisens zum eigenen Gebrauch
der Hütte. Aber dagegen unterhält man 6 Nagel-
hammer, auf denen die Nägel in größter Vollkommenheit des spröden Eisens wegen geliefert werden.
Im Stangeisenhammer frischt man 16 Lispf. Roheisen auf einmal nach Schwedischer Art mit einem
Kohlenverbrande von 2 Last und Abgange von 5
Lispf. Obgleich die umliegende Gegend sehr reich
an Waldungen ist, so zieht man doch nur ⅓ seines
Kohlenbedarfs daraus.

Die jährliche Ausbeute dieser Eisenhütte ist gewöhnlich 3500 Schiffpf. in Gußwaaren und 1000
in Schmiedeeisen. Die ersten bestehen meistentheils
in Kriegsmunition, die nach Christiania und
Kopenhagen geliefert wurde. Man behauptete,
die erste Idee zu dieser nun sehr einträglichen Industrie habe man aus dem Werke eines Spanischen
Obristen geschöpft, dessen Buch und Name indeß,
dem gewöhnlichen Laufe menschlicher Dinge gemäß,
in Vergessenheit gerathen waren.

Man formte ebenfalls Schlackensteine in verschiedenen Dimensionen, doch immer so, daß die
Höhe und Breite die halbe Länge ausmachten, wie
zu 14, 7, 7 Soll, zu 12, 6 und 6, zu 10, 5 und 5,

Hr. Crawford hielt diese Verhältnisse für die allervortheilhaftesten zu jeder Art von Mauerwerk.

Wenn man sich von Froland nach Näsväk wendet, kommt man mehrern einer oder der andern dieser Hütten angehörigen Gruben vorbey. Sie sind auf gleiche Erzlager als die bey Arendal liegenden getrieben, und können als die dritte Parallele im System dieser umgestürzten Schichten betrachtet werden. Der Gneiß ist meistens, wo sie ihn berühren, vom Metalle durchdrungen. Granitartige, besonders feldspathreiche Gänge durchsetzen sie in verschiedenen Richtungen, doch mehrentheils von Süden nach Norden. Eine einzige dieser Gruben, Storegrube, hat bis jetzt noch keine Steinklüfte gezeigt, dagegen aber mannichfache sehr große feldspathartige Aderen.

Noch einige Bemerkungen über das lokale Vorkommen.

Svartekiend (zu Froland) streicht in Nordost und Südwest. Nun verlassen; das Lager wenig geneigt, ja fast ganz wagerecht.

Lingerud (zu Näs.) streicht in Nordnordost und Südsüdwest, das Erz mit viel Hornblende gemischt; das Lager ist von 3 feldspathquarzigen, eisenhaltigen Steinklüften, von Süd nach Nord durchsetzt; es neigt sich ungefähr 20°, und ist gewöhnlich 2 Lachter mächtig, doch zunehmend in der

Teufe. Die Absinkung ist 20 Lachter, aber sehr
wassernöthig, welches wahrscheinlich von einem benachbarten Morasse herrührt.

Knattegrube (zu Froland) nur 20 bis
30 Lachter von der obigen entfernt, doch beyder
Gangart und Erz sind sehr verschiedener Natur.
Hier sind ihnen mehr Quarz und Hornblende beygemischt.

Linge und Store Grube, bestehend in
Mollemgrube und Ovreskiery (zu Egeland). Jene ist 18 Lachter im Felde vorgerückt;
diese 3 eingesenkt und ersoffen.

Storegru..., 22¾ Lachter tief, auf einem
Lager von beynahe 3 Lachter Mächtigkeit, in einer
Länge von 10 abgebauet. Die Metallniederlage erweitert sich in der Mitte zu einer elliptischen Form,
verliert sich aber gänzlich gegen Westen; auch gegen
Osten wird sie schmäler. Vielleicht ist es ein großes
im Gneise niedergelegtes Erznest.

~~~~~~

Sechsundzwanzigstes Kapitel. (8)

Ober-Tellemarken.

Reise über das Nisservand und bis Omdal. Kupferhütte. Gruben. Reise bis Kongsberg.

Wenn man den nächsten Weg von Näs nach dem Ober-Tellemarken einschlägt und Katros-vand hinter sich hat, erscheint Glerlie, ein granitartiges Gneißgebirge, dessen leichte Auflösbarkeit die ganze umliegende Gegend mit hohen Granitblöcken angefüllt hat. Die Gebirgsart ist grobkörnig und besteht aus röthlichgrauem (beynahe prismatischen) Feldspath, Quarz und schwarzem Glimmer gruppenweise beygemischt. Sie liegt in horizontalen Lagern bey Lövleilien. Die Gesteinart bey Deen ist ganz ohne Glimmer, mit einzelnen Hornblendekörnern, aus fleischfarbenem Feldspath und blaulichem, muscheligtem Quarze,

grobkörnig, vollkommen krystallinisch zusammenge-
fügt, liegt in mächtigen wagerechten Schichten,
isolirt, in großer Erstreckung.

Uffomfjeld bietet eine deutliche Folgereihe
der aufgeschichteten Gebirgsarten dar, deren Lager
alle ihre Köpfe, scharf abgeschnitten, dem Nisservand zukehren. Sie steigen folgendermaßen
übereinander auf.

Gneiß: der schwarze, glänzende Glimmer mit
weißen Feldspathkörnern gemengt, in zolldicken
Flasern.

Syenit, kleinkörnig, bestehend aus einer überwiegenden Menge weißen muscheligen Quarzes, mit
kleinen runden Hornblendekörnern, langgezogenen
unbestimmbaren Prismen eines weißen glasigen Feldspaths, und sehr kleinen silberweißen Glimmerblättchen.

Granit, grobkörnig, mit überwiegend vielen
Feldspathprismen, kleinen Körnern muscheligen
Quarzes, keinem oder sehr wenig schwarzem Glim-
mer, einzelnen Hornblendekörnern.

Glimmerschiefer, glimmerreiches Quarzgestein,
reiner Quarz.

Softestabaas mit dem Aeußeren eines
Hügels, der einzeln in einem Gebirgsbusen abge-
setzt ist, mag wohl nur ein bey der Bildung des
Thales, welches nun vom See ausgefüllt wird,

losgerissenes Urgebirgsstück seyn. Es erscheinen darin
Eisensteinlager von verschiedener Mächtigkeit, mit
Gneißlagern wechselnd. Hr. Prof. Esmark, dessen
Wahrnehmungen nicht zweifelhaft seyn können, hat
mich versichert, es gebe darunter von ansehnlicher
Mächtigkeit. Es schien mir, als sey der Magneteisenstein, den sie enthalten, nicht allenthalben von
gleicher Güte, hier und da mit Titanerz und Kupferkies gemengt. Eine mächtige Steinkluft durchsetzt
alle Lager in Westen und Osten streichend, und enthält Prismen eines grasgrünen blättrigen Feldspathes
in einem röthlichweißen Feldspathgemenge mit röthlichgrauem muscheligem Quarze.

Auf der Seite von Fione bis zum See hinab
liegen mächtige Schichten von grünlichschwarzem
Hornblendeschiefer, die dem Gneiße angehören.

Gaasekiend liegt auf einer Höhe am Ausgange eines von West nach Ost streichenden Thales.
Die es umgebenden Gebirgsarten sind kleinkörniger
Granit, zuweilen mit Quarzkrystallen, wenigem
Feldspath, wenigem schwarzen und silberweißen
Glimmer, Spuren von Hornblende, und einigen
wiewohl seltenen Kupfergrüntrümmern. Der Felsen,
worauf das Haus stehet, ist gleicher Natur, mehr
feldspathreich, von schmalen Gängen eines ähnlichen
Gesteines durchzogen, das ohne den rothen Feldspath der Hauptmasse, mehr Glimmer mit stärkeren

Berggrünspüurungen enthält. Doch erscheint auch
die Hornblende darin in kleinen Lagen. Dieser
Granit ist ohne Zweifel ein Gneißgebilde.

Omdals Kupferhütte wird von Borgenelv
mit Aufschlagewasser versehen. Doch hat man noch
einen andern kleinen Strom, den Grundabekke,
½ Meile vom Werke, vortheilhaft zur Anlage
eines Pochwerks benutzen können, welches nun nach
demselben genannt wird. Es besteht aus 9 Stempeln. Man wäscht den Schlich auf Herden, wovon
zwey 9 Fuß Länge und 20 Zoll Breite haben,
5 aber 10 Fuß Länge und 4 Fuß 8 Zoll Breite.
Aus 4 Tonnen Erz bringt man gewöhnlich 1 Centner Schlich aus. Ein Arbeiter kann in 14 Tagen
12 Centner von erster Güte und 14 von zweyter
liefern.

Ein anderes Pochwerk mit 8 Stempeln liegt
dicht bey der Hütte und enthält 4 Herde ungefähr
von den oben angegebenen Verhältnissen.

Auf dem Wege nach den Gruben gibt es überall,
wie schon bey Gaasekiend, Anzeigen von reicher
Gegenwart des Kupfers. Alle Gesteine scheinen
davon durchdrungen. Auch Magneteisenstein zeigt
sich hier und da in kleinen Körnern und Blättchen
im Gneiß versteckt. Mehrere Kupfergruben wurden
in diesem Districte gefunden und in Betrieb gesetzt,
besonders ½ Meile von der jetzigen Hauptgrube

entfernt. Hier lag auch Moebergsgrube (oder Mosesbergsgrube, von den Deutschen Berg-leuten, die hier angelegt waren, benannt), eins der ältesten Bergwerke in Norwegen, das auf Kosten der Regierung betrieben wurde, und ein silberhal-tiges Kupfer lieferte. Es liegt bey Asleystab-gaard, so wie ein anderes, Grusengrube, welches damit zusammenhängen soll.

Mosnapgrube, die vorzüglichste von denen, welche Ombals Hütte mit Kupfererz versorgen, liegt über dem Misvand. Ihr Lager streicht in Nord und Süd zugleich mit den Bergschichten, steht aufgerichtet mit einer östlichen Neigung von fast 80°; die Gangart des Erzes ist ein glimmerreicher Quarz, eine Schichtenformation, die höher hinauf sehr oft vorkommt, immer mehr oder weniger und verschie-denartig metallisch beschwängert. Die Absinkung auf dem Lager der Hovobgrube hat 30 Lachter Teufe, und ist in einer sehr vortheilhaften Stellung zur Ansetzung eines Stollen von der Seite des Misvands; auch war man schon lange mit dem Projecte dieser Wasserlösung umgegangen. Die Form der Metallniederlage ist die von zusammen-hängenden Nieren, veränderlichen Durchmessers von ⅛ bis ½ Lachter. Im Dache nimmt man ein anderes kleineres Lager wahr, das vielleicht im Niedergehen mit dem größeren zusammentrifft. Es

erscheint gleichfalls eine Schicht granitartigen Gesteines fast ohne Glimmer von 4 bis 8 Zoll Dicke,
zerreiblich, und dem Anscheine nach durch einge-
sintertes Tagewasser aufgelöst. Das Erz ist gelber
Kupferkies, der an der Luft pfauenschweifig anläuft,
begleitet von Berggrün, tombakfarbenem und grünlichem Glimmer, kleinen Gruppen von blättrigem
Molybdän und kugeligem Anthracit. Auch Tellur
soll sich darin finden (Esmark).

Nicht weit davon liegt der südliche Schurf,
wahrscheinlich auf einem parallelstreichenden Lager
abgesenkt, ebenfalls Kupferkies in einer glimmerreichen Quarzmasse führend, ungefähr von der Mächtigkeit eines Viertellachters. Die Absinkung hat
6 bis 7 Lachter Teufe. Das granitartige Zwischen-
lager findet hier nicht statt; der Gneiß liegt unmittelbar auf der Metallschicht auf. Ebenfalls in dem
nördlichen Schurf von 5 Lachter Abteufung
auf einem Lager von ½ Lachter Mächtigkeit, das
nur eine Fortsetzung des obigen ist, sieht man keinen
Granit, doch die Sohle besteht meistens aus rothem
Feldspath. In beyden Schurfen verändert sich oftmals die Dicke der Metallschicht. Im ersten bricht
man mehr Lasurerz, das immer die Nähe des Eisens
ankündigt. Im Quarze liegt auch hier zuweilen
Molybdän, grüne Hornblende und Berggrün.

Südlich unter der Hütte, und ¼ Meile von

ihr entfernt, findet sich Johannesgrube in der
Streckungslinie des Gebirges in West- und Ost.
Sie ist vom Rücken einer Anhöhe abgeteuft, die
aus Gneiß besteht, welcher Talk und selbst Kupfer
und Eisen enthält. Auch Granit steht hier an.
Das Erz ist ein gelber Kupferkies, den man 14 bis
16 Lachter tief auf einem Lager abgebauet hat,
das mehreren Erweiterungen und Verengerungen
unterworfen, in Gestalt veränderlicher doch zusam-
menhängender Nieren niedergeht. Da die Grube
in ihrer ganzen Länge ein Tagebau mit Wasser gefüllt war, so ist man tiefer unten zu ihrer Lösung
mit einem Stollort eingegangen und schon 14 Lachter weit fortgerückt.

Zwischen dieser Grube und der Hütte liegt noch
eine alte Absinkung, Magdalena genannt, auf
einem viel Eisen und wenig kupferhaltigen Lager
vor beinahe 200 Jahren abgeteuft und nachher verlassen. Das nämliche Schicksal traf einige andere
Schurfe, welche gelben Kupferkies und Berggrün
gaben. Sie liegen alle in gleichem Streichen und
vermuthlich auf parallellaufenden Lagern.

Die Kupferhütte enthält einen halben Hohofen
von 8 Fuß Höhe, und einen Krummofen von 5.
Ehemals schmolz man über 2 Krummöfen, über
dem einen den Schlich, dem andern auf Schwarzkupfer.

I.   29

Der beste Schlich kommt aus dem Pochwerk von Grundavand, wovon der von erster Güte 32 pCt. von der andern 28 gibt. Das Pochwerk in der Nähe der Hütte verpocht nur Grubenklein ohne Aushaltung des reichern Erzes; der daraus gewonnene Schlich hat nicht über 12 bis 13 pCt. Gehalt.

Man röstet in 12 Röststätten unter einem Dache, wovon jede 6 bis 700 Centner Erz enthält, mit 6 bis 7 Feuern. Das unterste Bett von Scheitholz hat ½ Elle Höhe, worauf man Kohlen zu 2 Zoll stürzt, dann 1 Elle hoch Erz, so mit den Schichten wechselnd, bis zur Füllung des Rostes.

Da das Erz sehr strengflüssig ist, so gebraucht man zum Zuschlag einen Flußspath, der bey Eraböc, unweit Bansgaardtved auf einem Lager von 1 Lachter Mächtigkeit bricht. Die Beschickung ist eine Vierteltonne davon auf 120 Centner; doch bedarf Rosnaperz einer halben. Das Schmelzen dauert immer 120 Stunden, worin 120 Centner Schlich mit 75 Last Kohlen, welche man aus den Gemeinwaldungen zieht, durchgesetzt werden. Das Kupfer wird auf einem gewöhnlichen Garheerde mit einem Abgange von 5 bis 6 Centnern auf 120 gegart. Es enthält einiges Silber, 2 Unzen auf dem Centner Garkupfer.

Die Anzahl der Arbeiter war 30; das jährliche Ausbringen überstieg nicht 40 Centner. Der Trans-

port des Garkupfers geschieht über Bandagsölten
und Bandagsvand, von dem man in den
Hvideföe, Nordföe, nach Skeen kommt.

Die Gebirge längs dem Bandagsvand bestehen, so weit man sie absehen kann, aus Gneiß,
dessen Glimmer oft grünlich ist. Nicht selten findet
man auch Spuren granitartiger Gebilde und einige
von den vorspringenden Landspitzen gehören dieser
Steinart an. Bey Apalstaaen, wo man ans
Land tritt, enthält der Gneiß tombakbraunen,
metallischglänzenden Glimmer. Die Schieferung und
Schichtung sind überall sehr deutlich, man sieht
den Gneiß terrassenweise absetzen, mit Buschwerk
gesäumt.

Er enthält rothe Quarzlager bey Mörkholt,
und man nimmt dergleichen selbst in einiger Entfernung am Bergsfield fortziehend wahr. An
andern Stellen im Thale ist dieser Quarz gelb,
und es scheint, er habe reinen Eisengehalt, von
dessen verschiedener Stärke und Oxydationsgrad seine
mannichfaltige Schattirungen abhängen. Bey Sillejord tritt ein dünnflaseriger Gneiß mit fleisch-
rothem Feldspath und graulichem Quarz, und metallischglänzendem braunem Glimmer ein. Einige seltene Anthracitkörner sind darin. Anthracit findet
sich überhaupt in mehreren Steinarten um Kongsberg herum.

Es gibt viele Anzeigen von Kupfererz in Hitterdal; ja das ganze Ober-Tellemarken scheint davon Vorräthe einzuschließen. Das Kupfer enthält hier immer ¼ Loth Silber auf den Centner und ein wenig Gold, welches den reichen Kupfererzen überall zuzukommen scheint.

Näher nach Kongsberg zu bekommt man endlich den Glimmerschiefer zu Gesicht. Er geht an mehreren Stellen schon in den Thonschiefer über.

~~~~~~

Siebenundzwanzigstes Kapitel. (9)

Kongsberg mit seinen Umgebungen.

Beschaffenheit des Terrains von Kongsberg. Silbergruben.
Juliane Marie- und Samle Justiz-Gruben. Vorschläge zur Wiederaufnahme des Bergwerks. Silberhütte.
Schmelzung. Reise nach Fossums oder Modums Blaufarbenwerk. Kobaltgruben von Skutterud. Eisenhütte
von Hassel.

Der Gneiß und Glimmerschiefer, häufig von Hornblendelagern durchbrochen, bilden die Grundlage
des Terrains von Kongsberg. Doch kann man
nicht wohl behaupten, die Hornblende sey ihnen
blos eingelagert, sie ist oft so sehr mit ihnen, mit
Quarz und Glimmer gemischt, daß man das ent-
stehende Gemenge zu keiner bekannten Classe mehr
hinführen kann. Es steht offenbar, wie häufig in

Norwegen, auf der Gränze zwischen Gneiß und Glimmerschiefer; dieser, welcher nicht selten Gneiß-lager einschließt, deutet dadurch immer die Nähe jenes als Grundgesteines an. Das Hinzukommen und Ueberhandnehmen des Feldspathes im Glimmerschiefer in größerer Tiefe ist nicht zu verkennen *).

Dies Gestein enthält immer Granaten. Beym Eingange des Christianstollen hat Hr. Esmark darin einen Bruch angelegt, um Mühlensteine zu gewinnen. Es geht in den Thonschiefer am Gousta-field über (Esmark). Zwischendurch liegen Schichten von Talk-, Chloritschiefer und Grün-stein, selten ganz deutlich von der umgebenden thonigen und glimmerigen Gebirgsart getrennt, sondern dem Systemscharakter lediglich durch Ver-mehrung irgend eines Elementes genähert.

Dies Terrain, in das Ober-, Unter- und Mit-tel-Gebirge eingetheilt, folgt ungefähr dem Lou-venelv von Norden nach Süden zu, dem Osten

---

*) In der Armengrube kam ein Granit mit gelben Feld-spathkrystallen, grünlichgrauem Glimmer gruppenweise ein-gelagert, und violblauem, muschligem Quarze vor.

Da er jetzt nur auf der Halden erscheint, so kenne ich die Tiefe seiner Lagerung nicht, wodurch auszumachen wäre, ob er nicht dem Gneiße, wie an andern Orten, angehöre.

zugewendet, und enthält die Metallgänge *), welche den Gegenstand des Kongsberger Grubenbaues ausmachten.

Die Lager des Gebirgs streichen gemeiniglich in Nord und Süd, oder, um noch genauer zu sprechen, in Nordnordost und Südsüdwest. Einige von ihnen sind eisenhaltiger Natur, enthalten Schwefelkies, mehr Hornblende als sonst, zuweilen auch gelben Kupferkies und Blende. Man nennt sie Fallbänder oder Fahlbänder; sie sehen ohne sichtbare Unterbrechung ganze Meilen weit **), meistens parallel nebeneinander fort, doch auch (nach Sandsvär hin) einander zugeneigt, so daß sie vielleicht irgendwo weiter zusammenfallen mögen. Sie stehen saiger oder neigen sich wie die übrigen Gebirgslager,

---

*) Gediegen Silber mit fast allen seinen bekannten Vererzungen, auch mit Gold gemischt. Auf der Kongsberger Münze wurde einmal von diesem güldischen Silber, Rbst. er er (Stücke von 1½ Rthl.) geschlagen. Natürlich verschwanden sie bald aus dem Umlaufe. Einen davon sieht man noch in der Sammlung der Cathedralschule in Christiania.

**) Mehrere Gruben wurden auf ihren Verlängerungen jenseits des Kobbervs gerieben. Spuren davon finden sich gleichfalls auf der andern Seite des Vandalselvs, und ein Fallband, das ein wenig mehr von Nordosten kommt, geht parallel jenseits des Louvenelvs.

zwischen denen sie liegen, entweder nach Osten,
wie z. B. fast alle diejenigen, worauf die ergiebigsten Gruben abgetrieben wurden; oder nach Westen,
wie die Abteufungen auf dem Hotfjeld, Skara-
fkierp u. a., die man als auf der äußersten Gränze
des silberhaltigen Terrains liegend ansehen kann.
Es ist merkwürdig, daß eine ebenfalls saiger stehende
Quarzzone mit ihnen zugleich die ganze Länge des
Gebirges durchsetzt.

Die Fallbänder bestehen eigentlich aus kleinen
Schichten, die, von Schwefelkies durchdrungen, zusammen ein größeres Lager bilden, worin das Eisen
durch eine noch unerklärte chemische Verwandtschaft
zu einem Anziehungspunkt für die andern Metalle,
und besonders das Silber geworden ist, das vielleicht bey der Bildung der durchsetzenden Gänge in
der Masse gleichförmig verbreitet lag. Die Verwitterung des nämlichen Eisens bringt auch wahrscheinlich die braune, fahle Farbe hervor, die zu ihrer
Benennung Anlaß gegeben haben soll, doch im Innern weiter nicht statt hat.

Die durchschneidenden Gänge sind zahlreich und
sehr verschiedener Natur; sie streichen in Ost und
West unter beynahe rechten Winkeln, das ganze
Gebirg durchkreuzend, in unerforschter Teufe, entweder saiger aufstehend, oder nach Nord oder Süden
geneigt, mannichfaltig in ihrer Mächtigkeit. Gerne

gehen sie zu Tage mit offenen Spalten aus, ob man
dies gleich nicht als einen Beweis ihrer Ausfüllung
von oben her ansehen muß, da die Geneigtheit
eines Theiles ihrer Masse zu schnellerer Auflösung
dies Phänomen außerdem begreiflich macht.

Herr Esmark setzt, Werners Gangtheorie
gemäß, verschiedene Alter unter diesen Ausfüllungen fest. Er glaubt, die älteste Formation bestehe
in den saiger aufstehenden, aus Kalkspath, Blende,
Gediegen-Silber führenden, im Ganzen armen; ihr
folge die unedlere mit Schiefer-und Kalkspath; alsdann die mit Letten, mit ein wenig Kalkspath und
Kobaltbeschlag; die unedle mit Basalt und Grünstein; hierauf die edelste mit Kalkspath, Blende
und gediegen Silber. Endlich komme noch eine
Reihe anderer mit güldischem Silber und Kalkspath
(stark nach Norden fallend), mit gediegenem Silber und Schwerspath; eine Bleyglanzformation in
Kalkspath, eine Trappformation mit gediegenem
Silber, Axinit, Fluß- und Kalkspath. Wer Freude
daran hätte, die Klassification der Naturgebilde
möglichst zu vervielfältigen, könnte vielleicht noch
mehrere solcher Formationen ausfindig machen. Kein
Kalk ist übrigens den Bergarten Kongsbergs
beygemengt, sondern durchläuft sie allein in vermuthlich gleichzeitigen Trümmern. In der heiligen
Dreyfaltigkeitsgrube im Unterberge liegt

Glanz im Quarze, und sie ist die einzige, wo bis
jetzt der letztere als Gangart vorgekommen ist. Die
Blende ist häufiger in den Gängen als der Bleyglanz; Kupferkies ist selten.

Auf den Punkten nun, wo diese Gänge mit
den Fallbändern zusammentreffen, werden sie silber-
haltig befunden, doch erscheint das Silber zuweilen
ebenfalls schon in ihrer Nähe, den Wänden des
Nebengesteines anhängend, wovon die Gänge nur
selten durch ein Saalband getrennt sind. Allein der
Reichthum wird keineswegs in der ganzen Teufe
des entstandenen Kreuzes angetroffen, sondern nur
hin und wieder in Nestern und Nieren, kurz, ab-
springend. Durch das Schaaren mehrerer Gänge
und Trümmer, wird er doch größer.

Man glaubt wahrgenommen zu haben, daß nur
solche Gänge sich reich erweisen, die sichtbar vom
Tage aus niedersetzen. Auch diente dem Berg-
manne zuweilen die stärkere Neigung des Fallbandes
zu einer Art gunstversprechenden Kennzeichens. Ebenfalls sollten die Fallbänder, welche nach Osten abfallen, die reicheren seyn. Doch gab es gar keine
Zeichen, die überall Stich gehalten hätten. Die
Silberabsetzung ist indeß vollkommen auf die Gänge
beschränkt, welche die eisenschüssigen Schichten durchkreuzen. Mehrere Gebirge von gleicher Höhe als
das metallreiche, z. B. Starebakken, welches

das Kongsberger Thal von Norden her beherrscht,
hat auch nicht eine Spur davon aufzuweisen.

Die Anhöhen auf der östlichen Seite des Lau-
venelus sind gleichfalls ganz anderer Natur; sie
bestehen in senkrecht stehenden Gneißlagern von Norden nach Süden streichend. Dieser Gneiß hat hori-
zontalliegende Verklüftungen, welche ihm hier und
da das Ansehen geben, als befände er sich in seiner
natürlichen Stellung. Netzförmig verbundene Quarzadern durchziehen ihn. Auch in Jondal ist die
herrschende Gebirgsart ein grobflaseriger Gneiß; nur
Helen besteht darin aus einem quarzhaltigen, überall
mit Eisenglimmer eingesprengtem Glimmerschiefer.

Auf dem Gipfel des Jahnsknuten (2800 Fuß
über dem Meeresspiegel Esmark), erscheint ein
Massiv von Hornblendeschiefer, aus vieler Hornblende, wenig Quarz, Glimmer und Feldspath
bestehend; in entfernter Verwandtschaft mit dem
Hornblendegemenge einiger Fahlbänder, doch noch
größerer mit den amphibolischen Luppen, die wir
im Bergenstift noch charakteristischer wiederfinden werden, vermuthlich Ueberreste, oder Horn-
blendenieren aus einer ehemals weitverbreiteten Ge-
birgsdecke.

Sandsvärs Terrain hat ungefähr nachste-
hende Folgeordnung aufeinander liegender Gebirgsarten.

Granit, oder Glimmerschiefer, oder Gneiß. Hornstein, den man nirgends dem Kalksteine aufgelagert findet.

Versteinerungskalkstein mit Alaunschiefer wechselnd. Reine Thon- und Kalkniederlagen sind ihnen oftmals zur Seite und fördern die Fruchtbarkeit dieses schönen Thales.

Sandstein, aufwärts immer thonerdiger und eisenschüssiger werdend.

Porphyr, zuweilen Syenit, besonders auf den höchsten Bergspitzen. Ja, überall ist der Porphyr syenitartig und enthält Hornblende.

Diese Reihe ist etwas verschieden im nahe gelegenen Skrimsfield (2680 Fuß hoch), und besteht in Kalkstein, Thonschiefer, sehr feinem Sandstein, Hornstein, Birkensyenit. Auf St. Andreas ist der Porphyr dem Glimmerschiefer unmittelbar übergelagert.

Von allen ehemaligen Gruben Kongsbergs waren jetzt (1814) nur noch 2 im Betriebe.

1. Drønning Juliane Marie Grube, welche die Regierung noch im Umgang erhielt; doch war man, da sie in Zubuße stand, im Begriffe, sie ebenfalls niederzulegen, und 2.) Gamle Justitzgrube, auf Rechnung des Hrn. Prof. Esmarks betrieben.

Die erste ist auf 2 Gänge abgesenkt, welche als

Verästungen eines einzigen betrachtet werden müssen, der in 20 bis 30 Lachter Tiefe auseinander geht. Die darauf abgeteuften Schachte mit ihren Oertern und Strecken werden daher unter der Benennung Hovedbrift und Vestredrift (Haupt- und westlicher Betrieb) begriffen. Jene Einsinkung hat in verschiedenen Teufen einige günstige Resultate gegeben und verschiedene Fallbänder mit abwechselndem Glück überfahren. Leute, welche sie genau zu kennen scheinen, behaupten, das Abnehmen der reichen Anbrüche komme daher, daß man sich zu sehr von einigen oberflächlichen Anweisungen habe nach Westen hinziehen laßen, während das östliche Band sich viel standhafter wohlgeartet erwiesen habe.

Nicht bloß der Grubenbetrieb mag hier Irrthümern unterworfen gewesen seyn, sondern es hat mir auch geschienen, die Ausbeute könne durch sorgfältigere Erzscheidung ansehnlich vergrößert werden. Der Silbergehalt dieser Geschicke ist nicht immer leicht zu erkennen, ein Umstand, der, verbunden mit nicht zu berechnenden Nachlässigkeiten in jeder Aufbereitungsart, so wunderbar die Berghalden aller dieser Gruben bereichert hat, daß das Ausbringen der Pochwerke Erstaunen erweckt. Hier gebrauchte man zum Scheiden alte Bergleute, deren Organe, Interesse und Aufmerksamkeit gleich geschwächt sind.

Alles, was man Maschinenwesen nennen kann,
ist auch in einer sehr mittelmäßigen Verfassung, die
eine kostspielige Außkunst veranlaßt hat, und besonders an der Niederlegung der ergiebigen Grube
Juliane Haab Schuld war, welche an Juliane
Marie gränzt, im nämlichen Fallbande liegt, und
selbst durch einen Stollen mit derselben zusammenhängt.

Man hat mir von zwey auf einer nahen Anhöhe
liegenden Teichen gesprochen, deren Wasservorrath
zum Treiben eines neuen Kunstrades bey Juliane
Marie hinreichen sollte, wogegen das jetzt hier
befindliche Kehrrad und Feldgestänge zur Wieder-
gewältigung von Juliane Haab dienen möchte.
In dieser letztern Grube befinden sich die Kunstsätze
und Fahrten noch unversehrt.

Die Grube Samle Justiz wird dagegen auf
2 Verästungen eines und desselben Fallbandes getrieben, welches daher auch die Abteufungen, Strecken
und Oerter in einen westlichen und östlichen Betrieb
zerfallen macht. Beyde sind 68 bis 70 Lachter abgesunken. Sie umfassen mehrere Gänge, die, obgleich von geringer Mächtigkeit (nicht über 1 oder
2 Zolle), sich oft scharen, und wenn nicht überall
gediegen, doch Scheide-Erz fortdauernd führen.
Selbst das Quarzgestein enthält Blätter Gediegen-
Silbers. Mag die Grube auch nicht zu den reichsten

gerechnet werden können, so überredet man sich doch
leicht beym Anblicke der zahlreichen Gänge und
Trümmer, daß die Ausbeute beträchtlicher seyn
müsse, als sich aus den Grubenrechnungen ergab,
worin das wöchentliche Ausbringen auf 3 Mark angesetzt war. Die Grube ist am reichsten nach der
Seite der ersoffenen Armengrube hin, der sie
so nahe ist, daß man sich nicht weiter gegen sie
an wagt, aus Besorgniß durchzuschlagen; schon
sitgert auch allenthalben Wasser durch. Sollte einmal Armengrube, eine der wichtigsten unter
Kongsbergs ehemals betriebenen wieder in Umgang gesetzt werden können, so würden noch große
dazwischenliegende Schätze ausgebracht werden.

Zur Wiederaufnahme des Bergwerks wäre eins
der ersten Erfordernisse, den Kronprinds Fre-
deriks Stollen wieder zu gewältigen. Nach der
Berechnung, wie der Christiansstollen, welcher
den Zweck hatte, vom Jondalselv an bis zum
Rabberelv, also die ganze Breite des Oberberges
mit allen silberhaltigen Gängen zu durchschneiden,
in einer so großen Teufe bleibe, daß er unter den
Erzpunkten weggehe, so entschloß man sich zur Anlage des erwähnten Kronprinds Frederiksstollen in einem höheren Niveau. Ohne die Wahrheit und Gültigkeit der angeführten Gründe zu
dieser neuen so bedeutenden Unternehmung weiter

abhandeln zu wollen, so kann man einsehen, daß
es nun sehr ungereimt seyn würde, sich von neuem
mit dem Christianstollen zu befassen, dessen
Gewältigung beynahe unübersteigliche Hindernisse im
versäumten Wetterwechsel finden, und ein ganzes
Menschenalter erfordern würde, ehe man damit nur
zu einem einzigen wichtigen Punkte gelangte. Der
neuere Stollen ist dagegen aller Aufmerksamkeit
werth.

Er hat keine andere Wetterlosung als die, welche
ihm durch seine Verbindung mit Nye Justis
Grube zukommt, die er durchsetzt. Er geht noch
69½ Lachter tiefer ein *), allein die Luft bis zum
Festen ist mir (im Frühling) nicht drückender vorgekommen, als man der einfachen Stockung derselben zuschreiben kann. Im Sommer dagegen und
nach dem Feuersetzen kann man wohl einige Gefahr
befürchten, aber ohne kostspielig den Stollen mit
Schächten zu lösen, kann man vielleicht vermittelst
einer Wettermaschine den nöthigen Wechsel verschaffen.

Man hat ihm von der Armengrube, die er
zuerst erreichen sollte, schon ein Ort von 189½ Lachter entgegengetrieben. Da er im Streichen des Fallbandes stehet, auf diesem selbst eine Zeitlang fort-

---

*) Seine ganze Länge vom Mundloche an beläuft sich auf 332.

gehend, so kann man von ihm sehr bequeme Quer-
schläge ausläugen, und vielleicht viele Erzpunkte
durch Ueberfahren der Intersectionslinien des Fallbandes mit den Gängen ausrichten *). Zu gleicher
Zeit müßte man die verlassenen Baue in neuen
Umtrieb setzen, und unter denen, von größerer
oder geringerer Bedeutung, welche entweder zufällig
oder aus unbekannten Gründen, oder von vernich-
tendem Beschluß der Regierung mitten in einem
glänzenden oder versprechenden Daseyn zum Erlie-
gen gebracht wurden, geben eingezogene Nachrichten
die folgenden als die der Aufmerksamkeit würdigsten an.

1. Armengrube. Sie war eine der ergiebigsten. Im Augenblicke, da man sie niederlegte,
gab sie Silber sowohl im Gesenk als auf den Strossen;
man gewann in 11 Monaten dieses merkwürdigen
Jahres zusammen 328 Mark gediegen Silber, 623 U.

---

*) Man kann nicht mehr als ⅛ bis 2 Lachter monatlich darin
einbrechen, wenn man auch in 3 Schichten täglich (in 24
Stunden) 6 Mann vor das Ort legte. Das quarzige Gestein muß mit Feuersetzen bezwungen werden, welches in
einem weit fortgetriebenen Stollort die Hitze immer auf
lange Zeit unerträglich macht. Bey der milden glimmerreichen
Bergart kann Schießen gebraucht werden; der Preis des
Lachters wird alsdann ¼ höher bezahlt: der gewöhnliche
war 3 bis 4 Rd. für ⅛ Lachter oder 20 Zoll im Felde.

I.   30

Mittleng und 102 Tonnen Scheideerz. Kron=
prinds Frederiksstollen sollte sie lösen, da
die mit Bergförderung überladenen Maschinen die
Wasser nicht immer halten konnten. Der überein=
stimmenden Meinung der Bergleute zufolge blieb
viel Erz und reicher Grubenschwand auf den Kasten
liegen, die man schon in halber Teufe wiederfinden
würde. Die ganze beträgt 202 Lachter, 90 unter
der Sohle des Stollens, so daß jetzt das wesent=
lichste wäre, diesen Punkt, also 112 Lachter zu
erreichen, wovon die ersten 20 wasserfrey sind. Man
würde hiezu ungefähr 3 Jahre gebrauchen. Hat
man den Gegenort, das Kronprinds Frede=
riksstollen, erreicht, und treibt beyde zu gleicher
Zeit, so kann man von dieser Zeit an in höchstens
2, also zusammen in 5 Jahren vollenden; sich hier=
auf mit Gamle Justiz in Verbindung setzen,
und nach und nach zu allen Gruben auf diesem wich=
tigen Fallbande dringen, deren Baumürdigkeit be=
kannt ist.

2. Ulrikassierp hatte ehemals sehr viel
reiches Erz. Dieser kleine Bau erreichte nur eine
Teufe von 5 bis 6 Lachter, und war mit 6 Arbei=
tern theils im Gesenk, theils in einem angefan=
genen Stroßenbau belegt.

3. Norske Love, Nr. 2, wurde vom Herrn
Prof. Esmark betrieben, aber Nr. 3 enthielt das

reichere Erz, zu dem Hr. Esmark auch vermöge
eines Orts zu gelangen suchte. Doch fehlte es bald
an Mitteln, die zugehenden Waſſer zu bezwingen.
Nr. 9 gab die größten Hoffnungen.

4. Anne Sophie Grube hat nördlich einen
reichen Gang. Schon iſt ein Pochwerk ihrer Erze
angelegt. Sie war 7 Lachter abgeteuft.

· Größtentheils ſind Kunſtgezeuge und Fahrten
in allen dieſen Gruben unverſehrt zurückgeblieben,
ſo daß der Hauptaufwand in der Erbauung einiger
Roßkünſte, um ſie wieder gangbar zu machen, beſtehen würde.

Die außerordentliche Beſchaffenheit des Terrains,
worin man den Silberſpuren nachgeben muß, veranlaßt, daß auch ihr Abbau ſich von allen bekannten Grundſätzen entfernen muß. Man muß ſich an
die Faulbänder und Gänge zugleich halten, und ſich
oft, da, wie geſagt, die Erze kurz liegen, von
ſehr reich zu arm, weder Interſectionspunkte in der
ganzen Tiefe Erz enthalten, noch der Reichthum
der Gänge beym Austreten aus dem Faulbande ſo-
gleich aufhört, von einem metallurgiſchen Tact leiten
laſſen, der ein ſehr unſicherer Gewährsmann iſt.
Es wird daher zugleich zu einer dringenden Nothwendigkeit, durch das Ausbringen eines Baues den
unnützen Aufwand beym andern zu decken, und ſo
Koſten und Ertrag in einem erträglichen Gleichge-

nicht zu erhalten. Einer der vormaligen Oberberg-
hauptmänner hatte daher die weise Regel beachtet,
viele Versuchbaue auf einmal zu treiben, das Gebirg
so von allen Seiten zu durchörtern und aufzuschließen,
um die ausgerichteten reichen Erzpunkte in Vorrath bis auf Zeiten zu behalten, wo die Ausbeute
der gewöhnlichen Baue abnehme. Aber der gleich
darauf folgende benutzte mit unüberlegter Hast die
überlieferten Anweisungen, um seiner Administration einen augenblicklichen Glanz zu verschaffen,
welcher wahrscheinlich zum ersten Anlaß des gänzlichen Ruins dieses so berühmten Bergbaues geworden ist.

Ich habe schon oben von einigen Merkmahlen
gesprochen, welche bey der Wiederaufnahme des
Werks leiten können. Die Beschaffenheit des Quer-
gesteins kündigt zuweilen den nahen Segen an. Es
gibt einige Fallbänder von bekannter und zuver-
lässigerer Gunst als die übrigen. Das Schären
mehrerer Gänge berechtigt immer zu einigem Vertrauen auf Glück. Ueberhaupt aber soll man immer
auf den Intersectionspunkten der Fallbänder und
Gänge absinken und dann mit Oertern nach andern
zur Seite liegenden Fallbändern hin auslängen, so
auf verschiedene Punkte Versuchbaue treiben, sich
aber nicht eher auf Stroßenbau einlassen, als bis
anhaltend reiche Anbrüche den Erfolg beynahe sichern.

Der ungeheuere auf Augenblicke eintretende Ertrag, und die daraus entspringenden übertriebenen Hoffnungen waren es gerade, welche das System des Bergbaues zuletzt in eine wahre Schatzgräberey verwandelt hatten, bey der man allen Gedanken auf die entferntere Zukunft entsagte, nur von einem Tage zum andern große Nester und gediegene Klumpen erwartend, Versuchsbaue als schwerkostig und ungewiß einstellte, die kleinen Gewinne, welche den dauernden Wohlstand jeder menschlichen Einrichtung sichern, vernachlässigend, sich der allen Glücksjägern eigenen Sorglosigkeit hingab. Das Aushalten der Berge in der Grube fand beynahe gar nicht mehr statt, da man die Arbeiter nach der Anzahl der geförderten Tonnen bezahlte, so packten sie die Kübel am liebsten mit den meist anfüllenden Stücken voll; der kostbare Grubenklein aber blieb zurück.

Das Geförderte wurde mit keiner größeren Sorgfalt behandelt; viel Erz blieb am Ganggestein hängen, Regen und Schnee lösten dieses auf, die schwereren Metalltheile sammelten sich auf dem Boden, und bildeten ganze Schichten von unglaublichem Reichthum; die Berghalden von Gottes Hülfe in der Noth und andere erwiesen diesen bey den nach der Niederlegung entstehenden Gewerkschaften. Von 1806 an bis zum 8ten Monat von

1809 wurden in die königliche Schmelzhütte 19408
Mark $3^{209}/_{384}$ Loth geliefert, welches man dazu
noch blos als die Hälfte des wirklich gewonnenen
ansehen muß, denn die größeren Handstufen gediegenen Erzes und was heimlich in den verlassenen
Gruben gebrochen wurde, verlor sich durch Seiten-
kanäle.

Man sagt, die vormalige Direction habe zu
seiner Zeit ähnliche Durchsuchungen der Halden anstellen lassen, da aber die Bergleute nicht im Verhältniß dessen was sie ausbrachten, sondern schicht-
weise bezahlt wurden, so munterte der geringe Erfolg wenig zur Fortsetzung dieser Arbeiten auf. Die
gute Einrichtung der Pochwerke würde übrigens
nirgends von einem so großen Gewicht seyn als hier,
wo so viel Erz im Ganggestein versteckt liegt.

Seit mehreren Jahren hatte sich schon der sehr
einsichtsvolle Hr. Assessor H e n k e l bemühet, die
Schmelzung zu verbessern und überhaupt das Hütten-
wesen einer vortheilhafteren Oekonomie zu unterwerfen. Die Vorbereitungen zur Einführung des
Anquickens waren beynahe zu Ende gebracht, als
sie, wie man behauptet, durch Eifersucht und In-
trigue paralysirt wurden.

Der Schmelzprozeß war der folgende:

1. Zu einer Rohschmelzung im Hohofen war
die Beschickung

entweder von 40 Ctr. Ringschlich zu 1 bis 2 Loth
Silber p. Ct. und 2 Tonnen (24 Ctr.) Schwe-
felkies; zum Vorschlage dienten die unter
Nr. 3 und 7 fallenden Schlacken. Aus diesem
ergab sich 16 Centr. Rohstein zu 3 bis 4 Lth.
Silber auf den Centner;

oder 20 Schubkarren Schlacken aus der Schmelzung
Nr. 3 und 7, und 2 Tonnen Schwefelkies,
welches eine und das andere das Resultat von
16 Ctr. Rohstein zu 2 Lth. Silber ergab.

2. Zur Anreicher-Schmelzung:
40 Ctr. Schlich zu 2 Lth. Silber p. Ct. 20 dergl.
ungerösteten Rohsteins zu 3 bis 4 Lth. Silber p. Ct.
Zum Vorschlage dienten die unter Nr. 3 gefallenen Schlacken, und um das Gemenge noch leichtflüssiger zu machen, ebenfalls die Bley- und
Kupferröstschlacken.

Man gewann daraus 24 Centner Anreicherstein zu 8 Loth Silber prCt. Gehalt. Dieser
Stein ward mit 2 Feuern 14 Tage lang geröstet.

3. Zu einer Reichschmelzung:
6 Ctr. reichen Schlichs (oder 4 Ctr. Scheide-
Erz) zu 5 bis 10 p. Ct. 3 Ctr. gerösteten An-
reichersteins zu einem Gehalt von 8 Lth. Silber p. Ct., woraus man 3 Ctr. Reichstein zu
32 Lth. p. Ct. erhielt; dieser ward mit 3 Feuern
geröstet und ging zur Bleyarbeit.

4. Zur Schmelzung der Mittelerze von einem Silbergehalt von 10 bis 20 Mark p. Ct. wurde zu 100 ℔. Erz 100 ℔. gerösteter Anreicherstein und 200 Bley gesetzt. Hieraus erfolgte ungefähr 1 Ctr. Stein.

5. Das gediegene Silber wurde auf einem Herde mit Gestübesohle vor Handgebläsen mit Bley eingetränkt. Zu 100 Mark Silber nahm man 200 Mark Bley. Die davon fallenden Schlacken gingen zur Mittelerzschmelzung; das Werkbley zum Treibherd.

6. Nach Röstung des unter Nr. 3 ausgebrachten Reichsteines ward er mit Bley eingeschmolzen, mit folgender Beschickung:

6, 8 oder mehrere Centner Schlich, Nr. 1 und 2. Als Vorschlag 3 Centner des unter Nr. 7 ausgebrachten Bleysteinwerks, das ungefähr 28 Loth Silber p. Ct. enthielt. Die davon fallenden Schlacken hielten ungefähr ¾ Loth p. Ct. und wurden als Vorschlag bey der Reichschmelzung des nächsten Monats gebraucht.

Das ausgebrachte Werkbley hielt 6 bis 7 Mark Silber p. Ct., welches abgetrieben wurde. Der Stein wurde zu 20 Ctr. für jeden Abstich, 3mal und jedesmal mit 400 ℔. Werkbley durchgesetzt.

7. Der hierdurch ausgebrachte Bleystein ward auf Bley geschmolzen, der fallende Stein aber noch zweymal durchgesetzt, worauf er ungefähr 10 Loth Silber p. Ct. hielt. Die Beschickung war 10 Ctr. gerösteten, bey der Schmelzung Nr. 6 ausgebrachten Bleysteins, der 16 bis 20 Loth Silber p. Ct. enthielt, 5 Ctr. Saigerwerk oder Bley. Als Vorschlag wurden theils strenges Krätzwerk, theils strenge Schlacken gebraucht. Von dem hieraus sich ergebenden Stein wurden 10 Ctr. zu einem Abstich, und als Vorschlag 6 Ctr. Bley genommen. Das ausgebrachte Werkbley ward als Vorschlag beym Reichsteine verbraucht, der hierbey fallende Stein (Kupferstein) geröstet und zu Kupferschmelzungen benutzt.

Das Frischen, Saigern, Darren und Garen war nicht von den auf andern Werken gebräuchlichen verschieden, doch wurde das Saigerwerk nicht abgetrieben, sondern als Zuschlag zum Bleystein benutzt. Glätte und Treibofenherd wurde bey Anzündung des Bleyofens sogleich auf die Kohlen gesetzt, und wenn es niedergegangen war, folgte die Beschickung Nr. 6.

Nach den Rechnungen der Hüttenadministration war der Gewinn der 6 letzten Jahre 293589 Rd. Im Jahre 1813 brachte die Hütte allein 1600 Mark aus. Man brennt das Silber zu 15 Loth 15 ¼ Gran Feine.

Das Brennmaterial zum Hüttenbetriebe wird aus den Waldungen in Nummedal und Sands- ødr gezogen. Im Jahre 1813 lieferten diese Districte

für die Silberhütte . . 3087 $^{11}/_{12}$ Last Kohlen

die Eisenhütte . . . 11475 $^5/_{12}$

_____

· 14563 $^1/_3$

Man kann annehmen, daß diese Kohlenmenge aus den Holzungen ohne ihre Erschöpfung füglich gezogen werden kann; die andern öffentlichen An- stalten, so wie die Einwohner zu ihrem Hausbedarf gebrauchen 7 bis 8000 Klftr. Holz. Ebenfalls wer- den 5 bis 600 Dutzend Stämme von den Säge- mühlen verschnitten; eine Anzahl, die selbst neuer- dings bis 800 und 900 gestiegen ist. Wenn man rechnet, daß seit 1796 bis 1804 der Mittelpreis einer Tonne Gerste 3 Rd. war, indeß man 1 Last Kohlen mit 1 Rd. 27 St. bezahlte, so müßte jetzt, um dasselbe Verhältniß zwischen beyden zu erhalten, wenn der erste Artikel blos zu 105 Rd. angeschla- gen wird *), der zweyte 44 Rd. 80 St. gelten. Für das Frühjahr 1803 war daher mit den Eigen-

_____

*) Dieser Preis, der ganz ungeheuer scheint, hing von den Veränderungen, denen der Werth des Papiergeldes in Dänemark unterworfen gewesen ist, ab.

thümern der Wälder der Preis einer Last Kohlen
zu 1½ Rd. auf der Stelle, die Transportkosten auf
den Beywegen aber zu 42 Sk. und auf der großen
Fahrstraße auf 30 Sk. für die Meile bedungen. Da
aber die Bauern ihren Verpflichtungen nur mit
großer Noth und immer unvollständig nachkamen,
so sah sich das Oberbergamt im Januar 1814 gezwungen, den Preis der Kohlen zu 2½ Rd. für die
Last zu erhöhen, und den Transport zu 60 Sk. für
die Meile, ohne Unterschied der Haupt- oder Feld-
wege anzusetzen. Da die Norwegischen Gesetze keine
Zwangsmittel verstatten, um Brennmaterialien zu
einem andern als nach Willkühr der Eigenthümer
festgestellten Preis zu erhalten, so werden alle metallurgische Arbeiten mit der Zeit, ohne besonderes
Hinzutreten der Regierung, unübersteiglichen Hindernissen unterliegen.

Außer den Bergoffizianten zählte man an Berg-
leuten

1.) eine Klasse, welche man die kleinen Abtheilungen nannte (smaae Afdeelinger),
worunter die Arbeiter an der Silberhütte, an der
Münze (deren Anzahl sich auf 38 belief), auf den
vom Oberbergamt abhängigen Säge- und Kornmühlen, die Kohlenbrenner, Holzhauer, Wächter
u. dgl. begriffen wurden. Zusammen 84.

2.) Die Klasse der Pensionisten, deren Pension

zuerst auf 5 Jahr festgesetzt, nachher aber auf Lebenszeit verlängert war: 343.

3.) Die in Thätigkeit befindlichen Arbeiter, in den verschiedenen Werkstätten: 42; in den Gruben und Pochwerken der Regierung: 54, welche Klassen alle zusammen eine Anzahl von 523 Personen ausmachen, ohne hier die bey der Eisenhütte angestellten Arbeiter einzuschließen, deren Dienst dem Oberbergamte fremd ist.

Es fand sich, daß alle diese Leute im dritten Monat 1814 (den ich als Maßstab wähle) die Summe von 5134 Rd. $\frac{1}{5}$ St. Silberwerth gekostet, und überdies . . 24 Tonnen 6½ Scheffel Rocken,

$$66 \quad — \quad 12 \quad — \quad \text{Gerste,}$$
$$287 \quad — \quad 5½ \quad — \quad \text{Hafer,}$$

274 Vaag (zu 36 ℔.) 12 ℔. trockene Fische aus den Magazinen erhalten hatten. Der Antheil der Pensionisten am baaren Gelde belief sich allein auf 2821 Rd. 51$\frac{11}{15}$ Silberwerth, ohne die angeführten Provisionen verhältnißmäßig in Anschlag zu bringen, womit der Staat ohne den allermindesten Nutzen beburdet wurde, wozu noch hinzügefügt werden muß, daß, da diese großmüthigen Aufopferungen von Seiten der Regierung nicht hinreichten, sie und ihre Familien zu unterhalten, diese beynahe eben soviel der Armenkasse kosteten. Die zunehmende moralische Verderbniß, aus Elend und Müssiggang ent-

springend, hatte überdieß die Gefängnisse bevölkert und die Unkosten der Rechtspflege vermehrt. Von jeder Seite schien daher ein Wiederaufleben des Bergwerks, so wenig aufmunternd auch die Resultate der ersten Jahre seyn möchten, wünschenswerth, ja nothwendig.

Auf dem Wege von Kongsberg nach Dun-serud enthält der in mächtigen Schichten anste-hende Kalkstein Knollen von Stinkstein. Herr Esmark glaubt, zwischen Dunserud und Hog-sund Spuren von Steinkohlen, von der Dicke eines Messerrückens, gefunden zu haben, wenn es nicht von denen Anhäufungen des Kohlenstoffes war, die in den Gesteinarten von Kongsberg so ge-wöhnlich vorkommen, und zuweilen den Anthracit bilden helfen. Noch ehe man zum Storely gelangt, ist der Glimmerschiefer wieder erschienen. Die Ufer des Flusses bestehen in Sand mit vielem Thon ge-mischt, der selbst schichtenweise sich weit erstreckt, fett, aber nicht feuerfest ist.

Gegen Westen nach Modum zu hat man das Hotfield, welches von gleicher Natur als Kongs-bergs metallführende Höhen, ein durchgehendes, von zuweilen silberbringenden Gängen durchsetztes Fallband einschließt. Die Tradition verlegt hier sehr reiche ehemals darauf betriebene Gruben, deren Mündungen vielleicht von nachstürzenden Bergen und überhand nehmender Vegetation unsichtbar gemacht find. Auch gibt es darauf noch jetzt einige Gewinn bringende Abfinkungen, wie Skarasfierp, Ebenfalls liegt Colberg hier, wo im Jahre 1622 die erste Blengrube aufgenommen wurde.

Die Glanzkobaltgruben find ¼ Meile vom Hof Slutterud entfernt. Sie wurden im Jahre 1776 entdeckt. Ich fand nur eine davon im Betriebe; die andern, welche im nämlichen Felde liegen, find verlassen. Die nördliche, zu welcher man durch einen Stollen gelangt, ist bedeutend. Ungeheure Berghalden von ehedem schlecht geschiedenem Erze enthalten es beynahe reicher, als solches jetzt in den Gruben bricht. Man war sehr mit dem Handscheiden beschäftigt, dessen sorgfältigere Ausübung man unter andern zweckmäßigen Einrichtungen der talentvollen Aufmerksamkeit des Hrn. Oberberghauptmanns Brünich verdankt.

Der Glanzkobalt, welcher den Gegenstand dieses Bergbaues ausmacht, liegt in einem Gemenge von vielfarbigem, metallischglänzendem Glimmer und Quarz derb eingesprengt (seltener in Würfel und Ikosaeder krystallisirt), mit arsenikalischer Kobaltblüthe vermischt. Dies Gemenge liegt in einer Schicht zwischen denen des herrschenden Glimmerschiefers, die sehr stark mit Quarz, gemeiner Hornblende und Strahlstein gemischt, in Nord und Süd mit einem westlichen Falle von 70 bis 80° streicht.

Von der Mächtigkeit zwischen einem Viertel bis zu einem ganzen Lachter hat sie ganz das Verhalten eines Ganges an sehr vielen Stellen auf das deutlichste vom Nebengestein abgelöset, an andern mit einem talk- und glimmeraetigen Saalband versehen. Besonders an der östlichen Seite, gegen welche sich das Gebirge bey seinem Umsturze sanft hingeneigt hat, kommt das Saalband am häufigsten vor, und wird das Lager am reichsten. Gewöhnlich verarmt es in einer Tiefe von 6 Lachtern und verschwindet endlich ganz und gar. Mag es nicht auch wirkliche Gänge geben, die anstatt durch Ausfüllung der das Gebirge quer übersetzenden Spalten aus der Füllung von Flözklüften und der Steinscheidung entsprangen, die sich durch Umwälzungen zu dieser Weite aufgeschlossen hatten?

Man zählt bis jetzt ungefähr 16 auf dies Lager eingetriebene Gruben, deren größte Teufe 16 bis 17 Lachter beträgt. In Nr. 8, die nun im Umgange steht, kommt ein Kalkspathgang vor, der von Nordost nach Südwest einfällt. Quarzadern durchstreichen überdies das Metalllager noch in seiner ganzen Länge. Gegen Süden ist man mit einem Versuchs- ort 6 Lachter ins Quergestein eingegangen; und überfuhr schon nach den ersten 3 Lachtern ein zweytes Metalllager von ¼ Lachter Mächtigkeit, das nur Kobalt mit Quarz und wenig Glimmer führt. Wenn

das Lager ärmer wird, so zeigt sich zugleich das Nebengestein von Schwefelkies durchdrungen.

Die ganze Erstreckung des Erzlagers beläuft sich
nach den angestellten Schürfungen auf ¾ Meilen.
Ueber das nördliche Feld hat sich eine Masse von
hornblendereichem Glimmerschiefer hergelagert, und
bedeckt das Ausgehende der Schicht ¼ Meile lang,
worauf es wieder zum Vorschein kommt.

Diese Gruben können monatlich 100 Tonnen
Erz liefern.

Nach der ersten Scheidung an der Grube, indem
es zu Stücken von ½ bis zu 1 ℔. Gewicht zerschlagen wird, führet man es des Winters zum
Waschwerk von Houghfos hinab. Die Schliche
werden hier nach Maßgabe ihres Gehaltes in 4 Klassen getheilt.

Auf halber Höhe des nämlichen Gebirges, das
die Grube einschließt, bauet man zum Gebrauch der
Fabrike ein Massiv graulichbraunen Quarzes ab,
der gruppenweise unregelmäßig, mehr oder weniger
mit Feldspathstücken gleicher Größe und mit Glimmer zusammenbricht, welcher in große, zarte, sehr
durchsichtige rhomboidalische Blätter getheilt werden kann, oder sich beynahe asbestartig in dünne
Fäden auseinanderziehen läßt. Dies Massiv, welches
man zusammengenommen als ein sehr grobkörniges
Granitstück ansehen könnte, scheint dem Gebirge

mehr angelehnt als eingelagert zu seyn. Doch kann
es auch eine große Niere im Glimmerschiefer ausgemacht haben, deren Umgebungen nur zerstört sind.

Das Blaufarbenwerk *) stellt sich unter einem
Aeußeren von Ordnung und Reinlichkeit dar, welche
man dem jetzigen Director, Hrn. Müchler, zu danken hat. Es gehörte zu den wenigen königlichen
Werken in Norwegen, die ohne Zubuße betrieben wurden.

Man röstet in Flammenöfen ungefähr 3 Centner
Schliche auf einmal in einer Zeit von 20 Stunden.
Ein Giftfang von 240 Fuß Länge, 4 Fuß Höhe
und 3 Fuß Breite dient zur Verdichtung der arse-
nikalischen Dämpfe. Man that 1814 einen Vorschlag, zur nämlichen Absicht ein Ort durch eine
hinter dem Ofen liegende Quarzmasse zu treiben,
welches nicht mehr als 27 Lachter Länge erhalten
würde. Allein diese Quarzmasse ist mit Eisen eingesprengt, und es kommt darauf an, ob dies nicht
Einfluß auf die Güte des gesammelten Giftmehls
haben würde.

Die Verhältnisse in der Anmengung nach Maßgabe der auszubringenden Farben sind die folgenden:

---

*) Hr. Hausmann hat von der daselbst üblichen Methode
eine so sorgfältige Beschreibung geliefert, daß wenig zu
ändern, oder hinzuzusetzen übrig bleibt.

I. 31

100 ℔. Kobalt, 600 ℔. Quarz und 300 ℔. Pott-
asche zur Smalte von 2ter Güte (**F. C.**); 200 ℔.
Schlich von Nr. 1 und 100 ℔. Nr. 4 mit 1000 ℔.
Quarz und 600 ℔. Pottasche zur Bereitung der
schönsten Couleur (**F. F. F. C.**); 100 ℔. Schlich
Nr. 1, 50 ℔. Nr. 2, 200 ℔. Nr. 3, 1800 ℔.
Quarz, 900 ℔. Pottasche zur Mittelsorte, (**M. C.**)
300 ℔. Schlich Nr. 3, und 25 ℔. Nr. 4, 500 ℔.
Quarz, und 250 ℔. Pottasche zur gemeinen. (**O. C.**)

Man feuert in den beyden Oefen mit Holz, wovon man in 24 Stunden ungefähr 3 Klafter verbraucht. Jeder Ofen enthält 6 Glashäfen, welche
½ Tonne oder 200 ℔. Beschickung fassen; die
Schmelzung, welche zwischen 12 und 20 Stunden
dauert, bringt für jeden 5 bis 600 ℔. aus. Zwey
Arbeiter sind dabey angestellt.

Sind beyde Oefen in vollem Gange, und arbeiten alle 16 Mühlen ununterbrochen, so können jährlich 4000 Centner Farben geliefert werden. Der
Transport geschieht dann auf dem Simon- und
Drammenelv.

Die Blaufarbenhäfen werden auf dem Werke selbst
aus Cöllner Thon angefertigt.

Außer den Oberbedienten beschäftigt die Fabrik
54 Arbeiter.

Der Hohofen von Haffel war unter Reparation. Er soll von Garney im Jahr 1800 erbauet

seyn, hatte im Anfange 29 Fuß Höhe vom Boden-
stein an, nebst einer Weite von 4 Fuß 4 Zoll in
der Gicht, und 7 Fuß 4 Zoll im Kohlensacke. Da
es sich aber ergab, daß diese Verhältnisse den zu
verschmelzenden Erzen nicht angemessen waren, so
mußte der Durchmesser der Gicht zu 3 Fuß 10 Zoll
vermindert, und der des Kohlensackes zu 7 Fuß 6 Zoll
vergrößert werden. So enthielt er 14 bis 15 Last
Kohlen.

Die Beschickung ist nicht genau festgesetzt und
begreift 12 bis 14 Gichten in 24 Stunden nach
Beschaffenheit des Ofenganges. Der Satz besteht
zu 1 Last Kohlen in 16 Trögen (wovon 30 eine
Tonne ausmachen) Stein von den Hasselgruben, 3 von Schlich des nämlichen Erzes, 8 von
Barboe (welches seiner granitartiger Natur nach
zugleich als Zuschlag wirkt, und dessen Mangel durch
Kalkstein ersetzt wird), 2 von Besseberg- und
1 von Drambal-Erz. Das Ausbringen kann sich
wöchentlich auf 60 bis 70 Schiffpf. Roheisen und
Gußwaaren belaufen; jährlich, wenn der Hohofen
ohne Unterbrechung im Gang bleibt, auf 1900 bis
2000 des ersteren, und 8 bis 900 des letzteren in
Ofenplatten u. s. w. Aber diese Hütte leidet Drammens Nähe und der ungeheueren daraus entspringenden Holzpreise wegen sehr oft Mangel an Brennmaterialien. Das Eisen, das sie liefert, ist kaltbrüchig.

Es gehören 2 Hammerwerke mit 5 Feuern dazu, worin jährlich, wenn weder Wasser- noch Kohlen-Mangel eintritt, 1000 bis 1400 Schiffpf. Stabeisen ausgeschmiedet werden. Von 18 Lispf. Roheisen, das auf einmal gefrischt wird, erhält man 14½ Stangeisen mit einem Kohlenverbrande von 2 Laß auf jedes Schiffpf.

Bey Frederiksminde, ½ Meile von der Hütte, hat man noch eine Schmiede zu Nägeln, Ackergeräthschaften und andern Werkzeugen zum häuslichen Gebrauch.

Dicht beym Werke liegen 2 Pochwerke, um die zu sehr in Ganggestein eingehüllten Erze und besonders das von den Hasselgruben zu waschen, wo Chlorit und Talk nicht allein am Lager eine Art von Saalband bilden, sondern auch in die Erzmasse nierenweise eindringen. Ein anderes Pochwerk ist zum Verpochen reicher Schlacken zugerichtet. Man gießt auch Schlackensteine und wendet sie zum Aufbau der Rostställten an.

Das Erz, welches in den Hasselgruben bricht, ist Blutstein. Die Gruben liegen ¼ Meile vom Werke entfernt. Ich habe sie nicht selbst gesehen, aber den Berichten nach scheint der einzige Bau, der im Betrieb steht, auf einem Erzlager im Glimmerschiefer zu stehen, das ein Saalband von Chlorit und Asbest hat und mit dem Niedersinken immer

ärmer wird. Man hat bis zu 20 Lachter abgeteuft,
und das Lager ist an mehreren Orten in einer Länge
von 100 Lachtern aufgeschlossen.

Das von D r a m b a l kommende Erz, $\frac{1}{2}$ Meile
von der Hütte, ist ein Magneteisenstein, enthält
Thon und ein wenig Kalk.   So ist auch V e s t f o s-
s e n s - oder B e s s e b e r g s - Erz mit Kalk gemischt,
durch viel Spuren von Schwefel - und Kupferkies
verunreinigt, und erzeugt in stärkerem Verhältniß
aufgegeben den Nothbruch.   Ein Erz von G o r e,
1 Meile entfernt, ist quarzig, ebenfalls schwefelkies-
artig, und man verbläst es im Verhältniß von $\frac{1}{30}$.

Achtundzwanzigstes Kapitel. (10)

Das Nummedal und Hardangerfield.

Beschaffenheit des Nummedals. Kupferhütte von Stubben-
brotsminde. Natur des Hardangerfield.

Der Glimmerschiefer erscheint in Nummedal sehr
gekrümmt und wellenförmig, fortlaufend, mit häufigen Knoten und Nieren, wie im Kleinen, so im
Großen, bey der Bildung der Lagen und Gänge.
Die Schichten fallen hin und wieder nach Westen
ab. Der Gebirgszug streicht unregelmäßig, meistens
von Nordwest nach Südost.

Die Landstraße geht über Skudsaasen und
einen silberhaltigen Gang hin. Man hat diesen durch
ein Ort angreifen wollen, ist aber nicht sehr weit
darin vorgerückt. Damit dies Unternehmen gelinge,
müßte vorher ein kleiner dicht dabey liegender Sumpf
ausgetrocknet werden.

Bey dem Pfarrhaufe von **Flesberg,** findet man einen merkwürdigen ungeheuern granitartigen Gneißblock einzeln liegen. Da dies Gestein nirgends in der Nähe ansteht, so kann es nur vom **Hardan-gerfield,** also 5 bis 6 Meilen durch Strömungen auf einem beynahe unmerklichen Abhange fortgerollt seyn.

Nach und nach scheint hierauf der Glimmerschiefer fein Schiefriges zu verlieren, und nimmt so viel Quarz auf, daß er beynahe zu einem Quarzgestein wird. Er enthält auch große Nieren eines reinen, weißen, muscheligen Quarzes mit Hornblende darin.

Auf der Halbinsel zwischen **Kravig-** und **Nyre-fjord** liegt **Stubbenbrofsminde,** eine kleine Kupferhütte, die eigentlich nur in einem Garherde besteht, welchen man bey jeder Schmelzung durch Aufrichtung der Vorwand in einen Krummofen verwandelt. Der Stein wird mit 12 bis 14 Feuern geröstet. Das zu verblasende Erz ist Kupferkies, zuweilen mit gediegenem und Lasur-Kupfer gemischt. Ein Theil davon wird verpocht und gewaschen. Die Hütte ist überhaupt nicht länger als 2 bis 3 Monate jährlich im Umgange. Ihr Verfall fing mit der Abreise des ehemaligen Directors, Hrn. **Daldorphs** an; eine Feuersbrunst vollendete denselben.

Unweit des **Aasenfos** sieht man den Glimmerschiefer so quarzreich, daß der Glimmer fast gänz-

lich verdrängt, nur noch zwischen den Lagen bemerkt wird. Er geht offenbar in Gneiß über, der
nun bis zum Fuße des Gebirges mehr oder minder
granitartig fortsetzt. Man versichert, auch hier in
der Nähe habe man Silberspuren entdeckt, welches
nicht unglaublich ist, um so mehr, da an den
Seitenwänden des Thales hier und da eisenschüssig
verwitterte Schichten fahlbänderartig erscheinen.

Das Thal von Opdal ist in seiner ganzen Länge
von Gneiß- und Granit-Blöcken, zuweilen vom
Durchmesser von 12 bis 16 Fuß bedeckt. Bey
Biennöe liegt ein hohes Felsstück von grünlichem
Strahlstein.

Der Gneiß, mit granitartigen Gebilden gemengt
und wechselnd, zieht hierauf bis zum Rande der
Plattform ununterbrochen fort. Bey Jerndalsstuen kommen darin einzelne Schichten reinen Feldspaths, andere von Quarz und Glimmer vor. Aller
Sand, den die Bewegung der kleinen Seen, meistens
an ihren östlichen Ufern angehäuft hat, ist granitartiger Natur.

Erst am Fluß Biorea sah ich den Glimmerschiefer wieder, sehr quarzig, in weitverbreiteten,
nach Westen sanft niedergehenden Schichten. Die
Fluthen des Stromes gleiten langsam auf ihnen
hinab. Doch nicht weit weit davon liegt der Var-
faiabierg, aus dem gewöhnlichen Gneiße bestehend.

Hinter Maurset kommt man am Fuße des Grytebergs hin, zu einer isolirten Kuppe aus Hornblendegeftein. Diese kleinen Kegelgebirge machen, jetzt einzeln daftehend, die höchften Punkte dieser Gebirgsebene aus, liegen meiftens am weftlichen Rande derselben, und nicht weit von den tiefen darin hereingebrochenen Klüften, welche nun unter dem Namen der Fiords das Meer aufnehmen. Der Glimmerschiefer, der bald als herrschend auftritt, ftürzt sich ebenfalls dahin mit beynahe senkrechten Schichten ab.

~~~~~~

Neunundzwanzigstes Kapitel. (11)

Das Bergenstift.

Der Eidfjord. Salzfabrikation. Ormenhough. Umgebungen
von Ullensvang.

Unten liegen im Tveitabal Gneißblöcke, vielen
Epidot enthaltend. Die Sandanhäufungen im Eidfjord sind sehr merkwürdig. Sie gehen zu hoch
an die Gebirge hinan, als daß die Gewalt des
Meeres allein sie hätte anhäufen können, und erscheinen im Gegentheil als Ueberreste einer alten Thal-
ausfüllung, welche das Niederstürzen der gegenseitigen Wände und der ganzen Wuth der Fluthen
preisgegeben hat. Man findet darin Geröll eines
schwarzen Kalkspaths, der meines Wissens dieser
Küste fremd ist.

Zur Salzfabrikation im Eidfiord zieht man auch das Meerwasser durch eine Röhre von 60 Fuß aus der Tiefe vermittelst einer Schwengelpumpe. Zwey zu Kongsberg vorgerichtete Pfannen von 6 Fuß Länge, 4 Fuß Breite und 14 Zoll Tiefe dienen dazu, es zu versieden. Man füllt sie damit zur Höhe von 10 Zollen; Nachdem man nach Gutachten die Salzlauge hat abdampfen lassen, wird sie in ein anderes im Boden durchlöchertes Gefäß zum Abklären gezapft. Nach Reinigung der Pfanne trocknet man sie darin vollends ab. Auf diese Art werden wöchentlich 8 Tonnen gewonnen. Man kennt hier kein Mittel zur Raffinirung des Salzes, das keine Spur eines krystallinischen Anschusses erweißt. Man hat mir gesagt, es sey zum Einsalzen völlig untauglich.

Ormenhough in Ulvigsfiord, das als eine Silberanweisung angegeben wurde, besteht in einer im Glimmerschiefer einliegenden Quarzgesteinschicht, wovon sich häufig auch um Kongsberg herum Beyspiele zeigen; sie hat 2 Fuß Mächtigkeit, und enthält, zum wenigsten so weit sie zu Tage liegt, nichts als ein wenig Schwefelkies.

Bey Ullensvang herrscht gleichfalls der Glimmerschiefer mit Gängen und Trümmern von Quarz, Feldspath und Epidot durchsetzt. Höher hinauf an den Gebirgen erscheint der Quarz in Lagern fast rein, mit silberfarbigem Glimmer gemischt. Man sieht diesen auch zwischen den Schichten von Hornblende eingelagert, welche mit dem Quarze wechseln. Auf zwey Drittel Höhe verschwindet diese jedoch gänzlich, und es bleibt ein glimmerhaltiges Quarzgestein zurück.

Beym Hof Estrem in Odde, zwey Meilen von Ullensvang im Fiord selbst, hat man ehemals auf Kupfer geschürft.

Man findet Topfstein, welcher dem Glimmerschiefer angehört, unter dem Folgefond, bey Mouve, woraus Küchengeschirre, Ofenplatten ıc. verfertigt werden. Da er in sehr mächtigen Schichten bricht, so könnte sein Gebrauch viel weiter ausgedehnt werden.

Dreyßigstes Kapitel. (12)

Das Bergenstift.

Reise nach Strandebarm. Beschaffenheit des Landes bis Bergen. Umgebungen der Stadt. Marmorbruch bey Hope.

Die Ufer des Fjord sind mit vielem Gerölle, aufgelösten Gebirgsarten, meistens gneiß- und granitartiger Natur, worin der Feldspath immer überwiegend vorwaltet, bedeckt, mit einer sehr oberflächlichen Lage von Gartenerde darüber. Diese untern angeschwemmten Schichten sind mehrere Fuß hoch, liegen horizontal, enthalten auch Gabbrogestein (v. Buch) und Quarzstücke mit Kupferspuren.

Noch ein Wort über Tronnäs, das ich als eine Kuferanweisung besuchte. Man findet hier

Königs Olafs Tischtuch, eine in den Glimmerschiefer eingelagerte und mit Hornblendeschiefer wechselnde Quarzschicht. Darin sind Blätter eines gelblichen, metallischglänzenden Glimmers eingesprengt, mit vielen Nestern von Chloriterde, welches zusammen für Kupfer geltend, wahrscheinlich die erste Veranlassung zum Schürfen gegeben hat.

Bey Hessehammer sah ich nur Gneiß. Er enthält vielen rothen Feldspath, zuweilen höchst feinkörnig in der Masse aufgelöst. Aber der Samlekollen scheint aus aufrechtstehenden großen Glimmerschieferlagern zu bestehen. Auf Herransholm wechseln glimmerreiche Quarzlager mit Hornblendelagern, wie zusammengedreht und ineinander fleckenweise verflossen. Der Glimmerschiefer liegt darunter mit den nämlichen Biegungen, Buckel von 10 bis 12 Fuß Durchmesser bildend, woran die obigen Gebirgsarten sich treu angeschmiegt haben.

Wenn man Solesnäs vorbey ist, sieht man ungeheuere Quarzschichten wie aufgemauerte Wände an den Ufern angelehnt. Andere haben sich davon losgemacht und bilden nun einzelne Inselgruppen in der Mitte der Gewässer. So sind auch bey Strausnäs Glimmerschieferplatten von 2 bis 300 Fuß Höhe senkrecht, mehrere hintereinander angelehnt, und ein Vorgebirge von glimmerreichem Quarzfels ragt davon in den Fiord hinaus.

Der Glimmerschiefer liegt überhaupt hier dem
Gneiße durch Ueberhandnehmen des Feldspaths mit
vielem Quarze nahe. Wenn man von den Gebirgen,
die das Dönavand einschließen, westlich nach
Fuse zu niedersteigt, so liegt er im Grunde des
Thales gneißartig geschiefert, in ein- bis zwey-
zölligen Schichten mit Knoten und Buckeln von
mehreren Fuß Durchmesser, immer von Nieren
eines eisenschüssigen Quarzes unterbrochen.

Bey Hartvig endlich findet sich Thonschiefer
und drüber v. Buchs Gabbrogestein, hier aus einem
Gemenge von feinkörniger, grünlichgrauer, metal-
lisirender Diallage und weißem Feldspath bestehend.
Ich kann nicht bestimmen, in welchem Verhältniß
dieser Thonschiefer mit dem Glimmerschiefer stehe.
Der Gabbro ist, wie Hr. v. Buch scharfsinnigst
bemerkt, dem Serpentin auf das nächste verwandt.
Er mag im Norden seine Stelle vertreten.

Der Glimmerschiefer, welcher Bergens Meeres-
bucht südlich umschließt oder vielmehr bilden hilft,
zieht sich in beynahe wagerechten Schichten bis zum
Meere hinab. Die nach Westen liegenden Gebirge
bestehen alle aus Glimmerschiefer, so wie auch die
Inseln, welche die Küste bekränzen. Gneiß mit
weißem Feldspath erscheint dagegen auf der östlichen
Seite der Stadt, Uldriken besteht daraus, und
er dehnt sich hierauf nach Norden aus. Man sieht

ihn in Oesterøen, und er geht vermuthlich in
Gestalt eines breiten Gürtels fort, der östlich einen
großen Theil des Nordhordlehns einnehmend,
nördlich über den Nordre-Masfjord bis zum
Sognefjord und selbst weiter hinausrückt. Ich
habe ihn hier nirgends weder über noch unter dem
Glimmerschiefer anstehend finden können. Der Boden
dieser Provinz scheint minder aus Gebirgsschichten,
die regelmäßig übereinander hergelagert wären, als
aus nebeneinander weggehenden Zonen zusammengesetzt. Ramond hat diese Bildungsweise in den
Pyrenäen erwiesen. Der Gneiß mit seinen Gra-
nitgebilden kann wohl dem Hauptbergrücken (dick
und wellenförmig flaserig mit tombakbraunem Glimmer, weißem Quarz und Feldspath) zur Grundlage
dienen; aber ihm liegt der Glimmer- und Thonschiefer ineinander übergehend, sehr oft bis zu einer
unerreichten Tiefe zur Seite, hier und da mit einem
zweyten Gneißbande eingefaßt, dessen feineres Korn
und dünnere Flasern doch kaum ein jüngeres Alter
erweisen.

Bergens Umgebungen scheinen nicht ganz arm
an Metallen zu seyn. Man findet mehrere in Geröllen am Fuße der Gebirge. Am Seiersbjerg
hat man Kupferkies in einer jaspisartigen Gangart
mit Quarz und Glimmer aufgenommen; bey Ny-
have Bleyglanz in Quarzstücken.

Eine Viertelmeile von der Stadt bey Hope,
oder im Hopedal bricht man den weißen Marmor,
der neuerdings eine Art von Ruf erhalten hat, weil
man sich dessen bedienen wollte, um den Dänischen
Praxiteles Thorwaldson in seinem Vater-
lande zu beschäftigen. Kleine auserlesene Bruchstücke mögen allerdings zu diesem körnigen, sehr
weißen Kalkstein Vertrauen erwecken, aber kaum
sein Verhalten im Großen und auf der Stelle seines
Vorkommens.

Der Bruch ist ein Eigenthum des Hrn. Canzley-
Raths Christin, welcher in der Nähe eine
Schneidemühle zur Anfertigung der Marmorplatten
vorgerichtet hat. Der Ort, wo das Lager ansteht,
heißt eigentlich Korsdal. Es liegt, nach Nordost
geneigt, im Glimmerschiefer, welcher durch Uebermaß von Quarz und einigem Feldspath sich dem
Gneise nähert, und dem der Hornblendeschiefer
nicht fremd ist. Ein chloritischer Talk, welcher
zuweilen als zerreibliche Chloriterde Trümmer bildet,
dient der Marmorschicht zu einer Art von Besteg,
durchzieht sie wohl auch in kleinen Lagen, und
gibt der Masse stellenweise eine täuschende Aehnlichkeit mit Cipollinmarmor. Die Schichten, worin
sie zerfällt, sind so deutlich, daß man sie selbst in
einem großen einzigen Blocke von 20 bis 24 Fuß
Durchmesser, den man eben ausgebrochen hatte,

I.   32

in kleinen fortgehenden Riſſen und Verklüftungen
erkannte. Alle erfreuliche Ausſichten für die Zukunft waren auf dieſen ungewöhnlich großen Block
gegründet.

Moſters Marmor, der zu dieſem gehört, enthält dagegen viel Glimmer. Er iſt ebenfalls weiß
und körnig, mit Flecken und gelblichbraunen Windungen in ſeiner Maſſe, im Glimmerſchiefer liegend. Hr. Herzberg, Vater des ſchon mehrmals erwähnten Gelehrten in Ullensvang,
hatte die Kunſt, ihn ſchön violett zu färben, ſehr
weit getrieben. In Biſchof Bruuns Hauſe ſah
ich eine ſolche Platte, worauf die Figur eines
Engels dauerhaft eingeätzt war.

Der Marmor von Saltheile, deſſen man
ſich in Norwegen gewöhnlichſt zu Kunſtwerken
bedient, hat eine mehr porphyrartige Textur als
der von Hope, als beſtehe er aus Körnern durch
ein Kalkfädment zuſammengekittet. Da er vom
nämlichen Geſüge auch bey Tveed, in der Nähe
von Hope bricht, ſo gehören wohl alle dieſe Kalk-
ſteine zu einer einzigen, weitverbreiteten Abſetzung,
und ſind nur von lokalen Umſtänden modiſicirt.
Selbſt bey Hope verändert er ſich oft ſogar in
Zwiſchenräumen von 10 bis 12 Lachtern. Das-

Lager mit wechfelnden Reigungen ift nirgends zu-
fammenhängend genug, um einen ordentlichen hoff-
nungsreichen Bau zu großen Kunftwerken darauf
vorrichten zu können.

~~~~~~~~~~~~~~~~~~~~~~~~~~~~~~~~~~~~~

Einunddreysigstes Kapitel. (13)

Das Bergenstift.

Sölvbjerget. Terrain von Voise Vangen. Närdedal. Amble. Aardal. Kupfergruben. Aardalsfield. Horungen. Reise zum Lysterfjord.

Wendet man sich von Bergen zur See nordwärts, so kommt man in den Herlefjord, wo Askoe westlich gelegen aus Glimmerschiefer besteht. Bey Salhuus steht ein syenitartiges Gestein an, aus weißem Quarz und Feldspath und sehr vieler schwarzer Hornblende, welche sich darin selbst zu schmalen Lagern und Trümmern vereinigt. Es scheint, daß es alle mittlere Höhen längs der Küste einnehme. Vielleicht kommt es mit dem Syenit von Egersund überein, der ebenfalls ohne Glimmer ist. Doch bemerkte ich in diesem hier keinen Augit.

Unweit dem Wirthshause von Barnestagen trifft man wieder Hrn. v. Buchs Gabbrogestein, hier dem Hornblendeschiefer aufgelagert, in sehr stark nach Süden einschließenden Schichten. Es scheint sich in diesem Fjord weit zu erstrecken, und vielleicht macht es eins von Norwegens Porphyrgebilden aus. Mehr westlich findet man kleine Zwischenlagen von Quarz und grasgrünem Epidot darin, die letztern von mehreren Linien Dicke; selbst ganz reine kleine Lagen von Diallage. Weiterhin auf den Höhen findet man den Glimmerschiefer wieder mit seinen Hornblendelagern. Man bricht Platten zum Dachdecken darin.

Die angebliche Silberspur, welche eigentlich zuerst diese Seitenexcursion veranlaßt hatte, sollte am Sölvbjerget liegen, 1 Meile von Barnestangen, zwischen den Höfen Kleveland und Hiemvig auf Oesterøe, und Padøe gegenüber. Anfind Moß vam Hofe Moß, der sie entdeckt hatte, begleitete mich dahin. Der Sölvbjerg ist über dem Fjord fast senkrecht abgeschnitten. Man hatte in diese Wand eingebrochen, der Zugang dazu ist äußerst gefährlich, weil man gerade über den Fluthen hängt, und beym ersten Fehltritt ohne Rettung hinabstürzt. Eine von den schon erwähnten Quarzschichten im Glimmerschiefer mit Schwefelkies hatte auch hier die Habsucht zu Hoffnungen verleitet. Ein Goldschmied, behauptete man hartnäckig, sollte daraus Silber gezogen haben, aber weder in den zu Tage liegenden Anbrüchen noch in den mitgenommenen Handstücken ist es mir möglich gewesen, dergleichen ausfindig zu machen.

Hinter Stamnäs sieht man einen Granit mit rothem Feldspath. Am deutlichsten erschien er am Vereinigungspunkte von Bolstadsfiären und dem Fiord. Bey Bolstad haben die Lager eine außerordentliche Neigung nach Nordost hin. In der Nähe von Bolstadören steht feinschiefriger, glimmerreicher Gneiß an; man findet Ræren von Quarz und Feldspath darin mit Talk. Stückenweise ist er granitartig. Auch das am Bette des Stromes umhergestreute Gerülle zeigt die Nähe des Granits.

Bey Evanger ist wieder Glimmerschiefer mit starken Krümmungen. Dann findet man Gabbrogestein mit Glimmernestern und von Quarztrümmern durchsetzt. Eine Viertelmeile weiter trifft man Hornblendeschiefer in Lagern von 1 bis 2 Fuß Mächtigkeit. Der reine Quarz, welcher dem Kieselschiefer nahe ist, scheint sich sehr weit zu erstrecken, gewöhnlich von graulicher Farbe, zuweilen weiß, von Trümmern eines muscheligen glasglänzenden Quarzes durchzogen. Unter Bergshoug ist er roth.

Der Glimmerschiefer, sehr thonhaltig geworden,

scheint die Hauptgrundlage des Thales von Bosse
Bangen auszumachen. Bey Binge zeigen sich
hohe Thonschiefergebirge mit ihren Lagern von Topfstein; sie erstrecken sich nördlich nach dem Sognefjord hinauf, südlich herunter dem Hardanger-
fjord zu. Hornblendeschiefer erscheint wieder bey
Stalheim, zuletzt der Gneiß vollkommen charakteristisch bey Opheim. Ich kenne nicht das Verhalten aller dieser so mannichfaltigen Gebirgsarten zu
einander in diesem Districte. Der Gneiß, weiß
durch Uebermaß des Feldspaths und das immer
damit verbundene Zusammenziehen des Glimmers in
Gruppen, bildet die Seitenwände der Bergkluft
des Näröedals. Bey Gudvang und in dem
dazu gehörigen Fiord ist er sehr deutlich in allen
seinen Verhältnissen.

Simlenäs besteht aus einem Diallagegestein
mit weißem Feldspath und hellbraunen kleinen Granaten darin.

In Amble findet man einen dickflasigen Gneiß,
seber Granatlager enthaltend. Bey Eide, und
nahe an einem Arme des Sognedalsfjord steht
ein fast einzig aus einer derben Granatmasse bestehen-
der Berg. Sie wird von einer andern Gebirgsart
durchsetzt, die aus grünlichem Quarze, Feldspath,
Hornblende, Epidot und Granat zusammengesetzt
ist. Auch zu Kiernäs sollte es Silberspuren

geben, aber so wie wir uns der angezeigten Stelle
näherten, wurden die Aussagen des Führers auch
zweifelhafter, er verbarg das Geheimniß oder hatte
keins.

Indeß nimmt man hier schon überall Spuren
des Kupfers wahr, das nachher in sehr weit ausgedehnten Niederschlägen in Aardal erscheint. Der Ted-
jebjerg bey Eid enthält dergleichen, und im
Amblefjord, nahe an einer Stelle, Nögle-
hullet genannt, erscheint ein dreyzölliges Trum
Kupferkies in einem glimmerreichen Quarz. Bey
Offendal zeigt man noch das Mundloch eines auf
Kupfer getriebenen Feldorts.

Wenn man sich auf dem Aardalsvand einschifft, so findet man zuerst am mittäglichen Gestade, ¼ Meile von Aardalstangen bey Brend-
berg, 3 bis 4 Schürfe zwischen den Gneißschichten,
die sehr stark nach dem Wasserbehälter einfallen.
Das Berggrün liegt in einen Quarzgestein eingesprengt im Gneiße, und hat den letztern gleichfalls
sehr oft durchdrungen. Man kann kaum zweifeln,
diese Kupferniederlage habe mit der vom Blaa-
bierg am gegenseitigen Ufer des See's in Verbindung gestanden. Aber der Einsturz des Bodens,
welcher den gegenwärtigen Wasserbehälter bildete,
gab den getrennten Stücken abweichende Neigungen.

Eine Achtelmeile weiter hinauf liegt Midnäs,

wo ein ganz gleiches Kupfergeschick erbrochen wurde.
Hier ist eine ordentliche Einsinkung auf die ebenfalls dem See stark zufallende Erzschicht niedergetrieben, welche ungefähr 2 Fuß Mächtigkeit hat.

Das Fardal in einer Richtung von Nordost
nach Südwest und nördlich über Aardal gelegen,
mit dem es beynahe unter einem rechten Winkel zusammentrifft, enthält entweder auf den einschießen-
den Gebirgskämmen oder an den davon niedergehenden Seitenwänden die Hauptgruben, welche ehemals
Aardalsvärk mit Erz versahen. Seine Eröffnung
veranlaßte ohne Zweifel selbst die Entblösung eines
Theiles der Erzlager, da die Gewässer des Flusses,
welcher auf der Sohle desselben niedergeht, mit
Kupfer geschwängert sind.

Folgende Gruben, die beyden oben erwähnten
Schürfe ungerechnet, wurden zur Zeit, als das
Werk im Umgange stand, betrieben.

1. Prinds Frederiksgrube, ¾ Meile
von Farnds, an der östlichen Thalwand, dicht
über dem Fardalselv und nahe am Aaseelv,
und am Vereinigungspunkt beyder. Der Zugang
ist durch die nach dem Fluß zu herabgestürzten Berge
sehr beschwerlich geworden. Sie ist dem Anscheine
nach auf 2 parallellaufende Lager eines mit Kalk-
trümmern durchzogenen Quarzgesteines getrieben,

reiches Berggrün, Bergblau, Kupferlasur und Kupferglaserz *) enthält. Man sagt, ehedem habe gediegenes Kupfer und Silber darin gebrochen. Die Gebirgsart ist der Gneiß. Da die Oerter nicht verzimmert sind, so ist ein Theil der Fürste eingestürzt, doch kann man noch in ziemlicher Tiefe bis zur Mündung eines Querschlages fortkommen. Die Grube ist nicht wassernöthig, da die salgerstehenden Schichten dem Tagewasser ein freyes Herabsintern erlauben. Man behauptet, zur Zeit der Englischen Administration sey die Ausbeute dieser Grube sehr bedeutend gewesen.

2. Bräkkegrube, 1¾ Meilen von dem ehemaligen Hüttenlokal, auf dem Gipfel des Gröndalsfjeld, eingestürzt und ersoffen. Die Mündung, in beträchtlicher Länge ausgebrochen, geht in Nord und Süd, die Gebirgslager streichen in Nordost und Südwest. Das Erz, nach den Halden zu urtheilen, bestand in Kupferkies, Kupferlasur und gediegenem Kupfer, wahrscheinlich in einem quarzigen Ganggestein, dem grauer Kalkspath mit ein wenig Berggrün durchdrungen beygemischt ist.

Der Reichthum der daselbst gewonnenen Erze, und die Ergiebigkeit der Grube sollen außerordent-

---

*) Das Kupferglaserz soll, einer alten Aufzeichnung nach, bey der Probe 54 p. Ct. gegeben haben.

lich gewesen seyn. Man fand Goldblättchen und
gediegenes Silber darin. Die Probieranzeigen jener
Zeit geben den Gehalt der Kupferlasur zu 40 p. Ct.,
und des Kupferkieses zu 10 bis 30 prCt. an. Die
bey dieser Grube noch stehenden Ueberreste der Tage-
gebäude beweisen die Thätigkeit und den bedeutenden Umfang des Betriebes. Uebrigens liegt sie in
einer vollkommen vegetationslosen Wüste.

3. Devregrube, ¼ Meile von Bräkks-
grube entfernt, eine der vormaligen Hauptgruben,
wie aus den hohen Berghalden und zurückgebliebenen Gebäuden erhellt: ebenfalls eingestürzt und ersoffen. Das Erz bestand in Kupferlasur, Kupferkies und Berggrün, nebst gediegenem Kupfer in
einem Quarzgestein mit vieler Hornblende.

4. Blaabjerg liegt gerade über der alten
Hütte und dem Falle des Fardalselv in das
Aardalsvand. Das Gebirge ist ein glimmerreicher Gneiß mit Hornblendelagern. Die Schichten sind 20 bis 30° nach Nordwest gesenkt, und
das dazwischenliegende Erzlager hat vermuthlich ununterbrochen eine Erstreckung von einigen Meilen
bis zum Lysterfiord. Das Erz besteht besonders
aus vielem Kupfergrün mit wenigem Kupferlasur
und einigem Kupferkies in einem quarzigen, beynahe
gränitartigen Ganggesteine von vielen, in allen
Richtungen übersetzenden Quarztrümmern durchzo-

gen. Die Grube ist zugänglich auf vielen Punkten
von Osten her, mit sich durchkreuzenden Oertern
ansehenden Bergfesten im Fallenden abgebauet; nur
die westlichen, entferntesten Baue haben aufgegan-
gene Wasser, würden aber durch einen Stollen von
Aardalsvand her sehr leicht zu lösen seyn.

Von kleinen Abteufungen und Versuchsörtern
gibt es mehrere, doch habe ich keinen davon selbst
gesehen. So hat man mir Galshul in der Ebene
von Farnäs genannt, und Aasetsskierp, auf
dem Gipfel des Berges, in dem Prinds Frederiksgrube eingetrieben ist. Eine Achtelmeile
von Bräkkegrube liegt St. Olufsskierp. Herr
Director Daldorph besuchte ihn, und er hält
ihn für einen der reichsten. Man brach vormals die
goldreichen Kupferkiese darin, welche mit gediegenem
Golde und Silber in Blättchen und der glänzend-
sten Kupferlasur die Zierde unserer Kabinette ausmachen.

Selbst bey Lövenäs im Lysterfiard,
½ Meile von Fladhammer entlegen, hatte man
angefangen reiche Kupfererzpunkte auszurichten.

Um sich einen allgemein umfassenden Begriff
von dieser Kupferabsetzung zu machen, kann man
sich ein 2 bis 3 Fuß mächtiges, von gediegenen
oder verschiedentlich vererzten Kupferarten durch-
drungenes Quarzgesteinlager denken, das zwischen

Gneißschichten ehedem den ganzen Raum zwischen dem Lyster- und Aardalsfiord und Aardalsvand einnahm, durch das Zerbrechen der Schichten aber, im Zeitpunkte, als die Fiorde sich auftbaten, die mannichfaltigen Neigungen erhielt, welche nun darin wahrgenommen werden. Die Fragmente fallen daher meistens den Fiorden und andern entstandenen Vertiefungen zu. Je näher man dem Horungen kommt, desto wagerechter werden sie wieder im Allgemeinen, so daß man wie in Arendals Umgebungen beynahe die Punkte anzeigen könnte, wo die Bewegung anfing oder vielmehr aufhörte. Selbst Fardal kann zu einem Beyspiele dieser Terrainbildung dienen; durch einen Absturz der Lager, welche nun die westliche Thalwand ausmachen, nach dem Lyster- und Amblefiord zu entstanden, zeigt es die Schichten der östlichen, welche noch mit der Centralkette zusammenhängen, in einer fast horizontalen Lage. Je näher zu den Fiorden, desto senkrechter fallen sie ein, und ganz saiger stehen meistens die einfassenden Mauern dieser Meeresbuchten auf. Ebenfalls Aardalsvand mag eine solche Bucht gewesen seyn, nun durch eine von dem Gerölle der Ströme zusammengetragene Landzunge vom Hauptgewässer getrennt.

Steigt man nun vom Fardal aus das Gebirge

öſtlich hinan, ſo tritt bey einer kleinen Brücke der Glimmerſchiefer in mächtigen Bänken hervor. Er iſt hier beſonders in der Nähe des Gneißes mit Quarz ſtark vermengt, der nicht nur ſeine innere Miſchung beherrſcht, ſondern ihn in zahlloſen reinen Knaten, Trümmern und kleinen Lagen durchſeht.

Die Horungen beſtehen, nach den Steinarten zu urtheilen, die mir davon gebracht wurden, allein aus Schichten von Hornblendeſchiefer, welche ihrerſeits ſelbſt wieder aus ſehr kleinen wechſelnden Hornblende- und Quarzlagen und zarten ſchwarzen Glimmerblättchen zuſammengeſetzt ſind. Dieſe Gebirgsart kommt ſehr häufig hier herum vor, zwiſchen Hardanger- und Hallingdal, in Balders, dem Gneiße aufliegend und mehrentheils mit reinen Quarzlagern bedeckt. Herr v. Buch glaubt, ſie ſtehe mitten inne zwiſchen Glimmer- und Thonſchiefer. Doch mag ſie eben ſo gut noch dem Gneiße angehören, deſſen ſonſt einzeln einliegende Hornblende- und Quarzſchichten hier zuſammengetroffen ſind.

Die Plattform des Aardalsfields zeigt die Spuren einer gewaltſamen Umſtürzung nur bis zu ſeinem eigentlichen Rande. Hier treten alsdann die Wirkungen einer langſamen Verwitterung ein;

ungeheuere Gneiß- und Granitblöcke, Ueberbleibsel
einer oberen Decke.

Wenn man mit dem Bergenelv ins Thal
niedersteigt, so sieht man den Glimmerschiefer langsam zum Thonschiefer werden.

Zweyunddreyßigstes Kapitel. (14)

Das Sognefjeld und Dovrefjeld.

Natur des Sognefjelds. Gulbrandsdalen. Beschaffenheit
des Dovrefjelds.

Auf dem Sognefjeld, wie auf dem Hardan-
gerfjeld, erscheint der Gneiß mit granitartigen
Anomalien. Er hört am Beverdal auf, wo er
von einem thonartigen Chloritschiefer, welcher Diallage und kleine schwarze Glimmerblättchen enthält,
bedeckt wird. Doch kömmt er wieder bey Lang-
leid mit schwarzen glänzenden und grünen Glimmerblättchen, die fortlaufende, doch von Zeit zu
Zeit unterbrochene Lagen bilden, und graulichblauen
Feldspathe vor. Der Glimmer ist zuweilen so schwarz,
und in einem solchen Uebermaße vorhanden, daß
das Gestein eine eigene Gebirgsart auszumachen

scheint. Bey Eidskaldern ist der Feldspath im
Gneiße rosenroth, und enthält eingesprengten, in
der Masse verflossenen, grasgrünen Epidot. In den
Umgebungen des Suvatten sieht man weißen
Quarz mit glänzend schwarzer Hornblende in kleinen
Körnern miteinander verschmolzen.

Endlich erscheint erdiger grasgrüner Epidot,
durchbringt den Quarz und bildet Trümmer sowohl
im Hornblendefels als im Glimmerschiefer, welcher
letztere selbst einen Theil davon in seiner Masse aufnimmt. So fährt er bis zum Ausgange des Töver-
dals fort, wo er dem Chloritschiefer und der
Chloriterde Platz macht, die nun fast alle Bergarten
an diesem Gebirgsabhange grün färbt. Die Gewässer
im Thale haben ebenfalls diese Farbe. An der Nufs-
höie sieht man wieder dünnfaserigen Gneiß mit
grünlichglänzendem Glimmer sehr quarzreich.

Das ganze Thal füllt sich augenscheinlich. Unter
den Blöcken, die seinen Boden bedecken, fällt besonders ein hohes Felsstück in der Nähe des Båver-
tunsåters auf. Der Gneiß ist darin dünnfaserig,
wellenförmig, mit dunkelgrünem Glimmer und blaß-
rosenrothem Feldspath, der in den Beugungen runde
Körner zu bilden scheint; der Quarz grünlich durch
den Glimmer gefärbt. Diese Elemente sind so wunderbar darin zusammengerührt, daß sie dem Gestein

I.　　　　　　　　　　　　33

eine täuschende Aehnlichkeit mit dem sogenannten Festungsachat geben.

Nun setzt der Thon-Glimmerschiefer *) immer längs dem Flusse fort. Er bekleidet sich mit malerischen Farben, bald mehr Thon, bald mehr Glimmer enthaltend, grünlich und roth; bey Flekke metallischglänzend, gelb und tombakbraun, wozu sich auch der Quarz mit hellrother Schattirung einmischt.

Der Juvaelv führt eine Menge Quarzgeschiebe mit häufiger, oft krystallisirter Hornblende; sein Sand besteht in den Elementen des Granits mit Chloriterde vermischt, welche seine Gewässer gleichfalls grün färbt.

Hinter Lom wird der Glimmerschiefer so quarzig, daß man den Glimmer nur in einzelnen Blättern darin erkennt; er geht endlich in dünnfaserigen Gneiß über. Zwischen Lom und Vaage enthält tiefer deutlich abgesonderte Lagen eines rothen Feldspathes mit blaulichem Quarz, die Flasern durch grünlichen Glimmer geschieden. Bey Tolstat steht Glimmerschiefer, sich einem glimmerreichen Talkschiefer nähernd, an, mit eingeschichteten Lagern

---

*) Zur Unterscheidung des verschiedenen Uebergewichts von Thon oder Glimmer in dieser Steinart, theile ich sie in Glimmer-Thonschiefer und Thon-Glimmerschiefer.

eines Quarzgesteines, das eingesprengte Hornblende-
krystalle und kleine dunkelrothe Granaten enthält.
Eine Viertelmeile davon findet sich Topfstein, ein
quarziges Gemenge mit Talkblättern, das zu Küchengeschirren und Ofenplatten verarbeitet wird. Es
taugt besonders gut zu den letztern, die, wenn sie
auch minder leicht als die eisernen erwärmt werden,
die einmal erlangte Temperatur desto länger bewahren.

Beym Hinansteigen des Blessem stößt man
auf zahlreiche Hornblendegeschiebe, die Schwefelkies
enthalten. Der Glimmerschiefer, immer sehr quarzreich, fällt meistens dem Hauptgebirge entgegen.
Am Dovrefjeld hinauf scheint er oft durch diesen
überwiegenden Quarzgehalt ein gneißartiges Gestein
zu bilden; bey Tofte liegt selbst Gneiß im Glimmerschiefer *). Auf der Gebirgsebene selbst findet
man quarzige und glimmerreiche Felsen anstehen,
die aber dem Glimmerschiefer zugehören.

Unweit Jerkin steht dieser in beynahe senkrechten Schichten an. Er wird alsdann sehr thonig,
grünlichgrau, und braun mit kleinen verwitterten
Granatlagen. Man fängt hier schon an die weit-

---

*) Der Snehättan, den man von dieser Höhe erblickt,
besteht ebenfalls aus sehr quarzreichem Glimmerschiefer.

erstreckte Gebirgsart zu ahnen, welche Foldals
und Röraas Kupferlager einschließt, und die
man in Gulbrandsdalen nur fleckenweise gesehen hat.

~~~~~~

Dreyunddreyßigstes Kapitel. (15)

Das Oesterdal.

Foldal. Kupferhütte und Gruben. Frideriksgave, oder
Louisahütte. Kupferbereitung. Gruben. Umgebungen
von Pladsen. Tranfield. Das Glommendal. Tolgen. Kupferhütte. Nahe liegende Gruben.

Während daß der quarzreiche Glimmerschiefer dem
Gneiße nahe verwandt, und ihm vielleicht aufliegend, wohl den Kern des Dovregebirges ausmacht, so bildet der Thon-Glimmerschiefer das
ganze Thal von Foldal. Zuweilen wird er reich
an Kieselerde, anderemale verschwinden Quarz und
Glimmer gänzlich aus dem Gemenge. Er enthält
Granaten verschiedener Größe und mannichfacher
Farben-Nüancen; sie finden sich vorzüglich zusammen mit kleinen Nestern von Epidot in den Schichten des in ihm eingelagerten Quarzgesteines. Sein

Streichen ist ungefähr in Nordost und Südwest mit einem sehr starken Falle nach Nordwest. Die quarzigen Schichten, von Schwefelkies durchdrungen, und mit Hornblende gemengt, mischen sich oft mit der Metallniederlage; da man gleichfalls bedeutende Nieren davon in der Erzmasse selbst antrifft, so kann man sie vielleicht als seine Gangart betrachten. Diese Erzmasse ist nur einfach; sie folgt ohne Anomalien genau dem Verhalten der Gebirgsschichten, welche sie einschließen.

Auf ihr sind alle die Gruben, welche Foldals Gruben heißen, abgeteuft; doch gegenwärtig nur 2 davon im Betriebe: Elisabeth Magdaléne und Glückauf. Eine andere, nordöstlich von der ersten, Bergmandshaab, ist verlassen.

Das Metalllager ist von sehr ansehnlicher, 1 bis 1½ Lachter starken Mächtigkeit, die an einigen Stellen bis zu mehreren Lachtern steigt. Das darin brechende Erz, dessen Kupfergehalt im Ganzen nicht über 1⅓ p. Ct. angeschlagen werden kann, ist um so ärmer, als das Lager sich gegen Südwest erweitert, um so reicher im Verhältniß seines Zusammenziehens gegen Nordost, wo es sich endlich ganz und gar verloren hat. Doch kann es hier vielleicht durch die tauben Gangklüfte abgeschnitten seyn, welche diesen Lagern überhaupt sehr eigen sind, ohne daß man sie noch hinreichend untersucht hat. Man mag

voraussetzen, daß in diesen Gegenden ein überall
gleich verbreitetes Lager von Kupfer niedergelegt,
aber zu gleicher Zeit durch ein anderes von Schwefelkies ungleichmäßig eingehüllt wurde. Das reichste
Erz findet sich überall in einzelnen Nieren von
Schwefelkies, den man daher vor dem Schmelzen
einer strengen Scheidung zu unterwerfen hat. Es
ist leichtflüssig, während die reicheren Erze von
Juliane Marie (einer andern zur Kupferhütte
gehörenden Grube) und Godthaab sich sehr
strenge bezeigen.

Elisabeth Magdalene hat unter diesen
Gruben die größte Teufe, die von 100 Lachter, ihr
Lager streicht in Nordost und Südwest mit einem
Fall nach Nordwest zuerst von 78° während 30 Lachter, alsdann 40 bis 48° in 20, und zuletzt wieder
unter der ersten Neigung. Das Erz ist weniger
kupferhaltig an den Punkten, wo diese Veränderungen vorgehen, auch nimmt der Eisengehalt zu, je
tiefer man kommt. Auch ist das Lager überall mehr
mit Schwefelkies an der Sohle als am Dache beladen. Es hat eine Art talkartigen Saalbandes
von Schwefelkieswürfeln durchdrungen, dicker am
Dache als auf der Sohle, bis zu 2 bis 3 Fuß an
einigen Stellen wachsend, mit leichter und gefahr-
voller Ablösbarkeit während dem Ausbrechen. Die

Grubenbaue werden durch 2 Stollen gelöset, der eine in 3 Lachter, der andere in 30 Lachter Teufe.

Diese Grube hängt mit Glückauf westlich zusammen. Man hatte gegen das Metalllager an einen Wasserstollen getrieben, der nach 130 Lachter Glückauf erreichen sollte; der Durchschlagspunkt wurde aber verfehlt, und das Ort in angegebener 30 Lachter Tiefe verlassen.

Die in der Nachbarschaft stehende Hütte ist nur ein Anhang zum Hauptkupferwerk von Frideriksgave. Sie enthält 2 Krummöfen: Vom geschiedenen Erz geht das reichste geradezu zur Roharbeit, die zweyte Art wird in pyramidalischen Haufen höchst langsam geröstet, durch welche Operation das Metall in der Mitte des Steines concentrirt wird, welcher alsdann Kernstein heißt. Man schlägt den taubgewordenen umgebenden Berg vom reicheren Kern ab. Dieser Kernstein bildet sich nicht, wenn sich das Schwefeleisen, welches dem Kupfer beygemischt ist, nicht in einem Zustande vollkommener Reinheit befindet; Lebererze, oder die Beymischung von Quarz oder einer andern Steinart verhindert diese Concentration. Um langsamer zu rösten, werden im Rosthaufen keine Kanäle zum Niederführen der Feuerung von oben oder zum Luftzug gestattet.

Nach der Rohschmelzung wird der Kupferstein mit 13 bis 14 Feuern geröstet, hierauf auf Schwarz-

kupfer geschmolzen, und nach Frideriksgave
zum Garen abgeführt. Das jährliche Ausbringen
dieser Hütte beläuft sich auf 30 Schiffpf. Schwarzkupfer.

Der Weg, welcher zur Grube Juliane Marie
führt, geht zwischen hohen auf dem Thon = Glimmerschiefer aufliegenden Sandterrassen fort. Dieser
enthält Lager von talkerdigen Steinarten, Steatit
und grünli⬤ Talk, den letztern nesterweise. Er
schließt ebenfalls Quarzschichten ein.

Marie Juliane Grube liegt eine halbe Meile
von Foldal. Oestlich davon ist Godthaab,
dem Dache des Lagers nahe. Zwey Schächte sind
darauf niedergeteuft, und das tiefste Gesenk reicht
auf 29 Lachter. Im Felde ist sie 70 Lachter abgebauet. Man bringt monatlich 30 Tonnen Erz aus;
es gleicht dem der andern Gruben, doch ist es etwas
reicher an Kupfer, mit Kalk gemischt, und von
mehr Lebererz verunreinigt. Das Erzlager ist auch
im Thon = Glimmerschiefer eingeschlossen mit einem
Falle nach Norden. Seine Mächtigkeit ist noch nicht
überall ganz genau bekannt, aber das Vorkommen
des Kupferkieses ist darin so unregelmäßig, daß
man keinen kunstgerechten Betrieb darauf hat ein-
richten können. Es findet sich in Nieren, zuweilen
quarziger Natur, und Kettenklüfte (vermuthlich sich
eindrängende, verworfene und aufgelöste Schichten

des umgebenden Schiefers) durchziehen in mannichfaltiger Richtung die schon von Natur gekrümmte,
vielseitig abfallende Niederlage. Ein großes Massiv
hat sie an einem Punkte ganz verdrückt, und sie
wird dazu noch durch eine gneißartige Steinkluft *)
abgeschnitten. Zuweilen bleibt nach einem solchen
Ereigniß das Erz schwach zerstreuet zurück, zuweilen
verliert es sich völlig, und findet sich nur in einiger
Entfernung wieder.

Nahe am Grimsenelv, der in den Fol-
benelv ergießt, liegt ein Pochwerk, das ebenfalls
zu Frideriksgave gehört, mit 9 Stempeln und
4 Herden, auf denen die Wäsche durch Ausziehekästen,
die von der Welle zugleich bewegt werden, geschieht.
Die Neigung der Herde war ungefähr 2 bis 3°.
Man behauptet, dies Ersparniß von Menschenhänden habe übrigens keinen nachtheiligen Einfluß auf
die Reinheit des Schlichs. Die andern Herde haben
1 Elle Breite. Dies Pochwerk gibt übrigens nach
Hrn. Daldorphs genauer Berechnung, auf die
ärmsten Erze von Godthaab allein angewandt,
nur gerade soviel Vortheil, daß sich damit die Un-

---

*) Das Gneißartige scheint außerordentlich in einem Gange.
Die metallischglänzenden schwarzen und braunen Glimmer-
blättchen ziehen sich darin ununterbrochen aneinander fort;
Quarz und Feldspath sind weiß.

koſten ſeiner Unterhaltung beſtreiten laſſen. Die
feinen Kupfertheile ſind kaum von dem einhüllenden
Geſteine zu trennen.

Friderifs-gave gehört dem Herrn Aſſeſſor
Matthieſſen in Chriſtiania, welcher ſehr
lobenswerth, der Art gewöhnlicher Hüttenbeſitzer
zuwider, nur den augenblicklichen Nutzen zu beabſich-
tigen, dies Werk nie an thätiger und zeitiger Hülfe
hat mangeln laſſen, ſelbſt bey ungewiſſen oder ſehr
entfernten Ausſichten einer Entſchädigung. Herr
Daldorph, jetzt in den weit bedeutendern Wirkungskreis von Röraas verſetzt, hatte ſchon hier
zu zeigen Gelegenheit gefunden, was Verfahrungsart und ſorgfältig beachtete Details ſelbſt über die
undankbarſten Geſchicke vermögen.

Das arme Erz von Foldals Gruben wird, wie
geſagt, zu einem Kernſtein concentrirt; dieſer enthält 4 p. Ct. Kupfer. Der gemeine kupferhaltige
Schwefelkies aber (d. h. derjenige, welcher von ½
bis zu 1½ p. Ct. Kupfer hält) wird wie gewöhnlich, doch langſam und wohlbedeckt, das Erz von
Godthaab dagegen, das 10 Schiffpf. Kupfer auf
100 Tonnen Erz, oder 3 p. Ct. gibt, mit einem
ſtarken und offenen Feuer geröſtet, um nicht zu viel
Schwefel einzubüßen, deſſen es überhaupt nur wenig
zum Verſchlacken des darin enthaltenen Eiſens enthält. Das Erz von Vingeln (einer bey Tol-

gen gelegenen Grube), welches ungefähr mit dem von Foldals Gruben übereinkommt, wenig Eisen und Schwefel, nicht mehr als zwischen ½ und 1½ p. Ct. Kupfer enthält, im Quarz und Glimmer eingesprengt ist, kann mit keinem Nutzen zu einem Kernstein concentrirt werden. Godthaabs armes Erz (zu ½ p. Ct.) wird verpocht und gewaschen; der daraus herkommende Schlich enthält 6 p. Ct. Aber es geht $\frac{9}{10}$ von dem Ganzen verloren.

Zur Röstung von Foldals und Vingelns Erze in freyen Haufen von 100 bis 150 Tonnen besteht das unterste Bett in einer Schicht Schnittholz von ¼ Elle Höhe, 6 bis 8 Ellen Breite und 20 bis 30 Länge, worauf man den Stein zu Stücken von Faustgröße zerschlagen, aufstürzt, die größten immer dem Holze zunächst. Man bedeckt hierauf das Ganze mit zerkleinten Schwefelkies zur Dicke von 2 bis 3 Zollen. Diese Röstung dauert 9 bis 10 Wochen unter einer unabläßigen Aufsicht, damit die Entzündung gleichförmig fortschreite: sonst geht sogleich bey der ersten Schmelzung viel Kupfer in die Schlacke, und das Eisen bleibt im Steine zurück. Godthaabs Erz wird allein mit Kohlenlösche bedeckt.

Man hält für die vortheilhafteste Gattirung zum Satze, wenn man $\frac{1}{12}$ Schlich, $\frac{2}{12}$ Godthaab-, $\frac{4}{12}$ Vingeln-, und $\frac{5}{12}$ Foldals-Erz mengt.

Man füllt den Ofen zuerst mit Kohlen bis zum Satzraum; hierauf gibt man 2 bis 4 Tröge alte Schlacken auf, dann 1 Korb Kohlen (4 auf 1 Tonne), zuletzt 2 Tröge des Erzsatzes. Wenn diese wieder bis zur Aufsetzmauer niedergeschmolzen sind, so wird eine völlige Gicht aufgegeben, welche aus 6 Trögen Erz und 2 Körben Kohlen besteht. Einige Modificationen im Verhältnisse können nach dem verschiedenen Gange des Ofens statt finden. Gewöhnlich schmelzt man in 24 Stunden 28 bis 30 solcher Gichten durch.

Beym Steindurchstechen enthält jede Gicht 2 bis 4 Tröge gahrgerösteter Leche mit einem Zuschlage von Schlacken nach Verhältniß der Beschaffenheit des Kupfersteins und des Ganges der Schmelzung.

Die Oefen, deren man sich hier bedient, sind 2 sogenannte Hohöfen (oder vielmehr halbe Hohöfen), von 5 Ellen Höhe von der Form bis zur Aufsetzmauer,

hintere Weite 1¾ Ellen,
vordere   —   1¼ —
Länge . .   1½ —

Die Einführung dieser Hohöfen wurde von Herrn Daldorph, allen Schwierigkeiten zum Trotz, zu Stande gebracht. Der, welcher zur Rohschmelzung dient, gibt nach der genauesten Berechnung, 50 p. Ct. Vortheile über die Krummöfen. Zum Steindurch-

stechen hat man sich doch noch der letzteren bedient,
ob der Hohofen gleich auch hierin einige Vortheile
darbieten soll. Man kann es überhaupt als ausgemacht ansehen, daß der Kupferofen um so höher
erbauet werden müsse, als der Eisengehalt des Erzes
stärker ist, hohe und enge Oefen befördern die
Schmelzung. Vor Ankunft des Hrn. Daldorphs
behauptete man das Gegentheil, und hatte sich ein-
gebildet, das schwierige Schmelzen von Frideriks-
gaves Erzen rühre daher, daß der Ofen nicht weit
genug sey. Aber beym angestellten Versuche der Erweiterung ging gar kein Schmelzen mehr vor sich,
und die zusammengebackene Masse müßte klumpen-
weise herausgerissen werden.

Der Sohlstein liegt vollkommen wagerecht,
½ Elle unter der Form, welches sehr vortheilhaft
in diesem besondern Falle scheint, wo das Erz so
sehr mit Eisen überladen ist, so wie ebenfalls bey
sehr strengen Geschicken, wo der Ofen unten so eng
als möglich gehalten werden muß.

Die Schicht der Schmelzer beym Hohofen ist
von 12 Stunden. Dies scheint für eine so beschwerliche Arbeit zu lang, doch nothwendig, um die vor-
gegangenen Fehler und Nachlässigkeiten gehörig controlliren zu können.

Der Kupferstein wird in Röststätten von 4½ Elle

Länge, 2 Höhe und 2½ Breite, mit 10 bis 12 Feuern zur Schwarzkupferarbeit geröstet.

Man saigert auf Garherden von 1½ Ellen Durchmesser. Die Form hat hier ungefähr ein Stechen von 4°, während dies bey den Schmelzungen fast unmerklich (¹⁄₁₆) ist. Die Schmelzsohle wird aus ⅓ Gestübe und ⅔ Thon geschlagen mit einiger Vermehrung des erstern, wenn im Kupfer noch viel Eisen zurückgeblieben ist, welches sich sonst an den Thon anhängt. Da es sich, aller Vorsicht ungeachtet, doch zuweilen ereignet, daß die fließende Metallmasse den Herd durchbricht, so hatte Herr Daldorph im Sinne, einen aus Topfstein zuzurichten.

Zu der ganzen Kupferbereitung ist der Aufgang von Kohlen 1⅓ Last auf 1 Tonne Erz. Frideriksgave besitzt keine eigene Wälder, sondern muß seine Brennmaterialien aus den Gemeindeholzungen nach jedesmaliger Uebereinkunft mit den Eigenthümern ziehen.

Man hat hier ebenfalls aus den Schlacken Steine zu formen versucht; sie zerfielen aber von selbst nach dem Erkalten. Vielleicht enthielten sie nicht genug Kupfer und Eisen im metallischen Zustande.

Alle zu Frideriksgave gehörigen Gruben zusammen liefern jährlich 2500 Tonnen Erz, woraus auf 100 Tonnen 8 Schiffpf. Garkupfer, also ungefähr 200 Schiffpf. ausgebracht werden.

Ehedem waren noch einige auf dem Tronfield und Faadalskletten gelegene, sehr wassernöthige, und deshalb nun verlassene Gruben im Betrieb. Die erste befand sich in einem Glimmer-Thonschiefer mit Quarztrümmern und Nieren durchdrungen; das Erz bestand in einem braunen Schwefelkies mit kleinen Kupferkieskörnern eingesprengt. Die andere lag in einer ähnlichen Gebirgsart mit gleichem Erz.

Von größerer Wichtigkeit für die Hütte war ehedem die Grube von Rödal, von Frideriksgave 3¼ Meile entfernt, auf dem östlichen Abhange des Rödalskletten und einer Metallniederlage getrieben, die man immer für einen Gang gehalten hat. Nach Aussage alter Grubenarbeiter war darauf 20 Lachter abgeteuft, der Gang 2 bis 3 Lachter mächtig, und 60 Lachter in der Länge aufgeschlossen. Sein scheinbares Streichen ist in Nord und Süd, sein Fallen westlich über 80°, während der Thon-Glimmerschiefer, in dem er liegt, in Nordost und Südwest streicht. Das Erz gleicht dem allgemein hier vorkommenden, doch mit größerem Kupferreichthum, in einem quarzigen Gesteine eingesprengt, das endlich in der Teufe und im Felde zugleich verschwand. Der reiche Kupfergehalt veranlaßte die

Ansetzung eines Stollorts, das man ihm zu oder
vielmehr, dem Anschlage nach, unter ihm wegge-
trieben hat, ohne doch wieder Erzpunkte auszurichten.

Die Stelle, wo diese Grube gelegen, ist übrigens eine der Gebirgswüsten Norwegens, von wüthenden Stürmen heimgesucht, die oft Steine losreissen
und weit fortschleudern. Man sieht von dem Gipfel
den langen Sevelensöe. Beym Niedersteigen und
längs dem Foldenelv steht reiner Thonschiefer
an, der tiefer hinab in Chloritschiefer übergeht;
doch bald erscheint der Glimmerschiefer wieder mit
schönen Granaten vermengt. Man bricht gute Mühlensteine darin, deren Gebrauch von hohem Preise
der von Selboe kommenden, nun sehr allgemein
und beliebt gemacht ist. Der Quarz ist in kleinen
Lagen, ja nesterweise darin, welches die Unannehmlichkeit hat, daß dieser ungleichen Verbreitung der
Kieselerde wegen die Granaten nicht fest genug sitzen.

Man findet auch etwas tiefer als den Straalsjö
mächtige Topfsteinlager im Thonschiefer, worin gleichfalls Brüche zur Verfertigung von Küchengeschirren
und Ofenplatten angelegt sind. Dieser Topfstein
ist einer gewissen Politur empfänglich, und ich habe
1813 auf Pladsen ein Grabmonument zu-
gehauen gesehen, dessen zusammenhängende Masse
und scharfe Umrisse es werth machten, den Kunst-

I: 34

werfen aus Hiellebek s Marmor gleichgestellt
zu werden.

Noch näher Pladsen erblickt man dreyfach hintereinander aufsteigende Sandterrassen. Darunter
liegen zuweilen Schichten von Thon, aber so sehr
mit Kalk vermischt, daß sie zur Töpferey untauglich sind. Der Foldeneld rollt mit seinen Gewässern viele Granitblöcke, deren Ursprung mir
unbekannt ist.

Herr Director Daldorph hat sich die Mühe
gegeben, den Graphit, den man auf dem Tronfield ausgräbt, benutzbar zu machen. Er soll im
Thonschiefer nierenweise von ½ Lachter Durchmesser
brechen, in einer Ausdehnung von über 50 Lachter.

Der Sölnenaae gibt der Hütte das nöthige
Aufschlagewasser. Da ein wohl erbauetes und be-
decktes Gefluder von 110 Lachtern Länge das Wasser
vor dem Gefrieren schützt, so könnte; wenn weder
Kohlen noch Erz fehlten, die Hütte das ganze Jahr
hindurch im Gang bleiben. Allein so viel Vorsicht
auch angewandt wird, so ist das Eisen doch im Erze
mit einem solchen Uebergewicht herrschend, daß man
die Schmelzung nicht länger als 14 Tage hindurch
fortsetzen kann, worauf die Eisensauen herausge-
brochen werden müssen.

Die Umgebungen von Pladsen bestehen in
beynahe reinem Thonschiefer, nur einen unmerk-

lichen Glimmerantheil enthaltend. Er ist hier besonders durch den Sølnenaae entblöst, der sich
darin ein tiefes Bett gewühlet hat. Er steht in
mächtigen südwestlich beynahe 40° fallenden Schichten an. Seine Mischung ist reiner und einförmiger
in der Tiefe, oben ist er von Quarzlägern oft unterbrochen.

Bey Queeberg, 1 Meile von Pladsen,
liegt Svartaasen am östlichen Ufer des Glommen. Er besteht in Schichten von Quarz mit ein
wenig rothem Feldspath und seltenen, zarten Lagen
silberweißen Glimmers. Dazwischen liegen häufig
schmale Lagen Magneteisenstein von ¼ bis 1 Zoll
Dicke. Wo der Quarz und das Erz sich zu größeren
einzelnen Knollen verbunden haben, bildet auch das
letztere Körner und kleine Nieren.

Ehemals verschmolzen einige Bewohner des
Districts, das sonst sich in den höheren Gegenden
häufig vorfindende Morasterz auf Osmundherden. Es
gibt noch eine kleine gedruckte Schrift zum Unterricht der Landleute in diesem Hüttenbetriebe, der
nicht ganz unbedeutend gewesen seyn soll.

Mehrfach hintereinander an das Urgebirg an-
steigende Sandterrassen belehren auch um Pladsen
herum sehr gut über die Natur dieses sonderbaren
Niederschlages. Die atmosphärischen Einflüsse haben
ihnen wenig Abbruch gethan, nur Flüsse und Bäche,

wie der Sölnenaue, haben sie durchwühlt. Sie bestehen gänzlich aus aufgelösten Quarztheilen mit Geröllen von nahe oder entfernt anstehenden Bergarten gemengt *). Dieser Sand füllt alle Räume und Klüfte zwischen den Bergen aus, wovon keine Gewässer niedersteigen bis zu 100 und 200 Fuß Höhe und in meilenweiter Ausdehnung.

Das Tronfield besteht in Glimmerthonschiefer, der zum Theil in Chloritschiefer übergeht. Der Chlorit findet sich sehr häufig in zarten glänzenden Blättchen in Quarzdrusen verschlossen, oder durchzieht in Trümmern die im Schiefer einliegenden Quarzlager. Vom Vorkommen des Graphits habe ich schon oben gesprochen. Der untere Theil seiner Nieren ist immer unrein, thonartig; das Gabbrogestein, welches sich auf dem Tronfield findet, ist aus grobkörniger, gewöhnlich grünlichgrauer Diallage,

---

*) Es sind Quarzblöcke mit Glimmer und Chloriterde, rother Feldspath, Hornblende, vollkommen charakterisirter Granit; ein schöner Syenit mit kleinen schwarzen Hornblendekrystallen in weißem Quarz und Feldspath mit violetten Granaten gemengt. Die oberen Schichten bestehen vorzüglich aus kleinen reinen Quarzkörnern, perlenweißen Glimmerblättchen und sehr kleinen Hornblendekörnern, mit einem feinen gelblichen Staube gemischt, wahrscheinlich aufgelöstem Feldspath, also den Elementen des Granits und Syenits.

grünem, weniger herrschendem Feldspath, grünen Talkblättchen, Glimmer und eingesprengten Magneteisenstein zusammengesetzt. Es soll allen andern aufliegen, und besonders das oberste Tronäs bilden.

Die Ufer des Glommenflusses bieten nichts merkwürdiges dar, bevor man Tönset. erreicht. Der Weg ziehet sich mehrere Meilen lang am Fuße steil einstürzender Glimmer - Thonschieferfelsen weg. Man sieht darin bey Strömmen schöne Granat-Dodekaeder. Hier stehen auch die Ruinen einer alten Kupferhütte, die ebenfalls zu Röraas gehörte. Alsdann erscheint der Faasten *) und viele Blöcke von schwarzem Kalkstein liegen am Wege. Der Thonschiefer setzt ununterbrochen fort mit häufigem Uebergang in Chloritschiefer. Nieren und unförmliche Massen eines weißen Quarzes sind darin angehäuft, und man findet oft Gruppen Chloriterde,

---

*) Dieser Berg ist ziemlich merkwürdig. Er enthält chromsaures Eisen, nesterweise zwischen talkerdigen Fossilien gelagert, welche das Verhalten des Topssteines haben, einem glänzenden Thonschiefer aufliegend. Man baute diesen Eisenstein, den man für einen Magneteisenstein hielt, ab, um ihn in der Eisenhütte von Losie zu verschmelzen. Aber er war so streng, daß man den Versuch aufgeben mußte. Herr Esmark entdeckte zuerst die wahre Natur desselben.

welche die kleineren Quarzanhäufungen mandelsteinartig einhüllt.

Tolgen, eine Kupferhütte zu Röraas gehörig, ist der Sorgfalt des Hüttenschreibers Irgens anvertraut, dessen Talent und redliche Aufmerksamkeit man auch im kleinsten Detail wieder-
erkennt.

Ich besuchte Bingeln Grube, nur 1 Meile
von Tolgen, wovon der eine Theil zu Foldals,
der andere zu Röraas Kupferwerk gehört. Sie
liegt auf dem Scheitel des Rödsvoald, aus
Thonschiefer bestehend, der auch stellenweise chlorit-
artig wird, und wie am Sognefield Epidot
eingesprengt enthält. Seine Schichten stehen entweder saiger, oder fallen stark nach Westen ins Gebirge hinein. Die Metallniederlage von geringer
Mächtigkeit liegt zwischen demselben, und ist ein
Quarzgestein, worin der Schwefelkies mit sparsamen Kupferpunkten eingesprengt liegt, sich oft
zwischen den Thonschieferblättern zerstreuend.

Nördlich ist das zu Röraas gehörige Ort,
Röessfurs, das auf den ersten Anblick keinen
andern Zweck gehabt zu haben scheint, als die Gru-
benarbeit der Foldalschen Administration nicht zu
weit fortschreiten zu lassen. Es ist zwischen den
rauhen Thonschieferschichten eingetrieben, ohne bis
jetzt zum Erzlager gelangt zu seyn, denn offenbar

hat man sich zu sehr westwärts gehalten. Nun weicht
man durch einen Querschlag östlich von dieser Richtung und rückt einer alten Einsinkung zu, die im
Felde des Baues von Foldalen liegt. Röraas
hat Foldals Kupferbetrieb überhaupt, immer als
seinem Interesse sehr schädlich betrachtet, welches
auch in Hinsicht auf seinen immer zunehmenden
Holzmangel für ungemacht gelten kann. Mehrmals,
wiewohl immer vergeblich, hat man daher an der
Vereinigung beyder gearbeitet.

In der Nähe von Tolgen, mittäglich von
Tolgenelv, findet man im Thon = Glimmerschiefer ein Lager von Kalkstein, rauchgrau, blätterig,
mit einigen Glimmerblättchen.

~~~~~~

Vierunddreyßigstes Kapitel. (16)

Röraas und seine Umgebungen.

Natur des Bodens. Kupferhütte. Die dazu gehörigen Gruben. Hüttenarbeit.

———

Die Umgebungen von Röraas liefern eine bewunderungswürdige Mannichfaltigkeit von losen Blöcken und Gerölle. Gebirgsarten, die dem Boden, welchen sie jetzt bedecken, mehrentheils ganz fremd sind, Porphyre und Breccien mit Quarzeige, den Petroflexporphyr von Elfdal, Mandelsteine mit Trappbasis, das Quarzconglomerat von den Umgebungen des Fämundsöe *), Feldspathe und Hornsteine,

———

*) Dieß Conglomerat, das ich nicht anstehend, sondern nur in großen Blöcken am westlichen und südlichen Rande des See's gesehen habe, besteht aus kugelförmigen, verschiedentlich großen Fragmenten eines weißen Quarzes und

derbe Hornblendemassen, an den Kanten durchschei-
nende, edle Serpentine, asbestartige Strahlsteine,
Steatit und grünen Talk. Wahrscheinlich waren sie
ursprünglich in der Sandniederlage eingewickelt, und
wurden von den Gewässern herausgewaschen. Eine
Fluthenbewegung von Osten her, wo die meisten
davon um der Schwedischen Gränze herum anstehen,
mußte diese Materialien hieher geführt haben.

Die herrschende Steinart ist immer ein mehr
oder minder thonhaltiger Glimmerschiefer, der oft
zum Chloritschiefer wird. Der Quarz kommt häufiger
nester- und trümmerweise als in Schichten vor.
Gewöhnlich findet man Granaten nur in derjenigen
Teufe, welche die Gruben erreicht haben. Bey
Quernskalet, ¾ Meilen von Röraas, steht
ein Alaunschiefer an, stark mit Schwefelkies durchdrungen, vermuthlich eine Anomalie des nämlichen
Thongebildes.

Nördlich über der Stadt, und beynahe am Gipfel
des Abhanges, an den sie angebaut ist, haben die
Gerölle, von Thon zusammengebacken, ordentliche
Lager von 10 bis 12 Fuß Mächtigkeit gebildet, auf

---

gemeinen rosenrothen oder lillafarbenen Feldspathes, in
einer quarzigen feldspathreichen Grundmasse liegend, welche
auch zugleich Stücke eines grünlichen dichten Feldspaths
einschließt.

dem Sande aufliegend, der sie ebenfalls mit einer Fuß hohen Schicht bedeckt. Man braucht diesen Thon zum Zumachen der Schmelzöfen, da er schon hinreichend mit Sand gemischt ist. Dieser Sand, wovon ebenfalls Ueberreste ehemaliger Terrassen in der Tiefe des Thales und längs dem Bette des Flusses anstehen, ist auch hier fleckenweise mit Thonniederlagen überdeckt, welche sich wie isolirte, doch wenig von einander entfernte Hügel darüber verbreiten. Die feinern Theile, von den Stürmen beweglich gemacht, dehnen ihre Herrschaft jedes Jahr mehr zum größten Nachtheile der Vegetation als Flugsand aus, gegen den jede der gewöhnlichen Anpflanzungen bis jetzt noch vergeblich angestrebt hat.

Das Kupferwerk von Möraas mit den dazu gehörigen Gruben, seit 1678 von einer Gewerkschaft betrieben, gab lange Zeit hindurch eine sehr bedeutende Ausbeute. Die Verminderung des Kupfergehalts im Erz, wachsende Hindernisse, die zur Unterhaltung der Arbeiter nöthigen Gegenstände herbeyzuschaffen, die zugleich immer zunehmende Anzahl dieser zu ernährenden Personen, mehrere kleinere Umstände, die zusammengenommen in weitgreifenden Administrationen mächtig wiegen, brachte in den letzteren Jahren das ganze Werk seiner Auflösung nahe. Man wandte sich daher an die Regierung, um von ihr eine außerordentliche Unterstützung zu erhalten, worauf 1813 eine Commission niedergesetzt wurde, um vorher den Zustand dieses Werks genauer zu untersuchen. Nur zum Theil konnten so weit umfassende Gegenstände im kurzen Sommer abgethan werden. Die veränderte Ordnung der Dinge unterbrach vollends die Arbeiten, und eine neue Commission mußte 1816 in T r o n d - h i e m zur Abschließung zusammentreten.

Da alle Kupfererzniederlagen, welche für R ä - r a a s Hütte abgebauet werden, von gleicher Natur sind, und im nämlichen Niveau liegen, so kann man füglich annehmen, sie seyen eigentlich nichts als zerstückelte Theile eines und desselben Erzlagers. Von M u g s k u r f e t aus, einem der darauf eingetriebenen Baue, sieht man alle anderen, S t o r - w a r t s g r u b e, K o n g e n s g r u b e, G r ö n s k a - l e t, in gleicher Höhe mit dem Standpunkte. Dies Erzlager ist eine Schicht von Schwefelkies mit vielem Lebererz und mehr oder weniger Kupferkies, dem eigentlichen Gegenstand des Bergbaues, gemischt. Sie liegt im herrschenden Than-Glimmerschiefer, der auch in kleineren Lagen, Gängen, Trümmern und Nieren die Metallniederlage häufig durchsetzt.

Diese einzelne Fetzen werden unter folgenden Benennungen abgebauet.

1. N y e S t o r w a r t s g r u b e, 1644 entdeckt,

nordöstlich von Röraas ¾ Meilen entfernt. Sie
liegt auf dem Kamme einer sanften Anhöhe, deren
Umrisse schon vom Verhalten des darunter befindlichen Erzlagers einen Begriff machen können. Man
nimmt ein angebliches Streichen in Nord und Süd,
dem Hauptfallen von 7 bis 8° nach Osten, entgegen-
gesetzt an, aber da das Lager sich eigentlich vom
Gipfel des Hügels nach mehreren Seiten, wie nach
Osten, so auch nach Süden hinunter neigt, so kann
man sich keine anschaulichere Vorstellung von diesem
Vorkommen machen, als wenn man sich ein aus-
gespreitetes Tuch denkt, das einem darunterliegenden abgerundeten Kerne auf allen Seiten genau
anschließt. Daraus entstehen mehrere wellenförmige
Beugungen, die besonders an den Punkten der
Wechsel und ihres Wiederaufsteigens auf die Mächtigkeit des Lagers, gewöhnlich von ⅓ bis zu 1 Lachter, Einfluß haben.

Ohne das Saalband zu zeigen, das mehreren
Norwegischen Erzlagern zukommt, trifft man doch
an einigen Stellen einen Kettenbesteg, und das
metallführende Gestein löset sich meistens sehr rein
von den einschließenden Schieferlagern ab, welche
selten von Erztheilen durchdrungen sind. Stärker
sind sie es, wo das Erz sich in Knollen und Nieren
zusammenzieht, welches den Grubenarbeitern zu einer
Anzeige dient, daß der Schwefelkies überhand nehme,

oder daß die ganze Metallniederlage sich bald zertrümmern werde. Die reichen Erzpunkte finden sich
hier wie in Foldal, ohne Unterschied bald im
Dache bald an der Sohle.

Mehrere Lettenklüfte, deren Anzahl und Verhalten übrigens nicht völlig bekannt sind, durchsetzen
sie von Nordwest nach Südost. Diese Steingänge
führen ihr auch die Tagesgewässer zu, die sonst das
fest zusammenhängende Glimmerschieferdach undurchdringlich aushält.

Die Grube ist vorzüglich in ihrem sogenannten
Fallenden 420, im Streichen nur 230 Lachter getrieben. In den entferntesten Gebäuden auf dem
erstern hat man das Erzlager verfahren, und befindet sich jetzt wahrscheinlich unter demselben. Da
die Erzanzeigen in den neueren Zeiten immer mehr
abgenommen haben, so kann man Versuchsörter
nicht genug anempfehlen.

Der sanfte Fall des Lagers, den nur selten
stärkere 3 bis 4 Lachter weite Sprünge unterbrechen,
hat den Grubenbau äußerst bequem gemacht, man
geht nach allen Richtungen mit durchkreuzenden
Oertern und Strecken ein, wodurch es auch möglich wird, die innere Grubenförderung durch zwey-
rädrige mit Pferden bespanute Karren ins Werk zu
stellen. Die Förderniß zu Tage geschieht vermittelst
zweyer Treibschächte durch Kehrräder, deren Auf-

schlagewasser vom Beekjernen kommt, einem von der Grube ⅓ Meile entfernten Wasserbehälter, denn sie selbst aus anderen noch höher liegenden, dem Klett- und Dybkjernen zuflossen. Ein dritter Schacht ist noch am äußersten Punkte der jetzigen Grubengebäude bis zur Teufe von 22 Lachter niedergesunken, und hat außer der Grubenfördernniß noch die Bestimmung, über das Nichtdaseyn eines zweyten untern Kupferlagers vollkommen zu beruhigen, wovon übrigens bey diesem Bergbau noch kein Beyspiel vorgekommen ist.

Der Thon-Glimmerschiefer enthält hier auch schöne vollkommen krystallisirte Granaten von sehr ansehnlicher Größe; schwarzer Glimmer in Gruppen und kleinen Lagen wechselt zuweilen mit dem Quarz, der ihn in Nieren und Trümmern durchdringt. In diesem letztern trifft man Bleyglanz. Es finden sich auch Serpentinabsetzungen darin, wovon eine unweit der Grube eine ganze Kuppe bilden soll, Oester Rödhammer genannt, gleichfalls serbekartiger, langfaseriger Asbest im Hügel Kletten, 1 Meile von Storwartsgrube.

Diese wird noch durch ein auffallend schönes und bequemes Zechenhaus oder vielmehr Wohnhaus für die Grubenarbeiter merkwürdig, welche hier in dieser Rücksicht einer sorgfältigeren Aufmerksamkeit bedürfen, als unter irgend einem andern Himmels-

striche. Dies ganz aus großen 1 Elle dicken Felsstücken erbauet, mit 80 Ellen Länge und 22 Breit,
hat für 268 Personen Raum. Die Bergleute hingen
im Anfange sehr fest am Vorurtheil gegen gemauerte
Wohnungen; doch hat nun eine mehrjährige Erfahrung sie damit ausgesöhnt. Man heizt es durch
einen Ofen, und ein doppeltes Kamin, die ebenfalls zur Bereitung der Speisen dienen. Auch ist
das Gebäude wohl erleuchtet, welches immer mehr
als man sich vorstellt, zur Reinlichkeit, zum physischen
und moralischen Wohlseyn beyträgt. Die Arbeiter
beobachten hier unter sich selbst eine Art Polizey,
und strafen geringe Uebertretungen der eingeführten
Regeln, kleine Diebstähle u. s. w. ohne weiteres
selbst ab.

2. Kongensgrube, 1¼ Meile von Röraas,
wurde 1736 entdeckt. Sie liegt auf dem Gebirge,
das die westliche Thalwand des aus dem Oeresund
hervorströmenden Glommen bildet, und am Gipfel
einer sanften Erhebung, deren nördlicher Fuß vom
Arosis bespült wird.

Ihr Erzlager hat eine veränderliche südliche Neigung. Die Baue sind besonders in der entgegengesetzten Streichungslinie fortgebracht, da das Erz
im Fallen sich zertrümmert, oder rein abgeschnitten
ist. Die größte Erlängung des Feldes ist von
420 Lachtern, das Lager ist zwischen ¾ und 1½

Lachter mächtig. Das Lebererz zeigt sich in der Erzmasse mit besondern wellenförmigen und zirkelartig gebogenen Kreisen.

Der Glimmer-Thonschiefer, beynahe reiner Thonschiefer, macht die herrschende Gebirgsart aus, aber es liegt dem Erzlager ein Dach von Quarzgestein auf, mit kleinen Glimmerpunkten durchdrungen, welche Decke von dem Erzlager durch eine Art glimmerreichen Saalbandes abgesondert ist. Dies Gestein bildet ebenfalls auf die nämliche Art umwickelte und eingehüllte Nieren, welche in das Metalllager eindringen, sich darin zu einem Umfange von 2 bis 3, ja bis zu 20 oder 30 Lachtern Durchmesser und zu einer regelmäßig eyförmigen Gestalt ausdehnen. Außerdem hat diese Grube eine von Ostnordost nach Westsüdwest aufsetzende Kettenkluft, welche das ganze Metalllager durchstreicht und ihr die Tageswasser zuführt. Sie hatte das Erzlager völlig abgeschnitten, man richtete dies 1791 mit Durchschlägen wieder aus, aber jenseits dieses verschiebenden Kammes bedeutend gesenkt. Hier zeigen sich übrigens die edelsten Erzpunkte.

In dieser, wie in Storvartsgrub, ist die Handscheidung im Innern der Grube besonders anzurathen, da daselbst so große Räume das taube, nun mit dem Erz zugleich geförderte Gestein, selbst zum Bergfestenbau anwendbar, aufnehmen können.

Die Gewältigung der Gewässer ist sehr unvollkommen und zusammengesetzt, geschieht in den entfernten Oertern durch Handpumpen, alsdann durch eine innere Roßkunst, und sie werden endlich unter einem 30 Lachter tiefen Schacht von einem Kehrrade von 34 Fuß Durchmesser (mit einem Feldgestänge von 2000 Fuß Länge), welches ebenfalls zur Erz- und Bergförderung dient, zu Sumpfe gehalten. Die Aufschlagewasser kommen dem Zeuge vom Storsjö zu. Für den Fall, daß es nicht zur Förderniß hinreiche, ist über dem Schachte noch ein Pferdegöpel erbauet.

Eine sehr gute Wohnung für den Steiger ist hier neuerdings eingerichtet. Doch muß auch an eine für die Grubenarbeiter gedacht werden, da die jetzige nun bald zusammenstürzen wird.

Auf den umliegenden Anhöhen steht der Glimmerschiefer mit viel Quarz und Glimmer, in wagerechten Schichten an. Gneiß findet man hier blos in losen Blöcken, ob er gleich nördlicher im Thale nach Dragaashytte hinauf mit dem Glimmerschiefer wechselt, oder vielmehr Glimmerschieferlager enthält.

3. Mugskurfet. Nordwestlich von Kongensgrube, ½ Meile entfernt, und im nämlichen Gebirgszuge, auf einem ähnlichen Erzlager getrieben, dessen Schwefelkies doch reicher an Kupfer,

I.   35

gruppen- und trümmerweise im Glimmerthonschiefer vorkömmt. Man kennt hier nur eine einzige Kettenkluft, in Nord und Süd streichend. Das Erzlager fällt nach Westnordwest, zuerst 5 bis 6°, dann stürzt es sich bis zu 25 und 30° von einer Mächtigkeit zwischen ⅙ und ¾ Lachtern, doch mehrentheils von ⅓, oft von großen Quarznieren beengt, plattgedrückt, oder beynahe ganz abgeschnitten. Es ist in seinem Streichen in Süd und Nord 60 Lachter lang abgebauet, im Süden verschwindet das Kupfererz, ist doch mehr anhaltend in Norden, im Fallen hat man 200 Lachter lang Erzpunkte darauf ausgerichtet.

Ebenfalls hier, wie in Kongensgrube, wird das Erz nicht kupferreich, bis man zu einer gewissen Teufe gelangt ist, wo sich eine kupferhaltige Zone von 30 bis 40 Lachter Breite im Streichen auszubehnen scheint. Gegen Norden gibt es einzelne sehr reiche Anbrüche, man hat aber nicht gewagt, sie weiter zu verfolgen, da heftig hervorspringende Wasserstrahlen die Nähe eines ansehnlichen inneren Wasserbehälters fürchten lassen.

Die innere Gewältigung der Grubenwasser ist nicht minder künstlich als in Kongensgrube, man schöpft sie zuerst und fördert sie in getragenen oder gefahrenen Tonnen, erhebt sie alsdann durch Handpumpen und einen Pferdegöpel, worauf sie

sich in einen Stollen ergießen. Man hatte zur Erleichterung der Arbeit und Verminderung der Kosten
vorgeschlagen, einen zweyten Stollen anzusetzen, der
die tiefsten Grubengebäude lösen könnte. Aber Be-
rechnungen haben erwiesen, es sey ungleich vortheilhafter, einen Schacht an einer passenden Stelle
(ungefähr 12 bis 1600 Fuß vom Mundloch der
Grube) abzusinken, wo ein Kehrrad durch Gewässer
getrieben werden könnte, die auf einer nahe gelegenen Anhöhe, Skalet genannt, zu sammeln
wären.

· Da das Erz dieser Grube mehr als jedes andere
im Ganggestein eingesprengt liegt, so verspricht die
Anlegung eines Waschwerks in der Nähe der Grube
bedeutende Vortheile.

4. Grönskalet, 5 Meilen von Röraas und
eben so weit von Dragaashytte, in Tydal
gelegen unter dem Kjölengebirge und nahe an
Norwegens Central-Plattform. Das Erzlager
wurde schon im Jahre 1745 entdeckt, aber nicht
eher als 1801 für Röraas-Werk in Betrieb gesetzt.
Es stimmt in seinem ganzen Vorkommen mit allen
eben beschriebenen überein. Das Erz ist dem von
Mugskurfet am ähnlichsten. Doch scheint die
Metallschicht vermittelst einer lokalen Umwälzung
in mehrere miteinander parallellaufende Bande, wovon man bis jetzt 5 entdeckt hat, zerbrochen zu seyn.

Seine liegt über der andern, noch gibt es überhaupt irgend eine andere ihnen aufgesetzte Materie, eine Magneteisenstein-Niederlage *) ausgenommen.

Das Hauptlager neigt sich ungefähr 30° westlich, also dem Gebirgsrücken zu. Seine Mächtigkeit hält sich zwischen $\frac{3}{16}$ und $\frac{5}{8}$ Lachter, oft von großen Quarz- und Thonnieren unterbrochen. Man hat darin mehrere unregelmäßig getriebene Feldörter bis 50 Lachter Teufe fortgebracht. Es waren 9 Arbeiter angelegt. Die Erz- und Bergförderung geschah vermittelst eines Pferdegöpels durch Hunde. Dies Mittel wird immer schwerkostiger, ja endlich bey zunehmender Teufe der Grubengebäude unmöglich werden. Die Absinkung eines Schachts scheint eben so schwierig, da das Lager dem Gebirgsabhange entgegenfällt. Bis jetzt ist die Grube nicht wassernöthig gewesen, aber im Fortgange der Arbeit werden die Gewässer vermuthlich aufgehen, da das umliegende Terrain von Feuchtigkeit auf das stärkste durchdrungen ist.

Eine Viertelmeile davon hatte man eine andere reichere Anweisung, doch von geringerer Mächtigkeit, erschürft, neuerdings aber ½ Meile weiter sehr reiche Anbrüche entdeckt.

----

*) Dieser natürliche Magnet ist von einer ganz ungewöhnlichen Stärke.

Einige andere kleine Abſinkungen, die man in
der Nähe von Storwartsgrube betrieben hat,
wie Kroghsminde und Slaksaaſenſkurf,
bieten nichts dar, was über das Verhalten dieſer
großen Metallniederlage weitere Aufſchlüſſe gäbe.
Kroghsminde hat eine in dieſen Gruben ziemlich
ſeltene, überſetzende Kalkſpathkluft, von 3 Zoll
Mächtigkeit aufzuweiſen. Doch noch merkwürdiger
iſt hier die Widerlegung eines mechaniſchen Begriffs
des Bar. Harmelin, welcher behauptete, daß der
unter den höchſten Gebirgspunkten gelegene Theil
der Erzlager immer am meiſten verbrückt ſey. Gerade
unter der ſtärkſten ihm aufliegenden Gebirgslaſt hat
dieſes Lager die bedeutendſte Mächtigkeit.

Die Ausbeute der Gruben in 1812 war von

	Tonnen Erz.	Rd.
Storwartsgrube	4324, welche 55158 koſteten,	
Kongeensgrube	1524,	19051
Mugſkurfet . .	614,	16316
Grönſkalet . .	116,	5421
	6578	95946

Im Jahre 1807 war ſie geweſen von

	Tonnen Erz.	Rd.
Storwartsgrube	5956¾, welche 37557 gekoſtet,	
Kongensgrube	2484⅞,	12226
Mugſkurfet . .	951,	9372
Grönſkalet . .	158,	2290
	9550⅝	51445

so, daß Ausbeute und Unkosten während dieser Zeit in einem umgekehrten Verhältniß fortgegangen sind.

Man findet sich hier zu einer allgemeinen Bemerkung über diesen Grubenbau veranlaßt. Da das Metalllager eigentlich nur in einer nicht sehr tief gehenden Schwefelkiesniederlage besteht, worin die kupferreichen Flecken zufällig und ohne irgend einen begreiflichen Zusammenhang zerstreuet liegen, so könnte man glauben, es sey eben so nöthig, diesen Erzpunkten auf den ununtersuchten Theilen des Lagers, durch fleißige Bohrversuche nachzuforschen, als mit schwerköstigen Oertern auf unergiebig gebliebene Schwefelkiesfelder fortzurücken. Die Erfahrung hat hinreichend erwiesen, daß die wirklich bauwürdigen Kupferflecken immer auf viele Lachter große Weiten gesammelt, aber eben so durch lange unfruchtbare Entfernungen getrennt liegen.

Die durch die Methode des Grubenbaues nothwendig gemachte Vorsicht, überall Bergfesten aus der Erzmasse selbst stehen zu lassen, wird in allen zu Röraas gehörenden Gruben gleichförmig befolgt, aber nicht allein im Anfange des Baues, sondern fortdauernd. Nirgends sind die ungeheueren ausgehauenen Weitungen zur Aufnahme der unnützen Berge bestimmt. Dadurch aber würde man sich zugleich die Möglichkeit vorbereitet haben, die kupferreichen Pfeiler in Zeiten der Noth wegzunehmen,

und so die Existenz der Hütte selbst auf lange Zeit
zu retten.   Die innere und äußere Bergförderung
würde dadurch unglaublich erleichtert werden. Rechnet man blos für Storwartsgrube die Masse,
welche jährlich losgehauen wird, auf 10000 Cubikfuß, so ersparte man, nach einem Mittelanschlage,
die Förderniß eines Drittels davon, also 3666⅓
Cubikfuß.

Aus einer gleichen Berechnung ergibt sich die
Wichtigkeit der zurückgebliebenen Erzpfeiler. Ohne
Uebertreibung kann man den vierten Theil von
Storwartsgrube als noch unangetastet betrachten.   Nimmt man nun als Mittellänge derselben
allein 200 Lachter und als Mittelbreite 100 an,
also eine Ausdehnung von 20000 Quadratlachter,
so sind 5000 davon unabgebauet, welche dem Lager
eine Mittelmächtigkeit von ½ Lachter gegeben, eine
solide Masse von 2500 Cubiklachter schmelzwürdiges
Erz ausmachen.

In allen hiesigen Gruben gab es bis jetzt nur
wenig Gedingarbeiten. Jedes Paar Hauer war verpflichtet, täglich 2 Löcher von 24 Zoll Tiefe (des
Freytags blos 1) zu bohren. Diese Arbeit ließ sich
bequem von 4 Uhr bis 8 Uhr Morgens vollenden.
Die zweyte Classe der Bergleute, um sich durch eine
außerordentliche Anstrengung einer weitern Beförderung würdig zu machen, fuhren um 10 Uhr wieder

an, um zu laden und zu schließen. Die der ersten Classe pflegten indeß der Ruhe bis zu Abend, wo einer oder der andere wieder mit dem Steiger anfuhr, um sich die Arbeit auf Morgen anweisen zu lassen. Der größte Theil des Freytags, der Sonnabend mit dem Sonntage, waren ihrer eigenen Anwendung überlassen. Es ist nicht zu läugnen, daß die Gruben sehr reich gewesen seyn müssen, um einem solchen System von Trägheit so lange widerstanden zu haben.

Die Anzahl der Bergleute (Steiger, Schmiede, Machinisten u. s. w. nicht mitberechnet) war im Octobermonat 1814:

an Storwartsgrube 227
Langensgrube . 63
Mugskurfet . . 60
Grönskalet . . 17

zusammen also 366.

Da die Beschaffenheit des Landes den Arbeitern nicht verstattet, sich selbst mit den nöthigen Lebensmitteln zu versehen, so müssen für sie Magazine angelegt werden. Die fehlerhafte Einrichtung derselben und Vertheilung der Provisionen hat wesentlich dem Werke selbst Eintrag gethan. Man war deshalb nun Willens, eine in Fahlun befolgte Methode einzuführen, nach welcher ein verheiratheter Mann monatlich .   ¼ Tonne*)

ein Frauenzimmer . . . . . .   ⅛   -

jedes Kind von 5 — 15 Jahren . .   ⅓   -

2 Kinder unter 5 Jahren . . . .   ⅛   -

jeder ledige Arbeiter . . . . .   ⅜   -

halb Gerste, halb Roggen erhält.

Dieser nämlichen Einrichtung zufolge kann jeder Steiger jährlich aus den Magazinen 6 Tonnen Gerste und 6 Roggen nehmen, welches Recht zu seinem Amte gehört, ohne Rücksicht, ob er verheirathet oder ledig sey. Kinder, über das 15te Jahr hinaus, sind in der Vertheilung nicht mehr mit einbegriffen, da man voraussetzt, daß sie sich in diesem Alter selbst unterhalten können. Wer von ihnen mit unheilbaren Krankheiten behaftet ist, wird den öffentlichen Armenanstalten übergeben. Dem nämlichen Billigkeitsgefühle nach rechnet man 2 Kinder unter 5 Jahren, für 1 darüber, und bestimmt den ledigen Männern einen größeren Antheil, weil man voraussetzt, daß die Sorge für ihr Hauswesen fremden Händen überlassen seyn müsse.

Diese Provisionen werden immer am Ende jedes Monats, und nur gegen einen Schein der Kasse über die vorausgegangene Bezahlung des festgesetzten

---

*) Die Schwedische Tonne Getraide $=$ 4 Scheffel $= 5\frac{3}{4}$ Schwed. Cubikfuß. 21$\frac{4}{7}$ Tonnen $=$ 1 Hamburger Last.

Preißes, ausgeliefert. Und damit kein Mißbrauch
dadurch entstehen möge, daß der Bergmann nicht
mehr zu verdienen suche, als was gerade zu dieser
Bezahlung hinreiche, so wird nichts ausgeliefert,
als wenn der monatliche Lohn diese Summe übersteigt. Das Magazin enthält übrigens nur die bepden
angeführten Getraidearten als unumgängliche Bedingungen der Existenz, wer etwas mehreres verlangt, muß selbst dafür sorgen.

Das auf Storwartsgrube geförderte Erz
wird auf den Berghalden in 3 Klassen sortirt:
1.) dasjenige, welches ohne weitere Aufbereitung
in die Hütte geliefert wird; 2.) dasjenige, worin
der Kupferkies seltener in einer Masse von Leber-
Schwefelkies eingesprengt liegt, und welches hier
Zweifelderz (Twivelsmalm) genannt wird,
ein Name, der aus einer wohleingerichteten Hütte
verwiesen werden sollte, und 3.) den unbrauchbaren
Schwefelkies und die Berge. Auf 30 Tonnen rechnet man 30 der ersten, 2 bis 3 der zwepten, und
67 der letzten Art, wovon 2 bis 3 in den neuern
Zeiten zum Pochwerk gehen. Vom Zweifelderz liegen
in der Nähe der Grube 5 bis 6000 Tonnen, ohne
daß man sich bis jetzt darum bekümmert hätte. Von
dieser Scheidung ist überdies noch ein Grubenklein
zurückgeblieben, der zu einem Haufen von 3 bis
4000 Tonnen angewachsen ist, jährlich mit beynahe

500 vermehrt wird, und das allerreichste Kupfererz enthält. Blos auf den ersten Anblick kann man ohne Uebertreibung annehmen, daß daraus 12 bis 13 p. Ct. Schwarzkupfer zu ziehen sey.

Die nämliche Sortirung geht bey Kongens-grube vor, und man hat gefunden, daß das Mittelverhältniß im Jahre 1812 von 265 geförderten Tonnen Erz, 130 der ersten Gattung, 132 der andern, und 3 der letztern waren. Das Zweifelerz enthält hier gar nichts von Kupfererz, sondern ist ganz reiner Schwefelkies, noch überwiegender herrschend, als in den andern Gruben. Aber bey Mugskurfet ist das Verhältniß noch erschreckender, denn von 100 Tonnen geförderter Materie schied man nur 22 schmelzwürdigen und Zweifelerzes aus, und der Ueberrest war bloßer Kies und Berge. Diese Resultate mögen einen Bergmann in Erstaunen setzen, wenn er die ungeheueren Kosten der Förderniß bedenkt, denn aus der billigsten Zusammenrechnung ergibt sich, daß man auf diesem Werke zusammengenommen jedes Jahr 8702 Tonnen unbrauchbares Zeug zu Tage fördert.

Hierzu füge man die nachläßige Aufbereitung außerhalb der Grube. Erst in den neuern Zeiten ist es dem Hrn. Bergrath Knopf gelungen, in der Nähe von Storwartsgrube ein Wasserpochwerk und Herdwäsche vorrichten zu lassen. Nach Berech-

nung der letzten 4 Monate 1811 hatte man darin
330½ Tonnen Erz verpocht, mit einem Kostenauf-
wande von 329 Rd., und dem Ausbringen von
30 Tonnen Schlich. Während 5 Monaten 1812
kosteten 448 Tonnen 428 Rd. und gaben 57 Tonnen
Schlich. Man gewann also darin 12½ p. Ct.

Wenn man sich Erz in hinreichender Menge verschaffen kann, so sucht man in Röraas immer
800 bis 1300 Tonnen auf einmal der ersten Röstung
zu unterwerfen. Auf den andern Hütten kann man
kaum 500 davon zusammenbringen. Nachdem der
Platz geebnet und mit Grubenklein und Kohlenlösche
bedeckt, das Erz in faustgroße Stücke zerschlagen
ist, so stürzt man es auf ein Bett von Scheitholz
zu einer Pyramide auf, die größten Stücke in der
Mitte, die kleinsten auf den Seiten liegend. Wenn
man hierbey anders verführe, so würden die kleinen
zu festen, in der Roharbeit beynahe unauflöslichen
Massen verschmolzen seyn, längst bevor die andern
zu einer vollständigen Gahre gelangten. Man röstet
möglichst schwach und meistens zur Winterszeit;
nur wenn sich aus dem gefrorenen Boden in der
Nähe kalte Dünste entwickeln, muß man die Operation durch Luftgeben zuweilen beschleunigen. Man
zündet an einer Seite an, benutzt besonders stilles
Wetter, und setzt sich nach Möglichkeit für einen
starken Luftzugang in Sicherheit. Die Pyramide

wird mit Grubenschmand bedeckt. Wenn man eine
große Menge auf einmal rösten kann, so verbraucht
man 1 ¼ Klafter Holz auf 100 Tonnen Erz, 1 ¾ bey
minderen Röstungen. Die großen Pyramiden von
20 bis 25 Fuß Länge bedürfen 7 bis 8 Wochen,
ehe das Feuer darin erlöscht; die von 500 Tonnen
Gehalt, blos 30 Tage.

Die Erze von Kongensgrube werden mit
weniger Holz geröstet, da sie eine so große Menge
Schwefel enthalten. Doch eben deßhalb ist es vortheilhaft, sie mit den Erzen der anderen Gruben
zusammenzuhalten, nicht allein der Holzersparung
wegen, sondern um die anderen auch vom Schwefel
durchdringen zu lassen, und so leichtflüssiger zu
machen.

Das Erz verliert in dieser Röstung 3/10 bis ⅓
von seinem Gewicht, und gewinnt ungefähr eben
so viel an Umfang.

Wenn man den bey Foldals Hüttenbetriebe
erwähnten Kernstein hervorbringen wollte, so
müßte man sich nur auf die größten Stücke beschränken. Doch kann diese Röstungsart überhaupt
nur vortheilhaft seyn, wenn in der Nähe der Grube
selbst Holz genug ansteht, wo alsdann an den Transportkosten gespart wird.

Es ist mir vorgekommen, als mache die große
Verschiedenheit zwischen den in Röraas zu ver-

schmelzenden Erzen eine strengere Auswahl unter
ihnen in Rücksicht der Röstung nöthig. Die reichste
Art wäre vielleicht am vortheilhaftesten, ohne weitere
Aufbereitung zur Schwarzkupferschmelzung zu be-
schicken, die zweyte mit vielem Schwefelkies gemischt, ohne Röstung im Hohofen zu Stein durchzusetzen, so ebenfalls das Zweifelerz zusammen mit
Schwefelkies und Schlich, und nur das geringste,
sehr mit Quarz und Leberkies überladene, der ersten
Röstung zu übergeben.

Die Kupferhütte in Röraas enthält 8 Krummöfen und 2 Saigerherde. Das Aufschlagewasser
kommt ihr vom Hitternelv, nachdem er die Gewässer des Hartsjö, Langen, Storhittersjö,
Grundsjö, Dybsjö u. m. aufgesammelt hat.
Zur Hütte gehört noch ein schlecht eingerichteter
Kupferhammer, der jährlich 33 Schiffpf. 5 Lispf.
8 ℔. Kupfer mit einem Abgange von 14 bis 15 Lispf.
und einem Kohlenverbrand von 100 Tonnen aus-
schmiedete, und sehr vortheilhaft von einem Walz-
werke ersetzt wurde.

Zu dieser Haupthütte gehören: 1.) die schon
erwähnte von Tolgen, 4 kleine Meilen von Röraas, mit 3 Krummöfen. Man verschmelzt hier
hauptsächlich von Storwartsgrube kommendes
Erz, 2000 Tonnen jährlich, wovon man 25 Schiffpf.
auf 100 Tonnen ausbringt. Man kann 6 Monate

auf Röstung und Roharbeit, und 1 auf Schwarz-
Kupferschmelzung und Garen rechnen; hierzu hat
man bis jetzt immer 3000 Last Kohlen verbraucht.
Die Anzahl der Arbeiter aller Art belief sich auf 43.
Die Aufschlagewasser kommen vom Talsjö, der
zu diesem Behufe auf der Anhöhe gedämmt ist, und
durch den Talelv ausströmt.

2.) Die Hütte von Dragaas, 4 Meilen von
Röraas, am Gulelv, mit 4 Krummöfen und
1 Garherde. Nach den Schlacken zu urtheilen, werden die Schmelzungen hier nicht immer mit der
gehörigen Aufmerksamkeit behandelt. Uebrigens ist
die Lage sehr vortheilhaft, an einem beträchtlichen
Flusse, der selbst im Winter Wasser genug zum
Betriebe führt, an der Hauptstraße nach Trond-
hiem, in der Nähe hinreichender Holzungen und,
meiner Ansicht nach, bey den neuen Versuchen zur
allgemeinen Verbesserung des Schmelzwesens in Röraas, im Geiste seiner Beamten minderen Schwierigkeiten von Seiten alter Gewohnheiten und Vorurtheile unterworfen, als alle die anderen.

3.) Die Hütte von Fämund am Fämundsöe, 4 Meilen von Röraas, mit 4 Krummöfen,
worin man kaum 1200 Tonnen Erz jährlich verschmelzt, mit einem Aufwand von 21 bis 2200 Last
Kohlen, welche vom mittäglichen Ende des See's
kommend, mit eisernen Rechen auf Flößen zusam-

mengekratzt, 4 Meilen weit darauf geführt, ohne Sorgfalt ausgeladen, endlich wieder ein Stück Landes heraufgeschleppt, der freyen Luft überlassen, zu bloßem Gestübe werden, und unmöglich den dritten Theil ihrer natürlichen Wirkung hervorbringen können. Aus den 1200 Tonnen gewann man 300 Schiffpf. Schwarzkupfer. Außerdem werden noch 158 Klafter Scheitholz zum Rösten verbraucht.

Schon hieraus ist die unvortheilhafte Lage der Hütte zu erkennen, wozu noch der Mangel an Aufschlagewasser und die Unfruchtbarkeit der Ufer des See's in Anschlag zu bringen ist, welche den Hüttenarbeitern auch nicht die mindeste Hülfe zum Unterhalt ihres unumgänglich nothwendigen Viehstandes darbietet.

Schon vor geraumer Zeit hatte man daher einen Plan zur Versetzung der Hütte nach dem mittäglichen Ende des See's entworfen, am Ausflusse des Claraelvs, wo man auch noch Trümmer eines angefangenen Hüttenbaues entrifft, in der Nähe der noch unberührten Schwedischen Waldstrecken. Ein noch bequemeres Lokal wurde nachher am Drisjöaaen, zwischen dem Driv- und Burusiö, aufgefunden.

Das Verhältniß zwischen der Schwere der verschiedenen Erzarten kann ungefähr folgendermaßen bestimmt werden.

Die Tonne von **Storwartsgrube** wiegt 1044 ℔.

Kongensgrube . . 1080 ⸱

Mugfkurfet . . . . 472 ⸱

Das allerreichste Erz von **Storwartsgrube** mit dem von **Fahlun** übereinkommend gibt 9 p. Ct. Von dem gemeinen behauptet man, ist das Ausbringen von 100 Tonnen 68¾ Schiffpf. an Kupferstein, 27 bis 30 an Schwarzkupfer; von **Kongensgrube** 31¾ an Kupferstein, 13 an Schwarzkupfer; von **Mugfkurfet** 37½ an Kupferstein und 16 an Schwarzkupfer. Der gewöhnliche Abgang beym Gahrmachen ist auf 100 Schiffpf., 19 Schiffpf. 12 Lispf. 7 ℔. Das Zweifelerz enthält nach den angestellten Versuchen 3⁷/₁₆ p. Ct. Es ist mit Lebererz überladen, wo man aber Schwefelkies zuzuschlagen hat, kann seine Reduction weiter nicht schwierig seyn.

Eine der Hauturfachen von **Röraas** Verfall liegt im Mangel an Brennmaterialien. Was zuerst das Bau- und Röstholz betrifft, so muß alles aus den Gemeinwäldern von **Rendalen** und den Umgebungen des **Fämundsöes** gezogen werden. Es ist unglaublich, durch welche Umschweife der Transport des letztern vor sich geht. Man fället die Bäume im Herbste, und im Winter befördert man sie bis ans Ufer des See's, wo man sie in Flöße zusammenbindet. Sobald der See völlig aufgegangen und von Eis frey ist, so führt man diese Flöße, die mit

I.   36

Masten und Segeln versehen werden, bis nach
Nordervig, am nördlichen Ende des Bassins.
Hier werden sie auseinandergenommen, und alle
Stämme einzeln durch einen künstlichen, ⅓ Meile
langen Kanal zu einem Wasserbehälter, Lang-
fjernet, gebracht, wo man sie wieder vereinigt,
um sie durch Féragbaben, Levnesset, den
kleinen und großen Haasöe bis zum Osöelv
zu flößen, wo man sie von neuem auseinander-
nimmt. Sie gehen so einzeln diesen Strom nieder
bis zum Ramborgsöe, werden von da bis zum
Dalselv zusammengehalten, dann zum letztenmale
getrennt, und vollenden ihre Reise durch den Rismaaesöe bis zu ihrem Landungsplatze, Giösvig
unter Röraas.

In Hinsicht auf die Kohlen liegt die Hauptschwierigkeit in der Erschöpfung der Wälder, welche
das Arbeiten für den gegenwärtigen Augenblick, und
das Bestreben, die Habsucht der Gewerkschaft immer
durch möglichst große Gewinnste zu befriedigen, für
ewige Zeiten vernichten mußte. Denn das Klima
scheint, wie ich schon mehrmals bemerkt habe, zum
Wiederhervorbringen träger geworden zu seyn. Die
neuerdings in Hinsicht der Waldungen angestellten
Untersuchungen haben dargethan, daß die zu Röraas District gehörigen, ohne ihre gänzliche Zerstörung, jährlich nicht mehr als 10 bis bis 11000 Last

Kohlen zu liefern vermögen, worauf nun zukünftig Bergwerks- und Hütten-Betrieb berechnet werden müssen.

Zur Kohlenersparniß wird ohne Zweifel auch die Einführung der Hohöfen ansehnlich beytragen, und man hat damit auch schon den Anfang gemacht. Außerdem hat noch der Krummofen den Nachtheil, daß darin der Eisengehalt des Kupfererzes niemals so vollkommen als im Hohofen verkalkt wird. Er verstattet auch mehr Fahrläßigkeit in der Arbeit, als der Hohofen, wo die begangenen Fehler sich nicht so schnell verbessern lassen, weil die Gichten mehr Zeit zum Niedergehen bedürfen; eine von den Ursachen, warum seine Einführung in Norwegen so vielen Widerstand von Seiten der Hüttenarbeiter gefunden hat.

Die Schmelzung in Röraas Krummöfen, ist ungefähr die in Deutschland gebräuchliche, woher sie auch stammt.

Bey der Schmelzung zu Stein sticht man alle 5 bis 6 Stunden ab, wenn der Herd sehr voll ist. Da nach dem alten Systeme die Schmelzer immer eine bestimmte Erzmenge (die Schmelzung mochte gehen wie sie wollte), als Wochenwerk durchzusetzen hatten, so ereignete es sich zuweilen, daß sie 6 bis 8 Stunden früher damit fertig wurden, als das Ende der Schicht eintraf; dann brachten sie die Zeit mit Kohlenaufsetzen hin, um das Metall bis zum Augenblicke des Abstiches flüssig zu erhalten. Sie setzten auch bey herannahenden Festen, Ostern, Weihnachten u. s. w. eine Renne (5 Tonnen) in der ihnen vorhergehenden Woche mehr durch. Solche Unregelmäßigkeiten mußten einen sehr ernsthaften Einfluß auf die Producte der Schmelzung haben, und man kann nicht mehr erstaunen, wenn man unter den Schlacken solche findet, die $1\frac{6}{8}$ p. Ct. Kupfer enthalten.

Man legt jetzt nicht mehr wie sonst Stichherde an, um den Kupferstein in Scheiben abzuheben, sondern läßt ihn auf der mit Thon und Sand geschlagenen Böhne frey ablaufen. Man behauptet, dadurch würde die Masse porös und tauglicher zum Gutrösten.

Es gehören bey der Roharbeit ungefähr 100 Last Kohlen dazu um 100 Tonnen Erz durchzusetzen, 29 Tonnen werden davon verschlackt.

Jede Röststätte zum Gutrösten enthält $12\frac{1}{2}$ Tonnen Kupferstein, welche beym Rösten zu 15 anwachsen. Man rechnet $12\frac{1}{2}$ Klafter Scheitholz für die 8 Feuer, die er bekommt.

Herr Conferenzrath Helzen in Trondhjem, ehemals Berghauptmann in Nordenfields, ließ einige Versuche anstellen (welche vielleicht auch der unbequem gewählten feuchten Jahrszeit wegen nicht

vollkommen gelangen), die besten Stücke aus der
ersten Röstung sogleich der Kupfersteinröstung ohne
vorläufige Schmelzung zu unterwerfen. Diese Pro-
ben, deren glücklicher Erfolg eine beträchtliche Holz-
ersparniß herbeyführen würde, müßten mit Aufmerksamkeit und ohne Vorurtheil wiederholt werden.

Beym Röstschmelzen sticht man am Ende einer
jeden Schicht ab, um die Arbeit besser controlliren
zu können. Die erstenmale bringt man nicht mehr
als ¾ bis 1 Schiffpf. Schwarzkupfer aus, bey der
letzteren kann es zu 3 anwachsen. In einer Woche
werden 50 bis 55 Tonnen gerösteten Steines durchgesetzt, aus dem sich 18 Schiffpf. Schwarzkupfer,
1 Schiffpf. Dünnstein, und 18 bis 20 Tonnen
Schlacken ergeben. Hierzu verbraucht man 30 bis
35 Last Kohlen.

Man erhält bey jedem Abstich ungefähr 3 Scheiben Dünnstein, also wöchentlich 27, welches ¹⁄₁₅
bis ¹⁄₁₈ zum Schwarzkupfer ausmacht; vorausge-
setzt, daß der Kupferstein gut geröstet war, denn
sonst gibt er mehr Dünnstein. Doch muß immer
davon eine gewisse Menge fallen; bleibt er im Kupfer,
so ist ein Fehler beym Durchstechen vorgegangen .
Man schlägt ihn zum Theil wieder beym nämlichen
Schwarzkupferschmelzen zu, doch nachdem er eben
so oft, ja noch stärker als der Kupferstein geröstet
ist. Ohne diese Vorsicht hat man gesehen, daß die

ganze Schmelzung in Dünnstein verwandelt wurde, ohne Schwarzkupfer auszubringen.

Beym Gahrmachen rechnet man auf einen Abgang von 3 Lispf. für jedes Schiffpf. Doch ist er nicht ganz so stark, da man die Hälfte davon bey der Schmelzung des Gahrgekrätzes wieder gewinnt. Man verbraucht nur 1 Last Kohlen, das Gestübe zum Herbe unberechnet. Wenn das Schwarzkupfer möglichst rein ist, so wird es in 3 Stunden gegahrt, sonst kann es bis 4 dauern. Um den Herd von neuem zuzumachen, bedarf es 2 bis 3 Stunden. Da sich in Röraas zwey solche vorfinden, so hat man die Bequemlichkeit, ohne Unterbrechung arbeiten zu können.

Um allen möglichen Vortheil von der Natur der Erze ziehen zu können, machte der geschickte Herr Marktscheider Aaas einen Versuch mit der Entschwefelung des Zweiselerzes bey Langensgrube, vermöge offner Roststätten, einem Kanale zum Auffassen der Dämpfe, und einem kleinen Condensator.

Die Anzahl der Hüttenarbeiter in Röraas belief sich auf 158, und 30 andere machten den Bauetat aus. Die Ausbeute der Hütte hatte in den letzten Jahren (1810 und 1811) ansehnlich abgenommen, wie die Uebersicht der Schmelzungen erwies. Es waren 2499 Schiffpf. Schwarzkupfer ausgebracht, welche 1970 Schiffpf. 17 Lispf. und 6⁸⁄₉ ℔. Gahrkupfer gaben. Die Hüttenunkosten hatten sich auf 140751 Rd. 46 St. belaufen, also 71½ Rd. auf jedes Schiffpf. Da 2499 Schiffpf. Schwarzkupfer ungefähr 10500 Tonnen Erz voraussetzen, deren Kosten auf 14700 Rd. angeschlagen werden können, und also Bergwerks = und Hüttenbetrieb zusammen eine Totalsumme von 287751 Rd. bilden, so ergibt sich, daß jedes Schiffpf. Gahrkupfer (die Administrationskosten doch nicht mit angeschlagen) dem Werk 146 Rd. gekostet habe.

Was die zukünftigen Aussichten für Röraas betrifft, so kann man annehmen, daß bey einer Kohlenlieferung von 10 bis 11000 Last, einer anhaltenden Grubenausbeute von 6 bis 7000 Tonnen Erz und einer Veränderung der herrschenden Schmelzmethode, wodurch der Kohlenverbrand für jede Tonne Erz zum wenigsten von 1½ bis zu 1 Last herabgesetzt würde, man mit der nöthigen Sorgfalt jährlich 22 bis 2300 Schiffpf. Schwarzkupfer, und 1800 Gahrkupfer werde erzeugen können.

~~~~~~

Fünfunddreyßigstes Kapitel. (17)

Norwegens Central-Plattform.

———

Die Gebirge, welche Norwegens Central-Plattform bilden, bestehen aus Thon-Glimmer-schiefer. Die Lager senken sich mehrentheils nach Westsüdwest, doch gibt es längs dem Thale, wodurch es vom Hauptgebirgsrücken des Seve getrennt wird, viele örtliche Umstürzungen mit Schichten, die ins Thal sanken, als es durch den tiefgehenden Gebirgsbruch am westlichen Rande des Bergrückens mitgebildet wurde. Dadurch ward vielleicht auch der Kern oder die Unterlage des Gebirges entblößt, denn im Grunde des Thales steht der granitartige Gneiß an; von Stuedal bis nach der Plattform herauf findet man ihn mehrmals wieder, und auf der Höhe von Lövüngen liegt er feinschieferig, mit grauem Quarz und grauem und röthlichem Feldspath in fast wagerechten Schichten. Ihm scheint

an einigen Stellen ein Gestein aufzuliegen, worin
gemeine Hornblende in Körnern und Gruppen mit
weißem Feldspath gemischt ist, vielleicht eine Anomalie des Gneißes, der in der Nähe von Hornblendelagern zuweilen Hornblendekörner aufnimmt.
Daß Hornblende ebenfalls hier vorkomme, erweisen
die großen wenig abgerundeten Geschiebe dieses Gesteines im Bette des Aasenelvs am westlichen
Abhange.

Nicht weit von Grönskalet trifft man im
Thon-Glimmerschiefer mächtige Lager von Topf-
stein. Sie liegen zum Theil in ihrer ganzen Er-
streckung zu Tage, da die obere Schieferdecke von
den atmosphärischen Gewässern weggewaschen wurde.
Einige Spuren sind doch noch von der letztern zurück,
Stücke deren Grundlage angegriffen ist und die wie
Champignons auf einem dünnen Stiele stehen. Man
hat diesen Topfstein abzubauen angefangen und macht
Töpfe daraus.

Selbst auf dieser höchsten Gebirgsebene liegen
ganze Bänke und Dämme von Gerölle, 10 bis 12
Fuß über die Sandniederlagen erhoben, wovon die
kleinen Seen eingefaßt werden. Ueberall sieht man
Granitblöcke groß- und kleinkörnig mit rothem Feldspathe.

Auf der westlichen Seite der Plattform, nach
Aalen herunter, setzt der feinschieferige Gneiß

feldspatharm fort, wahrscheinlich unter dem Glimmer-Thonschiefer bis Dragaashytte, wo ein
Riegel von glimmerhaltigem Quarzgestein das Thal
zuschließt. Dann erscheint Thonschiefer mit Quarzlagern und Nieren, mit Graphit und schönen Cyanit-
knollen.

Google